U0839891

主编 郑电波

中篇小说系列（一九七七年至二〇一二年）

第二十九卷

中國鄉土小說名作大系

平凹题

中原出版传媒集团
大地传媒

中原农民出版社

图书在版编目(CIP)数据

中国乡土小说名作大系.第29卷/郑电波主编.—郑州:中原出版传媒集团,中原农民出版社,2014.12
ISBN 978-7-5542-1003-1

Ⅰ.①中… Ⅱ.①郑… Ⅲ.①中篇小说-小说集-中国-当代 Ⅳ.①I247

中国版本图书馆CIP数据核字(2014)第278560号

中国乡土小说名作大系

出 版 人	刘宏伟
总 编 审	汪大凯
总 策 划	刘宏伟
策划编辑	郑电波
责任编辑	郑电波　高燕燕
责任校对	彤　冰
装帧设计	吴丹青
装帧制作	董　雪
封面题字	贾平凹
插　　图	董　钺

出版发行	中原出版传媒集团　中原农民出版社		
地　　址	河南省郑州市经五路66号	**邮　编**	450002
网　　址	http://www.zynm.com	**电　话**	0371-65751257
邮购热线	0371-65724566	**传　真**	0371-65751257
承印单位	河南省瑞光印务股份有限公司		
开　　本	787mm×1092mm	1/16	
印　　张	23.5		
字　　数	455千字		
版　　次	2014年12月第1版	**印　次**	2014年12月第1次印刷
书　　号	ISBN 978-7-5542-1003-1	**定　价**	98.00元

本书如有印装质量问题,由承印厂负责调换

《中国乡土小说名作大系》
编辑工作委员会

原始资料搜集查询

凡 例

本大系全套共36卷，精选了1977年至2012年在中国国内公开发表、出版的乡土小说作品中的短、中篇名作。其中前6卷为短篇小说，后30卷(7卷—36卷)为中篇小说。其中包括荣获全国大奖的乡土短、中篇小说；被小说选刊选载且极具影响力的作品；在当时受到社会广泛关注、在读者记忆中留下深刻印象的优秀作品。

本套书的选编原则上是以发表、出版的时间顺序排列的，每卷从作品的品质考量前后有所微调，但大的格局不变。

上世纪整个80年代，是中篇乡土小说创作的黄金时段，名作灿若群星，该大系收录此时段的作品较多。短篇小说系列每卷分上、中、下三部分，而中篇小说系列不作界分。

每卷的字数大致相当。由于上世纪80年代及90年代初，一般中篇小说的篇幅比后来的较长，因此每卷的篇数较少，这也是全套各卷选篇数目不均的原因。

卷首语

三十多年来，中国农村发生了翻天覆地的变化，而中国农村题材小说的创作，正是对应了这段历史。它们是如此的丰富、瑰丽、饱满和激越，如此的斑驳陆离色彩纷呈。它们是心史，是一次不曾间歇的歌哭相随——过人的敏感，欣悦和忧郁，惊愕与绝望，大喜过望以及突如其来的沮丧，肤浅的赞许和陡峭的情感——这一切情愫一切境遇的全面记录和生动描摹。

张　炜

2013 年春

卷首语

中原农民出版社出版《中国乡土小说名作大系》，是当今文化界一个大事件。

中国现代文学过去多少年取得的成就主要是乡土小说。

现在我们国家的改革进入到了城乡一体化阶段，农民进城，小城镇的人到县上，县上的人到省城，省城的人到北京上海等大城市，中国社会已是迁徙的社会。我估计将来再过一两代人，乡土小说类型慢慢就要消退了，肯定不会再成为中国文学的主流了。但是，消亡我觉得是不可能的，因为大量的农村还在，更重要的是中国农村文明的思维还在，只要土地在，思维在，农耕的思维观念在，不管在哪儿，就是你在美国，到月球上去，你还是中国的，中国式的，写中国人的文学就不会消失 ，因此乡土小说也不会真的消失。

在中国，你想真正了解这个社会，获得一些更深层的东西，就去看一看乡土小说。乡土小说就好像馆藏一样，那里有丰富的宝藏。现在它已经不出现在街头了，就像庙堂或者说茶室一样，有闲时可以去坐一坐，静一静，慢慢品味它。

贾平凹

2014 年春

前 言

中国是一个乡土性很强的大国，诚如社会学家费孝通所说，中国是一个“乡土中国”。

乡土，几乎是每个中国人的精神家园。

在新时期文学中，乡土文学堪称最敏感的文化神经。新时期当代文化思潮的演进变化，许多是从乡土小说中透露出重要信息的。应该说，从中国乡土小说中可以读懂当代中国。

农民在我国的文学中，历来处于一个突出而显赫的地位。农民的社会地位不高，而文学地位不低。这是由中国作家的乡土情结、生活阅历、审美情趣及价值取向所决定的。在文学对民族文化心理的反思中，农民作为民族文化心理的主要载体，自然成为小说家关注和表现的对象，故乡土小说天然地在新时期小说中，有着举足轻重的地位。

改革开放的三十多年，这是一个伟大的时代，一个中国前所未有的大变革时代。农村生活的改变，农民心气的勃发，新一代农民在精神、意识、思想上的吐故纳新，新与旧在现实生活中的冲突与较量，以及对于腐败现实的理性批判，随后成为乡土小说在一个时期里反复吟唱的主旋律。作家成了这个时期乡村广大农民理想的抒发者和愿景诉求的代言人。农民在内心理想的感召下奋发向前，作家与之击鼓前行。

改革开放以来的文学，我们称之为新时期文学。新时期文学有三个相互联系的阶段：“伤痕文学”、“反思文学”和“改革文学”。许多作品系统地反映了农村农民生活命运的变化，社会的深层变革，抒写了自己的社会理想。有些作家把思想的锋芒指向乡土文化与农耕文明，以自己的眼光与理性来发现和表现乡土中国的浑重、复杂与嬗变。当然，也有不少作家在作品中多有对自身命运的描述和情感宣泻。

新时期文学初期，印象深、乡土味儿较浓的有何士光的短篇小说《乡场上》，高晓生的《陈奂生上城》《李顺大造屋》，张炜的《一潭清水》，贾平凹的《黑氏》，铁凝的《哦，香雪》，邵振国的《麦客》，张石山的《镢柄韩宝山》，王润滋的《内当家》，史铁生的《我的遥远的清平湾》，田中禾的《五月》，乔典运的《满票》等。中篇小说有郑义的《老井》，路遥的《人生》，张贤亮的《绿化树》，张一弓的《犯人李铜钟的故事》，叶蔚林的《在没航标的河流上》，莫言的《红高粱》，张炜的《秋天的愤怒》，映泉的《桃花湾的娘儿们》，王安忆的《小鲍庄》等等。

新时期文学的早期，是一个激动人心的时期，是一个重建希望的时代，人的内心如同枯木逢春，激情被时代精神所鼓舞并迅速地再度燃烧起来。人们在思想解放运动的昭示下又一次看到了未来的希望，并热情地期许这一切尽快变成现实。深怀理想主义文化信念的作家，无论用什么样的创作方法，骨子里都潜伏着浓重的浪漫主义基因，时代气氛使这浪漫潜滋暗长。那个时代的作家极少悲观，历经再多的苦难也不能告别乐观。作家几乎对未来用承诺的方式描绘着生活，读者的期待使写出好作品的作家一夜成名，自发阅读小说的人超过以往任何时代。人们最大的自由就是对美好的向往，人们在想象的话语中得到满足。

时间在飞驰，中国的变革在加深、加快。二十世纪九十年代引发的经济热潮、商业大潮席卷而来，文学受到很大冲击，一些作家纷纷下海弃文经商，文学创作受到了影响。然而乡土小说的创作，因与政治思潮、商品大潮都有一定程度的疏离，也由于作家的坚守，似乎并没有出现中断或萎缩的情形，无论是中、短篇小说还是长篇小说，都在坚守中有所拓展，且成就了乡土小说创作的特有景观，其作家创作形成了楚文化群落、吴越文化群落、齐鲁文化群落、燕赵文化群落、秦晋文化群落、中原文化群落、东北文化群落、巴蜀滇黔文化群落等，乡土小说内容丰富，五彩斑斓。

九十年代的乡土小说不再是单色的，而是多色的，很耐人寻味。如陈源斌的《万家诉讼》，李佩甫的《无边无际的早晨》，关仁山的《九月还乡》，余华的《活着》，迟子建的《雾月牛栏》，张宇的《乡村情感》，韩少功的《马桥人物》，杨争光的《公羊串门》，赵德发的《通腿儿》等等。

这一时期的长篇小说数量不太多，但质量很高，作家开始向家族、人生命运深处思考，审察人性、反思历史、反观传统，因此作品更显得有分量。长篇小说取得了重大成就。先有张炜的《古船》初现端倪，继有陈忠实的《白鹿原》，莫言的《丰乳肥臀》，阿来的《尘埃落定》的联袂冲刺，掀起长篇小说创作的第二个新高潮，是继八十年代古华的《芙蓉镇》，路遥的《平凡的世界》，贾平凹的《浮躁》之后第二个创作高峰。

新世纪阶段比之于前二十年文学文化领域，因面临着商业文化、传媒文化与信息科技的多重冲击，更由于人们价值观的变化，乡土小说读者的减少，作家浪漫情怀的式微，总体来说乡土小说创作出现了下滑和萎缩的趋势。然而，乡土小说并未到这部乐曲的尾声，不少乡土作家还在这片“土地”上耕耘，他们的笔墨自由而灵动，多元的叙事与多元化的观念已出现，令人感到振奋的是长篇小说的进一步繁荣，乡土长篇小说的创作出现了新的景观。贾平凹的《秦腔》，蒋子龙的《农民帝国》，孙慧芬的《歇马山庄》，铁凝的《笨花》，张炜的《你在高原》，刘震云的《一句顶一万句》，莫言的《蛙》等，其中有的作品的水平，已达到乡土长篇小说的新高。这是由于一些乡土小说作家一直在创作的深刻思考之中，他们甘于寂寞，其思考已抵达生活、社会、历史、人生甚至哲学的深处。

中国乡土小说可以说是新时期文学的精华与支撑，几乎所有的小说名篇都与“乡土”血脉相连，这不但有广泛的共识，也是不争的事实，它们占据了文学、文化、出版价值的制高点。

它是我们这个时代特有的文学形态，具有深厚的人文价值，就中国乡土小说而言，可以说达到了中国文学史上“前无古人”的思想和艺术高度，而且由于我们社会的深度变革，农耕文明的逐渐瓦解，这种形式的文学必将终结，因此可以说，它不仅是空前的，也是绝后的，它的辉煌如同唐诗宋词在中国文学史上的辉煌一样。

乡土小说植根于中华民族精神深处汲取营养，又表现并滋润着民族精神和意识，形成了新时期的文化景观。它不但被中国有识之士充分肯定和赞许，同时也被世界看重。“越是民族的，越是世界的”，莫言获诺贝尔文学奖，就是一个有力的证明。

多年来，从鲁迅到沈从文，中国作家无不有着共同的诺贝尔文学梦，可是直到去年，莫言才为中国作家实现了这个梦想。我认为，莫言获诺贝尔奖，不是他一个人的胜利，而是一大群中国乡土小说作家的胜利。这片热土，造就了这一批作家；这个时代的气候，滋润了这一批作家的成长。如张炜、贾平凹、陈忠实等一批作家，其文学创作的实绩和水平，也大都进入了这个层面。我们为中国乡土作家的成功而鼓掌，为中国乡土小说的辉煌而欢呼。

这是一套乡土小说的精选本，我们这套书重在推出改革开放35年(1977—2012)来中国乡土小说的精华部分，它们绝大部分是获奖名篇或被小说选刊选载、被评论家和广大读者所关注、极具影响力的作品。这些作品是时代的一面镜子，较深刻地反映了一个时期的社会现实。

本套书重时代感，所选作品的排序按照原作初次发表的时间先后顺延。选篇首重乡土气息、时代精神和文学价值，以作品品质为标杆(作家名气、地位作第二位考虑)以期展示35年中国农村变革、农民精神嬗变的文明进程，使内涵巨大的乡土小说所构成的文字画卷，具有以文学纪录时代史诗般的价值。

虽然过去也有一两家出版社出版过一些乡土小说选集版本，但大多是以作家为标杆选择篇目，规模小，不全面；而这套书以整个大改革时代为着眼点，登高望远，选篇宏观铺陈，将散失于长达35年间奇珍般的乡土小说，用一根乡土彩线串系在一起，这是对乡土小说的寻找与抢救，也是在打造我们中国人共同的心灵家园。

由于书的印张所限，有不少影响大、水平高的乡土小说未能选入，对此我们深感遗憾。我们希望这套书的出版，不但能让热爱乡土小说的读者喜欢，而且能让更多的农民兄弟读到。让农民了解农民，了解农村的变化，关心自身命运，关心社会变革，这是我们的初衷。

郑电波

2013年初春

目　录

葵花朵朵

孙志保

炳坤起床时公鸡已打了第二遍鸣。炳坤到西屋喂了牛，然后气冲冲地往鸡窝里砸了两块砖头，作为对那些改良鸡惰性的惩罚。改良鸡是妻子刘玉芬用家里原有的十只本地公鸡换的。刘玉芬说它们吃得少长得快，可炳坤觉得还是本地鸡好，叫一声便让人精神振奋，雄性勃发，想睡也睡不着。天色淡白，农历三月底的天亮得快，转眼就能从淡光中把一轮太阳推到眼前。炳坤走到父亲崔大同门前，听到屋里传出的均匀的呼吸声，才放下心来。洗了洗脸，炳坤便抽着卷烟向村外的地里走去。空气有些清凉，空气中飘散着浓浓的麦香。麦香是一种很特殊的气息，闻着令人踏实、兴奋。炳坤蹚着露水在尺把宽的地垄上走了几个来回，看着清朗的天光中熟睡的麦子，听着土歌儿鸟贴着地皮在麦地里东西南北地叫，心里很滋润。地头上的葵花已长到了一尺多高，有几棵发育较早的已开始绽放出黄色的花片。葵花种子是两年前来三王村蹲点的赵三元带来的，三元说这是家庭副业，搞好了一年能卖不少钱。三元是县农业局的工作员，有技术，人长得精明，大家都信他。一时三王村沟头地脑村前村后院里院外全种满了葵花。葵花耐旱，长得也快，两三个月的时间便能撑开盘子大的黄花，结出水仁。太阳出来的时候，葵花便随着它由东向西慢慢转，转成一道铺天盖地的景致，令三王村人心情舒畅。到了收成季节，村人把葵花盘挂到檐下，于是檐下也多了一道风景。工作队走后，村人仍村内村外地种葵花，种葵花时免不了说一句三元，说三元也不知咋样了，没有人家，谁会想起种这。此刻炳坤看着淡绿的长满了茸刺的葵花秆，忍不住又想起了三元。前几天听人说三元到乡里当了副乡长，炳坤已有半个月没到乡里去了，对这消息半信半疑。

炳坤琢磨着刘玉芬该把稀饭烧好了，拍拍手上的绿汁，刚要回去，一眼瞥见副村长兼会计崔洪一头汗水地跑了过来。

崔洪说书记恁早的天你在地里干啥呢？村长让我跟你讲，乡长让你俩去开会。

村长是老亮。老亮当村长前经常跑东北拉木耳，拉到家里一斤真货做成四斤假货，然后到东南几个省份去卖。卖了两年，日子便如放了药引子的白面一样腾腾地发了起来，老亮的嘴也如蒸过了头的发面馍一样咧了开来。然后老亮装了部电话。三王村离乡集二十多里，三王村方圆二十多里，老亮是头一个私人电话户主，这样，老亮的名声便响遍了全乡。老亮说电话是信息，信息来时老亮就出去跑一次，回来时红光满面，好像除了苦以外吃什么都吃过了头。老亮会为人，村人谁有事，电话随意打，不收费。其实村人很少打电话，一是不大好意思，二是没地方可通话。村里有出门在外打工的，有时往老亮家拨一个长途，老亮便让媳妇颠颠地去喊人家家人，脸上笑嘻嘻的，一点儿也不烦。老亮在每月二十五号必定上乡里去一次，回来时碰到人便说一声：造，这个月电话费三百多哩！村人便很感恩，觉得老亮这人真好，于是选他做了村长。老亮本来想做书记的，但炳坤的书记干得好好的，无过无失，加上炳坤父亲崔大同的老书记的威信，一时半时也没法儿办成。

炳坤一边往村里走，一边问崔洪开啥会。崔洪说不大清楚，村长只说可能是什么孺子牛揭幕，让带三百块钱贺礼去。炳坤听了，停了步子，扭头看看崔洪，又闷闷地往前走。炳坤本以为是返还计划生育罚没款的事，不收而支给他泼了瓢冷水。去年秋季乡里搞了一次计划生育出笼子行动，三王行政村收了三万多罚款，是全乡第一名。笼子是一个形象的说法，在全县评比中计划生育倒数五名以内的乡，一律进笼子，笼子其实是画地为牢。如果一年之内出不了笼子，书记、乡长就地免职。林城县去年春季进了地区的笼子，秋季，县长去地区开会，被专员点名批评，在主席台上亮了相，站得冰棍一般。县长回来后用铁皮做了五面牌子，涂了黄漆，取名叫黄牌，在一次大会上给五个进笼子乡的乡长一人挂了一面。小寅乡乡长李明亮从会上回到乡里，摸摸脖子上黄牌压的红印，一咬牙，丢掉所有工作搞了一次出笼子行动，结果闹了个全县第二。县长很高兴，据说乡长有可能因此而成为乡党委书记。书记是去年夏季病故的，此后县里派来过两位书记，但不知怎么的都没待长，相继调了位子。乡长对炳坤的罚款成绩很满意，答应年底返还计划生育罚款的百分之五十。现在已是第二年的春末夏初。今年秋季一定还会有一次大规模的计生行动，如果在那以前钱返还不了，也就没指望了。

炳坤说自己到村长家去，让崔洪准备三百块钱。崔洪说没有，前一段时间城里一个劲儿地下来人，光招待费就花了小千把，现在还欠乡集卤摊上四百块的菜钱。炳坤说我不管，那是你的事。崔洪无奈，垂头找地方借钱去了。炳坤知道崔洪有办法，崔洪媳妇在村里开了个小商店，手头周转得容易些。

老亮已走了，炳坤没想到这个。老亮媳妇说老亮坐大房的机动三轮走的，有一个生意上的朋友有事要见他。炳坤心里不高兴，又没法说，看看老亮房上院内晒的厚厚一层假木耳，回家牵了自行车就走。自行车是老红旗牌的，是炳坤父亲二十年前得的奖，那时全县就评一个大队书记去省里开劳模会，炳坤父亲就是那个大队书记。

乡里很热闹，三月初五逢会也没这热闹。乡政府门前的广场上停了十几辆小车，还有许多各种牌子的自行车。人山人海，中间是几十张连椅和一个主席台。主席台左侧十几米新建了一个用铁栅围起来的小园子，园子里一块硕大的大红绸子盖了一堆东西。炳坤猜测那可能就是孺子牛的雕像。会议还没开始，炳坤找了一会儿，没看见老亮，便独自一人到大院里交贺礼。会计老王的本子上记着许多祝贺单位的名字，有兄弟乡镇的，也有县直的。炳坤问老王这一次能收多少，老王不回答，反问，你问这干啥？炳坤说我想知道收的礼够不够返还计划生育罚没款的。老王哧地笑了一声，低头弄账，不再理他。炳坤刚走到门外，顶头碰到了赵三元。

炳坤很高兴，握着三元的手一个劲儿地摇。炳坤说听说你当副乡长了，是真的吗？三元苦笑笑，说是真的。炳坤笑道，那以后见面就得喊赵乡长了。这下好了，你知道，你干工作我们大家都放心。三元又伸出手和炳坤握了握，然后看看四周，压低了声音，说炳坤会后你到我屋里来一下，咱们再聊。说完三元便匆匆忙忙地走了，好像身边有眼在盯着他。

大会上午十点才开始。炳坤听了一会儿才明白，大会的名字叫“树立小寅形象学习孺子牛精神暨孺子牛揭幕大会”。炳坤想孺子牛没露面便大吃了一口草料，不知以后会咋样。大会开得很成功。六眼铳十二眼铳礼炮般响了半个小时，又放飞了几百只鸽子，有一只鸽子误飞到铳上空，给吓得掉了下来。乡集上空飘扬着浓厚的硝烟，如一层云彩。在云彩下面县里很多单位的领导讲了话。有几个从地区请来的画家还现场表演，画了一幅翻蹄亮掌的孺子牛。唯一美中不足的是那小园子里的孺子牛。当县领导和乡长一起把大红绸子从牛身上拉下来时，人群中发出了一阵笑声。炳坤也想笑，看看乡长冷峻的脸，没敢笑出来。牛很肥，连骨头的轮廓都看不见，尾巴粗过脖子，脖子与头一样粗。炳坤想要是事先不知道是牛，一定会有很多人把它当成松鼠。

你知道这牛花了多少钱？王土楼村村长大江悄悄扯扯炳坤。炳坤说你管它多少钱。大江说不管心里难受，乡里哪来的钱？还不是从咱的上交款中出。炳坤刚才已听说这头牛花了六万，这会儿心里正疼得慌。六万块钱能买二十多头黄牛，喂得好，一年能赚几千。炳坤想不定哪天这牛给人砸断了尾巴，恐怕连六百也卖不到。

大会散后乡长又开了个小会。领导以及贺客由副乡长三元陪着先去了街南的饭店，村干部们则被乡长召到了会议室开会。乡长跟领导们说他十五分钟后就赶过去，因此讲得很急，连茶水也顾不上喝一口，平时不离嘴的红塔山烟也忘了抽。乡长主要是布置一项任务：盖牛棚。乡长说从今天孺子牛揭幕，咱们要唱牛戏，念牛经，发牛财。全乡总共有二十个行政村，其中六个村子在公路边儿上，这六个村子一律要统一盖牛棚，一家一座，在公路边儿上盖，半个月内完工，到时乡里要下去检查评比，没准儿中央省里也会下来人参观。乡长说评为第一名的村子将被列入养牛示范村候选名单，极有可能获得大批的贷款发展养牛事业。牛棚事小，发展事大，一个村子可能会因牛棚盖得好而从此走上发家致富的康庄大路。然后乡长拿出一份县里下发的文件给大家看。文件上说在本县南面已有四个县因发展养牛事业而提前达到小康，被有关专家喻为养牛金方框。文件上说本县要积极加入到这个方框中去，发展之，壮大之，使金方框成为养牛金五星，而且本县要成为头朝上的那颗星。县里准备扶植六个养牛示范村，总补贴额多达二十万元，叫黄牛生产周转金。扶植的目的是以点带面，更上一层楼。乡长又一人发了一本小册子，说是示范村标准。炳坤粗略地翻了一下，发现里面列得很细。真正的示范村要十位一体，十位，即牛、舍、料库、棚、槽、氨化池、井、烘窖等。还要建制精室、育种室等。这时西寨村村长西山问他们要不要建牛棚。西寨村不在公路沿儿上。乡长笑了笑，说，你想建也没人拦你，当然，你不建暂时也没人批评你。西山说那我们不就没有当养牛示范村的机会了？几个沿公路村的书记、村长一边骂西山占了便宜卖乖，一边提了一大堆难点，难点归结到一点，是钱的事。乡长摆摆手，说，我是宏观指挥，至于微观调控，那是你们自己的事。

乡里不管村干部饭。乡长刚出屋，便有几个村干部低声发牢骚。说鱼不懂水的心，贺也贺了，倒落个空肚子，乡长真是属狗B的，只进不出。一伙人闹哄哄地往外走，到了十字路口分成了几摊，六个沿路村的书记、村长自然而然地走在一起，愁眉苦脸地进了一家饭店。几大盆荤菜、素菜端下来，大家的脸色才和缓些。老亮说喝酒喝酒，咋一个个死了嫂子似的。大江说老亮你他妈就不愁？半个月，B山上能起恁多牛棚？拿啥起？几个村的村长便一起数说乡长，说乡长这是买好，在上级面前夸脸白。炳坤咳了一声，说：村哄乡，乡哄县，一直哄到国务院。上面每次下来检查工作只沿公路走，坐在车里看，这明摆着是给乡里提供作假的机会，不作假的倒成了傻蛋。大江说，干部下乡桑塔纳，隔着玻璃看庄稼，中午吃的地上走，晚上搂的十七八。众人轰地笑了，笑声未落，大江又说，针对养牛金方框，昨天我听到一段顺口溜，很精彩：出了林城朝南看，一溜四个牛B县，牛头在夏城，牛尾在何关，还有个涔阳拽牛蛋……大江还要往下背，老亮拿起一只鸡腿塞到他嘴里，把眼朝外闪了闪。大家一齐朝外看，见副乡长三元骑了一辆自行车正匆匆忙忙往乡政府去，便低头喝酒，装作没看见。乡里已两个多月没招待过饭了，加上各村手头都紧，大家胃里实在一点酒气也没了，一个个喝得茄子一般。喝罢结账，一个村二十五。老亮一摆手，说这个账我私人结了，今儿个算我请客。大家愣了一下，便呵呵笑起来，有几个趁机去拿了几盒“水上漂”香烟。老亮不在乎，索性一人又塞了一盒。大家一边往外走，一边夸老亮这人大方，致富不忘扶贫。老亮给酒冲得一个劲儿地笑，舌头硬硬地说他这是拉拢人心。大家都笑着说，拉吧拉吧，三天两头拉我们才高兴呢！

炳坤和老亮坐大房的机动三轮车回到家。大房帮炳坤把自行车扛下来，便拿出一张纸条让炳坤签字，是一张车款结算单，共一百六十多块钱。炳坤说啥时坐的？我每次坐车都是给的现钱。大房说是村长坐的。炳坤说村长坐的你找村长要去，这事不能报销，这要开了头，赶明儿嫖了赌了还要我签字呢。老亮没走多远，也不知听没听到炳坤的话，不过炳坤倒是清清楚楚地听到一块砖头咚地砸在河沟里的声音。炳坤想不通一个肯无缘无故出二百块烟酒钱的人怎么会在这一点点车费上计较起来。坐三轮车去集上一个来回三块钱，一百六十多块钱就是五十多个来回，明摆着的，私事多于公事。炳坤进了家，见刘玉芬正抱着两岁的女儿哼小曲。刘玉芬已把晚饭做好了，小米稀饭花卷馍，煮鸡蛋拌蒜汁。崔大同把酒倒在一只小碗里，喝两口酒，挑一点儿鸡蛋。炳坤饱还没消，便卷了一支烟坐在父亲身边吸，想和他谈谈盖牛棚的事，张了几次嘴，还是没有说出来。炳坤就起身拿了一条毛巾去洗澡。村西是一条大沟，沟东西两岸全是一望无际的小麦。太阳已落下去了，几抹余晕在遥远的天际斜挂，显出麦海的整齐壮观和乡村的祥和宁静。这时候沟边是不会有女人的。炳坤脱了衣服，踩着沟边的细沙下到了水里。立夏不久的沟水很凉，炳坤禁不住起了个冷战。他顾不上细洗，游了几个来回便上岸穿衣。立夏之后，炳坤每天都要在沟里洗一个澡。炳坤十年前是县一中的学生，由于住大宿舍无法洗热水澡，养成了睡前用冷水冲的习惯。炳坤在经过老亮家时想拐进去和他商量一下牛棚的事，心里再别扭，工作也不能不做。炳坤刚走到门前，便听到从院里传出一个年轻女人的声音。炳坤愣了愣神，把伸出去推门的手撤了回来。他知道那是崔二秀，老亮的侄女。五年前炳坤还没接崔大同的班时和二秀谈过恋爱，当了书记就不谈了。炳坤想谈，老亮不让他谈，崔大同也不让他谈。老亮家住村西，炳坤家住村东。解放前村西人富，村东人穷，久而久之，村西村东就有了隔阂，红白事也很少往来。这个隔阂与西大沟一起一直流淌到今天。崔大同心胸比较开阔，因此崔大同只烦老亮，说十个秃子九个精，老亮虽是半秃，却精得比全秃还狠。老亮也烦崔大同，说这个死板。炳坤没办法，只好和崔二秀分了手。崔二秀很温柔，嫁出去三年了还把炳坤想得心尖子一抖一抖的。炳坤叹了一口气，闷头回到家里。崔洪正在等他，崔洪想来问问开会的事。炳坤把事说了，要崔洪去喊老亮，三个人在一起想想办法。崔洪跑了一趟，说老亮已睡了，不肯来。炳坤没办法，只好先和崔洪简单地议了一下。

炳坤第二天没能起早。刘玉芬这几天温柔得很，如一汪春水般把炳坤化得几乎也如水。炳坤知道刘玉芬想再生个儿子，刘玉芬说没儿子腰杆子不硬，特别是炳坤家人丁不旺，近门又少，将来保不住受人气。崔大同也想抱个孙子，但嘴上不好说。炳坤喜欢两岁的女儿，女儿长得挺洋气，城里小孩似的。炳坤也想再生个儿子，只是他没法办。炳坤知道一旦他再生个儿子，这个村子就乱了套，丢官不说，会造成很坏的影响。所以炳坤办起那事来极小心。乡下人很少用套子，全靠自控，久而久之，自控能力都挺强。刘玉芬不让炳坤起床，炳坤费了好大劲儿才把她推开。刚打开院门，村长老亮便走了进来，后面跟着崔洪。

老亮说那事还有啥合计的，你说咋办就咋办呗！炳坤摆摆手，说那不行，咱得讲个民主。炳坤昨晚和崔洪商议的结果是暂时拖着不办，看看乡里和别的村子的动静。各家各户都有牛屋，说是牛屋，其实是人住的地方。牛是村人的整个家业，加上这几年偷牛人的手段越来越高，村人都把牛拴堂屋里，人口多的，就把牛拴在边房里。炳坤说在路边盖牛棚有啥用？除了干现眼子活儿让领导屁股更懒还有啥用？再说了，冬寒夏热，加上小偷掺乎，即使牛棚盖起来了，谁又会把牛牵那里去？崔洪说，听说乡长可能要当书记，这该不是让咱给他加火吧？养牛是好事，可咱得从实事上做起，比方说，拿建牛棚的钱买个小牛犊子。老亮从始至终皱着眉头，见崔洪越说声音越高，忍不住截住他，老亮说咱现在讨论的是咋执行，而不是咋应付。站河坡上的总比站河底下的看得远，要不，咋不让咱当乡长？老亮说还有一点儿你们都忽视了，那就是二十万块钱的周转金，要是拿到了养牛示范村的名头，今后咱想做啥事都有了条件。炳坤想想，说好吧，就这样吧，能拿到示范村更好，拿不到，起码也完成了一项任务。

接下来要做的是讨论细节问题。公路边儿上的地是机动地。当初在留机动地的问题上有争议，有的说留在庄后，有的说留在公路边儿上。最后炳坤采用了后一种意见。留机动地的目的是为村里的黑户着想。土地十多年才动一次，十多年里一些偷生的孩子已长大成人，没有地便无法活下去。现在看来，当初做对了。地的问题不用研究，就在机动地上建，黑户的问题以后再说。要着重研究的是如何建牛棚，是村里统一盖，还是各家盖各家的。各盖各的速度慢，不好监督，要是有拖着不盖的，也不好解决。统一盖又面临征款的问题。三个人商议了半天，决定开个群众会，发挥集体的智慧。

群众会在村西的麦场上召开。村人一听就不愿意。去年秋季计划生育出笼子，罚款罚得厉害，很多人家都有些接济不上，加上麦收快到了，花钱的项目较多，都正愁着呢。路边有宅基地的村民有二十多户，这二十多户喊得最凶。炳坤看着混乱的场面，一时不知如何下手。老亮把一支烟吸完，大手在桌上一拍，喊了一声，立时把众人镇住了。老亮说都别吵，吵了也没用，这是乡长的命令，咱们只是个咋执行的事。老亮说下面我宣布具体办法，没意见是五八，有意见是四十。老亮的办法令炳坤感到有些突然。老亮答应公家出一半钱盖牛棚，余下的一半各家三天内交齐，由村里统一安排。然后老亮手一挥，说散会，自己头也不抬，就吧唧吧唧地走了。炳坤看着老亮的背影，觉得老亮这人挺有城府的，老亮一发威显出炳坤挺无能，炳坤总觉得有一些眼光把自己刺得挺难受。

老亮的想法事先没和炳坤通气，但炳坤没生气，炳坤觉得眼下也只能这样了。

炳坤刚要回家，一抬头，看见了二秀。二秀穿了一件白裙子，莹白水灵的小脸儿抹了一点粉，显得粉团子似的。炳坤说回来了？二秀说回来了。炳坤转身便要走，二秀在他身后说，你这人胆越长越小。二秀说今儿个晚上我在沟边等你。炳坤摇摇头，说我不去。二秀说去不去是你的事，等不等是我的事。

半下午时炳坤正在为牲口炒料豆，三元开着一辆小飞虎来了。炳坤这才想起昨天三元的话，便红了红脸。三元给刘玉芬带了块料子，给炳坤女儿带了一盒巧克力，给崔大同带了一条钟鼎烟。炳坤受宠若惊，说赵乡长你这是干啥？你这样我可担待不起。三元说没啥，好久没回来看过，怪想的。炳坤便要去喊老亮。三元拉住他，说自己是专门来找他的。三元是副乡长兼西部片的片长，三王村处在西部片的中心位置。三元说炳坤无论你哪方面有困难事，你都可以找我，乡里解决不了，我在县里给你解决。炳坤笑笑，说，平头老百姓，能有啥事。然后炳坤把回来后的工作安排和三元说了。三元点了点头，说这样也好。然后三元就问老亮的事，三元在三王村蹲点时老亮还没当村长，老亮经常在外贩木耳，三元不太熟。炳坤简单谈了谈，说这人其实也不错，就一条，抓权，如果村长是我，他是书记，也许能配合得好一点。三元摇摇头，说，如果那样，你就一点权也没有了。说着话，刘玉芬已炒好了几个菜，崔大同也从外面回来了，三人边喝酒边说话。三元说这次来一是看看老乡亲，二来，还有一点事。我这个副乡长下来的不是时候。本来咱小寅乡该去年秋冬季搞换届选举的，那阵子咱小寅乡正忙着搞计生出笼子，没顾上。现在县里责令麦收前一定要把这事定规，看来就这月把的事。我刚下来月把，人生地不熟，谁又会选我呢？这事，你得照应照应。炳坤知道三元这事有些扎手，活动起来难度不小。乡人代会每隔五年开一次，选乡长副乡长。乡长好选，就一个候选人，不选他也不行。副乡长就难得多。人人都有资格做副乡长候选人，只要乡人大提你，县人大批你，你便有机会争一番。小寅乡现有的几位副乡长全是本地人，外地人站不住脚，选也选不上。炳坤说你到人大打听了没有？候选人有几个？三元说打听了，候选人还没最后定，但已有个模糊影了，其中有两个是板上钉钉的，干了半辈子了，既能当上候选人，也能选上副乡长。候选人中能与我争最后一个副乡长空缺的，恐怕就是崔老亮。炳坤惊讶地说，老亮也参加吗？三元点点头，说老亮正积极活动，看来有可能被提名为副乡长候选人。炳坤便想起昨天在集上吃饭的事，心里的担忧忍不住加重了。炳坤答应一定尽力帮忙，崔大同也说要帮三元活动选票。崔大同干了几十年老书记，声望很好，三元很信服他，见他肯帮忙，略略放了些心。

三元走时已是晚上九点多。炳坤把三元送到村口，才猛然想起和崔二秀的事。炳坤急急忙忙往沟边走，刚才酒喝猛了点，心里直难受。天上挂着一弯月亮，地面泛着淡淡的微光。炳坤离沟还有二三十米时，冷不丁从小路旁边的麦地里扑出一个人，一把抱住了他的腰。炳坤吓得三魂皆冒，仔细看时，正是二秀。二秀头发湿漉漉的，身上凉冰冰的。炳坤吃惊地问："你洗澡了？"二秀点点头。炳坤骂道："你疯了，不怕出来个水鬼拖了你去。"二秀又搂住炳坤的腰不放，说，拖就拖了去，没准儿鬼比人还要好些。

以前谈恋爱时两人经常在这一带幽会，见面又啃又扯的。炳坤想起一些细节，有些口干舌燥。两人无声地相拥着坐到小半夜，炳坤怕刘玉芬担心，便推开崔二秀起来，说散了吧，凡事都是缘分。二秀忽然说，我想离婚。炳坤吃了一惊，说你离婚又和谁结婚？二秀说我不结，咱们一个星期一次就够了。说着二秀就去解炳坤的裤腰带。炳坤默默地推开她的手，转身走了。二秀的丈夫叫王小游，和老亮合伙做过几回生意，手头也有几个钱。钱在有些人手里是福，在有些人手里却是祸。王小游吃喝嫖赌，在县城给抓过几回，罚了几千。炳坤想崔二秀离婚是对的，但这事与自己无关，崔二秀离婚之后与自己也无关，崔二秀的专利取消了，自己的专利还挂着。

炳坤回到家里时，刘玉芬果然没睡。刘玉芬把自己洗得干干净净的，穿着短袖衫和月白色的薄睡裤在等他。炳坤不敢面对她，进屋就把灯吹了。刘玉芬以为这是暗示，上床就把炳坤抱得紧紧的。炳坤被动地承受着，眼前过电影一样闪着崔二秀的身影。

依照老亮的意见，三个村头儿做了分工。崔洪负责村里的杂务，老亮负责牛棚的兴建，炳坤统筹。崔洪有些不满意，说老亮是把白馒头往自己篮子里拾，把发霉的黑馒头往别人嘴里塞。老亮哈哈一笑，说崔洪不这样也行，这不是要开始征款了吗？咱们一人负责一段，谁征得快谁负责牛棚兴建，咋样？炳坤摆摆手，说，是工作就得有人干，别挑挑拣拣的，至于征款的事，一人负责一段，就这么定了。

按照初步估算，一间牛棚需一千块砖，四百块瓦，加上木料、高粱秸秆，折合成钱约五百块。公家出一半，那么村人一家要拿二百五十块。老亮说二百五不好听，收二百六。炳坤本来要问问老亮说的公家出的一半从哪里出，看老亮在这事上大包大揽，也就不多说了。

按照三人的分工，炳坤负责村中一段住户的征款工作。村中一段大都不富裕，且门头大，是村人另眼看的难缠主儿。炳坤想了半天，也没想出好主意，只好硬着头皮挨门挨户硬要。第一户是崔利群。崔利群原先干屠户，近来街上食品站又红火起来，实行专宰专销，崔利群的生意便连着折了两回，于是卷家伙头回了家。炳坤进了院子，见堂屋门虚掩着，便咳嗽了一声。等了一会儿，见没有动静，又咳嗽了一声。屋里传出话声：咳嗽个熊，有话进来说。炳坤推门进去，一眼便看见利群媳妇正躺在床上喂孩子奶，四个孩子中最小的两个一个三岁，一个一岁，一个抱一个瘪奶裹得咕吃咕吃的。利群正坐在旁边抽烟，把本来暗黑发霉的屋里弄得烟雾缭绕，呛得人直想咳嗽。利群眼皮抬了一下，说来啦？炳坤说来啦。利群扔了根烟过来，炳坤接过来看看，是团结的，就掏火点着吸了。炳坤说生意咋样？利群哼了一声，没回答，炳坤见挑不起个话头，只好窄胡同进轿子，直来直去。炳坤说昨天的会你也开了吧？我们几个合计了一下，决定按成本的半价征收，一户二百六。利群没吱声。炳坤说要是没啥就交了吧，我负责咱中间这一段的征收。利群说收个×，要是收×我这有一根，你要不要？利群媳妇在旁边给逗得哈哈大笑，一对瘪奶也一晃一晃的，像两碗脏水倒在了草木灰堆里。炳坤有些恼，说你这人咋这样说话？利群白了他一眼，说，没文化的人，就这样。炳坤气得站了起来，一摔门板走了。

中午三个村头儿碰了一下头，老亮包的三十五户已收了十户，崔洪也收了两户。炳坤似乎不经意地说，老亮你收得挺快的。老亮笑了，说，干啥事都有个规律，水顺着沟淌，烟顺着烟筒冒。老亮走后炳坤问崔洪知不知道老亮的烟是咋顺烟筒冒的。崔洪说，老亮读过孙子兵法，兵法十三篇有一招叫软硬兼施。西段人家男人出门的多，平日里从外面打电话回来，都得麻烦老亮家，盛情不过，难听的话不好说。再者，老亮门头大，老亮的爷哥六个，到了老亮爹那一辈，堂兄弟二三十个，到了老亮这一辈，近门农会五六十个。老亮去收款时，身后跟了三四个堂兄弟，说是一个数钱一个记账一个打狗，其实是去耀武的。人家一看这阵势，心里怵了半截，拐着挪着也把钱给凑齐了。炳坤想想，知道老亮这是敲山震虎，到时老亮收齐自己还没收齐，显着这个书记太无能，威信也就没了。炳坤把中段人家排了排队，崔利群家门头最大，虽然弟兄五六个分了门离了户，但在村里也能算一霸。要想顺顺当当把款收完，只有从崔利群家做起。

炳坤再去崔利群家时已是半下午。崔利群正和他大哥崔利国喝酒。一张污迹斑斑的小乌桌上放着一盆猪杂碎，一人手边放了一只八钱盅和几头蒜。兄弟俩喝得眼珠子发红，胃口仍很好，咕咚喝一口酒，咔哧吃一块肉，蒜也不剥就撂嘴里一瓣，吃过再把皮吐出来。利国平时在集上做小工，给泥水匠拎泥兜子，拎久了便有些目中无人。利国看看炳坤，说喝两盅？炳坤笑笑，说不喝。兄弟俩便继续猜拳行令。炳坤掏出烟来，一人递了一根，说，正巧你哥俩都在，咱村盖牛棚，一户二百六，你们看看，这两天能不能交？利国说我们牛都有地方住，也没有钱，这事别找我们。炳坤把乡里开会的事和两人说了一遍，说你们看这是大势所趋，乡里安排的任务谁也不好挡。利国说炳坤书记你看利群院里院外种得最多的是啥？炳坤说是葵花。利国说你看天上太阳有几个？炳坤说有一个。利国一顿酒杯，说，咱老百姓就是这葵花，开花没开花头都随着太阳转。谁是太阳？你，老亮。但有一点儿，你们得有太阳光，没太阳光我们凭啥随你转？你们时不时刮一阵风下一场雨我们凭啥随你转？炳坤给说得脸通红，头低了半晌才又抬起来。炳坤说你们也别这样说，其实，我也只是乡长太阳底下的一朵葵花，太阳给了葵花恁多，索取一点儿也是应该的。再说，这是为葵花自己。利群喝了酒的脸赤红如血，利群一拍桌子，说妈拉个 B 你再烦我就治你。炳坤也来了火，忽地站起来，说，你违反计划生育的事还没过，今儿个再不执行村里的决议，小心我反映上去。利群走过来，咚一拳捣在炳坤脸上，说，村领导算个熊！炳坤感到双眼一黑，鼻子一阵麻辣，一股咸腥哗地淌进了嘴里。

炳坤捂脸回到家里不一会儿，老亮和崔洪也赶来了。老亮很气愤，说要领几个弟兄去收拾利群弟兄几个。炳坤摇摇头，说咱是干部，干部不能打群众。刘玉芬此时哭得全身水淌，崔大同抱着孙女，眼睛也有些潮湿。炳坤用凉水洗了脸，又用棉花塞了鼻孔，这才敢看自己。一看不当紧，把自己吓了一大跳，镜子里是一个蠢态十足的大熊猫。

炳坤准备第二天上午再去利群家，炳坤想利群一负疚这款也许就好要了。

当天晚上，一辆仪征车开进了三王村，把正在睡梦中的利群利国兄弟俩抓到了乡派出所。

炳坤第二天早上才知道消息。利群媳妇领着四个孩子鼻涕一把泪一把一路号哭着来到炳坤家，跪着求炳坤把人给放了。炳坤让人去喊老亮，炳坤说老亮这事是你做的？老亮说是我做的。炳坤说那你把人给要回来。老亮说不杀杀这些人的威风，以后工作还有办法干吗？我不去要，该啥罪治啥罪。炳坤推了车子就往外走，说你不要我去要。炳坤刚走到村口，就见利群利国坐着大房的机动三轮车嘣嘣嘣地回来了。大房见了炳坤，把车速减慢了一些。利群咚地跳下车，脸上堆满笑，说书记干啥去？炳坤有些惊讶，本以为利群会找自己算账的，不想一炮竟把乌云给揍散了。炳坤便和利群利国寒暄了几句，炳坤说你看这事，怨我怨我。利群说我不该打人，打人犯法，治我不亏。炳坤想趁热打铁，就说，那交款的事，你看能不能快点儿？利群油汪汪的脸藏了笑，说，我手头实在紧，一时半会儿真的挪不开。

炳坤回到家让刘玉芬去打听了一下，原来利国认识派出所的一个副所长，买了一条烟散散，人就给放了。刘玉芬说利群利国正在家说呢，让大家死也不交款，弄恼了人，大家开机动三轮去县里信访办告状去。

临近中午，赵三元领着乡统计站的几个人开着一辆飞虎来了，三元说乡长今天早上召集了一个片长会，每个片长都和乡长立了军令状，十五天之内一定把牛棚建好，三元对炳坤的工作有些不满意，说都三四天了还不见动静。崔洪按捺不住，就把炳坤挨打的事说了。三元变了脸色，领着几个人就走，说派出所关不住他，我给他往看守所送。炳坤连忙拉住他，和他耳语了几句，才算把三元的火气平了平。

中午饭三元本打算在炳坤家吃，老亮听说三元来了，急风急火地赶来，让到他家吃饭。炳坤知道老亮狠，看着一顿饭全是他一人出，到时弄一张白条子你不报销也不行，又落了人缘，又不破财，还能剩几盒烟几碟菜。炳坤让崔洪派人去街上买卤菜。几个统计站的人脸色有些不悦，说那卤菜尽细菌，吃不好会闹肚子。老亮笑着说，正好我家菜都现成的，过过火就行，炳坤看看没办法，只好随众人去了老亮家。

老亮媳妇很年轻，老亮原来的媳妇死了，老亮便从东北带了一个回来，从相貌上看顶多二十五岁，和他侄女二秀年龄差不多。二秀还没回婆家，看见炳坤，眼神一热，很多表情就在脸上摆了出来。乡统计站的人见老亮家有电话。便一个挨一个往自己家拨，说些自己下乡在村长家吃饭之类不咸不淡的话。老亮在一旁直笑，说拨吧拨吧，有情人的赶紧趁老婆不在跟前过过嘴瘾。老亮媳妇手很巧，在崔二秀帮助下不到一个小时便做好了一桌菜。几个人把白酒倒在醋碟子里一碟子一口地喝，屋里立时布满了酒味。过了一会儿，村长媳妇也过来陪大家喝。东北女人好酒量，直把几个男人喝得目瞪口呆，无法招架，便想开开玩笑。一个叫小卫的统计员讲了一个故事，说他们有一天下乡抓超计划生育的女人，夜里三点进的村，进村直扑目标。黑灯瞎火，真就捂住一个女人。问她是不是杨文翠，她说不是。大家不信，现在的农村女人都狡猾，弄不好就给溜了。大家七手八脚把女人往车上弄。女人哭着喊，我不该计划，我是个闺女。大家一听更气了，说你都生了四个闺女还不该结扎吗？不由分说就弄到乡上连夜做了手术。第二天才知道，那真是个大闺女，是替她超生的嫂子看门的。小卫讲完故事便直勾勾地盯住村长媳妇，说嫂子闺女与媳妇主要区别在哪里？给咱说说。东北女人站起来就解裤腰带，要让小卫实践出真知。小卫吓得连忙把脸掉开，逗得众人哈哈大笑。炳坤也赔着笑，心里却不是滋味，看看三元，也笑得有些勉强。

喝了几盅，三元让老亮说说他们征收款子的情况。老亮说自己包的三十五户人家已有三十一户交了钱，还有四户没人在家，出门做生意去了。三元明白这几人一定是躲计划生育去了，心里挺烦，但嘴上仍夸了几句。问到崔洪，崔洪说已收了一半。只有炳坤一份没收。三元半晌没吭气，连喝了几口闷酒。老亮哈哈一笑，说，这事不用急，我老亮不是说大话，今天下午不全收回来算我这个村长栽了。炳坤说你给崔洪帮帮忙吧，我那三十户自己解决。老亮愣了一下，又哈哈一笑，看看几个统计站的人，说烦哪位随我去一下，保证一个小时后圆满完成任务回来，不耽误喝酒。小卫说我牺牲自己吧，我去。

老亮喊上三个叔伯兄弟，带着小卫先来到利群家。一个叔伯兄弟说，大哥这是炳坤包的户。老亮说我借炳坤一个户用用。老亮用脚推开门，站在院里喊利群出来。利群见是老亮，脸色暗了一暗，强赔着笑脸说话。老亮说利群你把钱交了吧。利群说我要有钱我不交不是人。老亮说好吧我看看。老亮满屋满院转了一圈，来到利群家边房里，说，原来这里有个大家伙。利群有些慌，说，谁敢动我的牛我跟谁拼命。老亮说我是为你解决问题。牛给你牵走，你还盖牛棚干啥？这牛起码值两千多，牵街上一卖，连你欠的计划生育款都还上了，我不是为你解决困难吗？利群说你想让我拼命？老亮说你那兄弟几个还不够我一巴掌甩的，我一只手插裤裆里也能把你们转上三圈。老亮冲几个堂兄弟一挥手：牵！利群的脸便有些绿，一把抱住老亮的胳膊，说好好我交。老亮得意地看看小卫，朝地上吐了口唾沫。

然后老亮领着小卫来到广播室，老亮先把麦克风拍得咔咔响了一阵，才把嘴凑上去。老亮说东半段的人听着，属于崔洪收款的人家听着，乡里派人来了。如果到五点半不缴款，小飞虎马上带人。你们看到崔利群没？我才从他家出来，他的钱一个不少地缴了。如果谁不缴，我立即进谁家的门。老亮丢下麦克风就回了家，前脚刚进门，后脚就有人找崔洪缴款。炳坤心里很不是味，老亮借了他的山镇了崔洪的虎，显得他和崔洪一对熊包，老亮又不过问他余下的二十九户，显然是想进一步看他的笑话。炳坤不吭声，闷头一个劲儿地喝酒。三元怕他喝醉，拍拍他的肩，说走，带我去厕所。在厕所里，三元一边掏家伙，一边说炳坤，看来你不是老亮的对手，我真担心你这村书记怎么干下去。炳坤说干工作就是干工作，花花肠肠不是本事。三元说这是策略。炳坤说老百姓都让他们唬弄坏了，所以我这样老实本分的人才干不好。三元摇摇头，说你看你，都干了几年的村支书了，咋还恁嫩？

三元一行人走后，炳坤回家埋头睡到半夜，睁开眼时，见崔大同和崔洪正从院门外进来，手里提了一个包。院里屋里都亮着灯，刘玉芬正心急火燎地屋里屋外地走。看见崔大同，刘玉芬忙迎上去，问，咋样？崔大同笑了笑，说齐了。刘玉芬便跑进屋，把炳坤摇起来。崔大同和崔洪脚跟脚进来，把包打开给他看。里面是一张张五块两块油渍麻花的钱。炳坤明白了，炳坤的眼泪差点儿流下来。

崔大同下午看见儿子醉得烂泥般回来，又听崔洪讲了喝酒时发生的事，便买了两盒烟，刮了刮胡子挨家挨户去串门。崔大同见人先散烟，然后便和人唠嗑，说些早年间的事。早年间崔大同做大队书记时帮衬过不少人，那时土地公有，大队书记好做，也有权。有权的崔大同对任何人都笑眉笑眼的，一锅烟叶众人抽，一瓶老酒大家喝。六〇年闹饥荒，全县就三王大队没饿死一个人。崔大同的远见卓识使三王遍地长起海白菜和老南瓜秧，靠了这些没有营养的东西村人硬挺了过来。所有的人都看得见崔大同拖着浮肿得穿不上裤子的腿一天几十里来回跑，所有的人都吃过崔大同在全村实在熬不过时偷偷开仓赈的粮，那些粮食把村人从死亡线上拽了回来。这件事已过去了三十多年，但对于外人来说，这还是一个秘密。崔大同和村人说起过去的事，勾起许多辛酸，把自己和别人都说得鼻涕一把泪一把。村人便站起来，说老书记真是好人，你的恩我们一辈子也报不完，炳坤要的钱我们给，再苦再难我们也得给。

炳坤看着头发花白的崔大同，不知说什么才好。崔大同把钱整理齐整，交给炳坤，说炳坤我今儿是让人报我的恩哩！恩有报完的时候，那时谁也不欠谁了，那时就靠你自己了。崔大同说其实我哪有啥恩给他们，那是政府的恩哩！其实你这孩子学生气太浓，不该做书记，可你不做书记给谁做哩？给老亮吗？那还不如你做哩！

炳坤想哭，炳坤想等自己干到父亲这么大年纪的时候，会有人想着报自己的恩吗？恐怕没人记自己的仇就不错了。

炳坤把所有的款都交给了老亮，由老亮统一安排。老亮的工作效率很高，第二天上午就把砖瓦木料运进了村，第三天上午把工程队请了过来，放了一挂鞭炮，破土动工。炳坤本来对老亮用一半的钱投入施工存着担心，现在看到真红红火火地干起来，对老亮也多了一份敬佩。老亮是个精明人，把二四砌法改作一八砌法，用粗树枝代替硬木椽子，一下就省了不少钱。炳坤对此也无意见，现在粗糙点没妨碍，到时用白粉一粉墙，谁也看不出是咋回事。

第一批三十间牛棚快竣工的时候，乡长突然坐着仪征车来了。

乡长围着牛棚转了半天，连声称好。乡长说真好，炳坤你们真会办事，我看在这次建牛棚行动中你们可以拿到第一。然后乡长用手指抹了抹砖垛上的白粉，说这牛棚是不是太空阔了，画点什么不是更好吗？炳坤说画啥哩？这拴牛的地方画啥哩？乡长说那就画牛吧，一座牛棚上画两头牛，再写几个字，你看好不好？崔洪在一旁说，好是好，可咱没人能拎画笔哩！乡长皱眉想了想，说我来找人，我替你们找，到时你们随便给点润笔就行。炳坤还想说什么，老亮在旁边说，行，这事就麻烦乡长了。

待牛棚快要全部竣工时，果然来了一个年轻人，二十多岁，白白净净的，带了一大堆画画用的东西。年轻人找到炳坤，说是他叔让来画牛。炳坤问你叔是谁？年轻人说是乡长。炳坤苦笑笑，为年轻人安排了食宿，又安排了两个人扛梯子，便瞪着眼睛等着看画了牛的牛棚是个什么效果。

牛棚的样式类似小亭子，没有墙，四个砖垛撑一个尖顶，向着公路的一面的顶部留了一个光洁的额头，特意用优质白涂料刷了一下，显得更白。年轻人的动作很麻利，半个小时便画完了一个牛棚。两头牛用肥得无骨的头扛着尖尖的木杈般的大角面对面拿劲站着，额头与额头顶在一起，双眼朝上翻看着对方，尾巴如鞭子般直飘蓝天。两头牛的腚后各写一行字，左边是“黄牛金五星”，右边是“小康赖此成”。炳坤看着肥牛，觉得面熟得很，想了好一会儿，才记起乡政府门前刚揭幕的孺子牛就是这副模样。再看看两行斗大的字，心里总有些不舒服。炳坤说这两行字是不是可以改改？年轻人说其他几个村都是这么写的。炳坤这才知道原来乡长为他侄儿揽下了一桩大工程。炳坤说改改吧，就改成大力发展养牛事业。年轻人有些不高兴，说，你们这些人只能普及，无法提高。炳坤知道他说的是毛主席的一段关于文艺工作的话的引申义，便笑了笑，没有回答。

画牛用了五天时间，五天里年轻人废寝忘食，待落下最后一笔手都有些微微颤抖。炳坤把几个村头儿召集在一起，陪年轻人好好吃了一顿，然后便问起润笔的事。年轻人先是有些腼腆，说文人羞于言报酬，最后看炳坤几个盛情难却，只好伸出五个手指头晃了晃。炳坤出了一口气，说五百呀，能办。年轻人红了红脸，说不是五百，是五千。炳坤身子一抖，屁股下的凳子差点儿跑掉。炳坤说我这人虽是高中毕业，但没见过大世面，你可别吓我。年轻人皱皱眉头，说你算一下吧，五千被一百间牛棚除，一间牛棚画两头牛才五十元。上次乡里孺子牛剪彩，那几个画家是乡里花三千元请来的，不也就画了一头牛助兴吗？要是你们给少了，那是寒碜我的名号。炳坤摆摆手，说：这样吧，你先回去，我们研究一下再说。年轻人气愤地点点头，坐上大房的机动三轮车走了。

送走了画家，炳坤要和老亮、崔洪过过建牛棚的事，看看总造价多少，已花了多少，还欠多少，心里好有个谱。老亮推说连着累了多少天有点儿疲乏，老亮说明天再讲吧，今天的当务之急是睡觉。账在老亮手里握着，炳坤也没办法，于是三人各走各的。

已是黄昏时分。炳坤卷了一根烟抽，抽完便走到公路上去，从东遛到西，横着竖着把牛棚看了一遍又一遍。牛棚有一百间，前后分作两排，整整齐齐，远看近看都令人赏心悦目。牛棚顶端的用棕漆画的肥牛近了看有些不大受用，远了看却别有一番情致，彩彩搭搭的，令人有旅游景点的错觉。往牛棚后方看，是一排排整齐如一的青砖瓦房，掩映在绿树白水之间。往村庄四周看，是开始泛黄的千余亩小麦，麦浪翻涌，清香扑脸。最令人回肠荡气的是无处不在的葵花，在彩霞漫天灿烂之时，葵花们扭头向西翘首以望，绿油油的叶子和布满白茸刺的秸秆上，漫洒着胭红色的阳光，点缀出一派欣欣向荣的景象。炳坤想如果自己是县里或者省里的领导，现在打公路上过一趟，一定也会为这欣欣向荣的社会主义新农村的景象所打动。炳坤不得不承认乡长是个高瞻远瞩的家伙，炳坤想乡长在做出统一建牛棚的决定之前一定在心里描绘过这张蓝图。

检查评比工作如期开展，三王行政村被评为第一名。乡长在全乡三三干会上把炳坤和老亮表扬了一番，并着重突出老亮，乡长说他脑子好使，工作方法对头，是不可多得的基层干部，这样的干部乡里一旦有机会一定会重用，希望全乡干部都向老亮学习。明耳人一听便明白，乡长是在褒老亮抑炳坤。炳坤也不傻，心里虽有气，却不知症结出在哪里。

散了会，炳坤碰到了乡长的画家侄子。炳坤说我正想找你，你看那笔钱能不能少一些，四千怎么样？画家说还有什么钱？那钱我已领过了。炳坤很惊讶，回头便找老亮，老亮刚从乡长屋里出来，见炳坤问画家的润笔，笑了笑，说你看我这人，昨天还惦记着和你讲，一忙就给忘了。老亮说乡长昨天写了个条，画家拿条去村里直接找了他。老亮说这钱不给怎么办？书记你说这钱我能不给吗？炳坤气得冷笑一声，说该给，我只是想知道这钱你是从哪里出的。老亮说那笔建牛棚的款子刚好还剩五千，就一把全给画家了。炳坤越听越糊涂，暗里下定决心一定抽个时间把牛棚的事彻底过过账目。

炳坤回到家，见父亲崔大同正坐在院里抽烟，刘玉芬不在。炳坤洗了脸，找出去年用的镰刀在石头上磨，磨得用大拇指一试麻麻的，刘玉芬才回来。炳坤生气地问她干啥去了。刘玉芬笑笑，没回答，转身进厨房去淘绿豆烧稀饭。炳坤觉得有些不对劲，便跟进去问个究竟。刘玉芬笑着推了他一下，说你干啥？炳坤说你去哪儿了？刘玉芬说我有些不对劲，找崔大植要点儿药吃。崔大植是村里的兽医，平时能治牛治猪也能治人。炳坤说那家伙治惯了牛，药剂量大，你得减半。刘玉芬笑笑，没回答。

第二天早上起来，刘玉芬捂着肚子跑到院里呕了好一会儿，炳坤刚要问问到底是哪儿不舒服，大门一响，进来一个人。炳坤认得是西寨村的吊窑主王文亮。炳坤觉得有些不妙，一问，果然是来要建牛棚用的砖瓦钱的。炳坤有些不满，说平日里赊账能赊到年底，这回给了一半的现钱，怎么半个月没过就来要钱？王文亮说这次用量大，一下占用了这么多，资金周转不开，再说，一分钱现钱也没给，怎说已给了一半？炳坤便觉头有些大，三言两语支走了他，便去找老亮。刚走出十来米，崔洪来了，崔洪说刚才他碰到老亮了，老亮来了一笔木耳生意，到县里去了。老亮跟他说刚才乡里打电话来，让村里报黄牛存栏出栏数。炳坤说崔洪以后这一类事让老亮亲自和我说。崔洪愣了愣，明白过来以后点点头。

两人便合计黄牛存栏数怎么报。炳坤说户均存栏一头，这是没水分的。至于出栏数，恐怕户均两年也不合一头吧？崔洪摇摇头，说恐怕报不通，这个数字仅相当于全县平均数，乡长要争第一，数字就显着小了。炳坤说就这么报，报后再说。

傍晚时分崔洪从乡里回来了，见了炳坤就摇摇头，说乡长熊了他一顿。他只好到三元乡屋里重新改了数字。户均存栏改作3头，出栏数改为1—1.5头，户均年养牛收入2000—3000元。另外，还有一批数字，像秸秆产量，粮食产量什么的，反正都和黄牛有关。炳坤问起养牛示范村的事，崔洪摇摇头，说，不知道，没敢问，还有一件事，乡长让和你说，三天后乡里要组织人到丰北县参观黄牛养殖，每村都要去一个人，另外，乡里人代会快开了，让大家都有个心理准备。

在接近麦收的时候出去参观以及开人代会，这做法有点儿不通。炳坤决定让崔洪去参观，崔洪人厚道，当干部已有五六年了，任劳任怨，虽然有时脾气大些，但并不妨碍他与大家处好关系。让他出去参观，虽然累点，毕竟可以吃几顿集体的饭。

炳坤买了一包钟鼎烟，骑上破红旗车，到西寨村和王土楼村转了一趟，找到西寨村村长西山和王土楼村村长大江，请他们动员本村的乡人大代表，到时投三元的票。西山和大江未置可否，只一个劲地笑。炳坤便觉出一点不对头来。西山和大江与炳坤一直处得不错，大家村挨村，自小就认识，加上脾气相投，每次见面都亲得不得了。炳坤是觉得有把握才去找他俩的。炳坤想有把握的人都没有了把握，那没把握的人更是没法确定了。炳坤便有些急，决定第二天到乡里找三元。

晚上躺下后，炳坤身上有些热，便去扳刘玉芬的肩膀。炳坤已个把月没有和刘玉芬亲近了，下午在村口看见了崔二秀，便觉一股邪火往上蹿，不用刘玉芬的灭火器消不下去。没想到半个月前狼羔子一样往怀里拱的刘玉芬这次却把他推到一边，笑着把穿着睡裤的屁股给了他。炳坤问刘玉芬中了哪门子邪了，刘玉芬不答，只一个劲儿地笑。炳坤思来想去，恍然大悟。炳坤吹了灯，把刘玉芬拉起来，说你说实话你是不是怀孕了？刘玉芬在他家伙上握了一把，说你才怀孕了，我怀孕你会不知道。炳坤一把托住刘玉芬的下巴颏，说你要是不说实话，明天咱就上医院检查去。刘玉芬停住了手的动作，过了好半天才说，是又怎么样？炳坤急了，说是就打掉。刘玉芬气得狠推了他一把，说炳坤你想断子绝孙我可不想，你想被人骂绝户头我可不想，你老崔家在三王庄小门小户平日里受够了气，要不是咱爹挡着谁拿眼皮子夹你？我想给你生个儿子有啥错？炳坤说我要不干这个干部你生一窝我也不管。刘玉芬说人家一生四个不也就罚点钱吗？你是怕丢官？那我躲出去生，行了吧？炳坤说是纸就包不住火，我也不怕丢官，一旦你超生全村的计划生育工作还有办法开展吗？刘玉芬冷笑了一声，说你也别假高尚，开展不开展，地球压塌了碍你啥事？天掉下来众人顶，没儿子你现世就得受罪。炳坤火了，炳坤说你再胡吣我治你。明天去做手术，不做就离婚。刘玉芬愣了半天，呜呜地哭了起来。

天刚放亮，刘玉芬收拾起一个包袱就走。炳坤说你干啥去？刘玉芬说我回娘家去。炳坤说你想永远不回来吗？刘玉芬站住了，停了一会儿，放下包袱到崔大同屋里去了。炳坤把破自行车用破布擦了擦，便去崔大同屋里喊刘玉芬。崔大同正坐在屋里低头闷脑地抽旱烟，崔大同说炳坤这事没别的办法了吗？炳坤摇摇头，说谁叫咱当这个干部呢？崔大同脸色暗淡下来，在屋里走了几趟，转身出去了。

炳坤把鼻涕一把泪一把的刘玉芬送到医院做了手术。手术后的刘玉芬由于失血而脸色惨白，加上精神上的打击，歪在床上起不来。炳坤让她静养一下，自己出去买点吃的。炳坤出了医院便直奔乡政府大院。三元正在办公室里给在县人事局工作的妻子打电话，结束时还在话筒上响响地亲了一下。城里距小寅乡有七八十里路，三元回去一次不容易。仪征车是乡长坐的，三元坐不上。炳坤说赵乡长你也不容易。三元笑笑，说一回事，平时损失一时补，更有补头，这事跟喝酒不一样，时间长了不喝酒，酒量会降低。两人说笑了几句，炳坤把自己找西山和大江的事说了。三元目光暗淡下来，三元说我已问清了，老亮已被列入副乡长候选人，他虽然是不脱产干部，但如果活动好了一样能当选，咱们乡长过去就是大队书记，后来选了副乡长，转了正，又当了乡长，老亮在循乡长的旧路呢！炳坤说那咋办呢？三元说咱们尽力做工作吧，谋事在人，成事成天。

炳坤出了三元的门，刚好看见老亮走进乡长的院门，老亮手里拎了个塑料袋，不知里面是什么东西。老亮这两天忙得脚不沾地，说是县城里有生意，其实是在紧锣密鼓地张罗选举的事。回到医院，炳坤才想起忘了给刘玉芬买东西。看看刘玉芬毫无血色的脸，炳坤心里也很难受，再东西南北中地想想，便觉得一点意思也没有，连活着的意思也淡了。

挨到天黑，炳坤用自行车把刘玉芬驮回了家。崔大同正站在村口守望着，看到他们回来，崔大同抹了一把眼睛，蹒跚着脚步走开了。

崔洪出去参观了三天，一脸油光地回来了。老亮也办完了事，开始在村里露面。当天下午，炳坤在自家院里开了个干部会，一方面听崔洪介绍出去参观的情况，一方面把建牛棚的善后工作做做。几天里又有几伙人来找炳坤，要砖瓦钱、木头钱和施工费，炳坤很恼火，决心好好杀杀老亮的邪气。崔洪把参观的事简单地讲了讲，便说起几天的吃喝来。崔洪说人家是比咱大方，那席办得不比县里差。崔洪这次参观了丰北县的两个乡，其中一个乡的一个村给他留下了极深的印象。崔洪说那个叫大夺的村子不仅户均养牛超过了四头，而且还统一建立了秸秆氨化池、制粗室、制精室，面向社会开放，那些冻精颗粒真他妈怪，不是现代科技，你想都想不到。炳坤说这些得花多少钱？崔洪说据说得十来万，不算黄牛。炳坤说牛棚呢？他们的牛棚咋样？崔洪说跟县机械厂的集体宿舍似的。炳坤说我不相信他们户均能有四头牛，丰北虽然离咱这儿不近，但情况也不会有大差别。老亮在一旁插嘴说，那一定是政府扶植的，政府让他们发，不发也得发。

几个人胡乱猜测了一通，觉得离自己的现状太远，便把话题搁置一边。炳坤便提起建牛棚的事，让老亮把账目汇报一下。老亮如流水般讲了一通，说吊窑主付了多少，工程队付了多少，木料行付了多少，算到外欠账，不多不少，比公家要拿出的钱数多出五千块，老亮说这五千块是画牛的费用，当初没列入预算的。炳坤便有些按捺不住，说工程队和吊窑上都找我好几回了，你一分钱没付。即使如你说的，征收的钱全付出了，我们当初预算时全是按二四砌法和泡桐木合计的吧？你用的是一八砌法，木料也用树枝代替了不少，这能省下不少吧？怎么实际欠款还比预算款多五千？老亮涨红了脸，说工程队和吊窑主几时来的？我找他个小舅子去。老亮转身就走，炳坤拉也拉不住。崔洪用树枝在地上粗略算了一下，说加上画家的五千，老亮实际花掉七千元钱，也就是说他手里还握有近两万块钱。崔洪说他一定是用这笔钱去贩假木耳了。炳坤烦躁地骂了一句，问崔洪左手会不会写字，崔洪说会。炳坤说崔洪你说老亮制作假木耳对不对？崔洪说当然不对，一斤真木耳加上白糖淀粉做四五斤假木耳，坑人的事。崔洪说你的意思我明白，但这么做老亮能猜出来是你使的劲儿。炳坤低头想了一会儿，说不碍事，只要能把他挤掉就行。

人代会如期召开。人代会前炳坤又为三元活动了一番，觉得把握越来越小。选举的结果也如炳坤的预料一样，老亮以八十七票当选为半脱产副乡长，三元以二十五票落选。选举时气氛并不紧张，大部分代表投票时并不避讳什么，选举后代表们纷纷拥上去和老亮握手，向他表示祝贺。三元失望到极点，也气愤到极点。三元把炳坤留下来，让他去喊大江。大江听说是三元喊他，磨磨蹭蹭不想去，最后碍着炳坤的脸面才答应去。三元并不多话，自己掏钱租了一辆小飞虎载着三个人一溜烟地去了县城。途中大江多次要下去，炳坤、三元笑着拍拍他的肩，说要请大江帮帮忙，绝无恶意，如果有恶意，连炳坤也对不起了。炳坤也有些纳闷，不知三元打的什么主意。小飞虎进了县城，三拐两拐进了一家宾馆。三元让炳坤和大江在雅座间等着，自己出去打了个电话。不一会儿，来了几个衬衣领子硬硬的腰间挂 BP 机的年轻人，一个个肥头大脸，不可多得的福相。三元一一做了介绍，然后便吩咐上菜。菜丰盛得令没见过世面的炳坤和大江目瞪口呆，拎筷子的手都有些抖。七八个人便开喝，边喝边说一些令人胆战心惊的话，诸如前天晚上把某个开家具店的老板打了一顿，拣回了两颗大门牙，昨天开车下乡把某某村的一个体面人物揍了一顿，原因是他竟敢在村里扬言在城里他也不怕谁。几个人吃吃喝喝，一副老子天下第一的神态，把整座酒楼都震得有些摇晃。三元不时劝炳坤和大江喝酒。酒是好酒，度数也没大曲高，可炳坤和大江喝了几杯便头晕起来，坐在灯火辉煌的酒楼里，感觉如处身于嘈杂的舞台上，脑子一点也不听使唤。五六瓶白酒喝下去，又上来一道新菜，叫翻江倒海。炳坤看看，认得是牛鞭。三元说来来大家一齐赶着黄牛奔小康。便有一个人笑，说三元兄今天嫂子可要幸福了，吃啥补啥，听说牛这玩意儿能把床板捅破哩！以前吃牛鞭是切成薄片斯斯文文吃，现在是切成段塞满嘴地吃。一眨眼一盘牛鞭吃尽，有人还要吃，三元笑道，等明儿黄牛金五星形成了，牛鞭像麦穗一样稠时再吃吧，现在一根牛鞭百十块，少吃为佳。然后三元拍拍大江的手，向炳坤使个眼色，三人起座来到另一个房间。三人坐下，便有一个高挑个子胸脯特别丰满的女孩子过来上茶，转身时向三元笑了一下。大江看得眼有些直，听到三元叫他才回过神来。三元说大江想开开洋荤吗？晚上让她陪你咋样？来她个老汉推车。大江红了脸，结结巴巴地笑道，不敢，怕是会得上麻风哩！三元笑了几声，拍了拍大江的肩，说，行，你这人实在，今后咱们好好处，好好干。大江头上冒出了汗珠，说赵乡长今天选举的事真让人气愤，我是投了你的票的，不只我，我们村的都投了你的票。三元说我正想问这事，崔老亮今天肯定做了假，大江你知道是咋回事？大江闷了一会儿，刚要摇头，三元说，早晚我会让他鸡飞蛋打，做副乡长，我让他村长也做不成。这时隔壁里三元的几个朋友开始猜拳行令，把个楼震得嗡嗡回声。大江便黄了黄脸，说，其实，我不想要的，可老亮硬给。三元问给什么？大江说一人一条红塔山烟。炳坤在旁边倒吸了一口凉气，在心里算了算，去掉老亮自已投的一票，还有八十六票，八十六条红塔山就是近九千块。炳坤想起建牛棚的事，想老亮一定是把钱用这上头了。

三元很满意，三元不回乡里，让小飞虎仍把炳坤和大江送回去。临别时三元给炳坤和大江一人买了一箱健力宝，让他们带给小孩喝。炳坤算算三元今晚的开销，想想三元的手段，心里有些烦。但很快就想通了，他认识到现今儿想做官，无论是做好官还是做贪官，都必须会耍手段。如果想当好官的人不耍手段，那世上就只剩贪官了。

老亮当选副乡长后在家里请了几天客，把三王村上空搅得酒气熏天。男人们脸红红的，见面就说老亮的事，女人们心里痒痒乎乎的，关上门就号召自家男人向老亮学习。老亮也让炳坤去喝酒，炳坤不想去，最终还是去了。老亮身份一变，与炳坤就成了上下级关系，说话的口气就有些改变。酒喝得很不愉快。炳坤从老亮家出来，到麦地里转了趟。麦子眼看快要割了，秸秆已开始变黄，揉一穗放嘴里尝尝，已是满仁，如果近几天刮上两场西南风，就可以开镰了。炳坤回到家里，把木杈等收麦工具找出来擦了擦，修理了一下，麦季是最辛苦的季节，炳坤准备第二天上街去买两捆啤酒，买几十斤马铃薯和洋葱，收麦时把这些菜加肉一炖，也算道好菜。正拾掇着，就听大喇叭里老亮喊他去，说有事。老亮这样喊炳坤还是第一次，老亮的口气与乡长一样，令炳坤不由自主地服从。炳坤赶到老亮家，看见乡纪检的几个人正坐在院里喝茶叶水。炳坤打了招呼，便坐在旁边闷头吸烟。带队的是纪检副书记，副书记五十多岁，身材略矮略胖。副书记说崔书记是这样的，有人反映说你老婆怀了二胎，并已生了，我们今天来是实地调查一下，请你本着实事求是的态度如实向组织汇报。炳坤给气得忽地站了起来，看看副书记严厉的双眼，又蔫蔫地坐了下来。炳坤把刘玉芬怎样怀孕怎样去医院流产说了一遍，并说有乡医院的流产手续可以证明。副书记不信，说有时候一纸证明只相当于一张纸。炳坤说那要我怎样证明呢？副书记说据反映实际情形是你老婆到你岳母家生了孩子，把孩子送到亲戚家寄养，然后只身回了家。炳坤再也按捺不住，炳坤说是据谁说？是据你自己说还是据哪个断子绝孙的说？副书记一拍桌子站起来，说你这是什么态度，还像个共产党员吗？老亮也在一边劝炳坤冷静，说事实就是事实，要相信组织上是不会冤枉好人的。此时老亮院里院外已挤满了看热闹的人，乱纷纷的目光如箭一样射得炳坤脸上鲜血直冒。炳坤吼了一声爱怎样就怎样，便一跺脚走了。

炳坤把事和崔大同讲了，崔大同认为是老亮上台后给他的下马威，什么事也不会有，但当头一棒可以让你记几个月。崔大同说炳坤今后你的工作会越来越难干，老亮不会辞村长，副乡长兼村长，你说这个村是谁的？炳坤越想越气闷，就去找崔洪问他左手写匿名信的事办没办，崔洪回答说办了，也去乡工商所拐弯抹角问了，老亮刚当副乡长，乡工商所那些人没看清顺水还是逆水，谁也不敢横插一杠子找不自在。炳坤又去乡里找三元，三元让他耐心，三元说磨镰刀不误割麦工。三元副乡长落选之后仅在家里待了两天，就又回到小寅。三元现在什么都不是，可他仍然什么都是地看待自己和别人，这一点乡里的干部都很佩服他，说一个挂起来的人还有这样的风采，腰里一定揣着硬家伙。乡里的干部们被自己的猜测左右，对他反而比往日还要亲热。

炳坤在集上买了一块钱的油炸花生米、一沓千张豆腐，回到家里和崔大同喝了二两。刘玉芬不想吃，身体虚弱的刘玉芬哭哭啼啼的，一个劲儿说啥人啥命。炳坤烦不过，稀饭也不喝就一人跑到村外去遛。

天色黑下来了，正是没有月亮的日子。一丝风也没有，空气中漫散着槐叶和向日葵的略带苦涩的气息。村里灯火暗淡，狗吠声偶尔响起一次，接着便是惊醒的婴儿的啼哭声。炳坤上任之初的计划中有三年把电扯上这一项，现在三年早已过去了，村人还在用油灯照明。炳坤上任之初还有许多计划，与扯电一样，都夭折了。在任上待的时间越长，炳坤越觉得供自己主动去做的事少，大部分时间他是在被动地执行乡里的决定，而那些决定，除了计划生育真的划了几个口以外，其他的看不到执行之后的效果。

身后传来脚步声，炳坤听出是崔二秀，脚步声响到身边，果然是她。崔二秀手里拎了一个大电灯把子，打开了在炳坤脸上迅速一照，立刻又关上了。陪炳坤走了一会儿，崔二秀便用手臂圈住炳坤的腰，毛茸茸的脑袋痒痒酥酥地拱他的肚子。炳坤一阵冲动，抱住二秀就是一阵狂亲滥摸。二秀便哼哼唧唧地叫，用两条有力的白腿夹住炳坤让进。炳坤不进，炳坤想进了就不一样了。炳坤看二秀不依不饶，就想当头给她泼点冷水。炳坤说是你叔让你来的吧？崔二秀果然冷水泼了一样松开了炳坤，说你这人真不是玩意儿。炳坤趁机追问老亮的事。二秀犹豫了半天，才说告炳坤超生是老亮干的。二秀提醒炳坤他的村书记不会好干下去，二秀说大房已给老亮送过几次礼了。炳坤很惊异，炳坤说大房开三轮拉人贩粮食什么都干，平均一天有五六十块钱的收入，相当于村长书记一个月的补贴，他总不会舍本逐末吧？二秀也是高中毕业，知道舍本逐末的意思，二秀说大房的本已够用了，末在这时就重要了，不信你等着看，过不了几年，乡里县里做官的一定有不少是生意人出身。炳坤就想起世界历史中的一段，炳坤说二秀你别深奥了，女人深奥了就不可爱了。崔二秀说现在我也不可爱了，我比有些女人漂亮得多，却吸引不了人。炳坤知道她说的有些女人是指刘玉芬，就笑笑，没回答。

三王村人收麦有个讲究，要选双头日子，是祝自己好运的意思。到了阴历四月二十，刮了一场西南风。四月二十一早上起来，便见漫野金黄，连绿树和村路也染成金黄色了，显出一派丰收景象。炳坤合计了一下，今年的亩产不会少于六百斤，除去公粮，尽吃细面也坚持到来年麦收，这之后的秋收便成了余盈，日子便会好过起来。村人们想着好年景，开始计划再添一头小牛犊，小牛犊长到能出上力时再把老牛一卖，一千多块钱就握手里了。有了这些，出些小灾小难也不怕。牛棚盖好后无人把牛拴进去，村人把软柴火一股脑塞进去，下雨天也淋不着，倒成了很好的柴火垛。磨镰声整整响了两天，公路上人来人往，村人从集上买回够十来天吃的菜，顺便捎回点烟酒解乏。县里专门成立的巡防队开着仪征车一天几趟地沿路跑，宣传防火知识，提醒人们不要在公路上打麦。四月二十八是个绝好的日子，村人把开镰的日子定在这一天，希望真能双十双十地发。

农历四月二十七早上，崔洪来找炳坤，说乡长让人捎信，让他去一次。炳坤有些奇怪，自打老亮当了副乡长，无论事大事小，乡里再没找过炳坤，有事只打个电话给老亮，老亮安排安排就行了。炳坤想会有啥非找我不可的事呢？即使非找我不可，为啥不通过老亮的电话通知呢？炳坤忐忑得心慌，同时又存了希望，盼望是去年的计划生育罚没款返回来了。炳坤和崔洪一说，崔洪一撇嘴，说你搂着石磙睡觉，半面子热，有这好事，会不找老亮而找你？炳坤想想，倒真是这样，又想起老亮占着近两万元的牛棚钱，刚刚起的一点热乎劲儿又没了。

炳坤卷了一根烟，坐在凳子上慢条斯理地抽，抽完后拍拍屁股，推着车子去了乡里。炳坤出村不远碰到了大房，大房正开车拉了几个人回来，见了炳坤，喜眉笑眼地说，书记，我去送你吧？炳坤有些吃惊，大房往日见面带理不理的，这会儿咋恁亲热？炳坤摇了摇头，说你那车一个人坐压不住，我嫌颠腚。

炳坤到了乡里先去找三元，想打听打听消息。三元的门锁着，炳坤想起三元不是副乡长了，恐怕消息还没自己灵通，便不再等，径直去找乡长。乡长住在乡政府大院后半部的一个青石宅院里，有四间堂屋四间边房。据说乡长正在县里买地盖房，准备把小孩先迁去城里上学。炳坤推开院门时乡长正在杀鸡，五六只公鸡母鸡脖子上汩汩冒着血，无奈地在砖地上炸着油条，炸得一地鲜花，靠墙根的大花坛中的茉莉花上也溅了一些鸡血。乡长看见炳坤，一边让他坐，一边喊小孩倒茶。乡长的闺女有十三四岁，是乡中学的学生，刚刚放了麦假，在家里感情丰富地读《少年维特之烦恼》。女学生看看炳坤的脏兮兮的手，不情愿地放下书，半眼泪水一脸不高兴地倒了半杯温开水放在炳坤身边的凳子上。

炳坤高中毕业那年读过路遥的《人生》，读到高加林结局不好，连巧珍也没捞上，忍不住捂着被子流了一夜泪水。现在看到女学生流泪，想想自己的经历，炳坤觉得对人物的理解比当年又深刻了不少。

炳坤问乡长有啥事，是不是开会。乡长摇摇头，说本来想开会的，觉得还是单个谈好些，就单个谈。乡长说炳坤牛棚现在咋样了？炳坤说那牛棚放柴火杂物还真不错。乡长皱皱眉，说没利用上吗？炳坤摇摇头，说不但没用上，而且还可能保不住，吊窑主和工程队三天两头去要钱，说再不给钱他们就动手拆牛棚。炳坤还想往下说，看看乡长一脸不耐烦，显见是嫌自己太琐碎，就住了口。乡长说为什么不利用呢？仅仅因为有人要拆吗？炳坤想你当个鸡巴乡长，天气眼见热起来了，谁会把牛牵路边上去让牛蝇叮？再说，小偷恁多，白天晚上把牛堵屋里都不放心，谁敢往牛棚牵？麦收大忙的，总不至于再派一口人去牛棚看牛吧？炳坤没回答乡长，咳嗽了一声，扭头去看一只正在地上蹬腿的鸡。

乡长洗了手，点着一支烟大口大口地抽。乡长在院里走了几趟，才说，今天叫你来，有个任务。省里一位副省长听说咱县牛养得好，要下来看看。上次全县评比，咱乡得了养牛第一，县领导就把副省长视察的重点放在咱乡了，咱乡在公路边儿上的村子有六个，我已和其他几个村打了招呼，他们已行动起来了。

炳坤有些意想不到，说麦收大忙的，明天就开镰了，谁有时间应付这事？乡长脸色有些冷，说人家领导大老远跑来了，就走你村过一次，能麻烦你多少？又耽误你啥了？再说，县里第一批养牛示范村快进行评比了，如果这次给领导留个好印象，极有可能评上，那时恁多钱往你那儿一批一转，谁不让你笑都不行，比起这点儿麦子，你想谁轻谁重？炳坤知道自己说不过乡长，乡长一张嘴平地能说起四尺水来，练就的功夫。炳坤说这事乡长你应该和崔副乡长说，他是副乡长，又是村长，你不和他说，我不好安排。乡长摆了摆手，说，老亮这几天身子有些不舒服，和我请过假了，说过几天要出去看病，这事你就全权过问吧！炳坤心里疑惑，身上却轻松了许多。

炳坤说那好办，到时各家把牛棚腾出来，把牛都牵棚里去不就行了吗？拴上半天牛蝇也喝不多少血去。乡长点点头，说早就应该这样想。又问，一个牛棚能拴多少牛？能拴三至四头吗？炳坤笑了，喝了一口茶，说，十头也能拴，在地上砸上橛子，多少都能拴。牛又不是驴马，会咬群。只是一家顶多一头牛，想多拴也没有。乡长有些急，说你的上报数字不是户均三头吗？咋才做不久的事就忘了呢？炳坤脸红了，红了一会儿，才吭吭哧哧地说，第一次我让崔洪报户均一头，不是乡领导让改的吗？你说这样才能拿全县第一，显出牵着黄牛奔小康的气势来。炳坤心里说，拿了全县第一你乡长的名气就响了，以后升官就有资本了。

乡长脸有些黑，乡长五尺七的个子，脸一黑挺吓人，加上有些激动的声音，不怒自威。乡长说我让你改的吗？炳坤，你三十岁不到，很有前途的一个干部，可别因为满嘴跑火车丢了前程。炳坤不敢再说什么。炳坤知道乡长这人在人事任用方面极有魄力，拿掉个行政村书记村长什么的跟吃碗干扣面一样。炳坤怕乡长还有一个原因，炳坤一向认为乡长比自己有远见，经多见广，也许乡长的败招里就含着取胜妙计。

炳坤临走时乡长又板着脸说了一句话：一个牛棚至少拴两至三头牛，要是因局部而影响大局，我撤你。

去年县长在三干会上这么骂过乡长，当时乡长站在主席台上像根刚出过力的鸡巴，而且，没擦净似的一眼泪水。炳坤想人比人气死人，一辈子就这么做垫脚石吧！

炳坤看三元的房门开了，就想去说说话儿。不知为什么，三元给三王村种上葵花以后，炳坤在心里一直和他很贴近。炳坤也知道其实自己和三元不是一样的人，三元多才性傲，不是久居人下之人。炳坤想管他是什么人，只要觉得对劲，也不妨多接触一些。

三元正在屋里写一幅中堂，几张办公桌拼成的案子上展着一张阔大的宣纸，宣纸上落满龙飞凤舞的毛笔字，令人赏心悦目。三元写的是一首诗，白居易的《观刈麦》。炳坤上高中时读过这首诗，当时还挺感动的。现在重读，竟比那时还要激动。三元写完后，很潇洒地把笔一甩，大有豪气冲天之概。炳坤问他怎么想起来写这，三元说他准备把这字裱好挂在自己的办公室里，时刻提醒自己别忘了天下最苦的是农民。然后三元从柜里取出一大块火腿，用刀子横竖切了几下，又拿出一瓶酒，分倒在两只杯子里。炳坤说我不在这儿吃。三元猛喝了一口酒，说，我到县里把选举情况反映了，组织部领导和县人大领导都很生气，人大王主任当时就说，你们乡长太不像话了，竟把县里下派的干部给选掉了。炳坤精神一振，也猛喝了一大口酒。炳坤问那又咋样呢？三元说我的意思是尽力争取麦收过后重新选，目前要做的是把老亮贿选的事弄大，让县纪检委派人来调查。炳坤一高兴，便和三元讲了让崔洪写匿名信的事。三元笑着说，过一会儿你回去看看，估计县工商打假办的几个哥儿们今天会跑了去，乡工商所的怕他，县里的怕他个熊。炳坤不由惊叹三元的办事能力，照此下去，恐怕乡长都不是他的对手。

炳坤临走时和三元说了说乡长安排的任务，炳坤打定主意只要三元支持，他就有胆量不弄虚作假，有几头牛就拴几头牛。正是麦收大忙季节，耽误了时间，一场大雨泼下来可不是玩的。炳坤说你说咋办我就咋办。三元想了想，说，既然乡长这么要求了，不做也不好。咱们乡在领导心目中的印象好了对大家都有好处。三元说副省长这次下来其实是县里邀的，你做出了成绩没有人看，也等于白浪费功夫。炳坤有些失望，又问了问关于养牛示范村的事。三元答应回城打听打听，如果需要做工作，那就做工作。

炳坤回村后找到崔洪，问他县工商局有没有来人。崔洪说来了，和乡工商所的人一起来的。炳坤忙问结果如何。崔洪叹了一口气，说，还能怎样，刚来时一副气势汹汹的样子，进门没多大一会儿，就都给老亮花戏住了，最后一人弄二斤真木耳走了。炳坤低头想了一会儿，觉得老亮真是个难缠的主，连三元都动不了他，自己以后要加倍小心。炳坤又问老亮得的啥病，崔洪说他得的鸡巴病，昨天还喝得紫茄子似的。炳坤和崔洪说了三元的话，崔洪来了精神头，说一重选咱的两万块钱也好要了。炳坤说你可别出去乱说，漏了风就不灵了。然后炳坤就和崔洪说了乡长布置的任务。崔洪一听就炸了，崔洪说我日咱又不是葵花头，想咋揉就咋揉，想吃哪个粒就拈哪个粒。炳坤苦笑笑，说是不是葵花头没有关系，反正不做也得做。崔洪说咱弄他一回咋样？炳坤摇摇头，说我想过了，这里边也有个大局，咱尽力弥补缺点吧！

炳坤和崔洪天挨黑时来到老亮家，和他唠起乡长安排的事。老亮说这事我已知道了，我这几天不大得劲儿，你们看着办吧。省领导来的日期定在后天，后天不来，大后天大大后天一定来。任务确实很紧。炳坤说咱大家都想想办法，看咋办，崔副村长你也拿拿主意。老亮说这事是一定要做的，乡长这都是为咱好，咱不能辜负他。至于咋做，你们好好议议。崔洪说前天崔利国儿子上街相亲，从大房那里借了一双皮鞋穿，穿在脚上挺合适，谁也看不出是大房的。老亮有些不耐烦，说养牛跟穿鞋有啥熊关系！崔洪把烟头摔到脚下跺了一下，说，活人死不到尿憋上，没有牛，咱们也可以去借嘛！

老亮撇了撇嘴，说，牛是命根子，鬼才会把命根子借给你。炳坤想了想，说这是个办法，而且，想完成任务，恐怕这是唯一的办法了。老亮说要借你们去借，我可没恁大的面子。炳坤说这事也难也不难，面子再大也张不开嘴，咱们付租金，一头牛五块钱租金，咋样？崔洪说钱呢？账上早亏空千把块了，你拿啥给人家？炳坤知道崔洪是把话头往牛棚上引，炳坤觉得眼下应该团结一致渡过难关，就说，车到山前再问路，日子就是这样过的，多少年了，也没见难死。

到了晚间，炳坤在村西麦场上开了一个群众会，一户去一个当家的。崔洪把自家的汽灯烧得亮亮地拎了去，又带了半斤烟叶放在桌子上，谁想抽谁捏一撮自己卷。炳坤刚把乡里布置的任务和村里的决定说出来，村人便炸了营一般喊开了。炳坤坐在凳子上静观，等村人激动劲儿过了才开始做思想工作，把乡长的话原封端出来说服村人。会场静寂了一会儿，崔利群站起来，说，书记南庄前天死了一头牛你可知道？炳坤一愣，说不知道。崔利群说，死了一头老母牛，你猜人家咋处理的？人家把牛骨卖给骨胶厂了；把牛肉卖给加工厂了；牛皮卖给皮鞋厂了；牛屎拉到地里上庄稼了，只剩下了个牛B……炳坤说牛B咋了？村人便笑，笑过一齐高喊：牛B被政府收了去，天天套在乡长嘴上吹。

吹牛B就是外地人说的吹牛皮。炳坤忍不住笑了，说，兔崽子们，成天没事净瞎琢磨。崔利国插话道，前天县里来了个作家收集素材，说这叫民间文学。文学不文学炳坤不管，炳坤眼下要做的是说服村人。炳坤说事就这些事，大家一个一个来，谈谈自己的看法。便有几个人站起来，争先恐后地说自己的看法。其他人在旁边附和着。村人的认识较统一，只要不耽误农时，为了乡里的大局，咋着都行；还说一定保密，回去连三岁孩子也叮嘱到。炳坤有些感动，原以为分开单干了村人会不理不睬或闹个不休，想不到会有这样的场面。上次要款的事搞得有些不愉快，但村人还是交了，而且也没一个人跑去告状。炳坤想真该让乡长来看看，看看老百姓在内心敞露的时候多么朴实厚道，看看他们多么像葵花，只要有太阳，无论阳光强阳光弱，他们的头颅转动得多么整齐。

第二天早起，炳坤就着半碗辣椒吃了一个馍，就去西寨村找西山。村人早上太阳还没出来时就携家带口去了麦地，在地头找一块平地铺两张破席，放下衣物凉水就挥镰开割。早上露水重，麦粒不易脱落。整个原野里一派人欢马嘶的丰收景象，镰刀的嚓嚓声和麦子伏地的沙沙声听着让人愉快。偶尔还有人忙里偷闲吼几句通俗歌曲，和别人的媳妇开几句玩笑，逗得无边无沿的麦地里遍响笑声。崔大同和刘玉芬也加入了收割大军，一老一弱，带着一个两岁的小孩，速度就显得特别慢。炳坤远远看着他们的身影，有些内疚。

炳坤在西寨村的村口碰到了王土楼村的村长大江，大江慌里慌张的，以至于炳坤问他是不是没拔掉就给人发现了，他也回答了一声是。炳坤问大江见没见西山，大江向村里指了指，便急急忙忙地走了。炳坤走到西山家门前，正逢西山头戴一顶破草帽手里拎了一把镰刀出来。西山四十多岁，矮矮壮壮的，黑黑的一张脸很招人喜欢。看到炳坤，西山吆喝了一声，说你和大江今儿个成心不让我收麦了。待会儿我老婆在麦地里骂起来你可得替我挡着。西山给炳坤倒了一碗凉白开水，又说，早知你来，我就不让大江走了，咱歌仨好好喝几杯。炳坤笑着摇摇头，说，小心群众查你的账。西山说村长是太阳，群众是葵花，即使有个刮风下雨的，那也是有时候的，对不对？

炳坤心里着急，没聊几句便把来意说了，炳坤说我幸亏有你这个朋友，不然，这百十头牛我上哪儿借去。西山沉吟了一会儿，说，你不会让村人自己去借？谁都有个三朋四友,一家借一头不成问题。炳坤说他们支持我,我已满足了,再让他们自己去借,我有脸说出这话吗?再说,地里的活不干都去借牛,这也不像话呀!

炳坤没和西山提钱的事,炳坤想试试自己这张脸值多少钱。

西山为难地吧嗒吧嗒嘴,说,借倒是可以,我一声令下,村人没谁会打逆,可我已答应大江了。炳坤这才想起大江的村子也是六个沿路村之一,心就有些往下沉。炳坤说西山咱们可是多年的交情,这个时候你得帮我个忙。西山说忙我当然想帮,不过……西山欲言又止,最后还是讲了出来。西山说,炳坤你知不知道大江一头牛付我五块钱租金?炳坤说这年头放屁也得收空气污染费你他妈学得够快的。西山说牛往村外牵一来一回等于下一次地,不给个草料钱我没法向村人做说服工作。炳坤笑着说,我让村人把牛给你喂饱了再牵回来。西山摇摇头,说,我操,那牛不成了要饭的了?再说,往年都是咱向村人征这收那的,让村人收咱一次,也算让他们长长自信心吧,连长几回,不就成了民族自尊心了吗?

炳坤看再磨嘴皮子也没用,只好说,好,那我一头牛付你六块。西山拍拍屁股摆摆手,笑道,多一块钱就和大江过不去,不值。炳坤说那你要多少?西山伸出拇指和食指一比量:八块!炳坤一咬牙,说,八块就八块吧!

炳坤垂头丧气往外走的时候,西山在他身后说,要是领导天天来检查就好了,那我就办个黄牛出租公司,绝不会像城里人那样,动不动就拒载。

炳坤回到家里,见刘玉芬正在院里刷锅,锅边粘着一点儿马铃薯。炳坤说给大送饭了吗?刘玉芬说还没呢。炳坤说不给大送饭你刷啥锅?你想饿死老头子?刘玉芬很惊讶炳坤冒出的邪火,说你今儿咋了?炳坤说咋也不咋,我想揍你狗日了。炳坤说着抓过刘玉芬就打,边打边骂西山,说西山你个孬货,你就一头攮钱眼儿里出不来了。刘玉芬这才明白自己挨打是因为西山,刘玉芬就边挨打边骂西山,说西山你个孬种,你害我挨了一顿打,我咒你小麦减产。

一夜无话。早上起来,炳坤刚要喊村人把牛拴出去,便见各家的门相继打开了,村人牵着牛吆喝着走向村前的牛棚。昨天晚上精疲力竭的村人已把放了些柴火的牛棚腾出来,并铺了点儿石灰粉,还打了点儿敌敌畏。炳坤正担心西寨村的牛来晚了会耽误村人收麦,不料想这边牛刚拴好,那边西寨牛队的牛头已到了村口。西寨村黄牛存栏数和三王差不多,一个牛棚将将就就地拴了两头牛。西山说村人一听是帮三王的忙,都很积极,早饭也没吃就把牛牵来了。炳坤无奈,通知村人向自家锅里多添一瓢水,实施一加一、一加二或一加三助饱工程。

早饭扯扯拉拉地吃到七点多钟,一看太阳升起了一树梢子高,西寨村人慌起来,说耽误了半亩麦。三王村人也火烧火燎地提了镰刀往地里赶。西山对炳坤说,兄弟这一大片圆蹄子可就交给你了,我天黑时领人来牵,要是出一点儿差错我可找你。炳坤说你中午吃过饭就来牵吧,不然我还得多搭半天劳力。西山不同意,说时间打中间一分就干不多活了。西寨村人走时看到吃了饲料的牛拉了不少牛屎,便有些眼热，但冲着那八块钱，姿态便高起来。西寨村人对三王村人说，一泡屎十斤草，十斤草二斤料，咱西寨村的牛可给你们做贡献了。

炳坤觉得应该和老亮讲一下拴牛的事，便去找老亮。老亮不在，东北女人说他一早就走了，估计到县城看病去了。炳坤明白了，老亮这几天要么有生意，要么是听说了三元告状的事，正在县里找人。不然，谁也不会在这时候撂下地里的麦子出门。炳坤没往老亮可能会耍滑头上猜，炳坤打心里认为老亮一向很听乡长的话，决不会在这时仅仅因为胆小怕事而称病离开。

炳坤早已和崔洪商议好，两人谁也不下地，就在公路边儿上溜达，一来看牛；二来迎接检查团；三来，也可以帮倾巢而出的村人看门护院。两人都是家里唯一的强壮劳力，地里的活全靠妇女老人干，便显出与别家收割速度的差别，像老水牛啃桑叶一样，半天挪不了一嘴。

拴满黄牛的牛棚显出一派胜景来。自东往西看，一字长蛇阵列出了两个黄油油的长串，牛气冲天，把云彩顶飞了。炳坤心里便有些感慨，想要是这些牛都是本村的，可不就接近小康了。牛认生，有些不习惯，不时闹出点小摩擦，牛的叫声一阵接一阵。三个村头东头西头来回跑，生怕出点小差错无法交代，不一会儿便出了一身汗水。

半晌午时三元坐小飞虎来了一次。三元说自己被任命乡长助理，由于老亮有病，乡长让他来包三王，督促迎查以及麦收工作。炳坤想问三元当了乡长助理是不是就不再搞重新选举的事了，看三元身边还有其他人，就忍住没吭声。三元问了问情况，比较满意，说了会子话就走了。挨到树影子与墙根对直，检查团还没影儿。炳坤对崔洪说毁了，看来今儿个劳动白搭了，明天还得继续辛苦。崔洪说下午咋办？还这么守着？炳坤说不守牛咋办？地里再紧，也没牛紧。两人便一个牛棚一个牛棚地给牛上草上料，等把牛都喂饱，两人已精疲力竭。

天挨黑时，西山领着村人来赶牛，来的人比早上少了不少，西山说是为了节省劳力。西山问炳坤今天没检查明儿个我们还来吗？炳坤说你们不来我咋办？西山看看炳坤晒得猴腚一样的脸，笑了，说你他妈年纪轻轻的，干熊的村干部呀！西山的牛头走出不远，牛尾起了纠纷。西寨村的一个年轻人以为是现钱现货，嚷嚷着跟拴他牛的大房要钱。大房说等检查团来了你把他汽车轮子卸了卖去。年轻人说我就卸你的嘣嘣轮子。两人便吵了起来。西山和炳坤好说歹说才把两人分开，然后炳坤看看西山，西山看看炳坤，两人心里都有些不是味。炳坤想，日你娘，都是这穷给闹的。

三王村人也陆陆续续把自己的牛牵回家，喝了通井水，又点亮马灯去地里拉麦打场。女人们开始烧火做饭。冷寂了一天的村子这时显出点热闹来。炳坤把牛牵回家。院内黑灯瞎火的，崔大同和刘玉芬还没回。炳坤心里挂记，拴好牛，锁好门，便往自家麦地里赶。离得老远，听见地里有人声，崔大同正吭吭哧哧把麦个子往架子车上叉，刘玉芬则抱着号哭的女儿在旁边说急话。炳坤摸黑看看公媳两人的劳动成果，心里暗自惭愧。不到二分地的麦茬子在无际的麦野里显得太小，以这样的速度，得二十多天才能干完。刘玉芬说炳坤这咋办呢？这要是一场雨下来，咱今年可就得吃霉麦面了。崔大同也这样说。炳坤说咋办呢？收一点是一点，检查过后我不就腾出手了吗？炳坤拉着车子往麦场走，全身忽冷忽热地不得劲。炳坤想，坏了，别是中暑了。正难受着，村中的大喇叭里开始播送县气象台的天气预报。女播音员说最近几天可能有大到暴雨。崔大同有些着急，说，可能，可能在天气预报里说吗？炳坤也急起来，这时候落雨可不是玩的，不只自家，全村全乡的麦子可都要受损失。

快过公路时，炳坤碰到了拎着马灯给东北女人照路的二秀，东北女人吭吭哧哧拉着一大车麦个子，身子前倾得厉害。炳坤说崔二秀你叔还没回来吗？二秀说没。炳坤说你家的牛牵家去没有？东北女人一拍车把，说坏了，咱忘了。二秀赶忙把马灯挂在车把上，匆匆忙忙地跑了。马灯在车把上晃得很厉害，路面好像也晃悠起来。炳坤让刘玉芬帮东北女人一下，玉芬不回答，跟在后面闷闷地走。炳坤刚要发火，便听到牛棚方向传来崔二秀的吆喊声，声音很急，失了火一般。炳坤赶紧停下车子拎了木杈就跑，嘴里也大声喊起来。崔二秀的喊声渐渐移向村西的路口去了，等炳坤风急火燎地追到，二秀已累得坐在地上起不来了。二秀说牛，牛让人偷去了。炳坤侧耳听了听，前方一百多米远的地方有得得的牛蹄子响，还伴着鞭子狠抽在牛屁股上的声音。炳坤让二秀继续喊人，自己拎着木杈狼一般向前追去。

离得还有十来米时，便可看见黑蒙蒙的牛影和人影，大约有三个牛贼。炳坤喊你们再不停我就甩杈子。偷牛贼果然停下，能听见呼呼哧哧的喘气声。牛也累了，长这么大没让人这么急地赶过，委屈得哞哞直叫。偷牛贼低声说，你别在后边撵了，不然我就开枪了，我有枪。炳坤冷笑一声，说有枪你敢开吗？打死了我就不是偷一头耕牛的事了。这时从村子方向传来鼎沸的人声，马灯、手电筒明晃晃地亮起来。手电筒的光亮把炳坤这边影影绰绰地照了一下，炳坤便看见面前的人是两高一矮，年岁都不大。炳坤舞舞木杈，说你们赶紧把牛放了，不然别怪我不客气。偷牛贼看看越来越近的灯光，照牛屁股砸了一棍，牵牛就跑。炳坤三步两步冲上去，照其中一人的腿肚子就是一杈子。

炳坤的手很灵便，正把那人小腿叉在两根木杈股之间，然后手一翻，一别，那人咕咚一声倒在地上。炳坤刚要纵身压住，忽听得耳边轰地响了一枪，自制土枪的铁砂弹嗞嗞响着从身边飞过。炳坤觉得手臂麻了一下，心说坏了，今儿个别真的光荣了。枪声并没阻住炳坤的去势，他魁梧的身躯如一袋沙子般啪地罩在地上那人身上。这时灯光和呐喊声已涌到近处。两个偷牛贼照炳坤肋巴叉子上踢了几脚，又用劲拽了他几下，见炳坤死也不放身下的偷牛贼，便丢下牛撒腿跑了。

村人把炳坤和身下的偷牛贼拉起。炳坤的手指如铁条一般紧紧扣在偷牛贼肩

胛肩上，炳坤自己松了几下竟没收下，只好让村人把他的手指掰开。这时炳坤才觉出左臂和肋部一齐疼痛，黄豆粒大的汗珠从头上滚滚落下。凑到灯火跟前一看，手臂边缘给铁砂钻了一个洞，虽然流血不多，却钻心般地疼。崔二秀这时也赶到了，看到炳坤受伤，二秀的神色便很难过，连忙扯过自己的汗巾要给炳坤包住，炳坤摇摇头，说你那一包一捂反而会更厉害。

众人回到村里，心里一时静不下来。先是派两个人把偷牛贼送去乡派出所，而后大家回家端了饭碗，围坐在炳坤的院子里，边看兽医崔大植为炳坤疗伤，边说一些大家都感兴趣都乐于参加的话，诸如麦收、养牛什么的，最后大家的意见统一在一点上，说要不是这牛闹的，也不会出今儿个这事。炳坤看着不大对头，便说，大家都回去吧，明天还得拴牛收麦。众人便纷纷起身走了。过了一会儿，老亮回来了，看了看炳坤的伤，低头叹息了一番，掏出两盒渡江烟甩给炳坤。炳坤说你明天在家吗？老亮说县医院让明儿个去取化验结果，不去不行。炳坤笑笑，没再问下去。

第二天早上，西寨村人来得更早。刚把牛拴齐，西山便找到炳坤，先看看他那缠了纱布的伤臂，然后说，昨天有个事忘了讲，咱讲好的一头牛八块是一趟八块，今儿个可是第二趟了。炳坤有些恼，说，你鸡巴说话就当放屁了？讲好的应付过检查团，谁给你讲一趟两趟了？不想干你就走，我没心思跟你打嘴仗。西山也火了，说走就走。西山到院门口站住了，回头看着炳坤不说话，炳坤也不说话，对视了一会儿，西山叹了一口气，递给炳坤一支烟，说是黄盒钟鼎的，他儿子昨儿个从部队上回来探亲，给他买了一条，一毛钱一根哩！炳坤点着吸了一口，说，这样，一头牛十块，不论趟数，检查团这事过去为止。西山默默地点了点头。

两人正说着话，大江骑车急风急火地闯进来，见面就和炳坤吵。大江说刚才乡长到王土楼村去了一趟，看见牛少，逮着他大江骂了一通。大江说炳坤你挖别人墙脚，不是人，我那个局部没搞好，你这个局部能有多美气？炳坤说大江你来找我就为骂我一句？大江一咬牙，说，一头牛十块，你把牛匀我二十头，不够的我另外想办法。炳坤摇摇头，说，这不行，匀给你二十头我咋办？远村近邻牛多的是，你咋不去拉？大江看看西山，把炳坤拉到一边，说，大家都留着小心眼儿哩！都怕检查团不按乡里给的路线走，谁敢轻易把牛借出去？就西山傻B，钱糊了眼。你给不给我？不给，我这就跟西山讲明白。炳坤连忙拉住大江，说，好兄弟，我给你十五头。

这边正说着话，那边吵了起来。原来有一头西寨村的牛拉肚子，拉得满地都是，把牛拉得直翻白眼。牛主人还没来得及走，说牛一定是吃了三王的草料才拉的肚子。牛主人嚷嚷着让拴他牛的利群去找兽医，说医药费得由利群出。利群说我自己拉肚子都不舍得去看，何况你一头牛？利群说你那牛没吃过这么好的料，所以一逮着就没命地吃，不拉肚子才怪呢。好比出门坐汽车，乘客把车票买了，沿路检查站收费可就是你车主自己的事了。架越吵越大，两个村子的人纷纷围过来看，有帮牛主人的，有帮利群的。炳坤连忙拉人赶紧去喊崔大植，一头牛一两千块钱，有个闪失，连三成也卖不到。炳坤说咱三王和西寨就这七里路远，亲友套亲友，以往大路上见面都热呵呵的，咋这几天跟仇人似的？西山说城里有件事你可听说没？有一对连襟，关系好得跟一个人一样，姐夫有手艺，会焊防盗门，一月能挣三百块；妹夫有心计，做生意有一套。妹夫出钱办了个防盗品厂，拉姐夫来做师傅，一个月给他五百块。五百块不少吧？可一个月不到，姐夫就嫌钱少，和妹夫干了一仗。炳坤说这是人没进化好，尽缺点。西山说人身上都是黑点，只是不用火烤看不出来，他娘的那火就是钱。

西山走后，炳坤看看天，果然如天气预报说的有些阴。炳坤便和崔洪商议去租几台小型联合收割机，尽量抢在雨下来之前把麦子割完，不然，要是赶上连阴天，麦子非霉变不可。两人一起来到地头问了问，村人都同意租，说别为了心疼几个钱把一年的指望丢了。崔洪说炳坤你有伤，肋巴叉子又疼，我去租好了。炳坤说别，你的嘴比我会说，检查团来了应付得好。

离乡集五六里地的谢村麦头里由私人合伙买了三台小型联合收割机，在县电视台做了广告，愿为农民兄弟出力出汗割麦子，一亩麦子收汗钱十二块。炳坤赶到时负责联系业务的人说三台机子早上一起出去了，估计下午能回来，回来就去三王。炳坤又问了问一台机子一个小时能割多少，心里踏实了些，推车子就走。大门还没出，顶头碰见三元从外面进来。三元问炳坤来啥事，炳坤说了，三元脸上忽然起了急色。三元说我也是为这来的。三元说乡长委托我来租小联合，他要为他老家刘寨村做贡献，愿负担三分之一的收割费。炳坤说怕是想收买……炳坤忽然觉得这话说了不好，就住了口。三元笑了，说，管他咋想，我完成任务就是了。三元进屋一问，才知道炳坤已占了先，三元就和炳坤商议，说你把机子转给乡长吧，乡长那里急哩！炳坤说我也急哩！三元说凡事要分个轻重。炳坤说我那里就很重！三元说了好一会儿，炳坤愣是不松口。三元最后使出了撒手锏，说你们村能不能成为养牛示范村，乡长那里可是个关键，再说，县里要是没人打点，怕也不成。炳坤愣了愣，明白了三元的意思。炳坤搞不清三元这几天为啥突然与乡长亲近起来。炳坤想乡长助理这官三元一定不满意，所以三元一定不会为此感激乡长。三元想这人也不知是说变就变还是本来就这样一时没表现出来。炳坤对三元的看法就变了，想起漫村遍野的向日葵，心里很不是味。看看实在没有办法，炳坤只好松了口，让给三元两台。三元拍拍炳坤的肩，笑笑。炳坤刚要走，三元把他喊住了。三元说你昨天晚上抓了个偷牛贼是吧？炳坤便给三元看自己的伤臂。三元说那个偷牛贼我见了，我认识，是我一个哥们儿的侄儿。炳坤不吭声，知道这事也是没下文了。三元说和你讲一声，这事听派出所处理好了。炳坤说还有两个携枪跑了。三元说这事让派出所全权过问，你可别写材料告，材料一递麻烦就大了。炳坤看看自己的伤臂，默默点头答应了。

炳坤本来想和三元扯扯老亮的事，看三元这样，便没有了一点儿心劲。

炳坤回到村子，已经十一点多了。检查团的人仍没来，牛棚前一个人都没有。炳坤便有些生崔洪的气，想，要是这牛出一点儿差错，咱们咋向人家交代。刚想喊人去找崔洪，便见崔洪脸色难看地从村里走出来。炳坤说崔洪你干啥去了？崔洪说我啥都不想干，可不干行吗？上边来人了，要麻烦事！崔洪小声和炳坤嘀咕了几句，炳坤也变了脸色，便让崔洪去街上买酒买菜，顺便捎几包好烟回来。崔洪摊摊手，说没钱。炳坤无奈，抓耳挠腮半天，跑到麦地里喊了一声刘玉芬，说你把那折子借我用用。刘玉芬不给，说我的钱你随时随地都能用，就这存折不能用。炳坤再解释，刘玉芬就是不点头。炳坤无奈，抓住刘玉芬又揍了一顿，从她裤腰里掏出一本存折来，存折已给汗浸得半湿，散发着刘玉芬身上暖烘烘的气息。炳坤把存折递给崔洪时手有些抖，炳坤说崔洪这是我的命根子，就这五百了，头疼发热大病小灾的我还得靠它呢。崔洪心里有些难受，黄了黄脸，说，我尽可能少花就是了。

炳坤赶到村部时，看见门口停了一辆南方 125 摩托，一男一女正坐在屋里桌子边闲聊。一男一女很年轻，也很漂亮。炳坤说都来了？我是这个村的书记。男的便从上衣口袋里掏出一本蓝皮证件，说自己是中央电视台焦点透视摄制组的，昨天到的县城，今天上午听说三王为了应付检查而借牛充数，特意来实地看一下。男的说着话，女的已起身去取放在门边的大帆布包，白皙纤柔的手在包的拉链上一动一动的，欲拉不拉的样子。炳坤想那里边一定是摄像机，那玩意儿一旦拍进去东西可就拔不出来了。炳坤连忙去拦女的，把所有热情的笑都堆到脸上，说了许多好话。男女记者也不急，一边听炳坤解释，一边继续聊一些闲话，像副部长上个月又去组里视察了，鼓励大家好好干；一个富裕县为了不在焦点透视上曝光送了十来万什么的。炳坤听得心惊肉跳，炳坤想今儿个这一关不知是否能闯得过去，炳坤想闯不过去自己倒没啥大不了的，一狠撤职拔簧，乡长可就惨了。听说乡长当年还是副乡长时，为了拨副为正，光古井贡酒就送了百十箱子，如果这一关过不去，那百十箱子酒可就丢水里一半了。炳坤一边继续满脸堆笑和记者说好话，一边探头去看崔洪来没来到。村人听说来了记者，有的就提着镰刀来看热闹，眼神火辣辣地往女记者胸上和下体看。女记者穿一身白裙子，下摆短得露出白白的大腿根，惹得村人直吸溜嘴。女记者有些恼，又要去拉帆布包。炳坤看着不妙，一顿臭骂把村人轰了回去。

崔洪一头大汗地回到村部时，太阳已开始从头顶往下掉，两个记者已显出些不耐烦。炳坤本以为记者吃不惯卤菜，不料想他们吃得特香。上次乡长下来检查工作，炳坤也是让崔洪去买的卤菜，结果把乡长吃得闹肚子，把炳坤熊了一顿。炳坤想看来记者是辛苦，干这一行也不容易。炳坤心里便有了些恻隐。

吃过饭，男记者提了包，说要到牛棚去转转。炳坤有些束手无策。吃也吃了，说也说了，除了强拉硬拽，炳坤没了别的招数。两个记者给炳坤拉得不好意思，说，其实你们也挺可怜的，我们也不想拍，可我们要是白跑一趟，什么也没拍成，这个月的奖金就泡汤了。炳坤问奖金有多少，记者说也就千把块吧。炳坤心里便有些难受，想自己辛苦一年也就几百块钱的补助，人家一个月光奖金就这么厉害，这日子是没法比。炳坤把崔洪叫到门外，让他无论如何也得想个办法，弄一千块钱过来。崔洪垂头愣了一会儿，转身走了，走时撂下一句话：我操，我真想把那女记者的裤子扒掉。

崔洪骑车子转了两个村子，总算借齐了一千块钱。炳坤从崔洪手里接过钱，腮帮子动了几动，差点儿哭出来。炳坤把钱交给女记者，说，我只能凑够这些，你们要是嫌少，就拍好了。没想到两个记者交换了一下目光，竟一起哈哈笑起来。男记者说，我什么时候都能感觉到农民兄弟的伟大。女记者道，群众才是真正的英雄。

送走了记者，炳坤一下瘫坐在地上，冷汗一个劲儿地从额头上往下滚，全身如在蒸笼里蒸了半天一样地难受。崔洪把手放炳坤脸上试试，说烧得厉害，去医院看看吧。炳坤不去，炳坤说发点儿烧有啥？不碍事，等会儿嚼几个陈年红辣椒就好了。随后，炳坤摆摆手，说咱到村口去吧，待会儿收割机该来了。

收割机下午三点多才来到，驾驶员说赵助理硬拉，要不是看你们不容易，这台机子也来不了。炳坤想了一下，通知村人聚拢来开个紧急会议。炳坤向大家讲了讲天气情况，说收割机先在这块地里割，麦子在这块地里的人家一家留一个人在这里帮忙，省下来的劳动力全去别一块地帮其他人家的忙，这样不误工，速度快，至于工钱，到时按各家用收割机收割的地亩数结算。炳坤问大家有没有意见。大家都把眼瞅着先用上收割机的人家，说只要他们同意，愿意国际主义，事就解决了。那几户人家豪爽地答应了，说先轮上自己是大家的照顾，自己发扬共产主义风格也是应该的，反正以麦子不淋在地里为好。

炳坤挺感动，这个时候能有这种集体主义精神，真是难得。炳坤动情地说，干部家的麦子放到最后收，干部的家属也一律去别处帮忙。老亮的东北女人便有些不乐意，说这样不合理，我自己一点儿一点儿啃也比一点儿都不啃强呀！炳坤说这事自觉自愿，你不同意我也不能强迫。村人也都说不该这样，村人说该怎样，干部不搞别的特殊化，也别搞这种让大家心里不安的特殊化。炳坤一摆手，说，就这么定了，我和崔洪的麦子放到最后收。

炳坤想也许通过这次收麦能真正把村人团结起来，树立干部在群众心目中的好形象，今后的工作也许会好干些。

炳坤问驾驶员可不可以连夜干，驾驶员说机子能吃得消，可人吃不消，我已连着干了几天，现在就想睡觉去。炳坤说，那我跟你学半天，你睡觉时我来干。崔洪不让炳坤学，说要学我学，你有病，就歇会儿吧！炳坤说我是高中毕业，又年轻，学技术快，说着就跳上收割机，坐到了驾驶员身边。

天挨黑的时候，西山领人来牵牛，听崔洪讲了一天里发生的事，就来到地里把炳坤从机子上叫下来，说炳坤牛钱我不要了。炳坤先是惊讶，继而笑了，说，不，计划生育罚没款快返还了，到时我一定给你。西山摇摇头，说，那是乡长的屁话，你信？他乡长一座乡政府大楼花了五十万，弄得半年没给教师发工资了，到处抓钱都抓不到，哪来的钱给咱？炳坤张了张嘴，什么话也没说出。西山又说，就这么定了，如果你过意不去，以后还情的时候还多。

西山走后，炳坤的泪水唰唰地流了下来。

夏日天长，当灰乎乎的天空彻底被黑夜遮没的时候，已到了晚上八点多钟。麦田里的人逐渐少了，只有收割机的四周还围着五六个人，有村干部，有田主。村里闪动着忽明忽暗的灯光，麦场里不断传来石磙碾麦穗的声音以及哗哗的扬场声。驾驶员累得实在坚持不住，便走下来到地头吃饭歇息。炳坤学了几个小时，感觉这机子操作起来很简单，便坐上驾驶台试了试。刚开始有些斜歪，麦茬子留得高低不齐。炳坤调试了一会儿，便觉得手顺脚顺起来。收割机嚓嚓欢叫，把人耳朵吵得木麻麻的。

炳坤听不见地头说话的声音，也听不见机子右侧负责扎口袋的人的声音。黄亮的灯光如两根杉木，一直伸到前方十来米远的地方。炳坤的眼前除了灯黄就是麦黄，他已感觉不到收割机四周的暗夜。五个小时在嘈杂声中慢慢地流过去了，炳坤的头眩晕得几乎抬不起来，四肢乏力不听使唤。手臂的伤痛也趁着全身的极度疲乏而更猛烈地攻击他，肋下的疼痛一阵一阵热气一样往上冒，顶得他全身一抖一抖的。炳坤感觉自己要倒下去，炳坤想不能倒下去，一定不能倒下去。炳坤想抬臂抹抹脸，给自己提提精神，抬了几下竟没抬动，炳坤攒足力气猛一抬，身子便如麦口袋一样从驾驶室里歪出，重重地摔到了地上。

炳坤醒来时发现自己正躺在地头的一张苇席上，兽医崔大植正用一把粗粗的针管给他做静脉注射。他的四周围着很多人，他的妻子刘玉芬正在嘤嘤哭泣，崔二秀则在远一点儿的地方偷偷抹泪。灯火通明，万籁俱寂，村人一双双关切的眼睛正担忧地看着他。看到他醒来，崔洪长出了一口气，说行了，好了，过来了。炳坤这才想起自己栽下的一幕，抬腕看看表，已是近一个小时过去了。

众人七手八脚把炳坤抬回家中，看看时间太晚，纷纷走了。崔洪走得最晚，崔洪走到院门又返身回来，坐在炳坤身边默默抽烟。炳坤知道他有话，也不好问，就睁着眼看着崔洪，崔洪抽了两根烟，说，炳坤，今儿个你给我上了一课。本来，我以为世界上没有几个人不是一心一意为自己着想的，特别是干部。忍屈含辱，又走后门又送礼，苦心巴力当这个干部是为啥？还不是为了捞几个？今儿个你给我上了一课，从今后我一定更积极地配合你工作，你指哪儿我打哪儿。

炳坤受了感动，说你已经很配合我了，没有你这个会计，我真不知道工作咋开展。崔洪说我有个想法，不知你同意不同意。我准备麦后带几个人去县里上访，把老亮挪用公款的事反映上去。炳坤摇摇头，说你这是越级，上边会推回乡里。崔洪说那我就多带几个人，这事弄不明白，我这个会计也当不好。炳坤说再说吧，等等看三元那边的动静。

炳坤仅睡了两个小时，东边就渐渐显出亮光来。刘玉芬不让炳坤起床，说自己也不下地了，就在家陪炳坤。炳坤不答应，一睁眼就满脑门子的事，再病再累也躺不下去。炳坤吃了几片崔大植给的药，就头重脚轻摇摇晃晃起了身。刘玉芬端过来一碗鸡蛋糕子让他吃，炳坤不吃，说给大吃。崔大同说我不吃，你吃了中用，我吃了填坑。炳坤越发不想吃。刘玉芬无可奈何，另做了一碗给崔大同，炳坤才勉强吃了一点儿。

炳坤刚走出院门，便看见老亮骑着自行车往村外去。炳坤喊了一声，老亮没理会。炳坤便一把扯住老亮的车后架，说，老亮这两天的事我想和你汇报一下。等老亮回过头来，炳坤惊异地看到他的脸上用胶布沾着两块纱布。纱布很大，把老亮的两块颧骨遮了大半，没遮住的部位隐隐约约露出几块红伤来，额头上也有两块青黑的印痕。老亮说有事改天再说吧！我去县城有事。说着又要上车子，右腿刚迈上去，左脚一软，身子扑通一声倒在地上，趴在了车子上。炳坤便看见老亮的小腿上也有很多青紫的伤痕。老亮爬起来，照车子上狠踢了两脚，骂道，三元，我日你娘，有种的面对面斗，打黑枪算你娘个熊本事。炳坤知道老亮一定是在城里被三元的小弟兄们算计了。炳坤说你在家歇歇吧，找大植给看看。老亮说不看，我去县里告他。老亮小心翼翼地上了车子，回头对炳坤说，你给三元捎个信，想搞倒我老亮，他还嫩点儿。

这一天是检查团检查的最后期限。炳坤丝毫不敢怠慢，吃过饭以后立即组织人把牛棚重新打扫了一遍，怕给领导留下一个社会主义新农村脏兮兮的印象。天阴得更厉害，乌云如一滴巨大的水滴垂在头顶，随时可能掉下来，压得炳坤心头沉沉的。西寨村的牛队准时赶到，西山却没有来，西山让人和炳坤说他要在家督促收麦，天黑时再来。炳坤刚要去喊崔洪，让他下地指挥收割，就见崔洪气急败坏地跑来，变腔变调地问，炳坤，刚才的广播听了没有？炳坤说没有。崔洪说毁了，昨天那两个记者是骗子，昨晚上回到县城行骗，给公安局逮起来了。炳坤便觉脚下有些不稳，发烧的头晕得一时不辨东西南北。崔洪说咋办呢？咱那一千块钱不打了水漂了？炳坤答不出话来。炳坤想这是自作自受，怨不得别人，如果自己不作假，也就不会被假的骗了。炳坤向崔洪摆摆手，让他赶紧到地里去，无论如何，今天一定要把麦子割完运回村。

这个上午漫长而无聊。头脑昏涨的炳坤疲软无力地一趟又一趟地村西村东来回走，把一双眼睛瞅得生疼，既希望听到马达声又怕听到。麦田里的情形热火朝天，麦子一片一片地倒下，无处可躲的土歌儿鸟惊恐地叫着，惹出一阵阵惊喜。偶尔还会有几只黄褐色的野兔从土洞里钻出，与主人形影不离的家狗便有了炫耀的机会，费了一番周折，终于把垂死挣扎的兔子衔了回来。炳坤想要是富富足足太太平平地过日子，其实农村是最好最美的地方。

炳坤转到十几个来回时，十二点钟就到了。炳坤忽然觉得身上一阵轻松，心里一块石头总算落了地。炳坤逐个往牛槽里加了些草，吸了几口烟，便脚步响亮地往麦地里走。自打炳坤昏倒以来，驾驶员一刻也没闲着。炳坤想别让人家累着，该把他替下来歇歇了。炳坤还想，等麦子收完了，自己的病好利落了，一定把西山和大江邀来好好喝上一顿。炳坤能看得见在远处麦田里帮别人家忙的刘玉芬，想起刘玉芬无缘无故地挨了自己两顿打，一丝歉疚蓦地袭上心头。

炳坤还没来得及走到收割机跟前，便看见从西寨村方向匆匆忙忙地跑来了两个女人。

坏了，女人离得老远便喊开了，检查团在南庄拐下了公路，绕到俺西寨去了。

炳坤的头轰地响了一下。结果咋样？麦地里的人呼啦一下围了上去，有的递毛巾，有的递茶水。两个女人咕嘟咕嘟喝了一大碗水，一拍大腿，说，还能咋样！人家一头牛也没看到，西山村长也没法说实话，正给焦点透视的记者曝光哩！人家说俺没养一头牛却愣吹牛，准备建议税务局征收吹牛税哩！女人的声音里带了哭腔。

炳坤急忙问，又来了焦点透视吗？女人说，这回是真的哩！恁些人，带了好几台机器，说是在地区和副省长碰一块了，就一起来了。本来是来夸咱的，没想到碰上了这回事。

炳坤知道这回西山是给透视上了，西山之后，乡长也会给透视上，还有自己，恐怕这一次是闯不过去了。炳坤想象着西山尴尬的样子，心里很难过。随后炳坤又想，这是一件好事哩！焦点透视还真行，一步踩一个脚印子。

炳坤昨天中午已想好了，等过了麦季就向乡长辞职。而现在，他觉得自己又有了干下去的劲头。炳坤想，只要不撤我的职，我就好好干下去。炳坤也明白这只是自己的一厢情愿，结果不是自己能决定的，他所能决定的，也只限于一天吃几个馍，喝几口水。炳坤想自己这个小老百姓太小了，小得连自己都看不到自己。

炳坤擦了一把脸，一纵身上了收割机。

下午五点钟左右，麦田里只剩下利群的几亩麦子和炳坤、崔洪的十几亩麦子。当村人感到胜利在望时，欲滴不滴的乌云却把大雨倾盆般倒了下来，一下就把整个世界淹没在水中。崔洪指挥村人从右侧抢收利群的麦子，炳坤驾着收割机艰难地在左侧抢收。当利群的几亩麦子被全部甩上架子车时，麦田里已无法下脚，半尺深的泥浆使人举步维艰，镰刀碰上麦秆便滑脱开来，不小心就把手和脚划了。炳坤费了九牛之力，也无法把收割机开上地头小路，即使能开上去，也是白搭，小路已泥泞不堪，无法承载收割机的重量。

炳坤和村人一道用塑料布盖住收割机，一歪一斜地回到了地头。

在无际的原野中，在狂烈的暴雨下，在呼啸的疾风里，炳坤、崔洪的十几亩麦子在艰难地挣扎着。麦子起初还能随风摇摆，但很快就被硕大的雨点和疾劲的西风扑倒在泥水里。泥水淹没了黄澄澄的麦子，也淹没了刘玉芬和崔洪女人的哭声。

除此以外，还有无数的葵花在沟头地角顽强地迎受风雨。不知什么时候，葵花头已绽开了金黄的花片，在遮天蔽野的风雨中，金黄的花片格外娇人，成了与十几亩麦子形成强烈对比的美丽的风景。

天挨黑时，雨还没有止住的兆头。西山领着西寨村人披着尿素袋子打着伞来牵牛。西山脸色很平和，像什么事也没发生过。炳坤没问西山被透视的事，西山见了炳坤，也只说了一句有关透视的话：省里责令县里派调查组哩！

炳坤刚要和崔洪一起动员村人好好款待西寨村人一顿，村人已自发地行动起来，兑了份子，派大房开机动三轮车去街上饭店里买菜，村人说别买卤菜了，那东西吃了拉肚子。大房很会办事，拉了一扇子猪肉回来，又买了十来只肥肥的麻鸭。先把鸭子煨出黄亮亮的油，再加入酱豆和猪肉，炖得烂熟，再放入粉丝和大蒜。三王村人和西寨村人聚在村部的大屋里，喝开了窖香浓郁的大曲酒。西山高举酒碗，站在大桌子前面，说我西寨村的西山问三王村的众位兄弟大哥一声，这第一碗酒，应该敬给谁？三王村人一时静极，而后一齐发一声喊：炳坤！炳坤很感动，炳坤擎碗一饮而尽，觉得这是自己干行政村书记以来喝得最痛快的一碗酒。

村人在酒场上通过了一项口头决议：麦子打下来，一家匀出一百斤，给炳坤和崔洪。炳坤和崔洪表示反对，但他们的声音很快便被村人斗酒的吆喝声淹没了。

五天以后，雨终于停了下来，炳坤还没来得及到地里去看看，县里派的调查组来到了。

炳坤、西山及王土楼村的村长大江被撤销了行政职务，党籍保留，察看一年。炳坤的书记职务由大房接替。乡长也受到审查，乡长在半个月后被调到另外一个乡，仍旧做乡长，据说干得挺有劲儿。据说该乡在乡长去后兴起了一项新的副业，年底极有可能拿全县第一。

炳坤现在闲了下来，闲而无事的炳坤常常卷一支烟吸着村前村后地转，转累了就坐在公路沿儿上看葵花，一看就是老半天。

炳坤想这些葵花真好看，一朵一朵开得像太阳似的。

夏天快要结束的时候，从乡里传来消息，鉴于乡长助理赵三元将调到县委组织部任组织科副科长，乡里缺少人手，新来的乡长要求副乡长老亮搬到乡里去住，以半脱产副乡长的身份行使脱产副乡长的权利，主管工贸和计生工作。

老亮搬家的时候，大房带人给他送了一块匾额，上写：为人民鞠躬尽瘁，干四化死而后已。崔洪没去为老亮送行，崔洪躲在自家院子里抽烟，边抽边想老亮和三元这一番争斗最后胜利的是谁。

老亮出村一里，快走出三王村地界时，看到前面路中间站了一个人。老亮的心咚地跳了一下：是炳坤！

炳坤把背在身后的手亮出来，把一只做工精巧的小布袋递给老亮，说，送给你。老亮疑惑地接过来，掂了掂，很轻，解开袋口，里面是一颗颗饱满圆润的葵花种子。

老亮抬头看时，炳坤已走了。炳坤的身影很单薄，像一只冬天的傍晚落单的麻雀。

老亮拈出一粒葵花种子，嗑开了，看看籽仁，籽仁很光洁，散发着香甜的气息。老亮叹了一口气，又抬头看看炳坤的背影，把种子放回了袋中。

（选自《时代文学》1998 年第 3 期）

孙志保

1966 年出生，安徽涡阳人。1988 年 7 月毕业于安徽大学历史系。曾在中共涡阳县委组织部工作。1991 年开始发表作品，发表中短篇小说《黑白道》《心情》等。《黑白道》获第三届安徽文学奖。

愤怒的小凉河

马其德

一、真有此事？当然。不过，秦香莲可不是戏剧里的秦香莲。

秦庙是三会县挂着号的贫困村，秦香莲又是秦庙挂着号的困难户。每年的腊月二十三左右，县里的四大班子领导坐着小车来秦庙送温暖，村干部总要陪着上级，背一袋白面掂几斤肉，亲自送到她家，怕的是她过年吃不上饺子。村干部说，只要秦香莲家能吃上饺子，秦庙就没有吃不上饺子的户了。

说也许不信，她家至今还像“文革”前那般穷。吃，有上顿没下顿；穿，冬夏不变样，一条破被子烂成瓜秧了还补了再补，视为家珍。家混成这样，头一条这里是老边山区，经济滞后，这是外因。要找内因，又有两条，之一是男人不争气，好喝，家里哪怕没盐，也不能没酒，有俩钱就去小卖部掂一瓶。好喝不说，还善赌，因为麻将桌上耍赖，被赌友戳瞎两只眼。内因之二，就是秦香莲孩子生得稠，平均两年添一口，不几年嘟嘟啦啦生下四个千金，最大的才十岁，最小的才会走。秦庙不抓计划生育？非也，计划生育普天下都抓，秦庙能会例外？超生罚款，天经地义，可她不怕，真正的无钱户是无所畏惧的。去年秋粮绝收，村里本想救济她一些粮食的，因为超生，救济不好救济，救济她，村里人有意见，不罚她就算便宜她了，还救济？再救济是鼓励超生还是咋的？不救济又不行，村干部不能眼睁睁地看着让人饿死，村支书秦良才没法好想，就把自己家的粮食挖给她一口袋，说对外别嚷嚷，嚷出去都向我来借粮，我就没法了。

后来县里打扶贫攻艰战，推行“结对子，一帮一”活动，村里所有的困难户都被人结走了，独有秦香莲无人问津。支书说，都不要，归我吧，谁让我是支书呢？这事就让秦香莲感激不已。对子是结了，咋帮呢？秦香莲又不能出外去打工，只能搞些庭院经济，饲养个啥物的还可以。支书秦良才从一本农科杂志上得悉，有一种新品种山东鸭好喂养，就出面作保，求乡信用社贷给她五千元钱，让她买了一千多只小鸭养起来。

据杂志介绍，山东鸭是山东牧专培育的优良品种，叫鲁鸭二号，类似于北京鸭，但比北京鸭个儿大。

鲁鸭二号水旱两栖，有塘有河更好，没塘没河关在院子里也能喂养，这对于干旱缺水地区无疑有其优势。这种鸭子的最大优点是长得快，喂不了三个月就可下蛋，那蛋一个有四两多重，有些蛋还是双黄，适合腌渍，市场上绝对是俏货。

喂鸭好是好，不过也有风险，这群鸭子成不成事关重大，成功了发一笔小财，再干别的营生，日子就会越过越好，失败了就了不得，因为贷款是要还的，年底本息两讫，五千元打了水漂，对于她来说等于雪上加霜，不啻玩股票赔了五千万，非跳楼不可的。

秦香莲为养这千把只鸭子操心操大了，用她的话说，月子里奶孩子也没下过这大劲儿。

她知道养活成这群鸭子，不光是为了改变家庭的困境，还有对得起秦支书的意思在里面，不是都不要俺吗？俺也真得给秦支书争口气才是。

为了把院子腾大一些，秦香莲把自己家里的厕所都挪到了院外，以前喂的猪和几只鸡都卖了，猪圈鸡圈都扩成了鸭圈。鸭子小的时候好得病，她买了针管、针剂，一只只挨个打。

害怕天热鸭子受不了，院子里砌了个小水池子，水一天两换，她还买只温度计挂墙上，看到温度上来，就泼水。白天一天三喂，夜里还要起来几次，担心黄鼠狼、山猫什么的祸害了它们。

功夫下到了家，鸭子们也就很争气，很对得起她，吹气似的一天天往大长，不到半个多月可就长成个儿了，大屁股，小脑袋，短短腿，一走三晃的，像南极洲的企鹅。院里喂的鸭子能长成这样也真不易，谁见谁夸。还有人给她算了笔账，说等鸭子长大了，平均每只两天下一个蛋，一天就收四五百个，按每个蛋五角计算，四五百个蛋起码能卖二百多块，一月下来就是六千多块，一年下来呢，好家伙，七八万块，用不了五年，你家就能盖小洋楼了。

秦香莲听了心里直扑腾，盖楼？我老天呢，别说盖楼，能把家里两间茅庵扒了换成新的就算到天了，真有钱，先把丈夫的眼治治，看还能不能复明？再给孩子们扯一身新衣裳，添条新被子，余下钱来一定买一台缝纫机，补补缝缝的再也不使针缭了。

这就是秦香莲的小康目标，这就是她的人生理想，电视机、电冰箱、洗衣机离她还遥远得很，因为她就没有见过这些，她觉得家里有了缝纫机就奔上小康了。

实现这样的小康要说也容易，再过两个月，鸭子不就会下蛋了吗？

菩萨保佑吧，让她的小鸭们平平安安、没病没灾的，快快长大，快快下蛋。她的要求并不高，日子过得也真不易。她许愿也许了，等过年时，她给菩萨蒸十八个大馍头，外上一炉高香。好心的菩萨，你听到了吗？

二、风云难测，祸福未卜，活拉拉的一千多只鸭子转眼倒在了地上。

那一天，秦香莲恰好到支书秦良才家去帮忙，秦支书的小儿子结婚，人手忙不过来，秦香莲没等叫就去了。良才支书一条腿，走路靠拄拐，这样的人值得同情。况且他也不是外人，按辈分论该叫他叔，对她家一直很不错的，这次帮她贷款不说了，春天那一口袋粮食可是救了她家大急的，不然就得去要饭。秦香莲是个重义之人，正赶上人家需要帮忙时，她能袖手旁观吗？不送礼总得过去看看才好吧？

秦香莲到良才支书家帮忙，无非是干些打杂的活，烧锅、刷碗、洗盘子，这些不要多少技术的活儿，她能干。帮忙帮到十二点，眼看就要待客吃饭了，秦香莲的大女儿桂花慌慌张张从家跑来了，桂花看到妈，哇的一声就哭开了：妈，不好了，鸭子出大事了……

咋了鸭子，你快说呀！

鸭子跑到小凉河里去了……

秦香莲听了，头一下子就大了，脑海一片苍白，眼前金花四溅，烧火棍一扔，来不及和主人打个招呼就跑出来了。秦香莲边跑边问桂花：咱家院门不是关好的吗？你看清没看清？到底是不是咱们家的鸭子？——秦香莲还存有一份侥幸，她出来前确确实实是将院门关好了的，或许是别人家的鸭子吧？——桂花说，那是哩，咱家的鸭子我会不认得？我放学回来从河边经过，看到它们正在里面游泳，我就赶快把它们赶回来了……秦香莲又问：鸭子有事儿没有？桂花说，有两只已经躺倒不会动了，剩下的也都缩住头不动弹。秦香莲说：你爹呢？他知不知道？桂花说，我爹说都怨他，是他瞎摸着给鸭子喂食时，没有把门拉紧，别人家的一头猪一拱就拱开了。秦香莲就骂道，你爹这该死的咋不死呢？秦香莲一边朝着自己家撒腿狂奔，一边哭喊着：鸭鸭，我的鸭鸭呀，都怪妈没有在家看好你们呀，那河里哪能去玩呀鸭鸭，那不是要你们的命呀鸭鸭？

不知道的听她这样喊叫，定会以为这女人神经病，或者是她的孩子闯下了什么大祸，不然的话，能妈呀、鸭鸭地喊叫得像鬼拿住一样吗？

鸭子跑到河里去有什么要紧的？又不是小猫小狗，秦香莲难道连这点常识都没有吗？常识是有的，秦香莲担心的倒不是鸭子会溺死，而是河水把它们给熏死，因为小凉河受到严重污染，河水已经不再是河水，远看像是一槽凝固不动的墨汁，近看更像一河床缓缓流淌着的酱油。只是味道十分难闻，一种说不清道不明的什么气味扑面而来，就像突然闯进了夏日的屠宰场，一股股腐尸烂肉的恶臭逼人窒息，催人呕吐。这样的地方，自然不是鸭子们的游乐场，一个月之前，有人亲眼看到一条水蛇受惊误入河里，就像滚油煎着一样，不到五分钟便老实了，何况是群行动笨拙的鸭子呢？

情况比想象的还要严重，秦香莲赶到家一看那个惨啊，一千多只小鸭白花花地倒了一院子，就像机枪扫了似的尸体一个挨着一个，猛眼望去，犹如一片被人踏倒了的芦苇。有两只小鸭还没咽气，但比死去还让人难受，口里冒着白沫，小腿挣扎着，浑身痉挛成一团，看样子离死也只有一步之遥了。

鸭鸭，我的鸭鸭啊，你们当真就这样走了吗？一千多只呀，一只也不给我留下来啊，我劳心熬神地把你们拉扯大，连一个钱的济也没得到就走了呀我的孩子……秦香莲跪倒在鸭子们面前，哭得死去活来。四个丫头片子也跟着妈妈号啕不止，她们知道家里出了大祸，就像爹被人打瞎双眼那天一样昏天黑地，妈妈又得好多天不给大家做饭吃了。秦香莲那口子知道大事不好，没等到老婆缓过气来收拾他，就早早地瞎摸着溜到野地里去了。

秦香莲果真两天没下厨房，她只是没完没了地哭，她已经忘记孩子们的死活，她心里只装着她的鸭儿鸭女，原本希望能给她带来欢乐的精灵们转眼去了阴府，她能不伤心吗？老天爷，那五千块钱的贷款，她如何去偿还呀！

鸭子中毒的消息在秦庙很快就传开来，女人遭到不幸极易博得同情，秦庙三十多户人家来过一遍，凡是看过现场的人无不摇头叹息。秦四家的劝她说，香莲妹子，你不能这样哭了，你就是哭死又有啥用？你不吃饭，孩子也不吃饭？鸭子死了还能再哭活吗？可不能因为这把孩子们给吓住。秦香莲止泪说，她婶子，你说这事咋办呀，鸭子死了，算了，那五千元贷款俺用啥还呀？秦四家的说，这事你找秦良才说理去，让他评评理，鸭子死，归根结底怨谁？没有村里和人家硫酸厂签字画押，一河污水能往咱这里流吗？看看咱村现在成啥了，当年国民党进山也祸害不了这个样。

这话并不夸张，自从鸿达硫酸厂污水改道流经小凉河，秦庙及下游几个村子就没安生过一天。每到硫酸厂排气放污时，十几里以内都可以闻到那股呛人的硫酸气，满河道雾气腾腾，烟浪滚滚，一团团废气遮天蔽日，缭绕不绝，转眼间秦庙几个村天昏地暗，浊浪熏人，但见鸡上树，狗跳墙，牛打滚，猪窜圈，就像唐山大地震前夕那么怕人。这是白天，如果赶在晚上放气，家家闭门关户，窗户要用被子蒙上，睡之前鼻尖上搭条湿毛巾，或戴只厚口罩，不这样就睡不成觉。院里要是晒衣服，忘记收了，第二天早晨就别费事了，衣服已被雾酸蚀成粉末，用手一触即碎。至于平时张家死只羊，李家死只牛，那更是小菜一碟，秦四家的那头老母猪就是吃了河边的灰灰菜，一窝流产了十二个猪娃。明显的，秦庙这两年树不挂果，庄稼减产，连山上的杂草都失去了以前的神气。所有这些现象，开始秦庙人受不了，后来就渐渐适应，变得习以为常，即使谁家死头牛、倒只羊，也无所谓的事，大不了关住门在家骂他几天，挖坑埋了也就拉倒了。

秦庙老百姓之所以能忍，不是愚昧麻木，也不是民风淳朴，而是让贫穷给逼的。

不是因为穷，不是硫酸厂给他们优惠政策（解决人畜用水，按人头每年发给污染补贴二百元），秦庙的老百姓早就闹反个屎了。

秦庙上溯到宋代，就是个吃水贵如油的贫困山村，周围数里找不到一个大的水源。虽然说村南边不远有条小凉河，可惜是条干河，一年四季不见水，除去百年不遇的洪水灾害到来时，小凉河才存活着一筒子黄汤，洪水一过，还是条干河，河床里只有大似磨盘、小如拳头的鹅卵石。没水咋办？老百姓就到三里以外的一线泉去担。一线泉顾名思义是山缝里渗漏出来的一缕涧水，最旺时涧水才有筷子那般粗细，水少时就不再是线了，而是打点滴，因为接水，吵架打架的事不断。后来村里人立下了规矩，接水排号，按时间办事，说几点几分接，就几点几分接，轮到哪家接水，不管接满桶接不满桶，五分钟必须走人，马蹄表就在岩头放着，超过时间，后面接水的就对你不客气了。这还是好年景，赶到大旱之年，连一线泉也干枯断流，老百姓就要翻过老界岭，跑到山那面去找水，不论是路沟、河套、石窝、隧道，只要听说哪儿有水，找水的长龙就朝哪儿拥。一年到头，三百六十五日，秦庙老百姓日日要为吃水而四处奔波。

秦庙人不是没有想过打井，想也想了，打也打了，可就是打不出水，一口有名的“五代井”，五代人接力打，耗去了近百年的光阴，打下去足有八百米深，这口井始终是口干窟窿。这且不说，解放到现在，因为打井而下台的村支书就有六任。秦良才算起来是第七任支书，他从一九八六年上台到现在，年头数他干得最长，是他打出水了吗？他照样没打出来，虽然说他没有打出水，不过已经挤干了他的心血，耗尽了他最大的气力，他带头捐资，打炮眼，埋炸药，他第一个下井，排哑炮时没人敢下，又是他照着手电，半截腰里系根皮条摸下去。刚下到半截，哑炮响了，左腿被炸飞，骨肉留在了八百米深处。人们用吊机把他救上来，血头血脸的秦良才苏醒过来时还不知道腿没有了。他说，日奶奶的，我就不信这下面没水，先别慌，等我歇息两天，还得打它个狗日的。后来成了独腿，他也没有流泪，他说，只要我秦良才不死，别说扔一条腿，就是两腿都炸飞了，我也得让它给我出水。

秦良才装上了假肢，休息了一年，仍接着干。井是没法再下了，他就在地面指挥，“五代井”往下又打了三百多米，已经到一千多米深了，还是无水。直到这时候，秦良才才让收家伙，撤人。后请水利专家验定，地下两千米以内无水，有水在三千米以下。这么深的井除了石油钻探队没有人敢打，要请石油队来打，没有一百万元下不来。老百姓去哪儿找这多钱？只好作罢。但从这件事上，秦庙群众对他算服了，不是人家不下力，而是秦庙没这份财力，非不为也，而不能也，秦良才等于把自己的心掏出来让大家看了，甚至是摸了。

没打出水，老百姓照样说他的好，看到风里来雨里去的秦良才，开会办事拄根单拐，一条裤筒像倒了粮食的布袋一样空空荡荡地飘着，你心里做何感想？像秦良才这样的好支书哪里去找？一千人里面也挑不出来一个！

人再好也不行，没钱还是打不了井，秦庙人该没水喝还没水喝。

三、最终解决了秦庙吃水的人不是秦良才，而是从大狱里出来的门庭富。

门庭富，三十二岁，门寨村人。门庭富开始并不富，甚至可以说是一贫如洗，高中没上完，因家中失火，父母去世，门庭富也就失学了。为养活自己，门庭富拉辆破架子车，到城里收废品，捡破烂，迹同游民，后来因偷自行车被抓，住进去半年。释放后又因窝藏别人偷来的阴井盖并代销赃，赶上“严打”二次被抓捕，判处有期徒刑十年进了大牢。一蹲十年，这日子可就有点儿不好受了，想花俩钱托人保出来吧，可是举目无亲，竟物色不到一个这样的人选。然而“吉人自有天相”，想不到门庭富进去不到半年就出来了。据知情人透露，有一个姓门的本家从台湾回乡探亲时特意打听到他，说门庭富是他家族中人，只要把他放出来，他便可以投资一百万为家乡合资办个硫酸厂，也算是一举数得，造福乡梓。当时三会县对吸引外资正求贤若渴，趋之若鹜，对求上门的这笔生意焉可推掉？情况反映到县委、县政府，两大班子经研究，就以投资办厂为条件，以保外就医为理由把他放了出来。门庭富出狱后哪还再捡破烂？脱去号衣穿上西装金利来，摇身一变成了台商鸿达公司在该厂的总代理。合同三年期满，该厂归属乡镇所有，由于与台商的特殊关系，门庭富被乡政府任命为该厂厂长。

可不要小看了这个鸿达硫酸厂，它以投资少、见效快、利润高而名扬全省，成为地区乡镇企业中的一面红旗。这个小厂以年产值一亿，上缴利税一千万的惊人数字，使原来最贫困的广庙乡，一跃成为全县的利税大户。鸿达厂推行的“三优一少”管理办法，多次上报并作为经验在全省加以推广。短短两年，类似鸿达这样的乡镇企业，诸如造纸厂、水泥厂、化肥厂、农药厂，一下子发展到三十多家。三会县的国民经济总产值连年翻番。三年之内，三会县由云水地区倒数第二名一跃成为全区三大强县之首。鸿达厂不仅让广庙乡扬了名，三会县亮了相，云水地区争得了光彩，而且使三个人物声名鹊起，大名远扬。这三个人物，第一个就是门庭富，他以建厂有功，管理有方，贡献巨大而选为省人大代表、省特级劳模、优秀企业家。那段不太光彩的入狱史和偷窃、窝赃丑闻，倒成了他的光荣史，就像当年韩信曾蒙胯下之辱一样，反成了“自古英雄多磨难”的一段佳话。另一个人物就是广庙乡原党委书记李如堂，他以“为官一任，造福一方”的突出政绩，连升两级，当上了三会县县委书记。第三个人物就是三会县原县委书记秦松岭，他因当年敢于断然拍板把门庭富从狱中放出来，并把鸿达厂作为他务实创新、脱贫致富的实验基地，为山区找到了一条致富之路而擢升为云水地区行署副专员。

这就是鸿达硫酸厂的价值所在，这就是鸿达厂的政治效益和经济效益。一个乡办厂的成功，如同原子弹释放出来的蘑菇云一样，产生了如此巨大的连锁反应。以后三会县的史志上要是不把这段历史写上则是重大失误。

当然这个硫酸厂无论如何重要，对于秦庙老百姓来说，都是扯淡的事。该厂兴也好，衰也好，盈也好，亏也好，与他们隔层皮，关系不大，捞得好处的是别人，秦庙该贫穷还是贫穷，该找水吃还要出外找水吃。秦庙不仅没有得到实惠，相反经常受到冷遇，因为秦庙太穷，经济上不去，多年来一直拽住广庙乡的后腿，乡政府每年总结评比，受批评的总是秦庙，因为秦庙至今没有一个集体企业，甚至连一家私人企业都没有，除了每年吃吃救济，不能给广庙乡领导带来任何光彩。

秦庙面对如此状况能不焦急？焦急，但是急也没法，一个连吃水都解决不了的穷山村，还有资格奢谈致富？做梦去吧。秦庙老百姓别的不想，只有一个想法，就是赶快解决吃水问题，只要解决了吃水问题，哪怕日子再苦也心甘情愿。

就在秦庙人梦里都在打井上想主意时，有人就把主意打到他们身上去了。由于鸿达硫酸厂污染严重，因而受到国务院和国家环保局的黄牌警告，国务院下文要求必须限期治理，达标排放，如果做不到这一点，厂子立即下马。国务院文件措辞尖锐得很，要求当地政府要像抓严打、抓缉毒那样，以铁手腕治污，凡是发现有包庇、怂恿、保护污染企业的单位和个人，要严惩不贷。

鸿达硫酸厂的污水以前不走小凉河而走大凉河是老界岭造成的。大凉河在老界岭以南，属淮河流系，小凉河在老界岭以北，属黄河流系，大和小一字之差，造成了彼涝此旱的不同景观。大凉河长年水势滔滔，激流滚滚，小凉河如前所述是条只见石头不见水的干河，这正是小凉河因祸得福之处，如果小凉河处于大凉河的地理位置，遭受污染之害的就不会是大凉河了。

鸿达硫酸厂突然打起小凉河的主意，“改大入小”，一则限期治理、达标排放不是轻而易举之事，若因治理而停产将会造成不可估量的经济损失；二则，黄牌警告咄咄逼人，如不抓紧治理，届时问罪无疑，因为淮河水域的污染已经到了非抓不可、不抓不行的地步。鸿达硫酸厂无计可施，无路可走，就想出了污水改道，改由大凉河入淮河为由小凉河入黄河的对策。

大凉河不能排污，小凉河就可以了吗？按道理是不可以的，不过有地方保护也就可以了，因为两条河都在三会县境内，小凉河流入黄河，黄河水域污染程度目前与淮河相比，相对而言还不是那么严重，只要黄河下游不提出抗议，或许就可以蒙混过去。再说，小凉河下游再有十里就不归本县管辖，那属于另一个省了，出了省谁爱管谁管，再出问题就查不到三会县的头上了，这也叫各擦各的屎吧。

关键在于小凉河上游这一段，也就是流经秦庙、山神庙、关帝庙这十里，只要这三个村没意见，也就万事大吉了。

最早知道消息的秦庙人是秦良才。那天乡政府来电话让他去一趟，说范书记有事找他。范书记是李如堂提升县长走后，由乡长变为书记的。要说他也是沾了硫酸厂的光，李书记的位置空不下来，他只能当他的乡长。

范书记见到秦良才，说东说西王顾左右而言他。到了后来还是说了，范书记说，这事你得理解，其实我也挺为难，秦庙是我姥姥家，我大舅就在那村，我想这么去干？我也不想，不过有什么办法呢？这是上面定了的事情，唉，难呀！范书记这么叹气的时候就把县委、县政府的红头文件拿出来了。

秦良才看完文件半天说不出话来。尽管文件的用词冠冕堂皇，无懈可击，什么事关大局，要牺牲小我，服从大我，什么相信群众能理解政府困难，秦良才还是接受不了这一决定，他明白一旦污水从小凉河淌过来，将会对秦庙造成什么样的灾难，如果答应了这件事，就等于他秦良才“丧权辱国”，成为秦庙老百姓的千古罪人。秦良才皱起眉头说，这事我一个人还真当不了家，我得回去和全村人合计一下，要是大伙儿反对的话，我还真做不了这个主呢！

范书记说，我知道你有难处，可我也有难处，你难就难在老百姓那一头，我难就难在县委那一头，既然是决定，我想再难也要去做这个工作，何况县里答应的还有条件……

秦良才说，啥条件？

范书记说，县里答应给些经济上的补贴。

咋补法？秦良才立马就问。

按人头，每人每年补给二百元。

二百？二百顶啥用？还不够买一只羊呢。万一毒死一只羊、一头牛值多少钱？

话不能这么说，你就知道一定会毒死？平时注点儿意，加强这方面的宣传教育，这些也不是完全不可避免么！

那不可能，即使不毒死牲口，还有空气污染呢，污染了空气，人得病咋说？万一出了人命咋说？

情况没那么严重吧？人家大凉河淌了多少年污水，也没见毒死一个人。

那就还走大凉河算了。

光说气话有啥用？你也可以说说你的意见。

我说？我说每人每年二千元，不光要补贴，还要答应秦庙一条要求……

啥要求？

把秦庙的吃水问题给解决了。

吃水问题解决恐怕不大可能，那不是一句话两句话的事，不过我可以往上反映，但是你也要有思想准备，或许你说的这两条一条也落实不了。

那就对不起了，污水该放哪儿放哪儿，秦庙人也不是这么好说话的，秦良才说完抓起拐杖就走。

老秦，你怎么能这样？范书记啪地一拍桌子站起来。你当了这多年的书记，怎么连下级服从上级都不知道？我问你，你还是不是一个支部书记？

秦良才站下了，秦良才说，你说是就是，你说不是就不是，无所谓，只要让我干一天，我就要为秦庙老百姓负责一天。

我也告诉你，老秦，这可是县委红头文件，没有讨价还价的余地，小凉河不是你秦庙的小凉河，放不放水，你当不了这个家，有一点，秦庙的工作，你必须去做，出了问题，我拿你秦良才是问！

官大一级压死人。尽管秦良才想不通，尽管秦庙老百姓知道后一致反对，还是胳膊扭不过大腿，硫酸厂的污水还是改走了小凉河。有一点儿值得庆幸，秦庙的吃水问题从此得以解决，鸿达厂答应给他们打一眼三千米深的机井，在未打出水以前，同意每天给秦庙拉两汽车从地下煤矿引出来的净化水，这一条明文写在了双方达成的协议上面。只是经济补贴标准不变，二百元还是二百元。

解决吃水这一条来之不易，如果不是秦良才三番五次上县里申诉，硫酸厂决不会揽这麻烦，一天两汽车水可不是好作业，难就难在天天练习。

四、五千元的窟窿账转眼变为一万，秦香莲说，老天爷你咋不睁眼？

死了鸭子，秦香莲压根儿没想到去找谁理论，死了就是死了，没什么好说的，这两年村里毒死的家畜家禽还少吗？可是哪一位找谁去理论了？大家谁也不找人理论，都知道找也没用，死了就是死了，山里人重信守约这一点有目共睹。人家每年补贴给咱钱，还给咱天天拉水吃，咱不做点牺牲能行啊？天下没有光占便宜不尽义务的道理，即便理论，找谁去理论？找硫酸厂？硫酸厂根本就不和你老百姓说事，人家对的是乡政府，那门庭富你当是好见呢，人家就不在厂里住，出入小轿车坐着，装有防弹玻璃，贴有太阳膜，从外往里看，黑乎乎一片，从里往外看，一清二楚，人家找咱容易，咱找人家就难。话又说回来了，人家找咱干啥？人家门庭富是省人大代表，又是特级劳模，打官司咱会赢？上面一句话就挡回来了。找支书秦良才理论去？找他理论个啥劲？秦支书可是个一心为大伙儿办事的好支书，污水改道是县委县政府定的事，他一个小小村支书能有权否定？与硫酸厂的协议书是他一手签订的不错，可他不签行不行？不签，当时就把他给免了。当然人家秦良才不怕免，村支书就不是什么官儿，连九品都不算，就是个管事的头儿，除了跑腿、熬眼、赔工夫，啥好处也不落的。人家乡长、县长那才叫官儿，出来进去一步不走的。他秦良才有车吗？有个屁，他只有一根拐杖去哪儿蹦跶到哪儿，不是他瘸着一条腿，一趟三十里来回六十里往县连跑几十趟，有硫酸厂给咱拉水吃这一说吗？这都是人家给咱争取来的，咱还能说啥？没有他豁出命地跑这事儿，咱秦庙连现在也不如，现在总算落了一头，污染归污染，总算有了水吃，再也不用一村人担着桶四处找水了吧？人，总得讲个良心，换谁当这个支书也没有秦良才合适。

秦香莲这么自解自劝,心里边闷住的那股气慢慢也就吐了出来。天塌砸大家,也不是光砸我一人,只要你们都能忍,我秦香莲有啥不能忍的?五千元贷款当然不能说不是个事儿,可有啥法呢?他信用社明知我还不上,也不能往死里去逼吧?我就给他拖住,再说还有秦支书作保,有啥事还有秦支书替我顶呢!

秦香莲不再傻哭,她把跑出去的男人找回来,好好地骂了一顿,梳梳头洗洗手又下了厨房。两天不知饭味的孩子和男人干掉了一大锅面条,该上学的上学,该玩的去玩,该打盹的打盹,只有秦香莲一个人还在不停地忙活。

秦香莲刷完锅,喂完猪,接着就考虑关于死鸭的善后问题,这一千多只鸭子铺了满满的一地总不是戏吧?看到那些死鸭东一只西一只的,她不由得眼圈又红了起来。死鬼,睡,睡,就知道个睡,你就不能动弹动弹,帮我一下,秦香莲一腔怒火又撒在了瞎眼男人头上。

男人伸了个懒腰,脸往天上扫了扫,说吧,让我干啥?你说说我还能干啥?言外之意,对于一个瞎子来说,布置太多的事是不是残酷了一点儿?

干啥?你就不能帮我出个主意,看这群鸭子咋办?

咋办?还能咋办?只有挖坑埋了,毒死的张嘴货吃不能吃,卖不能卖,你说咋办?

你就会想到埋,就不能想点儿别的主意?

我想不出来,除了埋还是个埋,男人的口气居然变粗起来。

一千多只呢,就这样埋了它?一分钱不落,不可惜了?

你说咋办?

咱这不是商量吗?我要是知道咋办,还问你干啥?

男人当真仰头望天,做起参谋长来。

他说,这样行不行?咱就拉到集上去卖,卖一只算一只,哪怕就一块钱一只呢,也比都扔了强。

人家要说是药死的呢?要不,会一下子死这些?女人提出诘问。

当然不能说是药死的,就说是下冰雹砸死的好不好?

可咱这里就没听说下冰雹呀?

就是。

于是瞎子仰起头又想,想想就又有了主意——就说是河滩放鸭时,开山崩炮没来得及跑掉,飞起的一片碎石子把鸭子给拍了。

想想,似也觉得可信,这种事不是不可能发生,开山崩炮哪地方没有?崩死牛了、羊了的事情常常有的,那么崩死一群鸭子又有什么不可以的?

第二天天不明,一车死鸭就出现在离秦庙二十多里的薛集农贸市场上。秦香莲两口子起了个大早,怕的是村里人见了不好看,毕竟不是什么光彩的事,秦香莲穷是穷,但还要个脸面。这事也是让逼出来的,鸭子好好地活着还会有这事吗?想想，也没啥了不得的，现在骗人的事多了，连黄豆都可以用土作假，俺这也不是有意骗人，算不得伤天害理。再说鸭子又不是瘟死的，这会儿毒汁都在嗉子里面藏着，人吃了也不见得会出啥事，俺可怜别人，谁又可怜俺了？只要不是有意就行，有意害人要遭报应的。

一车死鸭亮在集市上，顿时成了一景，围观的人越来越多，问价的却没一个，他们关心的倒不是价钱，而是死鸭的来历，走一批来一批的问的都是同一句话，这鸭子是咋死的？秦香莲忙不迭地解释，说是昨天晚上崩炮砸死的，不信你们看头上还有血呢！来之前两口子的确做了手脚，真的用尖石块一只只砸了砸头部，留下来些锐器击中的痕迹。人们自然不肯轻信，不说好不说歹，只一味地去嗅，也不知到底嗅出来什么异味没有，嗅完不加任何评论拍了拍手就走，拉都拉不住了。就这样翻来覆去折腾，秦香莲翻来覆去解释，终不收效，站到日升三竿，尚不曾卖动一只。现在买家学得比猴都精，别说是一车被毒死的鸭子，就是一只只真的还会叫唤，也未必相信它们身体良好，这也是交了不少学费学到的看家本事。

不过他们并没失去信心，他们甚至想出扒堆出售，二十块钱一堆，一堆五只，不相信没有人买。哪知道越这样越没有人理，只有在青菜旺季，那种让化肥催得疯长的老菠菜、老韭菜才扒堆给俩钱就卖的。列宁早就说过，市场上叫卖最凶的人是那种最急于推销破烂的人，这句话如今城里人差不多都晓得的。

到了十一点多钟，集上的人渐渐稀散，秦香莲依然是耐心等待，功夫不负有心人，终于等来了一位。这买家四五十岁，胳肢窝里夹个皮包，牙根压着一支香烟，慢腾腾地迈着八字步踱到车前，淡淡地扫了两眼鸭子问道：咋卖？秦香莲说，你出个价呗。哎，鸭子是你的，当然是你先出价了。五块钱一只行不？贵了吧，少了咋说？五块钱一只还贵呀？都清楚咋回事，谁也唬不住谁，说个实在价好了。三块钱一只行不？再少点。最少两块五，不能再少了。两块一只，卖不卖？卖的话我全要了。

秦香莲同意了，两块就两块，再不卖过一夜臭了味，真的连一分钱也不值了。这千把只鸭子都给他，起码能卖两千多块钱。

送到哪儿？秦香莲问他。

哪儿也不送了，就在这儿拔，我只要鸭毛，剩下的肉身子你还拉走。

秦香莲这才知道他买鸭子的用途，原来是做鸭绒买卖的，鸭绒一两就五十多块，所以卖给他是让他捞便宜了。

秦香莲当时就犯了嘀咕，真的老天爷，我咋没想起卖鸭绒呢？一只鸭子起码也能拔下二钱鸭绒，二钱鸭绒卖十块钱没问题，不比卖给他强？秦香莲又想，真把一车鸭子都给他倒也省事，这要一只只地拔，得拔到啥时候？一千多只拔到天黑也拔不完。再者，农贸市场上有市管办，要是拔得鸭毛横飞，狼烟动地的，逮住不等于是当了他的不拿工钱的打工仔？

要买就连鸭子一块买，光要鸭毛俺不卖。秦香莲说。

你看你这个人，要不要鸭子啥关系？钱不少你的就行了呗。

那不中，俺没有那工夫，秦香莲又说。

没工夫就算了，也不知你这账是咋算的，等到放臭了，别说两块，两毛一只也没人要你的。

没人要拉倒，俺可没有恁好的耐性。

其实她心里有了主意，卖不掉拉回去拔鸭绒卖，不是受他的启发，她还想不到这一点呢。

那好，那好，不强迫你。买家袖手于背，悻悻地走开了。

秦香莲绝不会想到，不一会儿她就遇到了麻烦。不仅鸭子再也卖不出去，而且等待她的是不堪承受的经济处罚。那人走后不到十分钟时间，三个扛着肩章的检疫员合骑一辆三轮摩托过来了。

一车死鸭停在路沿上叫卖，对他们无疑有诱惑力。摩托很快熄了火，牢牢地停在秦香莲的架子车前。

一位检疫员拎起一只死鸭，搭眼一扫，又猛地扔到了车上，这动作最多十秒，就像把一只刚刚喝完的空酒瓶扔进垃圾箱一样简单利索。

鸭子是你的？执法人员问她，样子倒还和气。

秦香莲没敢说是还是不是，胡乱地点了点头。

家是哪儿的？

秦庙。

小凉河边上的秦庙吗？

秦香莲又点了点头。

卖了多大会儿了？

一上午了——说的全是实话。

卖多少只了？

一只没卖——还是实话。

一只没卖？一上午会一只没卖？说这谁信？三个执法人员一人一句，说话全是一个姿势——眯缝着眼睛问她。

真是一只没卖。

让检疫过没有啊？

啥建议？俺听不懂你的话。

别装糊涂啊，凡是死了的家禽、家畜，不经检疫站检查，能随便上市吗？

俺不知道有这规矩，俺这是头一回来。

不知道？真不知道，假不知道？

俺真是不知道。

不知道也好，这回让你知道知道——你是从哪儿弄来的一堆死鸭子啊？说到最后一句，速度突然放慢，不像是在说话，而像是在舞台上的拿腔捏调。

是俺自己喂的。

我问你鸭子是咋死的？

崩炮炸死的。

炸死的还是毒死的？你要老实交代！声音突然提高了八度。

秦香莲有些害怕了，她发现那三个执法人员脸色已经变青，早已没有了先前的和气。

是，是毒死的……

这不就齐了吗？走吧，跟我们到县检疫站去一趟吧。

此间，瞎子一直未敢说话，他专心致志地听，听到这里听出一点儿名堂来了。老师儿，俺错了，饶俺这一回好不好？瞎子赶快搭了腔。

啥老师儿不老师儿的，多难听，这里没老师儿，都是检疫站的。

领导同志行个好吧？你就饶俺这一次吧，你看俺一个瞎子啥也看不见，这是俺媳妇，她也不会说个话，你就高抬贵手，让俺拉回家吧！

拉回家？拉回家再去坑害别人是吧？你们犯法了知不知道？明明是毒死的鸭子还拉到集上出售，这和贩毒药有什么两样？

俺可是一只也没卖掉呀！

说没卖一只谁信？啥证据？

证据俺没有，俺说的可都是实话。

像你们这号的没一个肯说实话，你们是不见棺材不落泪，这回受受教育有好处，说吧，是想到黑屋里蹲两天呢，还是认罚呢？不想蹲，认罚也可以。

老天爷，俺上哪儿去弄钱呀？秦香莲哇地哭起来了。

废话少说，拿钱吧。

秦香莲哭诉道，俺身上一分钱也没有啊！

没有，回家去拿，男人留这儿。

得罚多少钱？

五千块。

五千块？你就是杀了俺，也拿不出这么多钱。

那就到黑屋里蹲几天吧，说吧，认打还是认罚？

一听要抓人，秦香莲吓得魂飞魄散，噗地给三位跪了下来，他大哥，你们行个好，放俺这一马好不好？

少来这一套啊，这样的事我们见得多了，不逮住你们时，你们无法无天，逮住了，你们比谁都装得可怜。说，谁留这儿？反正只留一个，另一个回去拿钱，不拿钱，蹲黑屋也可以，说吧，谁留这儿？

两个人留谁都不好，无论认打还是认罚都不是最佳选择，求饶半天没有作用，秦香莲只好说，要不，让我留这儿好了。

你不能留，还是我留下吧，家里几个孩子还要人做饭，我没眼也看不见，你留这儿咋说？

秦香莲想想也只能这么办，回去借钱也好，找人也好，总得让个有眼的人去跑才行。一句话没说，秦香莲把带来的几个干馍都丢给男人，就一人回去了。

秦香莲往回走的路上，两腿比坠上千斤石还沉，心里头苦唧唧的要死的味都有。她想，不知上辈子做啥恶了，这辈子报应到我头上了。要不会背运一个连一个，比鳖咬住还难甩吗？就说养鸭吧，养大不就好了？挣几个钱还去贷款，再落几个，你说鸭子咋会死光呢？结果是塌下五千元的窟窿。这且不说，你咋又想起来上集卖呢？不上集是五千元的窟窿，一上集又罚五千，变成一万，这是老天爷让俺去死呢，老天爷要没这狠心，能这样摆治俺吗？让死就死好了，你说我还白披一张人皮赖住不死干啥？死了好，死了啥心不操了，啥难不作了，俩腿一蹬，两眼一闭，睡着了一样有多得法？我秦香莲再也没罪受了。

一想到死，秦香莲自己吓一大跳，我才四十来岁就这样急着走吗？人家七老八十的人了，爬都爬不动了，还想多喘一天的气呢，人家大干部活到九十多岁，得了癌症还这样治那样治想熬到一百二百呢，我的命就咋恁不值钱？我死了咋办？撇下一窝孩子交给谁去？还有她们那个没眼的瞎爹，我死了，他们五口不得活活地饿死？我死好受了，一村人得骂我几辈子，那娘们儿真狠的心啊，亲生的闺女都不管了，瞎眼的男人都不要了，死了不能让她托生成人，得让她脱生成骡子、马，用皮鞭抽，用油锅煎……你想得老美呢，你死，谁不会去死？干啥都没有去死容易。这么说还得活？当然要活，不活咋办？我的那个娘哎，做个人真难，死，死不成，活，活不好，老天爷，你咋就不睁开眼可怜可怜俺？

就这么翻来覆去地想，不由地两行泪就流出来了。

秦香莲走一路哭一路，走到太阳下山、月牙上山，才走到村南面的小凉河。小凉河在朦胧的暮色中依然理直气壮地流淌着。从上游下来的那股子呛人的怪味让她又想起了那群可爱的鸭子们，女人的心灵重新受到一次打击，便一屁股坐在地上，爹呀、娘呀地号啕起来。

五、即便是秦支书亲自出马，检疫站也不收回成命。

秦良才知道秦香莲鸭子出事后，心情立马就很沉重。秦香莲怎么总赶上背运的事呢？开始他还挺生气，你这个小媳妇这么马大哈，那鸭子你不看好它们，让它们往河里跑个啥？你就不知道小凉河的毒气有多大？后来知道因为她来帮忙，家里的门没关好，就十分地内疚和不安了。当天人多客多，走不脱身，没来得及去她家看看，不过，偿还贷款的事却替她想过了，到年底真不行的话他替她还上，啥法呢？他是中保，又是村支书，她家出了问题他不出面行吗？以后再说吧，总得给她再找个致富门路。

秦良才第二天一早拄根单拐到秦香莲家来了，一看不见大人在家，只有四个孩子，就问桂花说你爹你妈呢？桂花说，去集上卖鸭子了。秦良才就想到要出事，毒死的鸭子还能上集去卖？让检疫站发现还了得？那是要罚大款的呀！秦良才担心要出事，中间几次到她家来看动静，下午了还不见秦香莲回来，就知道凶多吉少了。

秦良才隐隐约约听到小凉河边有人哭，侧耳细听，有点儿像秦香莲的声音，就拄着拐加快步伐朝那儿奔。他害怕妇女家想不开，万一出了事，说什么都晚了。

果然是秦香莲。秦良才喊她两声，哭声更高。秦良才就吵她说，回家哭去，在这儿哭个啥？不就是死一群鸭子吗？犯得着这样高一声低一声的？

秦香莲大声化小，小声化了，慢慢停止哭泣，就把鸭子出事的前因后果，包括今天集上的事讲述一遍。

秦支书，咋办呀，现在人还在县上扣住哩，说要罚款，让我回来拿钱哩！

罚多少说没说？

罚五千。

要恁些？秦良才心猛一沉，吃了一惊。他料到会罚款的，却没想到会罚这么多，这明摆着是敲老百姓的竹杠子。

少点儿就不行？你没给他们说说软话？

说了，那三个人可厉害，一分不减，说交不出钱，就让他爹蹲黑屋去。

秦良才笑笑说，那是吓唬你的，咋也到不了那份上，不过是想让你交钱交快点儿，不交钱暂时不放人倒有可能。

咋办呀大叔？秦香莲说着又哭起来了。

女人的哭泣使他一下子心软了，他不知道说什么才好，总觉得心里有愧，很对不起她。这件事看似与自己无关，真的就无关吗？你代表群众签过字，从硫酸厂弄来那俩小钱，就可以万事大吉了吗？这两年秦庙老百姓受的祸害你难道不知道？那能是二百元的补贴弥补的吗？这家毒死猪，那家毒死牛，我出来说过一句话没有？现在村里人让人家当人质扣下了，你就不觉得是种耻辱？别的事你可以不管，这种事你再不管行不行？别忘了你秦良才可是秦庙的主心骨啊！

秦良才想好了，他得出面去县检疫站一趟，花俩小钱就花俩小钱，现在的事还不就是这样吗？你跑跑是一个样，不跑又是一个样。五千块纯粹是瞎说，只要找个地方晕两盅，再塞几个就行了。

别哭了香莲，你大叔我跟你去县里跑一趟，先把“大跃”（瞎眼男人的小名）领回再说。

钱的事咋说？上哪儿去弄五千块钱去？

这事你别管了。我自有办法。

秦良才领着香莲赶到县防疫站，只有传达室一个老头在那儿。问站长去哪儿了？老头爱答不理。再问，说我哪会知道？我是兵，人家是官，官去干啥还用和兵打招呼？说话老不中听，其实，你说个不知道就行了。既简单又省劲儿，他偏不，好像不这样说就吃了亏似的。秦良才知道气憋在哪儿了，说不定就是因为一根烟的事。秦良才递根烟，送上火，等那老头美美地吸上两口，笑纹也就爬上了那张老脸，有啥事说吧，能帮上忙，我尽力帮你一把，帮不上就算了。

秦良才说，俺村里有个人给扣这儿了，俺来是想见见……

唔，后院，后院。老头用烟头一指说，往前走不几步就是。

秦良才领着香莲又走，果然后边有个小院，小院不大，有道铁门落了锁，院子里蹲的、站的、躺的、卧的都是人，一色都是农民，一把的焦急、无奈，水淋淋地汪在脸上。看到秦良才他们过来，一厢人都往这儿瞅。只有一人没反应，两块膝盖夹着一颗脑袋瓜子蹲在地上，那人就是“大跃”，秦香莲的瞎眼男人。

桂花他爹！秦香莲叫了一声男人，慌忙把几块饼子从篮子里掏出来。大跃接过饼子，先咬一大口，囫囵吞咽进肚里，这才腾出嘴来说话，钱弄来了没有？

秦香莲说，去哪儿弄呀，我和秦支书一起来找找人家，看能不能先把你放出来？

中，咋不中呢？越快越好，我是一会儿也不愿意在这儿蹲了。

说话间，看守过来了，看守是个临时工，那个负责精神认真得惊人：哎，谁让你们进来的？啊，没看见这里是仓库重地，谢绝参观吗？秦良才抬头一看，墙上果然就有八个这样的字。

秦良才对他说，俺想见见你们的领导。

看守问他，你是哪儿的？

秦良才说，秦庙的。

看守说，是来领人的吧？带来了没有？

秦良才说，啥带来了没有？

装啥迷呀，钱呀，没带钱能让人走？

钱好说，总要见见你们领导再说钱的事吧？

那是，那是，你在这儿等会儿，我这就去喊。

领导真不知道是从哪儿出来的，是个瘦子，脸黑得锅贴似的，嘴里叼根烟，四平八稳地走过来。

谁找我呀？瘦子问看守。

看守指了指说，他们两个。

没等瘦子说话，秦良才赶前一步，单拐一下子跨出去好远，一边让烟一边笑道，请问贵姓？

瘦子说，不客气，姓庞。

是站长吧?

就算是吧,副站长,站长出差了。

秦良才恭恭敬敬地让烟,瘦子不接,推手挡了,不客气,你没看我这(烟)还长哩,有啥事说吧。

秦良才瞅瞅四周没人,就悄悄地说,庞站长,你能不能出来一下,我给你说个小事,好吗?

瘦子古怪地一笑,那是一种心里清楚却装糊涂,很恶毒地笑,恁神秘干么,有啥话在这不能说吗?

秦良才为难地说,这里不好说,请你过来一下吧,两分钟的事,不耽误你太多时间。

瘦子偏不动,哎,说就说呗,啥保密的事呢?

不保密,秦良才看他不动身,只好开口了,是这样,庞站长,我是秦庙的。秦香莲赶快一旁介绍,这是俺支书。秦良才说,啥支书不支书的,昨天俺村有个人让你们给扣了,因为卖鸭子,那鸭子有问题不假,不该卖也不假,咱不是不知道规矩吗?知道有这规矩……

瘦子打断他了的话说,别说了,情况我都知道,昨天不是说好了吗拿五千?不是让你们回去个人去拿了吗?

庞站长,你看是这,要是别的户,我就不往这儿跑了,我这一条腿也怪不方便的,她家情况非常特殊,她是俺村最穷的一户,年年吃救济的。她男人是个瞎子,你瞅,那个就是,日子难过哩,像她家这情况,我看多少罚点儿,教育教育就算了,你让她拿五千她去哪儿弄?三百二百她也拿不出来呀!

瘦子不想听他往下啰唆,扭身就走。秦良才一把将他拽住,庞站长,天也快晌午了,你看是不是咱先到外面吃顿便饭,有话边吃边说好不好?瘦子一听挺恼火,咱别弄这,你把我当成啥号人了?正抓腐败呢,让我往里跳是不是?该咋办咋办,吃顿饭就可以不罚了?罚钱上交国库,又不是装我个人腰包,况且这是工作,我说不罚就不罚了?

秦良才说,那是那是,不过……就不能那个一下了?

瘦子说,这事不说了好不好?赶快回去整钱,带来钱,我这边立马放人。

秦良才看说不成事,就不再浪费口舌,他给秦香莲使个眼色,二人就出来了。走出门来,秦香莲就很失望,眼泪巴巴地盯着秦良才,盯半天,问道,这事咋办呢?秦良才说,别急,先吃饭,吃了饭我再去县委办公室找找人去,办公室的黄秘书我认识,以前他在秦庙驻过队,让他想想办法。

黄秘书那里是秦良才独自去的。秦支书把来意讲清楚,问黄秘书有没有和检疫站搭上话的?黄秘书想了又想,说不行还真想不出谁能和他们搭上话。秦良才说你不行?黄秘书笑道,我要行还说啥哩,打个电话就过去了。各局委的头头一般来说还买我的账，可检疫站没熟人，平时不爱和他们扯捞。

秦良才说，黄秘书，看在我的面子上，你今天无论如何得帮这个忙，这一家你不知道有多难，要不我一条腿给她跑啥呢？

黄秘书想了想说，这样吧老秦，咱都不外，我心里有话就说，你可千万不要说出去就是了。

秦良才说，那是，那是，话到我这儿，就不会有第二个人知道了。

黄秘书出门瞅瞅，又进来把门关上，神秘兮兮地说，我给你出个主意，解铃还须系铃人，谁污染的小凉河你去找谁。

你是说找门庭富？

那可不是？你不去找他找谁？是他把小凉河搞污染的，鸭子死与他有直接关系，那么大一个企业，恁好的效益，赔个万儿八千的有什么难的？

不行，黄秘书，硫酸厂和俺定有协议呢，俺答应污水从小凉河流走，硫酸厂给俺解决吃水，另外按人头补贴，每人每年二百元，其他问题概不纠缠。

这事我知道，起草文件时我在场，我会不知道？关键是这主意是瞒着省里和中央干的，表面上看，污染问题解决了，实际上并没有解决，不同的只是大凉河改流小凉河，遭受污染的地方变了，这事中央和省里并不知道。县里和门庭富就怕下面老百姓戳乱子，只要有群众来信，或者有新闻单位反映上去，不光门庭富，就是县委李书记也得吃不了兜着走。你不知道中央和省里对污染问题抓多凶，采取“一票否决”，其他工作再好，只要污染治理跟不上，就全盘否定。听说中央马上就组织检查团下来调查了，他这样做是犯着法条呢，何况拉水吃呀，补贴一点儿钱呀，那算啥条件？污染周围环境，影响到群众的生活和生命财产安全那才是大事哩。

秦良才似乎听懂了，又似乎没听太懂，就套他的话，那你的意思是……

黄秘书只笑，不开口。

你是说让秦香莲去找硫酸厂赔偿？

黄秘书还是笑。

你到底说话呀，老是笑个啥劲儿？

黄秘书说，反正情况就是这样，你是支书哩，具体咋办还用我教你吗？

六、秦香莲没当成养鸭专业户，却成了告状专业户。

秦良才一出县委大院，秦香莲就迎上来。她在外面等得猴急，猜想着能不能找到人，找到人能不能今天就把男人给放了。她老远就打探秦良才的脸色，成功还是失败都会写在脸上。可是她看不出成功还是失败，秦支书闷头走他的路，走到离县委很远很远的地方他才停下来。

咋样叔？人见了没有？秦香莲开门就想着见山。

见了。

咋说的？

咋说的，见和没见一样，人家和检疫站的人不认识。

秦香莲听了猛一松劲，立马就沉不住气了。那咋办呀叔，我去哪儿弄恁些钱呀？

秦良才倒不着急，因为他主意已经有了，只是还不到说出的火候。就在黄秘书点拨他时他就把主意想好了。当初签订那份协议始终是他的一块心病，那是上级强加在他头上的一道圣旨，连哄带吓地让他执行罢了。作为一个小小村支书他能顶住吗？不错，硫酸厂是为秦庙拉水吃了，不过能坚持多久还真不好讲，原先答应过的打一眼机井，为什么至今不见行动？没有井，光靠天天拉水终不是事，说黄就会黄的。这些日子拉水不是已经不很照点了吗？该早上拉的拖到晚上，该拉两车的拉成一车，主动权始终掌握在人家手里。有天乡里开会，范书记当着其他村的面和秦良才开玩笑，怎么样啊老秦？现在尝到甜头了吧？人家硫酸厂天天把吃的水拉到你们锅沿上，也不见你们有啥表示，逢年过节的代表村里人去看看人家老门也好么！你听听这话，秦庙变成了硫酸厂的厕所、污水缸，他不说了，拉个水好像就该承多大情似的。娘的，不就是俺秦庙没水吃么，有水吃俺才不买他的账呢！你有本事该往哪儿流往哪儿流，该往哪儿淌往哪儿淌，只要不走俺秦庙这地界就行。

这口气他早就想找个机会出出了，就是摸不透上边的精神。现在还怕他个屌哩，原来你们是合一块儿糊弄俺呀，糊弄吧，看能糊弄到哪一天。只要秦香莲敢站出来要求赔偿，不赔偿就告，告到地区、省，告到国务院，不信硫酸厂告不倒。就怕秦香莲胆小，挺不起腰杆。也难怪，一个大字不识的妇女没人撑腰，她敢吗？平时在人前连大声说句话也不敢呀！

秦良才沉思了一下说，香莲，叔给你出个主意，同意不同意在你，你现在就一条路，就是去找硫酸厂，让他们包赔那一千只鸭子钱。

秦香莲说，我不识一个字，我老害怕。

你怕啥，咱论的是理，鸭子是中毒死的，他不赔谁赔？

可也有点儿怨俺自个……秦香莲不好意思地低下头说。

怨你？这话咋说的？秦良才大惑不解。

俺要是把门关紧，鸭子不跑出去还有这事吗？

你咋能这样说呀？地是咱的地，河是咱的河，鸭子就不应该关在家里。

咱天天吃人家给咱拉的水，每家都拿着人家给的补贴，咱好意思……

你这小媳妇真有意思，光往外迷，不往里迷，你趁早别告了，告也告不赢，哪有原告替被告说话的？

俗话说，向人不能向理，人家要是这样反问咱，咱说啥？

咱说啥？咱要说的话多哩，这第一，污水改道是上级逼着咱答应，不答应不行。这第二，他把这一片的地下水都污染臭了，不给咱拉水让咱吃啥？第三，补贴不合理，问他们工人上班补贴多少？那空气他们不想闻，咱就老想闻？咱也是一人一条命，咱的命就恁不值钱？他们下班就走人了，咱呢？天天守着个大粪坑、停尸场，连吸气都得捏着鼻子遛边走，跑过去憋得大喘小喘的，咱老百姓就不是个人，就恁好说话？是头不会说话的牲口，烦了它还尥尥蹄子呢，何况是人呢？

你这一说可不是，咱有理，他没理。

当然是了，咱有理又不去找他评理，反倒变成咱没理似的。

找可以，他会不会赔呢？

这就看你了，你给他硬到底，不赔你就告，到时候就不是他们说了算，而是法院说了算。

那他爹咋办？人出不来，我哪有心思告状？

哎呀，在里面待两天有啥，风吹不住，雨淋不住，这又不同进劳改队，一不敢打，二不敢骂，回头我过去给他丢俩钱，就是顿顿吃个烧饼也饿不死他，在那儿是闲，在家不是闲？钱一分不给他们，你就让他们关，关两天他们自然就不关，拿不来钱，还得派人整天看着，不放人咋办？关长了，他们还犯法呢。再说，大跃在那儿关住，你去找硫酸厂要钱才好说话呢。

凡事最怕引导，这么三引两导，就把个愁眉苦脸的秦香莲说开了窍。支书到底有见识，不是他提醒，俺不仅想不到让厂里赔钱，还傻乎乎地给检疫站扔钱呢！

秦香莲回到家里，就请一个旁门嫂子给孩子们做饭、料理门户，腾开手脚一趟趟地往硫酸厂跑事了。

鸿达硫酸厂离秦庙近二十公里，秦香莲不会骑车子，就一天来回路上走。早去晚归，揣俩干馍，带一壶白开水，夹两根咸菜，饥了啃两口，渴了喝两口。秦香莲没经历过这事，也就不知道事之深浅。她天天找门庭富，门庭富并不好找，门庭富一天到晚不是开会，就是赴宴，一月也难得到厂里一趟。门庭富闻不惯那气味，在县上买有商品房，他办公只用电话，厂里有副厂长，有办公室主任，下设原料科、供销科、生产科、保卫科，各司其职，一切进行得井井有条。

这样，秦香莲想见到门庭富就不那么容易。头两回去，门卫问她找谁？她说找老门。门卫说，老门，哪个老门？秦香莲说，门庭富。门卫说，叫我老门可以，因为我也姓门，喊门总老门还轮不到你。门卫说，就连乡长见了门总还不叫老门呢，我想你也不会比乡长高多少。再问她有啥事？秦香莲闭口不谈。她知道门卫啥权没有，说也白说。秦香莲不说，门卫也就不问。只是车辆来往，开门关门时说话不大客气，靠边，靠边，要不碰住你咋说？

秦香莲后来问门卫，你们门厂长到底在这儿不在？门卫说，你到底啥事来一趟又一趟的？秦香莲把来之目的说了一遍，那门卫似听非听，听了哧就笑了，我以为你找门总啥事呢？对你说吧，这种事你别找他，找他他也不管，连这种小事都管，还不把门总累死呀？

他不管谁管？谁管我找谁。秦香莲说。

你去找保卫科，保卫科处理这事。

秦香莲快步走到保卫科门口。她也不知道敲门应该讲点儿文明，不知道轻轻扣，习惯用手拍，啪啪几下把里面的人拍醒了。一个小青年手执电棍跑出来，说话烦得吃不住，干啥干啥，正睡午觉，敲门不能轻点儿声？秦香莲说，这是保卫科吗？

是，有啥事？

秦香莲说，你们厂把俺的鸭子毒死好多，这事到底咋说哩这事？

没头没脑的一句，把个小青年问得答不上来。

你是哪儿的？啥鸭子不鸭子的？

秦香莲又将悲剧讲述一遍，你不想想他哥，俺养大这群鸭子易不易？俺是贷款五千块买来的，这让俺咋还人家？这事俺不找你们行吗？

小青年说，保卫科不管这事。

秦香莲说，谁管这事。

找领导。你明天再来吧，领导不在家。

秦香莲说，他哥，俺都来四五趟了，到底让俺找谁呢这事？

不给你说了吗？厂领导都不在家。

这时候就有一个人从办公室走出来，他站着光听，也不插话。后来他问，你是哪村的？

秦香莲说，秦庙的。那人又说，这种事俺不能对你个人，俺只能对你们村干部，因为协议都是村干部签的，你回去找你们村长或者支书得了。

秦香莲说，就是支书让俺来的，俺再回去找他？

那总得出份证明吧，你说你的鸭子死了啥证据？你说是喝小凉河里的水毒死的，啥证据？没证据？没证据能行？就是领导研究这事，也得有个文字材料吧？

那好吧，拿来交给谁？

交给我吧，由我再交给厂领导。

其实，他就是厂里的副厂长。这种事他遇到过不止一次了，每次都是这样处理。他知道村里证明并不好开，因为各村签的都有协议，协议上都有“自签订之日起，如有其他问题发生，厂方概不负责”这句话。让他们来回空跑几次，开不来信也就泄气不来了。

却不知证明信很好开，秦香莲一说，秦支书就开了。完了，秦良才还在上面结结实实盖了公章，公章盖得又红又圆。

秦香莲拿着证明信便找来了，还是这位副厂长接待的她。副厂长把信看了再看，又交给秦香莲说，这大概不行。秦香莲说，咋不行？副厂长说，戳子不大清楚，你看这章，这几个字就没有印出来么。秦香莲说，这还印得不清？还要多清楚呀？

重盖，盖过再拿来吧！

秦香莲又回去加盖了一次公章，这次盖得无可挑剔了，每个字比写的都明显。

副厂长重新审视，实在挑不出什么毛病来，就说，放这儿吧，等研究好了再说吧。

俺啥时再来一趟？

一礼拜吧，不过也没准儿，我催催他们。

秦香莲就走了。

果然，男人没过两天就放出来了，检疫站看挤不出油水就把人给放了。这件事让秦香莲对秦支书十分敬佩，他果然料事如神，按他说的去办真是没有错的。

秦香莲过了一礼拜就又去找了。秦香莲见的还是那一位，她现在知道他是副厂长了，是那个把门的老头对她说的，副厂长姓王，秦香莲也就喊他王厂长。

王副厂长还是很热情，一点儿都不急躁。王副厂长说，秦香莲同志，你的情况厂里研究过了。

啥意见？

材料还不够充分，村支部出信不错，可是没有旁证材料，你得整几份旁证材料来，不然的话，说服力不强。

啥是旁证材料？

就是得找几个见证人，证明你的鸭子确实是死了，死了几只？当时有谁看到？

秦香莲立马就说，那还不好找，俺全村人都可以证明俺家鸭子是咋死的。

你听我说完么，不但有人证明鸭子的确死了，而且还得有人证明确实是喝了小凉河的污水死的，要有证明人，特别要找到当时谁看到你家鸭子下了河的人。

俺桂花就看到了，她放学回来路过小凉河的……

桂花是谁？

桂花是俺闺女。

王副厂长笑了，笑得前俯后仰。那不行的，那不行的，自己家的不能做见证人。要找你不认识的人，最好是过路人，不是你村里的人。

我现在还找不到。秦香莲有些失望。

别急，好好想想，好好想想，或许是你一时想不起来。

让我回去问问吧，看当时有没有人在场。

可以，可以，给你三天时间够了吧？

秦香莲并不知道这是要她，反倒感激这位副厂长，起码没打官腔吧，需要干啥，缺啥材料，说得明明白白。

殊不知，旁证材料并不好搞，不是找不到见证人，就是见证人不敢见证，没利没名的谁找这等麻烦。

秦良才为这事专门开了村民大会，动员所有能作见证的，都出来见证，说这场官司不是哪一个人的事，打赢了都有好处。之后，便有不少人写了证言。有位中学生目睹了那场悲剧，他写了满满两大页，把经过描绘得细而又细，甚至包括鸭子如何下河，下河后如何后悔等细节都写出来了，可惜不是作文，是作文的话，老师打九十分一点儿问题没有。

旁证材料搞了十几份，份份签字盖章，秦良才还在每张证言上批上“情况属实”四个字，加盖了公章，再由秦香莲交给了副厂长。

王副厂长小瞧了秦香莲的办事能力。他以为这些材料没一份她能搞到手，谁想到要啥来啥，缺啥补啥，呼呼啦啦一下子全齐了。看来这件事再也没法糊弄了，再糊弄就有点儿说不过去了。他知道门总不会管这种事，生产、供销之外的事统统归他。但是他可以请示，绝不可麻痹，就是这些扯不完皮的咬蛋事，弄不好的话，河沟里敢给你把大船撂翻。

王副厂长电话打给门总问如何处理？门庭富答复了两条，一，不能轻易开这口。一旦开口就一发而不可收，赔了秦香莲，李香莲、王香莲怎么办？赔偿了秦庙，其他庙来闹怎么办？有协议还是按协议办事。二，处理要巧妙，要有艺术，村一级搞地方保护，不怕，堵不住这口子，让乡一级堵，乡一级堵不住，让县里去堵。总之我们要争取主动，不要直接和群众发生摩擦。

王副厂长心领神会，这球何不踢到广庙乡政府去呢？相信广庙乡政府不会和硫酸厂作对，因为关系在那儿放着，打个比方，乡政府只是个空庙，硫酸厂才是请来的方丈和尚，没有庙就存不住方丈和尚，没有方丈和尚也就更存不住庙。目前来说，庙没方丈和尚厉害，庙一天也离不开方丈和尚，没有方丈和尚化缘，乡政府这座庙顷刻就断香火。实行财政包干以后，乡政府只是一个空架子，它自身不会生钱，开矿、修路、建桥、办学校、教师干部的工资开支。哪一样不要钱？钱从何来？没有硫酸厂上缴利税行吗？这是从公而论。从私交论，门总和范书记啥关系？比拜把兄弟都铁，范书记家的小楼是咋盖的？范书记老婆的户口是咋农转非的？范书记的儿子考分不上线，弄个委培是咋弄到的？还不都是硫酸厂花大钱给办成的？范书记自然没给门总少办事，没有范书记，门总能当上人大代表？省级劳模？没有范书记说话，小凉河能成为硫酸厂的排污通道？没有范书记镇住，小凉河几个村子的农民会对硫酸厂听之任之？

王副厂长灵机一动，就把皮球一脚踢到范书记那里去了。王副厂长对秦香莲说，材料是齐了，不过目前还批不了。为啥呢？咱厂是个乡办厂，主管部门是乡政府，乡政府要是不拿出意见，谁说了也是白搭。

秦香莲竟信以为真，那你说，下步还要啥吧？

王副厂长说，别的不要啥了，只要找范书记在上面签个字就妥了。说完又把一沓子材料还给她，去吧，找找范书记，看他啥意见，他只要写上两句话，厂里就开会研究。

秦香莲说不出有多激动，因为鸭子的事，她前后用了一个多月，秦庙到硫酸厂，硫酸厂到秦庙，跑了不下十趟，现在才算有了一点儿眉目，现在就差乡政府这一批了，这一关只要过去，这一个月总算没有白跑。

乡政府好不好说话呢？好不好说都得去说，三十六拜已经拜了三十五拜了，哪差这最后一拜了？

征求秦支书意见，秦良才说，找，你一定去找，你就去找范书记，看他咋说。

秦香莲又踏上了去乡政府的烂泥小路。

七、九九归一，秦香莲吊死在小凉河边的一棵大树上。

头一次去乡政府，乡里有人告诉她，范书记出国了。问何日能回？说不好讲，先去菲律宾，再去新、马、泰，是和门庭富一块坐飞机去的，说是去考察外国的乡镇企业，看人家是如何管理的，真不知这些国家有没有乡镇企业？没有的话，你说去那儿干啥？讲话的人唠叨个没完没了，秦香莲没心听，也听不懂，不在家就不在家，说那么多废话干啥？

再去找？那人又说范书记回来了，回来不两天又住院了，说是腰上长个小疙瘩，不痛不痒，也不知道是不是那玩意儿，反正是有点膈应，就住院检查去了。秦香莲问他住的哪个医院？那人说不知道，说年年这时候过双节非去县里住院几天不可，都是带着厂里的汽车，车上装得满满实实，也不知拉的是啥？是厂里拉货还是送货就搞不清楚了。我劝你现在不用找，用不多久他就会回来。

第三次再去乡政府，那人告诉他范书记在家，要找赶快找，过不几天范书记就到党校学习，看样子范书记又要动动了。秦香莲问他范书记现在在哪儿？那人说吃过早饭就走了，说是到五指岭参加希望小学落成典礼，希望小学新校舍是门庭富捐助三十万建起来的，门庭富、县委李书记都去了，跟去一群电视台的记者，说是要拍纪录片呢。

秦香莲不想听他啰唆，连说声谢谢都没有，扭头就走。要找现在就去找，等他去了省委党校就找不到他了。

离这儿三十里就是五指岭，中间隔两座大山。秦香莲紧走慢赶走了两小时才翻过一架山，秦香莲就走累了。头发、衣衫全是湿淋淋的，她真想一屁股坐下歇歇脚板，又怕耽误了工夫，秦香莲咬咬牙又朝前赶。赶到一个S路口，便见一溜儿小轿车从山那面开过来，头两辆车前面各系一条红绫绸，中间结一个花，像是参加新婚典礼的车队，十米一辆，鱼贯而来。车队就从秦香莲身边开过去，卷起一片轻尘细浪，转眼就消失在她的背后。

车队掠过的一刹那，秦香莲看见了范书记，范书记就在头辆车里坐着，高高的个儿，赤红脸膛，背头锃亮。每年县领导来村里送温暖，范书记总是陪着到她家的。范书记还和她握过手呢，当时问寒问暖的样子到现在仍记忆犹新。

秦香莲抬头看看太阳，已经日悬中天，周围村子袅袅地有炊烟升起来，一只公鸡立在墙头上拉细脖子像斩似的打鸣。秦香莲就觉得胃里面空得难受，头也发晕，四肢无力，肚子早饿得前心贴后背了。

无疑，五指岭不需再去，范书记他们已经举行过什么落成……大典，他们坐车可能是进县城吃饭去的，县城离乡政府只有十多公里，汽车一扭就到的。

秦香莲费了思忖，是回家好呢，还是去县城好呢？仔细算算，远近差不离，都是十多公里，还是去县城吧，我来的目的是啥？找不到范书记不是空跑这十几公里的冤枉路吗？饿也真是饿了，早上慌慌起床，没来及做饭吃就往乡里去了。忍忍吧，不就是十多公里吗？咬咬牙也要赶到城里，找到范书记才是正事。

三会县城这两年变化大，高楼林立，马路纵横，沿街大小商店一个挨着一个，招牌、广告、横匾、霓虹灯、横幅、竖标，五花八门，令人目不暇接，眼花缭乱。给人的感觉这里除去楼就是字，玻璃上印的，楼上飘的，空中挂的，墙上涂的，地上飞的，全是字。中国汉字、外文拼音，简体繁体、大写小写，名人墨宝、俗夫涂鸦，噼里啪啦，打得人两眼生疼生疼的。

秦香莲不识字，反倒不觉得难受，那些个广告文字，只有色彩，没有意义，无论是什么颜色，全是色块，全是油漆，全是鬼画符。秦香莲走在大街之上，哪儿也不看，专看饭店，哪家招牌大，哪家门面宽，哪家有礼仪小姐穿红佩绿，抹粉搽脂，挺胸凸臀，描红点绛，二目含笑，双眸传情，秦香莲就往哪家瞅。

找了几家饭店，多是冷清清，倒是街道两旁的小吃铺、烩面馆顾客如云。慢慢踱到一家饭庄门前，见一排小轿车趴得整齐，且有两辆前头系有红绫绸，秦香莲心中暗喜，范书记他们看来是在里面了。

秦香莲不敢贸然往里进，进也进不去，两边站立的服务员一看她那身打扮就把她挡驾了。秦香莲找个地方老老实实在外面坐等就是。隔窗望见里面大约有三四桌酒席，桌桌坐满了人，服务小姐添酒续茶，一旁伺候，上菜小姐杨柳细腰，送碟换盏，穿梭般奔忙。

约有半个小时过去，里边就喧闹起来了。只听得猜枚划拳，压指头，猜火柴，老虎杠，明七暗七，成语快接，大西瓜小西瓜，轮番表演，玩腻了一样，再换一样。还有“汽车”“萝卜”“你坐”“我坐”，“老爷”管“大婆”、“大婆”管“小婆”、“小婆”管“老爷”的游戏更让人笑破肚皮。秦香莲听了先倒觉得有趣，当官的就是比乡里人能，这些鬼点子游戏真不知是咋想出来的。听听她就不想再听了，她肚子里的肠和胃也在操练猜枚游戏，叽里咕噜，胡里哗啦地嘶鸣呐喊，一股股抑制不住的涎液涌上舌尖，又被她强行制止，生拉硬拽地送回肚里。

她实在饿透了，从天明到现在连一口水一粒米也没见呢。她巴望这些人赶快结束，结束吧，结束了，出来了她才能找范书记说事。而那些人偏偏不结束，连最后一道香蕉都端出来了，他们还没有走的意思，还在有滋有味地剥着吃着，喝茶抽烟，聊大天。也听不见他们都扯些什么闲篇，只看见一团团喧笑红头酱面地从窗缝里拱出来，带着酒气跑得沿街都是。

两位礼仪小姐轻轻把门拉开，几个真正的红头酱面出来了，走在最前面的是个胖胖的大高个子，大高个子喝多了，走起步来头重脚轻，深一下浅一下随时都可能栽倒。好在两边有两位架着胳膊硬是不让他栽倒。左边架他胳膊的是范书记，因为秦香莲认识他，右边架着他胳膊脸上有几个浅麻子的，秦香莲就不认识了。浅麻子约有三十来岁，头发抿得一丝不苟，白衬衫，紫领带，红皮鞋，要多排场有多排场。最后面跟的一位是秘书，秘书夹个黑皮包，戴副墨镜，矜持地向礼仪小姐摆了摆手，说声“拜拜”，四个人就这么亲亲密密、晕晕乎乎地出来了。

出来几步就站定了，秘书就把二位替换下来，独自架起大高个子，让二位留步，范书记，门总，不远送，李书记就交给我了。

老范，小门，都给我留步，留步吧。李书记强打精神在两个人的肩上拍了两下。

没事吧，李书记？范书记又拽住了那双大手。

要不，再坐一会儿？门庭富也拽住了那双大手。

没事，好，走了，改日到我那儿坐。李书记摆摆手，深一脚浅一脚地上车走了。

饭庄门前只剩下了范书记和门庭富，二位还在向前面的车子招手致意。

秦香莲看是机会，喊了一声范书记，范书记却没听见，又和门庭富进里面去了。

秦香莲无可奈何，再等，范书记的车子就在外面，不信他不出来。隔玻璃窗望去，一屋子人还在闹。三位年轻教师重新再给范书记敬酒。

一位教师说，刚才有李书记在这儿，没俺几个说的话，现在让俺仨单独给你敬一杯吧？

范书记说，胡闹台，我还能再喝？你们是想看我的笑话不是？要敬，敬门总去，学校建起来了不错，以后找他说话的时候多呢，光操场上那一套体育设备没有几万下不来吧？

三位教师各端一大杯酒去敬门庭富，门庭富说，哟嗬，范书记说啥你们听啥，你们也不想想，他不先喝我能喝吗？范书记是一乡之长，他不带头喝你们三杯，我敢吗？我长几颗脑袋？喝吧，只要范书记喝，我就喝。

三位教师可怜巴巴地又去敬范书记，一齐说，范书记，俺几个可都是民办教师，既是教师，又是民办，就知道多没成色了，范书记咋着说吧？能不能看得起俺几个？看不起不说了，看得起，这三杯酒你咋生法也得喝了它。

范书记一时豪兴大发，三杯酒一一接手，又小心翼翼地合在一个茶杯里，说，不就是三杯酒吗？既然几位老师说恁恳切，我老范就是撂翻在这里也不能不喝。说了，咕咚一声，一口落肚。

好！三位教师一同鼓掌。就又各倒一满杯面向门庭富。

门庭富看了看三杯酒，做痛苦状，乖呀，这是不让我活了吧这是？

教师们便说，就看门总给不给这面子了。既然能拿三十万给我们盖起教学楼，门总不至于因为三杯水酒让我们几个失望吧？

门庭富三杯酒接过去放桌上，说妥了，既然老师们说话了，我还有啥说的？支持希望工程就支持到底，没有老师们好好教书，光我这个楼顶屌用？说完，仰脖一口闷了。

六杯酒解决完，就听范书记说，酒喝不少了，到此为止，要玩就点几支歌唱唱好不好？众人就附和。范书记让门庭富先唱，门庭富也不客气，接过话筒唱了一支《走四方》，声音不敢恭维，比拉锯好听不了多少，却博得一片掌声，都说门总的嗓子实在是不错。

门庭富听人说他嗓子好，自我感觉越发可以，接连又唱了《十五的月亮》、《莫斯科郊外的晚上》、《月亮西山爬上来》，总之都有月亮。门庭富过了唱瘾，话筒给了范书记，范书记也不推辞，就唱《妹妹你坐船头》、《洪湖水》、《一条大河波浪宽》，也好似和水呀、船呀的颇有感情。

范书记放开歌喉抒发情怀时，服务小姐轻轻走进来说，请问，哪一位是范书记？

范书记就不再唱，关掉话筒，说有什么事找我？

外面有人找你。

找我？是谁找我？

是个女的。

众人就起哄，就善意地笑，范书记，莫不是情人找上门来了？

瞎说，范书记顺手理理头发，拽拽领带出去了。

外面的女人分明不是什么情人，分明是一位皮肤粗黑、满脸枯皱、衣衫破烂的农村妇女，大概她走了太远的山路，一股土腥味、汗臭味扑面而来。

这不是秦香莲吗？秦香莲以贫穷在全乡而闻名，在座的不少人都认识她。

秦香莲能够进来，是她勇气鼓了再鼓，决心下了再下才敢付诸行动的。她大约想起范书记到她家送棉衣救济粮时嘘寒问暖的模样，范书记看样子是个好人，起码说话和气，试了几试，她才让服务小姐喊他。

范书记自然也认识她，这是全乡挂上号的困难户，每年都吃救济的。范书记二话没说，先问她吃过饭没有？一说没吃，范书记就把她领进来了。

范书记把服务员喊过来，说给她弄点吃的，吃了一块儿结账，服务员就进去安排吃的了。

饭菜还没端上来，范书记找张闲桌一坐，便问秦香莲来这有啥事？

秦香莲一五一十慢慢述说，说到伤心处便落泪，范书记，不是逼到这一步，俺也不来找你。

别哭,有啥要求你就说吧。秦香莲便掏出那份材料给范书记看,说厂里人说只要你能在上面签个字,点个头,问题就解决了。

秦香莲的一举一动已经引起在场人的注意,门庭富坐得不远,女人的话听得一字不落,似与本厂有些瓜葛,也就给予了更多的关注。

范书记把材料简单翻了一遍,看的时候始终不说一句话,他不时皱起眉头,不时又哑然失笑。看完才说,就这个事?还有别的没有?

秦香莲说,就这事,能把这事解决就行了。

这个时候,服务小姐就把饭菜送上来。两个馒头,两盘炒菜,又端上来一大碗鸡蛋汤。秦香莲或许是饿过了时间,或许是心情不好,她竟没有一点儿食欲。

吃吧,慢慢吃,不够再要。范书记对她说。秦香莲这才咬了一小口馒头。

趁秦香莲一人吃饭,范书记找间闲屋一招手,门庭富就过去了。

这女人是哪儿的?什么鸭子鸭子的?门庭富故意问他。

告状呢!范书记笑笑,把一沓子材料递给了门庭富。

门庭富粗粗溜过,看完很生气的样子。

看完了?范书记问他。

门庭富冷冷一笑说,完了。

尖锐吧?范书记问他。

扯鸡巴淡!门庭富一拍桌子大骂,污染,污染,以前就没听说过这一说,现在动不动就是这俩字。这又不是种地,搞工厂哪有一点儿不污染的?没有工厂,还有没有乡镇企业?没有乡镇企业,钱从何来?六〇年那时候再不说污染了,那时候干净,空气也好,水质也好,就是穷得没饭吃,那就叫好?刚吃两天饱饭,就娇气起来了,水质污染了,空气不行了,妈那巴子,都是吃饱撑的。就说这个秦庙吧,你说咱哪一点儿对不起他们了?没有水吃,给他们拉水,没有钱花,给他们补助,就这还不知足,还觉着屈得不行,屈得要死,依我说,纯粹是一帮子刁民。要不,把这厂封了算了,封了它再不说污染了,到那时再让搞什么希望工程,脱贫致富,希望个屁,致富个屁,让他秦良才领着一村人打狗要饭去吧!

门庭富吼了一大通,吼累了,就不再吼,坐下来借烟消愁。

消消气,消消气,因为这点儿小事看把你给气的。范书记就笑他。

不是我生气,谁干事谁挨骂,你乡里要不支持我,哪个鳖孙再干这厂长。

会不支持你吗?不支持,我会让你看这份材料?说吧,这材料你看咋处理好?

我先听听你的意见。门庭富没有正面回答。

范书记也不回答,一根指头蘸了水,在桌面上画了一个圆圈。

啥意思?门庭富不理解。

啥意思?就这意思,到我这里就算画上句号了。范书记掏出打火机,点着了那一摞材料纸，秦香莲跑了一个多月的心血，眨眼化作了一缕蓝色的火苗。

门庭富没料想范书记如此处理这事，忽然又觉得他心肠太狠，心想对付这样一个没有文化的妇女，是不是太损了点？

其实，多少补给她点钱也不是不可以。门庭富不好意思地说。

不行，就不能开这个头，这种事多了，都来找受得了？范书记还说，这只能怨秦良才不会办事，我见了秦良才非好好熊他一顿不可，让个仨数不识的农村妇女来闹什么闹？影响好吗？对于这种有严重本位主义的人，就得狠狠地批评。

门庭富说，你是书记，这事咋办看你了。

范书记把所有的人都支走，就留下办事员小刘。范书记说，小刘，账结没有？

小刘说，结过了，花了两千多块。

还有多少钱？

还剩五百元。

都给我吧，回头让他们再补张发票，开成烟钱算了。

小刘的表情不大自然。

这五百块用来扶贫。范书记说。

扶贫？

给秦香莲，一个女人，找到门上来了也不容易。

范书记和小刘一块儿过来时，秦香莲已经放下了碗筷，她心里有事吃不下。那个事咋说呢，范书记？秦香莲问他。

范书记就把那五百元钱拿出来，说钱不多，先拿回去花吧。

秦香莲犹豫了一下，还是接住了。

那个事咋说呢？秦香莲又问道。

回头再说好不好？厂里头你就不要再跑了，材料放我这里，回头给你研究一下。

啥时候能研究？秦香莲说。

等我通知你好不好？

秦香莲满心欢喜回村去了，秦良才问了情况也很满意。

以后就是秦香莲往乡里跑，一趟又一趟的，可是再也找不到范书记。范书记进省委党校学习去了。乡里又调来一位杜乡长，杜乡长比范书记还好脾气，见面先笑，就没说过一句高音。秦香莲向他说这事，杜乡长说，我才来，情况不大了解。秦香莲说，我给他留有材料，材料都在范书记那里。杜乡长就翻范书记留下来的各种档案、文字材料，包括会议记录，就是找不到秦香莲说的那份东西。

秦香莲真的没辙了，她是受害人，可找不到谁是迫害者，她有一肚子委屈，可是没法诉说。这件事她连告状都没法告，告硫酸厂？人家并没说不给她解决，而且人家积极配合。告乡政府？乡政府哪个有错误？范书记不仅答应解决，当时连自己身上的钱都掏给她了。人家没管到底，是人家不在这儿了，不在这儿谁还管这事？告杜乡长？杜乡长更没有错误，压根儿和人家一点儿关系也没有，鸭子出事时，人家杜乡长还在县委党校学习，与他毫不相干。

为找这份材料，秦良才代她写信给正在党校学习的范书记，范书记拖好久才回信，说好像记得转给门厂长了，你还是找门厂长问问吧。

皮球从硫酸厂开始踢，踢来踢去，九九归一又踢回到硫酸厂。硫酸厂自然不认账，说范书记没有转过这份材料，“好像记得”不足为凭。

秦香莲已经筋疲力尽，她想到此为止算了，虽然一切材料还可以再补，但谁保证不再成为一场文字游戏呢？秦香莲征求秦支书的意见，秦良才说，我想了又想，官司不能再这样打了，再这样打，打到驴年马月也打不赢。你上诉吧，写个材料去县法院，让法院依法解决吧。

秦香莲就告到县法院。县法院把材料压了两天，批复是此案不予受理，有关污染问题由县环保局出面解决。秦香莲找到县环保，环保说胡扯，这明明属于民事诉讼，怎么能找环保？这事应当由法院解决。秦香莲又来到县法院，法院人说你怎么又来了？不是让你找县环保的吗？秦香莲说，去了，人家说这事就应当由你们法院来管。县法院推卸不掉，便说法院也可以，先让乡司法所问问吧，这都是人民内部矛盾，司法所先问，问不了再说。秦香莲回来又去了司法所，司法所长自然不揽这事，说鸡巴县法院咋搞的？明明是他们管的事，他不管行吗？

往返折腾几遍，秦香莲心也就凉了。公公让婆婆管，婆婆让公公管，到底公公管还是婆婆管？国家养这么多干部，公公婆婆一大群，怎么遇见拉屎的娃娃都往后缩呢？

打定主意状是坚决不告了，我认了还不行？与其跑来跑去求爷告奶看驴尿脸听耍官腔，还不如不告呢，有工夫我到地里挖把野菜喂兔子也好（那五百元她又买了一窝长毛兔），兔子养大了还能换几个钱呢，这不是白搭工夫吗？

秦良才有空就问秦香莲，说官司啥样了？秦香莲脸一黑说，这事以后别再提了好不好？提这事堵心，俺哪也不告了，俺认了。说了，泪珠子就噗噗地落下来。

弄得秦良才不尴不尬，说也不是，劝也不是，后来就不再问她官司的事，身为支书，不能为老百姓办一件实事，他觉得脸上挺无光。他决定亲自往县上跑一趟，趁县里正开人大会，能把下面情况及时反映给县委县政府，也算尽了自己一份责任，不仅是为了秦香莲一家，也是为了更多的群众。小凉河的污染问题，政府是该出来说句公道话了。

秦良才先去见县委办公室的黄秘书。黄秘书听了情况，认为小凉河问题的确严重，但是小凉河的问题又非常非常复杂，不是三两句话可以说透彻的。尽管国务院三令五申要求限期治理，尽管在污染问题上采取“一票否决”，但依然是上有政策下有对策。他们不是不想解决，而是眼前解决不了，环境污染与乡镇企业的矛盾是一个很复杂的社会问题，这是一个让社会学家都为之头痛的二律背反，就连经济发达国家也同样存在这一问题。就拿鸿达硫酸厂来说，目前它是支撑全县经济的骨干企业，一旦下马或者停产治理，那么全县的经济立马就会崩溃，到那时就不是空气如何如何，水源如何如何。而是关系到工人会不会失业，工厂破不破产，群众闹不闹事，三会县的社会秩序稳不稳定的大局问题了。除此之外，对于污染治理下不了狠心的另一个原因来自官场，因为否定了硫酸厂就等于否定了前几任领导的政绩，他们的功过、是非、曲直，将不得不因此而重新加以评判。

这些问题黄秘书心里透亮，只是不点破罢了。黄秘书身微言轻，参不上言，更拍不了板，他不想更多地卷入到矛盾之中。不过黄秘书是一个有正义感的人，他对受害的老百姓非常同情，对秦支书这样的基层干部非常理解。秦支书是一个敢讲真话，不谋私利，敢于为民请命的人。像他这样的人现在是越来越少了。

秦支书要见县里的领导，黄秘书劝他说这事算了吧，见也没用，你就不了解领导的意图。秦支书说，我几十里跑来了，不把心里话说说对不起秦庙的老百姓。

在秦良才的真诚和无私面前黄秘书感到内疚，有件事他犹豫再三，不知道当不当讲？这件事对于秦庙百姓来说至关重要。经过几番深思，黄秘书还是说服了自己，把一个目前属于机密的消息告诉了他。

黄秘书说，后天上午，国家环保局、国务院有关部委和省府办公厅联合组成的治污执法检查团要到三会县执法检查，要求县里提前做好迎接检查的准备工作，并特别强调当地政府要实事求是，如实汇报，对被检企业严加保密，如发现有蒙蔽欺骗，弄虚作假，对检查团封锁消息者，将追究其政治责任，对情节严重的要给以党纪、政纪处分。

黄秘书知道这件事，因为电传是他接收的。他开始不敢讲，是担心泄密，后来又说出这件事，是想为下面的老百姓办件好事，若能让中央检查团下来看看，了解到一些真实情况，也未尝不是一件好事。黄秘书再三交代，你一定要绝对保密，估计中央检查团这次下来，会到小凉河实地走一走，看一看，能把小凉河污染问题和秦香莲这件事反映上去，说不定问题可以促使解决。后天检查团几点到小凉河不晓得，可让秦香莲提前在那儿等，有什么冤屈见到检查团该怎么讲怎么讲，下边有什么问题该怎么反映怎么反映，这真是千载难逢的一次机会。

秦支书说，你放心黄秘书，我知道事该咋办。

秦良才回到村里除了秦香莲第二人也没告诉。人多嘴杂，万一泄密，他对黄秘书不好交代。

秦香莲别的事都可以怀疑，唯有这件事她不能不信，这是秦支书亲口对她讲的。

到了第三天上午九点多钟，也就是检查团到县那一天上午，她就一个人去了小凉河。她是装作打草去的，不找个差事干着太扎眼，没有事干谁去河边待着？那个鬼地方连狗都躲着走的。

秦香莲心里装着事，草也就打不好，打一会儿她就不想打了，小凉河两岸已经没有多少水草，水草和庄稼一个脾气，都是经不起污染的考验。

秦香莲的兴奋点始终是远方那座小桥，那里是县城通向秦庙的必由之路。她不时抬头向那儿打量，希望能有一溜小轿车开过来，中央来的大官一定是坐小车过来的。

然而没有出现，一览无余的河滩上只有一阵阵臭气扑面而来，别的什么也没发现。她瞅瞅太阳，大约也才十点多钟，时间过得真慢，到这大半天了，怎么太阳像焊在空中一样一动不动呢？这是因心里急，存不住气，也许检查团刚从县上出发呢，县城离这儿三十多里，人走得两个小时，不过小车就快了，也许就在山的那面，用不了多久车队就过来了。

还是细想想见了领导咋说话吧，秦支书说了，看见领导来了不要慌，年轻些的和他们握个手，年长些的给他们鞠个躬，看情况行事，真要是一群白发苍苍的老头们过来和你说话，态度和蔼得不得了，你就是跪下给他们磕个头也不是不可以。人么，都希望别人尊重，你越尊重别人，别人也就越尊重你，礼多人不怪，心里一定要有人家。至于鸭子的事就好说了，你把事情的前前后后，根根梢梢，来龙去脉慢慢地白话了，说得越细发，越出情越好，该说的说，该哭的哭，你这几个月东奔西跑，求爷告娘是咋过来的，肚子里的苦水情淌开往外倒就是了。

太阳像个小脚婆娘，扭来扭去半天才慢慢扭到头顶，村里飘出了几缕炊烟，已经到了又要做饭的时候，而希望出现的车队还是不见到来。

秦香莲有些纳闷，不是说上午过来的吗？秦支书不会骗我吧，想哪儿去了，人家一个大支书骗我干吗？上午不过来，下午过来，总之会过来，反正我是不能回家了，你这边刚走，没准人家那边就来。

秦香莲仍然装作打草，只是不问收获，这动作她整整表演了一上午，看样子还得表演下去。

终于引起了别人对她的注意。秦香莲平时没见她打过草，今天打什么草呢？又不是打草季节，再说河滩上又没有什么草，这女人待在河滩不动窝干什么呀？

真是个谜。等人？河滩上还有人和她约会不成？

到了太阳过晌，秦香莲还不见回家，打草打得连饭都不做了？邪门不邪门？往河滩瞅她的人渐渐多起来。

秦香莲一直不走，草也不打了，就坐在一块石头上歇息，眼睛一直盯着远方那座小桥。

这时，她家的大丫头桂花提只瓦罐过来了，桂花来给妈送水喝的，秦香莲喝了水，桂花收拾收拾又回去了。

邪门儿，五黄六月收麦也不能这样干吧？就有心眼稠的半道上问桂花，你妈为啥不回家？在这儿等什么呢？

桂花年幼，经不住问，就把“天机”泄露了。

原来是这事啊，这女人心眼够可以啊，怪不得在这儿当“老等”，哪儿也不去，是想抢独食吃啊。秦庙受污染的人家难道就你秦香莲一人？就没有第二户？你死的是鸭子，别人家呢？死没死猪了、羊了、鸡了、牛了的？你把消息告诉大家，全村人一块出来见见北京领导不好吗？光兴你自己叼菜，不许别人叼菜，只要你的问题解决了就成是不是？怪不得你这辈子成个绝户头，怪不得你男人瞎，鸭子死，人不长眼天看住你呢！

来河边“干活”的人渐渐多起来，多少都有个事干，都是秦庙一个村里的人，各打各的草，各干各的事，互不搭腔，谁不理谁，都装得像没事姑娘一样闲淡。

秦香莲觉得有点儿蹊跷，见我过来打草了，都来河滩干活了，是什么意思吗？

秦香莲仔细察言观色，发现他们虽然都是心不在焉的样子，但是，关注的方向却都是远方那座小桥。

秦香莲不笨，一下子便看出问题来了，一定是秦支书走漏了风声，大家和她一个目的，等北京来的中央检查团说事来了。

她觉得挺可笑，吃亏、受罪的事都往后站，沾光、占便宜的事都往前挤。当初我去硫酸厂，去乡政府告状的时候，你们都到哪儿去了？小凉河的事你们谁露一次头了？听说中央领导要来了，来到家门口解决问题了，你们比谁跑得都快，都害怕把自己的事给忘了。你们多大损失？我多大损失？我死的是一千多只鸭子，是五千元贷款贷的，你们呢？不就是一只羊、一头猪吗？大不了是一头牛，一头牛值几个钱？现在牛比哪一年都贱，三百块钱就能买一头牛，你们来和俺争个啥劲？你们那些猫了狗了的能和一千多只鸭子相比吗？就是中央的大领导来了，落实政策也得按损失大小说话，也不能谁想要多少就要多少；再说今天谁来得早？我是九点多钟就来了，你们呢，吃过午饭睡了一觉才过来，就是反映情况也得按号排队，就像以前接水一样讲个组织性纪律性吧！

秦香莲实实在在地窝着一肚子气呢，我现在就不想搭理你们，等一会儿领导过来了，只能让我先上前说，不然我对谁也不客气。

太阳由正南转到西南，又由西南转为正西，时间到了下午四五点钟了，可是希望出现的车队还没出现。这时候了不来还会来吗？说不定是谁在造谣？故意哄咱乡里人吧？不来去屌，照活咱的就是，这些年咱不就这样活过来了吗？大家心想，就让秦香莲一个女人在这里空等吧！

没听一人打招呼，也没见谁和谁商量，小凉河边“干活”的人越走越少，就像约定好了的，不到一根烟的工夫全走完了。

就剩下了秦香莲一个傻女人。

太阳已经下班走了，月亮就出来了，月亮在云彩眼里窜一趟又一趟的，不停地奔跑着，过一会儿再看它时，分明还在原来地方，一点儿没动。秦香莲的心绪也变得暗淡下来，方才的那股子争强斗胜劲没有了，一种难以言述的失落，一种离群索居的孤独和凄凉袭上心头，秦香莲突然陷入了一种尴尬，她发现自己很傻气，很可笑，很无聊，很让人瞧不起。

她问起自己来了，你今天一天来这儿干啥来了？

她回答自己说，不是等北京来的大官吗？

大官呢？大官在哪儿？

就是，大官在哪儿？你纯粹是个傻帽，是个财迷。你想得多美吧，北京来检查团，北京检查团来这地方干啥？是来看你这烂粪坑，闻你这臭河沟吗？美吧你，八抬大轿请人家看人家来不来？

该不是秦支书又耍心眼吧？不是耍心眼是啥？让俺到这烂河滩坐一天，一个车影儿也没等来，让村里人瞪着俩眼看笑话，你这不是成心让俺丢人现眼，在人跟前说不起话，抬不起头吗？

秦香莲直等到天昏地黑才回去。她不再是等什么检查团，检查团才是没影儿的事呢，她是怕村里人看到笑话她，若是问她一天在河滩不走干啥的，非把她羞死不可。

第二天一早，秦良才就到她家里来了。秦支书见了她就说，我打电话问黄秘书了，问他咋不见检查团来，你这不是骗我秦良才吗？老大的人了，耍俺干啥？黄秘书作了解释，他说检查团昨天上午八点就赶到县城了，一共来了十二个人，光北京来的就占了九个，他们来了连口水都没喝就下去检查了……

秦香莲说，你别再提这事了好不好？提起来就锥心，到这般地步了还骗俺，检查团连个鬼影儿都没见，还要说下来了，下到哪儿了？我在河滩等一天……

秦良才打断她的话，说，你听我把话说完好不好？检查团下来是下来了，可是没到咱小凉河这边来，是从大凉河那边过去了，黄秘书说这是县委、县政府定好的检查路线……秦良才说，我日他老祖先，他这不是哄人家北京领导是什么？大凉河不走污水了，那有啥好看的？清亮亮的一河水，当然是看不到污染了，你说现在这事咋说呢？这是……

秦香莲死也不相信有这种事，这是你秦良才又拿假话哄俺的。秦香莲说，秦支书你别说了好不好？俺也不是仨数不识的傻子恁好哄，你走吧，你快走吧，俺没工夫听你瞎白话。

秦良才听了一愣，恨不能扒开心让她看，我咋会是骗你呀？我咋会是那种人呀？我要是骗你我……

秦香莲说，你骗俺还少是咋的？你今天叫俺去这儿告，明天叫俺去那儿告，哪一次不是你让俺去的？哪一次告出结果了，你说？你打俺也好，骂俺也好，俺没话说，你不该当猴耍俺，三番五次编圈儿让俺往里跳。你说你昨天办的那算啥事？你把俺这张老脸弄得没法再见人你知道不知道秦支书?

秦香莲说到这里,止不住号啕大哭。

秦良才被哭得下不了台,一连串地说道,我不说了好不好?天地良心,天地良心……

如果仅仅以为秦支书骗她也没什么,过后总有一天她会明白秦支书没有半点儿坏心眼,秦支书说的都是实话。坏事就坏在以后,一连串的刺激使得秦香莲丢光了面子,在一村人跟前抬不起头来。

秦支书灰溜溜地走了之后,就有几家找上门来"花椒"她:

咋样秦香莲?北京来的大官见到没有?

他们也没接见接见你?

鸭子的事是咋说的?赔了你不少钱吧?

秦香莲说,别问了好不好?俺谁也没见,俺就在河滩打草。

哄俺弄啥?就是赔你一笔钱,俺也不会要你一分,俺也只不过是来问问。

秦香莲气得把门咣当一关,孬话送了过来,赔钱了,赔了俺家一千万块,你眼气了是不是?眼气你也去要呀!

……

谁也不会想到,没过几天,令村里人眼气的好事真的来了。这一天上午,乡政府托人捎秦香莲一个口信,请她马上去乡里一趟,有要紧事找她。

秦香莲心里挺激动,多少日子没有过这样的激动了,她猜来猜去,叫她去,说不定与赔鸭子钱有关系,说不定那份材料找到了,说不定是让她去厂里领钱去的。

秦香莲就去了,去前谁也没有告诉,她害怕别人知道了眼红她。

请她去的是乡政府办事员小刘。

小刘先问她还认不认识?秦香莲摇摇头,说不认识。小刘说再想想,秦香莲就想起来好似在什么地方见过他,但又想不出具体在哪儿见的?因为啥事见的?小刘说大概你忘了,在城里吃饭,和范书记一起交给你五百元钱的不是我?秦香莲说就是就是,你看我这记性,咋就认不出你来了?你今天找我来有啥事?小刘说,有件小事,不大,这儿有张条子你看看吧,说着拿给她一张纸条。秦香莲不识字,问他这是啥条?小刘支支吾吾好半天,不好意思说出口,最后还是不得不挑明说了。

小刘说的弯子太多,比较啰唆,如果去粗取精抓住要点的话,大概是这么一回事:范书记交她的那五百元,原意是扶贫也是真的。以买烟为名开张发票想把它作为招待费报了也是真的。范书记签过字,写上证明人小刘的名字,顺顺当当在乡政府会计那里报销了。范书记调走学习,审计局查账查出了问题,说买烟的发票怎么可以报?谁报的谁把钱补出来。上面因为有小刘的名字,会计就找到了小刘,小刘说钱不是我花了,我怎么能拿呢?会计说,那你找范书记要去,反正不是你拿,就是他拿。小刘不可能再去向范书记要钱,这笔钱又确确实实交给了秦香莲,只是当时图省事，没让她写收据，就当成烟钱报销了。

小刘找她来的意思，就是让她承认这件事，并且把钱还上。

秦香莲当初接那五百元钱时，哪会想到有这结果？她说这是范书记给我的，给我的时候并没说让还，要是让还当初何必给我呢？

小刘自然有小刘的道理：当初范书记给你这钱是同情你，他也没想到会有这结果，这可不是范书记自己的钱，是从公款里出的，上面不追究这事，谁也没向你要吧，现在不是追究起这事了吗？钱是给你花了，自然要向你讨要了。

秦香莲比让人打了两个耳光还丢人。

小刘说，估计你这次来也不会腰里带钱，你回去拿钱好了。

秦香莲想说几句难听的话，又觉得和小刘吵架犯不上，小刘还是个孩子，况且小刘也没啥不对。

秦香莲就灰着脸回村去了。

秦香莲回去路上脑子里乱成了一团麻，心里面比刀子剜着还痛。

天底下还有这样的事，给了钱还有脸再要，吐出来的唾沫还能再往回舔吗？

给我的五百元你们记得清清楚楚，欠我的鸭子钱你们咋就不说事了？

当个老百姓就恁难？你说我是招谁了？还是惹谁了？没招谁没惹谁的为啥老和俺过不去呢！

这事更不敢让村里人知道，知道这事才有人看我的笑话呢！

秦香莲走到小凉河桥头时又想起了她的那一群鸭子，想来想去这都是你们给我惹出的祸害，不是因为你们，我秦香莲也不会丢人丢到这个份上。

秦香莲想到这时一步也不想朝前走了，走来走去，走到啥时候算是头呢？算了吧，今天就算走到头了吧？这儿多好啊，她觉得死在这里比死在什么地方都好，她是因为鸭子而死的，鸭子们不就是死在这儿的吗？让我去找我的鸭子去吧……

当晚秦香莲就出了事……

秦庙村的大人小孩男男女女都没想到，前天还在河滩打草的秦香莲，现在却两脚直直地挂在小凉河边的一根树枝上……

第二天一早，拾粪的毛孩发现了，飞跑着去喊叫秦支书。秦支书一听，鞋都没来得及穿就跑来了。

全村人听说后也都跑来了。

秦支书亲手把她从高高的树枝上放下来。一摸，不行了，晚了，全身都凉透了。

秦良才忍不住放声大哭。他并不知道秦香莲是因为什么事让乡里叫去的，但是他相信秦香莲的死确实和她家鸭子死有关。秦支书分析也对，虽然他不知道乡里向她讨要那五百元钱的事，那五百元钱虽然是秦香莲之死的导火索，而真正的死因还是在那群鸭子身上。

一个牛马半生、多子并不多福的女人，就这样做了鸭子的殉葬品。

当瞎子大跃和他的四个孩子扑倒在秦香莲身上任谁去拉也拉不起来时，秦庙的男女老少齐声痛哭起来。

不知是谁高喊一声，走，找硫酸厂算账去！真的是一呼百应，立在小凉河桥上的群众一齐发出了呐喊。

不到半天工夫，秦庙、山神庙、关帝庙三个村的老百姓越聚越多，随后就有拖拉机开过来，黑压压的一群人坐在二十多辆手扶拖拉机上，向位于上游的鸿达硫酸厂浩浩荡荡开过去了。

首车上坐着身穿重孝、披着白纱的秦香莲的四个孩子，本来，大家要把秦香莲的尸体抬上去的，她男人没有同意，男人说她受了一辈子罪，就让她在家里安安生生地躺着睡上几天吧！

八、秦支书说，我干不干又咋？只要老百姓以后能过上好日子。

平心而论，秦良才并不是这次事件的组织者和策划者，这纯粹是民间百姓的自发行动。就是这一特殊行动，使身为支部书记的秦良才陷入左右不是、进退两难的尴尬处境。他既对秦香莲及其庶民百姓的不幸怀有同情，又担心事情会闹大，事情闹大了，闹出了乱子来，他有推卸不了的责任，纵使浑身是嘴也说不清楚的。

秦良才当时就往县委、县政府挂电话，都没挂通，就在村前拦了一辆正往县城开去的摩托，他要向县委、县政府当面作紧急汇报。

当他满头是汗、拄着拐杖走进县委办公室，黄秘书正好在那儿。黄秘书对他说，事情我们都知道了，是乡政府打电话告诉的。事情闹大了，老秦，他们说今天就是你带头闹的事，现在防暴队已经出动到路上抓你，说你带着一千多老百姓冲到厂里去了。

说这些你相信吗？秦良才苦笑着说道。

我不相信，但有人信。

秦良才说，怎么说我都无所谓，真的假不了，假的真不了，反正事情已闹成这样了，我只问一句话，中央执法检查团现在在哪儿？我要当面找他们反映问题。

黄秘书说，这你放心好了，没有出事之前，他们已经发现了三会县有问题，这一出事，他们决定延期回京，中央检查团已经到鸿达硫酸厂住下了，说小凉河的问题解决不了，他们是不会走人的。

这就好，这就好……秦良才欣慰地笑了。

不过，你要有充分的思想准备，你这支书的位子……我是说县委县政府……

秦支书哈哈大笑道，黄秘书，你没看我这腿？我今年五十七了，无所谓了，我干不干又咋？只要以后老百姓能过上好日子……

这句话让黄秘书听了好一阵子感动。

……

小凉河事件当天就被中央检查团知道了，跟随的记者当即就发了内参，据说，新闻单位都是站在老百姓一边的。

要问小凉河能不能因此而发生转机，很不好讲。

伟人说过的：道路是曲折的，前途是光明的。

故事远没结束，好戏还在后边。

1997 年 4 月—5 月

（选自《小说》1998 年第 2 期）

马其德

1944 年出生于河南柘城。1968 年毕业于中国人民大学国际政治系。之后接受“再教育”，辗转多地，1974 年调入郑州。曾在郑州市文联百花园杂志社任职，后调入郑州市作协。任河南省作协理事。1978 年开始文学创作，现已发表小说多部，《赵家屯今日有好》被译介到国外。

山村叙事

张行健

一

拐过两道山弯儿，风，突然硬起来，嗖嗖嗖吹打在人脸上，皮肉被割得生疼。弓月水忙伸手在脸上搓了几把，觉得脸皮烧烧的，身上身下，倏然间却冰冷得森人。

这风，真他妈够劲儿——

背着铺盖的李晓涛一句话没说完，一阵顶面风呼呼地朝他袭来，肆虐地灌进嘴巴里，立时噎得流出眼泪，方才因负重爬坡而淌出的湿汗被山风一扫而去。

山杏坡的村支书常三喜不吁不喘，他背着弓月水的铺盖卷儿倒像在走平路一样。看来，家乡的坡和坡上的风，他早习以为常了。弓处长，你看，前头就是咱山杏坡——

顺着常三喜伸出去的粗糙手指头，弓月水看到前面圪梁上点缀着一片干枯泛黑的杏树。在山杏树的中间，高高低低长长短短嵌着各式土窑洞，有几缕稀疏的炊烟青淡淡扭上窑顶，就忽然间弥散开来，杏树和村落一起瑟缩在隆冬里。

山杏坡——

弓月水轻轻咀嚼着这三个字，眼睛就深情地注视那苍茫的山村，心里滑过一层暖暖的亮色。

“山杏坡——我就要在这里生活一年哩……”

看着一面长坡上弯月形的小村落，弓月水的脚步加快了。

他和李晓涛是提前一天动身的。在省厅驻山梁县扶贫办报到后，就径直来到了山凹乡。乡领导都在，热热闹闹吃了一顿饭，算是开过了欢迎会，乡长十分卑恭地向他介绍了山杏坡的大概情况，就召来了山杏坡的村支书常三喜。

乡长对常三喜说：这就是省交通系统派往你村扶贫的弓月水处长，弓处长是汾南地区征费处处长，这回是山杏坡工作组组长，他和李晓涛同志提前来了，你得好生照护着。

常三喜点着头，忙和弓月水、李晓涛热情地握手，说，欢迎领导到我村扶贫，只是咱那儿条件太苦，恐怕要让领导受委屈哩……

不善言辞的弓月水笑一笑，没说什么。李晓涛却说，山杏坡要能赶上大邱庄的条件，我们还来扶什么贫呀，你们扶我们吧！一句话，把几个人全说笑了。乡政府就安排了几辆摩托，要把弓月水一行送到山杏坡。乡长说：弓处长，实在抱歉，到山杏坡这十里山路走不了汽车，委屈你们坐摩托了。一边吩咐两个开摩托的人要如何地小心。

弓月水坚持不坐摩托，说不就是十里山路么，走一走，熟悉熟悉地形，说说笑笑就到了。乡长见他态度挺坚决，也就依了他，目送他们跨过公路，上了弯弯曲曲的山梁。

弓月水对农村并不陌生，作为一个农民的儿子，考入大学之前的二十年里一直在土地里滚爬摔打。但那毕竟是汾南地区的农村，虽说有山有沟，山却没有吕梁大山这么高峻，沟也没有山梁县的沟壑这么幽深，只说故乡冬日的风就比不上这里的山风暴烈，地域条件的差别，就把同样的农村拉开档次啦……这样想着，弓月水觉得山风小了一些，可能和走进较避风的弯里有关系，但他仍能听见强强弱弱的呼啸声，那是山风在满坡满梁的杏树梢头打着哨子。

走进弯子的深处，风立时静下来。从一面阳坡上传来匀称而紧凑的沙沙声。忽然，一阵苍沙却清晰的嗓音乍起。

从阳坡下来一群白搭子白哎——
脑袋上顶了两根干硬柴；
嘴子里哼着那个纳木声——
尾巴下蹦出那个黑豆子来——
……

山曲幽幽的，非常凄凉的调子从阳坡上飘下来，在弯子里徘徊着。

一群山绵羊混合的羊群沙沙沙地来到弯子里。

牧羊人穿一身破旧的裤褂，青灰色的棉絮像脏兮兮的绵羊毛从破洞里露出来，吊出来，在山风里招展着。好在一条黑腰带紧紧地把老裤腰和棉袄的下摆扎系着，人就像一根老树枝。

是放羊的秋老树，咱山杏坡的。

见弓月水和李晓涛看那牧羊人，常三喜就向他俩做了个介绍。哦——老树哥，你一人在坡上穷唱个啥哩，和羊群对唱么？常三喜和秋老树打趣。

面皮蜡黄的秋老树看了看他们，也不打招呼，寡着一张瘦长脸，说：嗯，穷唱穷唱，越穷了越唱，拿起长长的放羊铲，朝头羊打去一块土坷垃，拐过弯子走了。

这人真怪。李晓涛说。

在咱山杏坡，秋老树也是个特困户咧，女人病怏怏的，又有一窝子女娃娃，就仗着老树一个咧，农忙时干活儿，冬闲了就帮着人家放羊。

那不是他家的羊群？李晓涛问。

不是，要是他秋老树的，那倒发了哇，那是全村几十户人家的，拼合起来的。老树放一冬季，能挣众人二百斤玉茭子。

弓月水听了，心里沉沉的。

进村时就快傍晚了，刮了一天的山风悄悄停下来，残弱的夕阳刚给山杏坡和坡上的一排排错落不一的土窑窑面涂了一层虚幻的橘红，崖畔上下的杏树在一片红晕里静默着。

有娃子和大人端着碗在道口吃饭，听得见呼噜噜的吞咽声。

村里的晚饭咋吃得这么早？李晓涛奇怪地问。

这既是晚饭，又是午饭，除了割麦季节，平时都是两顿饭哇。常三喜话没说完，从坡上忽地扑下来四五条黑狗花狗，围着弓月水和李晓涛，汪汪汪咬成一片。

这着实把三人吓了一跳。

狗日的咬生呢，走开——

常三喜使劲挥赶着狗群，在地上摸着土块，狗儿们就是赶不开，离弓月水七八步的样子，凶凶地吊着四五只红红的舌头。

好狗日的呢，城里的娃子，山里的狗子，凶着哩，这话一点儿没说错呢。弓月水心里想着，就见有端碗的几个人走过来，和常三喜一起呵走了狗群。

弓月水已出了一头虚汗。

来客人咧？就有端碗的几个人问常三喜。

是来村扶贫工作队的弓队长，叫弓处长也行咧——

常三喜一语未了，就见有一个穿戴破旧的小个子老婆婆扑通一声跪在他们面前，小小的毛发零散的脑袋捣蒜一般地叩着。弓月水又是一惊。

救救俺老两口吧……啊啊，这一冬天可怎么熬呀……

老婆婆泣不成声。

常三喜和弓月水赶忙扶起了老人家。

原来，老婆婆和老头子是五保户，前两天，常三喜负责给二老弄了点儿过冬的煤，燃着火以后不曾想烧暖的炕火把唯一的一团破被窝给点着了。

好了，待会儿我给你老再送一副被窝去，你先回窑里去吧。

围观的村民就多起来，黑黑的在坡下就聚了一团儿。常三喜没有好气地说：看甚哩看，领导来咧有甚好看的，还不躲一边吃饭去……

男女山民端着碗就给他们让开了一条道，且看着他们一步一步下了坡，走进村支部的那两孔土窑里。

二

山风重新刮起来，已是子夜时分。无法入睡的弓月水听得见窑外的深沟里像海啸一样在咆哮在嘶鸣。不时咔嚓作响的声音是大树的枯枝在风中断裂，山风袭到窗户上像有几千只大手在用劲拍打着窗棂，哗啦啦的巨响惊心动魄又揪人心弦。

过去的大队部如今的村委会就这两眼古旧的老土窑。两月前知道有扶贫工作队要进驻山杏坡，全村五十多户人家合二百六十来口人共同集资买了几千块青砖，在窑外头裱砌了个砖面，两孔百年旧窑立时像换了新衣的老汉家，新颖起来精神起来了。窑里面斑驳的墙壁上贴了一层旧报纸，倒也白净利落了许多。一排大土炕从窑当间横陈在窗子根，这就是五名下乡队员的宿舍了。外间是过道，也是他们的厨房。里间窑里烧着火，炕洞里热烘烘搅得弓月水难以入眠。

来之前就有一定的思想准备，来了还是让他惊讶不已。昨晚在常三喜引带下访了三户村民，按弓月水的意思，三户的生活水平是上中下，有代表性的。不要说下游了，就是山村的好人家，也仅仅能填饱肚子，窑洞里有几件简陋的旧式家具而已。差的家户他去了秋老树家。秋老树已放羊回来，一人在院子一角大咳着吐痰呢。老树的女人瞎着一只眼在吃力地拾掇什么，大闺女、二闺女在昏暗的油灯下煮饭呢，剩下的几个小闺女缩在土炕上一团破被下面取暖。窑洞低矮凸凹，不知是几辈子的旧窑了，黄黄黑黑的土皮就像秋老树那张皱巴巴的脸，掉了一只耳朵的大铁锅里煮着多半锅玉米糊糊，当然还拌着山药蛋、菜帮子和灰灰菜……两孔土窑里除了堆砌一些干硬山柴和一张旧桌子外，就什么也没有了……弓月水的心里沉重得如压了一块磨盘，贫困山区的老乡们就一直过着这样不得温饱的苦日子呀！他不敢细看秋老树那张蜡黄的脸，看一眼，他的心就紧紧地跳，眼前倏忽间便浮出父亲倒在故乡那条小土路上的情状。那时候正是阳春三月，暖暖的日光把一地的油菜花照得黄澄澄的，而小路边的麦苗儿绿得流水。父亲在山下的亲戚家借了多半口袋玉茭，来使全家度过这个难熬的春荒，使在高考复习班学习的弓月水每天能吃到三个窝窝头……父亲却倒下了，倒在麦苗碧绿的田野边，倒在黄花氤氲的土路上。父亲虚汗直流的脸皮黄得没了一点儿血色，而那象征着日月延续和儿子希望的多半截子口袋，就充当了父亲在尘世上最后的枕头……

那可是七八年的春季呀。快二十年了，山区的老百姓怎么仍然在贫困线上挣扎呢？

两颗涩巴的泪水从弓月水三十八岁的眼窝里慢慢爬出来，为了他的父亲，也为了山杏坡的村民。

呼噜噜……呼噜噜……

伴着窑外狂劲的山风，李晓涛却睡得香甜。十里山路，就把小伙子走累了，当然，他还背着铺盖卷呢。弓月水笑一笑，转过身去，两只眼窝在黑暗中大睁着。

当省厅抽派扶贫工作队员的有关通知下到汾南征费处的时候，作为一把手的朱处长深深地为难了。通知上要求，汾南处要抽出最少二人去扶贫，而这二人中必须有一名副处级领导参加。干事好抽调，领导难确定。处里处级领导共四人，朱处长负责全盘工作，难以脱身；宁书记说话间就六十岁了，年迈体弱，绝不可能被抽出；两个副处长弓月水和乔一鸣，两人被提成副处长都是一年多的时间，工作刚刚铺开，谁也不想离开单位而被抽去搞那个令人头痛的扶贫工作。都听人说扶贫工作出力不讨好，况且去的是吕梁大山深处山梁县的一个小山沟，真是个水深火热的地方。放着舒适安逸且有许多不可言传的“油水”的单位不待着，谁愿意到大山沟里去？重要的是在单位的一年就是联系群众、青睐于领导、展示自己工作能力、为以后的升迁创造条件而铺路搭桥的一年。谁都清楚，处里一二把手年纪都大了，而弓月水和乔一鸣又年富力强，正是兴旺发达、前途大展的时候。一年半载书记退下来，自然又要在他俩中提拔一个呢，谁愿意失却这一年的宝贵时间呢？

弓月水确确实实为难，当宁书记、朱处长分别和他谈了话之后，他一人静静地思虑了两天，他在左思右想权衡着利弊。两年前在中层干部中提拔副处长的时候，他和乔一鸣就是激烈竞争的对手，两人年龄相当学历相当工作成绩也大致相当，只是在考评时他稍稍优越一些。不同的是，他弓月水是一个质朴的山区农民的儿子，而乔一鸣的父亲和岳丈都在汾南地区是处局级干部哩，尤其是他的岳丈，握有实权举足轻重，和这样一个有背景的乔一鸣竞争副处长，弓月水全仗了这么多年来自己踏实的作风，显而易见的成绩和众人信可的才华，当然还有含蓄柔韧的性格和灵活好使的脑袋瓜儿。弓月水毕竟争了一口气，每一项考评下来，他都在乔一鸣的前面，他的副处长是十拿九稳的事情了，因为只上一人啊。宣布副处长的前一天他才知道，乔一鸣也上啦，名次当然排在他的后面。这口气是争上了，无形中却树了一个可怕的敌人。他无时无刻不从乔一鸣的眼睛里读出一股阴凉的妒忌和藏匿颇深的可怕的杀机。

是我敏感了？

弓月水一次次问自己，提醒自己。他深知多个朋友多条路、多个对头多堵墙的道理，在原则许可的前提下，尽量和乔一鸣协调好关系，哪怕仅仅是表象上的和和气气，谦谦让让，过得去就算了，但内心的提防一直是谨慎着、微妙着。

从书记和处长谈话的语气表情上，弓月水凭自己细致入微的观察和不动声色的揣度，寻找出乔一鸣根本不愿去扶贫的这一结果，他甚至看到宁书记的眼角深处有了乞求他的色彩。他当时的心绪好不复杂，难道弓月水是一枚任人捏拿的柿子么，你们书记处长在乔一鸣那里碰了个不软不硬的钉子之后，让我当这个替死鬼了？我弓月水也不是吃素的货。当火星火苗在心里刚刚燃起的时候，理智的清水就迅速地扑灭了它。且慢，说不准扶贫活动是一个契机呢，它能给人提供一个施展才能的新天地，一年，短暂的四个季节，但它分明有红红绿绿的大自然的色彩，有起起伏伏吕梁山一样的逶迤，这比起单调呆板的单位来，更能干出一些成绩吧，这是达到自己愿望的另一条渠道，谁能说出它是捷径还是曲径呢，有一点儿肯定会殊途同归的，这就在事在人为啦……

弓月水的眼界立即洞开了，这得力于他活跃多变的思维，当他捕捉到一个新的天地的时候，他的心域也一下子开朗了起来。

行，如果二位领导觉得我能胜任了扶贫工作，组织上确实需要我的话，我是绝对服从上级安排的，只是得给我两天的时间，我得把家里安顿好……还有，在扶贫工作中，咱单位咱领导得尽可能地配合支持我的工作，当我的坚强后盾。

宁书记和朱处长没想到这么艰难的工作这么棘手的问题解决得这么轻松，对弓月水的感激之情自然溢于言表，觉得在关键时候还是弓月水可靠踏实以大局为重。

家里并不需要安顿什么，月水的妻子安静芝是个通情达理的女人，何况一儿一女都大了，月水要走也能脱得开。弓月水安顿的是单位的事宜。在单位里，他曾有两个他亲自推荐安排到单位的心腹，一个是办公室的陈宇一，一个就是李晓涛。李晓涛知道弓副处长要扶贫，就自告奋勇要同他一块儿去吕梁山。弓月水就安排陈宇一，在他下乡扶贫的一年里，要时刻注意单位的新动向，有什么大是大非，风吹草动，就及时向他汇报同他联系。

一切安排妥当，弓月水和李晓涛提前一天轻轻松松地上了吕梁山……躺在土炕上的弓月水心情实在不能轻松。

牧羊人秋老树蜡黄的面容和五保户老婆婆那下跪的双膝不时地晃动在他的眼前，秋老树那一锅稀糊糊的拌了野菜的晚饭把他的心搅动得疼痛不已。他索性披衣坐起来，点燃了他来吕梁山上的第一根纸烟……

在其后的两三天里，他几乎走访遍了全村人家，这中间其他三个地区征费处的三个扶贫队员也先后到达。弓月水只简单地组织全体成员和村干部召开了一个碰头会，安排了近期几项工作，就和李晓涛回到了汾南，他得落实那晚上他筹划好的两个步骤。

月水哥，无其他人的时候，李晓涛这样叫弓月水，以示关系的不一般。月水哥，咋不召开个全村群众大会呀？也好造造声势么，或者，先在村里的路边墙上刷写扶贫攻坚的各种标语口号，气氛就不一样了。

回汾南的车上，李晓涛不解地问他，也向他提了这一建议。

弓月水想，晓涛的建议是不错。他也深深地知道舆论宣传的作用。可是，多年来各种名目下乡工作队的这种形式主义和表面工作，把老百姓们搞怕了，搞腻了，动不动，就虚张声势，老百姓能不反感？具体到山杏坡，乡亲们急需解决的是温饱问题，是眼下的穿衣、吃饭、御寒的燃眉之急，说话间就快进入腊月了，捐衣物、弄面粉，先实实在在打好这两炮，以后的工作自然就好开展啦。

车窗外的风呼呼啦啦吹打着，像山杏坡村民的许多只手掌，在为弓月水的想法尽情鼓掌着……

三

听完了弓月水的简单汇报和提出的要求后，汾南征费处的朱处长沉默了片刻，或者说稍有一些犹豫。三天内全处包括下属单位的三百多名职工人均捐献两单一棉三件衣服这倒好说，只是那五十几袋白面五十几袋玉米面得动用处里这次为吕梁山杏坡扶贫点划拨的拾万元的专项费用，当初作计划时，并没考虑这带有救济性的面粉问题。

我看，咱立即召开一个处领导会，因为事情紧急，咱需要尽快统一一下意见。

两个电话打过，宁书记和乔一鸣副处长很快到了处长室。

朱处长讲明了事情缘由和立即要办的事情后，大家先沉默了一下。

弓副处长，我是说，一人三件衣服并且要二单一棉，是不是多了点儿？三天内能交起么？乔一鸣笑笑地看着弓月水，白净的脸上是琢磨不透的表情。

听了这话，弓月水心里火火的，山村的乡亲们在受着冻，你在城市的舒适窝里倒不阴不阳地嫌捐的衣物多了。他尽量压抑着不快，脸上平静地说：

两三件衣裳哪能说多哇，现在谁家的柜子里没有七套八套过时的衣服，闲衣物压在柜子里，不如狠狠心捐出来，哎——山里的百姓苦哇。有一家人合盖一套烂被子的，还有十六七岁的大姑娘家没有一条完整的裤子穿……弓月水的眼圈有些红了，他说，有条件的话，应该让咱机关的人都到山里看一看……其实弓月水的意思是应该让乔一鸣这个奶油小生到山里体验体验哩……

乔一鸣见弓月水动了感情，撇了撇嘴，把脸转过去了。

给山村送一百多袋面粉，看合适不合适，扶贫的项目里没有这一条吧，这是其一；其二这笔费用如何开销？总不能从扶贫专款里划走吧。

宁书记先看看弓月水，又看了看朱处长，带有征求意见的意思。

老百姓没钱花是真的，还不至于缺粮食吧，刚才宁书记说得对，送面粉是有些不合适的，再说——乔一鸣话还没说完，弓月水就打断了他，乔副处长，你先听我说，山杏坡有二百六十三口人，却只有二百五十亩土地，人均不到一亩，绝大部分又是山坡地，水土流失严重。今年又是历史上罕见的大旱之年，往年夏粮欠收还指望秋粮哩，今年秋粮就收了一些能点柴火的光玉茭秆子，别说现在，十二月份一过就有二十多户快断顿啦。现在就是东拼西凑借亲戚的要朋友的野菜山药蛋南瓜地瓜对付着吃哩，贫困户和贫困人口占到总人数的百分之五十以上啦，你说，就这样要让他们饿着肚子跟咱们扶贫攻坚，这有可能么！一袋白面充其量 50 块钱，一袋玉米面才三十几块，要知道，这两袋面粉可是一户山民的救命粮，也是咱工作队咱征费处和老乡们的贴心粮，粮食本身没有感情，但这行动却表达了咱处的大气和浓郁的人情味儿。一百二十几袋面粉，无非几千块钱么，是咱接待上级来人的两桌席呀，这有什么不合适的呢，这不是我弓月水标新立异自作多情收买人心哩，万一山杏坡有几个饿死冻死的，咱们的脸上能有什么光彩！

弓月水激动了，话就有些重，瘦瘦的长条脸上冒出一层细汗，他索性站起来，在处长室里来回走动。

几个人都感到弓月水从山上回来一改往日的沉稳，性情也躁躁的常动感情，便有些惊异地看他。弓月水才感到自己言重了，说话分寸不够。但他顾不及这些了，他急中生智地说：临回来时，我在全村村民大会上说，我们处长书记十分关心大家，等处里捐好衣物备好面粉时，书记和处长都要来咱山杏坡，一家家给大家发面粉，一件件给大伙发衣物呢，这是领导对咱乡亲的关怀。哎，就别提乡亲有多兴奋了……临时编出的话，弓月水都说得非常真诚，也生动逼真，朱处长和宁书记的脸上就泛出一片喜色。弓月水知道二位领导喜欢出头露面，这些门面的事儿何乐而不为呢。只听朱处长对宁书记说：按理说咱也应该去一下呢，弓副处长他们要苦干一年哩，咱起码该去看一看的。宁书记也点头称是，事情就这样定了下来。第三天下午，全处的三百来号人员基本上都捐来了衣物。弓月水一一登记清点，连单带棉一共九百多件，有大人的外套，也有孩子的各式衣物，有男士的风衣西装，也有女人的各色衣裤，大多还有七成来新，都清洗得干干净净的。弓月水的心里就有了底。同时李晓涛已在有着熟人的粮店里内部价买好了一百二十几袋面粉，一切准备就绪，明天一早处里两辆车送行。

天一亮，朱处长和宁书记先后来了电话，朱说明天上级要来人检查，他就上不成吕梁山了，以后再定个时间吧，一切就由他弓月水全权代劳了；宁说这两天关节炎又犯了，恐怕适应不了山里的气候，对弓月水说了些抱歉的话。弓月水放下电话深深一笑，笑里藏了许多浅浅的鄙夷和轻松的舒心。他想，两个老东西老糊涂了，几句戏话就当了真，这装潢门面的事处处想做，居然也愿意在一群素不相识的山民面前充当救世主和大人物的气派呢，想起来就有些恶心人。小车在院外面响起了招呼的喇叭声，弓月水却觉得有件事还没做，女人上了班，孩子上了学，在空空的家里立时想不起要做什么……

哦——被子——

他忽然想起来了，就揭开了床柜，把他和安静芝结婚时盖过的两床桃红被子提出来，右臂挟着出了门。下次回来再给女人解释吧！他想，到那时被子里就钻满了五保户两口子的虱子哩……他笑着快快出了门。

山杏坡发放衣物面粉及脱贫攻坚动员大会是在一个晴朗朗的上午召开的。

这个日子对于山杏坡比过大年还热闹。

早在前两天的村干部会上，弓月水就在众多衣服里挑出五套七成新的西服来，看一看，料子还是不错的，分别发给了支书兼村委主任的常三喜、副书记、副主任、村委会计和妇女主任。

村干部都是第一次穿这么漂亮的衣服，而且是从未穿过的西服，都腼腼腆腆的有些不好意思，试着穿上身时，立时精精神神人也利落精干了许多。

人是衣服马是鞍，哎，这话一点儿不错，你看咱们常三喜，都快成为党和国家领导人的派头啦！弓月水打趣着，大伙都呵呵地笑。弓月水说，村干部要吃苦在前，我认为穿件衣服也应该在前，这不是给你自个儿穿哩，这是给咱山杏坡穿哩，在乡里县里开个什么三干会大小会，嗬！咱村里装人哩，所以到开动员会的那天，咱村干部全穿上西装。弓月水又让妇女主任找了几个细心妇女，把九百多件衣服按家户按人头按大致身材平均分开来，一家裹进一个包袱里，外面用白粉笔写上户主的名字，这活计要认真仔细，几个婆娘整整分了两三天。

会议地址选在小学教室窑前的小土院里，前面摆了五张桌子，算是主席台了，扶贫工作队的全体成员五个人穿着他们类似军人的工作服和五名着了西装的村干部一块儿坐在主席台上。村民差不多全来了，黑压压或坐了小凳或坐了截半头砖高高低低长长短短占满了小院，事先就听到风声的男人们是冲着每户都有两袋面粉而来的；事先早知道消息的婆娘们是冲着那一包诱人的衣物而来的；娃子和各家的狗儿们纯粹是来凑凑热闹，会场就有了有史以来空前的规模。山民们各色眼窝里一扫往日的淡漠，带有几分惊喜带有几分期待地瞅着主席台上新崭崭的工作队和旧貌换新颜的村干部。

主持会议的支书兼村长常三喜清清嗓子大声喊道：喂，在座的各位，男的别说话，女的别喳喳，娃子别乱跑，狗儿别乱咬，现在正式开会——

大伙哄地笑了一下，静悄悄的了。就连好动的娃子和乱窜的狗儿们也静静地支棱起了耳朵。

今天会议有两项内容，一是听扶贫工作队弓队长详细作扶贫动员报告，报告以后，按家按户分发弓处长和扶贫工作队给我们带来的衣物面粉，请弓处长给大家讲话——

常三喜带头鼓掌，大伙左右看看，也跟着拍拍手。

弓月水站起来，对着大伙鞠了一躬，慢慢说道：在以后的一年时间里，我，和我们工作队的五位同志，就是咱山杏坡的名誉村民了，以后大伙儿就叫我老弓或弓月水好了，弓是弓箭的弓，月是月亮的月，水是山水的水，处长呀队长呀，那是给城里人当的，不是给乡亲们当的。我也是个山里娃，是个地地道道的农民的儿子，我姓弓，我的腰也弯得像条弓，那是前些年故乡的扁担压的呀。看看我这张粗糙的脸，和咱乡亲们一样,是风吹日晒雨淋的脸。要不是前些年考上大学分配了工作,现在和大伙儿一样,撅着屁股在坡里刨山药蛋呢。在城里生活了多年,吃喝不发愁,日子也舒心,玩乐之余想一想,是谁养活了我们,是农民老大伯,没有咱们老日头下的春种秋收,哪里有城市人家的饭菜飘香?人得有良心哩,好日月过上了就不能忘记受苦受穷的恩人么。现在咱农村的发展不均衡,深山不如平川,平川不如海边。富了的富得流油,穷的还在为温饱发愁。咱的祖先把咱生养在这大山荒坡上了,咱就不怨天不怨地,找咱的门路发家致富哩。发家致富不是一件容易的事,咱起码得脱了贫穷维持个温饱;人家电视电话,楼上楼下,咱总不能破盔子烂罐子,门上吊半截席片子,这和旧社会的贫苦人家有啥区别?要脱贫要温饱有两项内容,一是眼下的,二是长远的。打个比方吧,像这次给大伙儿儿发点衣物,分点面粉,大伙儿心里能高兴一阵两阵儿的,温饱问题也能解决个一月两月的,起码腊月正月年头岁尾不愁吃喝了。可过两三个月怎么办?两袋面饱不了三月五月,一身衣服也穿不了七年八载,这是应急措施没有办法的办法;再打个比方,我们工作队完全可以想方设法向上级给咱村要个三万五万十万八万的,分到各户,每家也无非二千三千的,可以维持一年的温饱。我们也落个清闲自在。一年以后我们走了,剩下大伙儿依然贫苦着。这是短期行为,万不可取的。长远的那一条呢,具体到咱山杏坡,明年上半年要办四件事情哩,为了好记,我总结了四句话:一是架线送电脱贫工程;二是拓宽公路开放工程;三是机修农田温饱工程;四是兴学育人希望工程。大伙儿听了别害怕,这不是我油嘴滑舌说快板哩,是咱一过年就要实实在在干的事。大伙儿听我细细说吧——

大伙儿脸上喜喜地,静静地听着,完全被弓月水深入浅出的拉家常一样的讲话吸引住了。天气出奇地好,无风,冬天升高了的太阳暖暖地晒着山杏坡的人。

先说架线送电吧——弓月水的嗓门渐渐亮起来,我真不知道大伙儿这么多年是怎么过来的,是在黑灯瞎火中糊糊涂涂苦熬过来的,九十年代已到尾巴梢子上了,大伙儿还在点着麻油灯,煤油灯,恁大的小伙赶集逢会跑一天山路就提回来一小瓶瓶煤油,你说可笑不可笑;全家人慌慌忙忙从日头升起到日头落下赶驴喝牛围磨子转晕了头,一天下来磨上 50 斤玉米面面,你说急人不急人;下沟挑水,一个来回四五十分钟,刮风下雨就吃窖里的臭污水,你说可怜不可怜;一个个大小伙子不聋不哑不呆不傻,就是娶不下个柴火妞儿,你说寒碜不寒碜?有一句粗话说咱点灯靠油、耕地靠牛、娱乐靠球,看不上电视,外面的世界啥都不知道,你说丢人不丢人?光说家家超生哩,不超生不由他,黑了没事干,被窝里瞎胡揣,还能不违反计划生育?

人们哄地笑一阵,又都不笑了。

这是什么原因呀!因为没有电!细算算,从咱村到乡政府走直线不过十几里路哇!所以年前我们工作队和县电业局联系好,栽杆子拉电线给咱村安座变压器,上级已经准备好了,要的是大伙儿出把力,腊月二十几一定送上电,咱过历史上第一个亮堂年——

哗……大伙儿鼓掌了,一个个喜形于色。

弓月水却平静如初。这时候他坐下来,对大伙儿说,大家先别忙着鼓掌哩,等盼来光明的那一天再欢呼也不迟嘛,具体负责这项工作的,是扶贫工作队副队长林志伟。

这时候坐在主席台上的汾北地区征费处抽来的林志伟,站起一下,和大家算是认识了。

弓月水接着说:第二项工作是从咱山杏坡到乡政府门前,修通一条简易公路。祖祖辈辈,咱山杏坡和外面的联系就这一条羊肠小道,牛驴车,手推车,都得小心谨慎的,走里怕碰了崖,朝外怕掉下沟,连条路都不能畅畅快快地走,还谈什么发展呢?山杏坡的小伙子长得不错,在外村谈个姑娘,你要领人家来家里看一看哩,弯弯曲曲担惊受怕的小山路就坏了人家的兴致,别说到家啦,半路上就和你拜拜——吹啦,所以,要致富,先修路,咱就在省里修路的大背景下修这条开放路。沟通拓宽和外面的联系。就说这次拉这些面粉吧,汽车只能到乡政府,还得咱用十几辆毛驴车再朝村里拉,又麻烦又窝囊,有了一条宽宽展展的大路,大卡车小轿车一家伙就开到咱门口啦,你说多带劲!哎!所以修路的现实意义和历史意义,稍有头脑的人就会想个七七八八的。当然,这得我们实实在在地出力流汗哩,推土机先推出一个大概,我们就得按家户按劳力地分开路段分开土石方呀整呀削高垫凹,然后再从河沟里把沙石弄上来,均匀地铺一层垫一层,风风雨雨的,不误走路不误出门,弄沙挖石是个硬头活儿,我这儿先和大伙儿通通气儿,就算是个简单的小动员会吧。

弓月水谈到机修田的推土方案和盖一排教室(两间教室,两间办公室)的具体计划。在场山民的心被他不慌不忙的演说鼓动起来了,一张张粗糙的黑红脸上挂着显而易见的喜气。

山杏坡的天空好像辽阔了许多。冬天里不多见的几朵白云,有几分亢奋地飘荡在山那边,像山民荡悠起来的一颗颗心。本是隆冬季节,温温的日头就把人的身上烘得热起来了,额上还有微微的汗迹哩。

村干部在一片热闹的气氛中给村民们分发衣物面粉的时候,扶贫工作队的几个就离开了会场。弓月水带着大家选择安放变压器的最合适的地方去了。

四

天黑下来的时候,弓月水和李晓涛抱着一床被子朝五保户老婆婆家走去。

曲老汉一到冬天就不敢出门,他有严重的哮喘病。弓月水他们进得门来,见他正坐在炕头风箱一样地大喘着，炕头放一个黑污污的罐子，专给他接痰的。

哎，咳咳咳，这不死不活的，不人不鬼的，就成大伙儿的累赘咧——这不，又给领导们添麻烦啦，咳——咳——咳……

曲老汉示意二人坐下，他又被一口痰咽住了，憋了大半天，细细的老腰杆弓成一条。

弓月水赶紧给他轻轻地捶背，老人一会儿才缓过神来，小土窑里连个坐处都没有，光景真真是一贫如洗。炕上是一条前几天常三喜借给他们的旧被子。其实，在那条破被子没有被烧前，老两口多年来就合盖着一条被子。夏天还好凑合，这多年来的严冬他们是怎么熬过来的呀！弓月水简直没法想象了。两包雪白的面袋屹立在炕窑边上，把窑里的其他几件家具比得暗淡无光，那显然是上午常三喜扛来的。再看曲老汉的身上，套着一件半新的青年装的小棉大衣，而老婆婆身上是绿色的小毛衣，弓月水知道，是妇女主任给老两口拿来的扶贫衣物，哎，不伦不类就不伦不类吧，能御风挡寒就行啦！

当弓月水把带来的两床绵软柔暖并带有被套的被子送给老人时，老两口激动得几乎说不出话来，两行酸涩的浊泪缓慢地爬出眼角，老婆婆哽咽着就要给他俩下跪。弓月水心里酸酸的，忙扶起老婆婆说：老人家可不敢这样。你这把年纪，都能当我们的奶奶了，以后生活中有啥难处了，多给村干部说一说，我们多帮扶着就是了。日子会慢慢好起来的，还能赶上过几年好日月的……弓月水嘴上劝着，心里却有些虚。觉得对村上的特困户，应该马上采取一些力所能及的帮扶措施，脑子在这一刻里忽然闪出一个念头，他们工作队的五个人，一人具体帮扶两家特困户，从现在开始，在这短短一年里，争取彻底改善面貌，使这十户人家的光景有一个大的改观……

对，我就帮扶五保户曲老汉和牧羊人秋老树吧……弓月水暗暗想。

两人和曲老汉聊了一会儿，谈得很投机，才知道老两口原本也有个儿子的，在前些年的农业学大寨中，一次拉平车连人带车掉到沟里，出事故摔死了，就埋在那条出山的小路旁边。老婆婆觉得凄惶的时候，就一人坐到儿子的坟头侧，伤心地掉泪，或痛哭一场……

曲老汉年轻时种庄稼是把好手，对全村各种土地的类型，适宜种的作物了解得一清二楚。当弓月水把扶贫工作队的机修农田、推土扩地的计划说给老汉并请他出个主意，当个好参谋的时候，曲老汉咳嗽着默默地想了一会儿。

哎，要说扩地，还是东山头那一带最合适，有出息哩。平时，因那里地场远，风沙大，那许多条条块块的小地块家家都作有当无哩，多年了，其实是把那大片的土地荒废咧，荒废咧又都不可惜，因为家家又都是那零零碎碎的小地块。说起来，东山头那些地块可是土地哩，土质绵、酥、肥，因为地势高，种了庄稼又特别吃风，这多年没好好利用地力，一旦利用起来就不得了哇。现时人都看眼前哩，近一点儿呀，平一点儿呀，湾里墒情好一点儿的呀，都种得满满的，就把东山那片土地冷落咧。要说推土扩地，一是比起其他地场来得省力，不是听说要动用推土机么，这一推起来不得了哇，土方动得不多，可效果要比其他地方好。让我粗略地估算一下吧——曲老汉眯缝起眼窝，做思索状。弓月水看见老人家的肤色慢慢地浮上了红晕，也立时显得精神了许多。

片刻，曲老汉睁开了眼窝，眼神亮亮地有了许多神采。他说，弓处长，不瞒你说，我这一粗略估算，好神神哩，能推出这个数目来——

曲老汉伸出右手的巴掌，合拢了中间三根指尖，把个粗大的老拇指和细长的小拇指高傲地翘起来。

曲老汉眼热热地看他。

六十亩?!

弓月水不敢相信。

六十亩！只多不少哇。

曲老汉十分肯定地说。

我今年七十八的人咧，我十多岁干活，在山杏坡的山山峁峁沟沟崖崖上，我干了六十多处的营生咧，合住眼窝也能摸到哪一块地里去。哪圪垯地的土绵哪圪垯地土沙，我老汉的心里也有喽数数。东山头那地场，最适合种山药蛋、莜麦、高粱豆子和南瓜，那土质好呀，前半年平整翻推了土层，到后半年地力就能恢复过来。六十亩地哩，顶多山头四面分开成五六块。中间顶心那块就在这哩，嗯嗯，我老汉侍弄了一辈子庄稼，在山杏坡还没见过上了十亩的地块哩，老了老了还要开开眼界咧……

曲老汉的眼里闪出一缕天真向往的光彩，在之后的每一声咳嗽都似乎容纳了喜悦和善良的内涵。

弓月水欣喜不已，他没想到来曲老汉这儿得到了意外的收获。在前几天的深夜里，他和支书常三喜一直谈论着这个扩地推山的话题，常三喜也想到了东山头，但绝没有曲老汉这么深刻和具体。况且作为参考的还有七八处地场。曲老汉丰富的生活经验和眼神中鲜活的自信使对山杏坡的土地还不甚了解的弓月水无形中有了一种智慧的依赖。六十亩，这一个非同寻常的数字，像曲老汉刚才伸出的那两根固执的手指一样，把他三十八岁的心弦弹拨得激动起来，即使不到六十亩，那对着六十来户的山杏坡来说，一户差不多增加一亩地哩，何况又是展展的平地，真是变废为宝变废为宝呢。

老人家——弓月水兴奋地握住了曲老汉的手，声调有些颤抖地说，老人家，明年一开春咱山杏坡就有两项大工程，你可能听说啦，修公路和机修农田，也就是推土扩田哩，你老人家就给咱当推土扩田的顾问和参谋长吧，那会儿春暖花开，你也能到外面走动啦——

曲老汉用一串暴烈而嘹亮的咳嗽回答了弓月水。

五

腊月的脚步在不慌不忙中走近山杏坡的时候，村民们的脚步却在忙碌中踩踏着冻却的土地。

水泥电杆越沟跨梁、过河爬坡一个斜线直直地栽到了山杏坡的村中央，栽杆子拉线，穿袜子蹬鞋，一挂连的事情，县变电工区的技工们指挥着，运杆子栽杆子的山杏坡的两伙出苦力的村民，活儿干得还算干净利落，五六天在村子西边安好变压器，再零零碎碎拉好家户的分电线，得，一个值得纪念的明亮日子就要来到了。

有副队长林志伟具体负责这项工程，弓月水就感到轻松了一点儿。

说实在话，只要准备好票子，这项工作不会有什么麻烦。当初，对架线输电的预算是八万元，到工程结束，不会有什么出入的。确定来山杏坡扶贫的时候，全省四处五个同志平均每人处里拨五万元，五个人五五二十五万，省厅给拨下来十五万，加一块整整四十万元。要架线送电，要拓宽公路，要推土造田还要盖一排学校，就得细细盘算精心安排这笔款子哩：架线输电外加变压器以及其他手续费，计 8 万元；拓宽公路工程较大，得 15 万元；推山造田次之，预算 10 万元；修建八间学校围墙以及桌椅板凳计 3 万元；最后余 4 万元作为机动，果真能余下来，像购置电磨、电动机、排水引水整个一套设置……

弓月水不敢细想不敢细盘算，要干的项目很多，而那点儿钱太有限了。猛一听起来，嗬！四十万哩，可需要填充的坑坑太多了。俗话说，好家不经三股子分，要瓜分四十万的项目太多太多啦……这钱，又不能抹了万金油，这几个项目，还是扶贫工作队全体人员和村干部们反复商量反复取舍反复过滤了的，再不能削砍其中的任何一项啦。

家有三件事，先从紧处来。弓月水觉得自己的力量也不能平均使用，得把拳头项目紧紧地握住，而拓修公路是一只沉重的重点拳头哩，这一拳头打得漂亮，不但给老百姓办件漂亮的大事，也把扶贫工作队的门面漂漂亮亮支撑起来了。这既是点儿上的事，又是面儿上的事，他弓月水可不能轻视了这一点儿呀！成绩干出来，宽宽敞敞的一条简易公路，从山头到山下白花花地横陈着里里外外的百姓，上上下下的头头们都一目了然呢。他弓月水就是不吭气，事实和成果就是无言的证据，不蒸包子还要争口气哩，他弓月水在一年的扶贫生活中也像这吕梁大山一样，跌宕起伏峥嵘有致呢。

脑海里，忽然不合时宜地冒出乔一鸣那一张漂亮白净的方脸来，笑着，嘴角微微一撇，似乎在讥讽，眼睛被心中燃烧的强烈妒火涂抹得一片血红了……

小白脸，走着瞧吧，要说我弓月水，身材没你挺拔，脸蛋没你白净，背景没你深厚，这是真的，可论才干，论心计，论实打实干的劲头你乔一鸣还属小儿科哩。扶贫这一炮就打响给你听一听，以后和你较量的日子还多着哩，你小子慢慢等着吧……

弓月水转念又一想，不就是一年么，塞翁失马安知祸福，即使在机关不被抽出来，不也是平平静静庸庸碌碌的一年么！能抽出来本身就给了我一个机遇，何况还有 40 万元扶贫款项作为基础和坚实的后盾呢！要是在一个清贫的文化单位，下乡扶贫靠什么扶呀，靠你会念报纸念文件的尖尖的嘴巴？靠你会刷写两条标语的细细的手臂？还是靠你干瘪的口袋和窘迫的神态？见鬼去吧，九十年代的老百姓可不是五十年代六十年代了，老百姓看实活儿呢！你弓月水假如是某文化单位的一个什么处长，两手空空地或拿着些什么书本报纸资料呀来到了山杏坡，老百姓认识你是个老驴呀……想一想，比一比，弓月水就为那些清贫单位的扶贫人员感到尴尬，同时就觉得自己幸运多了，也愈发地感到这四十万元在自己身上的分量……

月水哥，找了半天，你原来在这儿——

弓月水在崖畔高处，一边想着心事，一边目测着山杏坡通往外面的那条逶迤山道的时候，队员李晓涛走得急急地赶了来，手里拿着一封信。

这信，是村支书常三喜从乡政府捎回来的。

信？

弓月水有点儿吃惊，平时家里和单位有事都给他通手机呢，什么人能给他的扶贫点来信呢？

看看信封，见是省厅的地址，心里就有些异样的紧张，赶忙撕开来细看——

不看不打紧，一看，弓月水有些喜形于色了，原来他在大学读书时最要好的同窗好友肖治平半年前调到省厅了，担任了举足轻重的厅长助理，真可以说一步登天啦！弓月水真为他高兴，也莫名其妙地为自己高兴，喜从天降一般也为自己有了一个实实在在的依靠而按捺不住的喜悦。读大学时，两人志同道合的像知音一般，大他几岁的肖治平自然像大哥哥一样照护着他。他们共同做着美丽诱人的文学之梦、作家之梦，肖治平还真有几篇散文在省报刊上发表了呢。毕业之后，他们却干着和文学大相径庭的交通征费工作，只是他在汾南，肖治平在汾北，想不到这位老大哥十年间平步青云，官运亨通，一下子跃到了副厅级位置上，哎，真是可喜可贺呢……

厅长助理肖治平是从本系统扶贫队员的名单上知道他来到吕梁的山杏坡，就赶快来了一封信，信上大段篇幅回忆着他俩那一段真诚的友谊和终生都不可磨灭的日子，称赞他弓月水的人品人格和超人的才华，并说由于机遇和其他各方面的原因，到省厅就任助理后，对老同学老朋友能帮忙能关照的自不必说，看以后行动便是了……

好个肖治平，心里还惦记着老弟，够意思了……

月水哥,什么够意思呀?

见弓月水满面春风的样子,李晓涛也喜喜地问。

弓月水意识到自己有些失态了,尽力把笑容收敛一下,说,没什么,一封普通的工作函。说罢二人朝工作队的宿舍窑走去。

为了照顾特困户牧羊人秋老树家,弓月水和常三喜碰了碰头统一了意见,就把秋老树的大闺女秋杏花抽来,给工作队的五个人做饭,一天三顿饭吃在灶上喝在灶上,一月还给一百五十元作为工资。

十九岁的秋杏花长着细高挑儿身材,一对杏仁眼黑幽幽的像一潭秋天的山泉。秋老树贫穷窘迫的光景没有遏制住姑娘的青春发育,优美的身段丰满结实的胸脯和黑红圆润的脸蛋在昭示一个山姑的妙龄岁月的到来。

你咋就唤个秋杏花呢?简直是一朵春天的杏花,一枚夏天的杏子!吃饭的时候,工作队员们免不了和杏花开开玩笑。

杏花也不怕生,慢慢和大家熟悉了,她脆生生的笑声把个隆冬季节都笑得温暖生动了。在没有电视没有任何一点儿娱乐的生活中,秋杏花倒给大家带来了一些纯真的快乐,给枯燥的工作之余增添了些许生动。

变压器很快地安了起来,因是低压的,过程就不麻烦,山杏坡通电的时刻指日可待了。

通电的日子终于到来了,是腊月二十。县电业局和乡政府的领导都来参加了这个庆典仪式,山杏坡村委会破例买了二十几挂鞭炮,来隆重地庆贺这个光明日子的到来。

弓月水却没有参加这个热闹的庆典,他安排副队长林志伟负责接待有关人士负责主持这次大会,安排李晓涛回汾南征费处一次,把处里那一台退居二线的卧式彩电带到山杏坡,就放在工作队的宿舍窑里,春节期间让村民们好好饱饱眼福,他自己则匆匆忙忙到省厅去了一次,带了些贵重礼物和十年来的满肚子话题。他找到了省厅厅长助理他久别的老同学肖治平,当二位老朋友在省城的一家餐馆里喝得舒心谈得投机的同时,相距千里之遥的山杏坡上的鞭炮正炸得火爆哩……

六

大年一过,山杏坡的土地还在一片冻结之中呢,弓月水的心里就暖和得能催开满山坡的杏花。岂止是暖和?是火热哩,他细细筹划着即将破土动工的修路工程。这几日,只是解冻之前相对消闲的日子。

原说一过正月初就来山杏坡,后来想想,农村不过了二十不算过完年,又有各路朋友们酒席邀请,就索性在家多待了几天。

近二年，朋友的邀请不仅仅是吃顿饭了，酒足饭饱之后重要的是请客下歌厅。平时弓月水忙上忙下的，就不知道汾南市这不大的城市神奇地布满了五六百家歌厅，并且生意火爆。弓月水一不会唱歌，二不善跳舞，歌厅小姐搂着他跳舞时，他原本就有些弓着的腰，离小姐有一尺多远。带着几分好奇和神秘心理，他有意地和小姐们谈谈心，拉拉话，他知道请客者是付了座谈费的。近十次的下歌厅，他和二十几位小姐座谈过，他了解了小姐们颇为可观的月收入，两千三千不等，他着实吃了一惊，同几个经营歌厅的熟人摸一摸宏观行情，才知道全市歌厅小姐还是紧缺的，一个晚上小姐应付了甲歌厅又得忙着到乙歌厅赶场，这样收入就可观啦。

弓月水的心深深地动了一下，他瘦脸上的那两道淡淡的眉毛紧紧地锁住了。苦于无人商量肚里的心事，只好在夜深人静同女人说说他的想法。

什么？你想介绍山杏坡的小姑娘们出来当歌厅小姐？亏你想得出来，你还是安安稳稳地把一年熬下来算啦，不要闹出是非惹出事端。妻子是个安分守己的女人，她要弓月水不求有功但求无过。

这咋能惹出事端呢？既然全国各地雨后春笋一般长出了许多歌厅，就得有人干这一个行当哩，它是一种职业哟。

我可听说了歌厅里不少风流韵事，你别把人家女孩子朝火坑里推。

严重了是不是？个别不能代表全部，听说也只是个道听途说，有啥真实凭证？我的意思是，这样一来的确能解决好多家户的脱贫问题……

女人不能理解，但又说服不了他，埋头睡了。

弓月水就把这个问题带到了山杏坡扶贫工作点儿上。

今天和大家商量个事儿，希望每人袒露自己的观点谈出自己的看法，我就是想征求大家的意见呢。晚饭后，弓月水盘腿坐在炕上，尽量轻松着自己的表情，可就是轻松不起来。

看着新闻联播的几个人就围拢过来，李晓涛很有眼色地关了电视机。

大伙儿说，我们就是在山杏坡修好了路，推多了田，就能使乡亲们发家致富么？

大家想不到弓处长会提这么一个突兀的问题，一时都沉默着。说白了，只能改善一点儿生活条件，离发家致富还有十万八千里呢，就是脱贫，也是有数的几家哪。弓月水一点破，几个人想一想，觉得是实情。

要彻底改变经济面貌，还得在一个较长时间内各个击破呢！

各个击破？

大家有些不解。

山杏坡没有任何一点儿致富的资源，满坡的山杏树吧，多年来“近亲繁殖”，树种是一年比一年退化了，杏子是一年比一年个儿小了，形不成大气候，就不可能搞什么加工业，说到底唱不成白脸（石灰）扮不成黑脸（煤），还得扮成个皇帝（黄土地）哩，山坡地里不收获人民币呀，十年九旱的北方天，你说，能有保证维持个温饱么？

弓月水见大伙儿若有所思的样子，接着说：我们在抓几个工程在抓硬件的同时，还得给村民思谋思谋软件呢！

大家弄不清弓处长的葫芦里装了什么药。

这就是我刚才说的各个击破，让一部分家户通过非农业的手段先富起来。

这样，弓月水就把在山杏坡招一批歌厅小姐的打算合盘托出来，供大家参考。

这……

大伙儿都没想到，为弓月水的这个打算感到震惊。

这，能这么办么？副队长林志伟显然有些紧张，额上倒渗出一层汗水。

弓月水为缓和气氛，轻松地一笑，说，比如秋老树家吧，杏花、杏枝、杏叶几个姑娘都出脱得水灵，整天整年地在家里，非但减轻不了家庭负担，还得秋老树供她们那几张嘴哩！只要出去两个，一人一月给家里寄上一千块，一年下来就可观啦，秋老树二三年就富得流油哩……这笔账，大家可以算一算。

大家都知道当歌厅小姐收入可观，就七嘴八舌议论起歌厅的种种传闻了，联系到山杏坡的一群姑娘，大家都有些忧心忡忡。

歌厅本来就是个娱乐场所，大家唱唱歌跳跳舞的没有什么可微词的，既然是娱乐场所，就不可避免地出现一些问题。现在许许多多的事情不是我们用一个"好"字或一个"坏"字能概括得了的，是个新生事物，也是个极其复杂的事物，看经营方法和经营方式了，只要大致能按有关规定办事，稍微出一些格儿，也是可理解的。如果没了小姐没了陪唱陪舞，谁还去歌厅干啥？它实际上是有利于社会治安的……何况，还能安排一大批待业女青年……

弓处长，把山里一群纯真的姑娘介绍到那种地方，抛开赚钱不说了，是不是有点儿，有点儿葬送孩子的青春呢，当然这话也不合适，就是怕姑娘们一下子学坏了……汾中处的队员丁建民不无忧虑地说。

是啊，弓处长，男人有钱就学坏，女孩学坏就有钱，就怕姑娘学坏了呀！汾东处的队员王全荣也跟着发表意见。

大伙儿你一句他一句，一时意见统一不起来。

哎……弓月水长叹一口气，说，我也承认大家的话有一定道理，大家的顾虑不无根据。只是咱反回来想，像秋杏花这样精明漂亮的山姑娘吧，还上过二年初中或高中毕业了，有心思到外面去闯闯但又没有这样的条件，现在外面啥都不好干呀，中小型厂的正式工都放假啦，找一个临时工十分困难；给人家当保姆，私人的那点钱不打寒气还得看人的眼色行事。一句话，外面没好干的事儿，那就在穷家里窝着吧，窝个三年两载，早早地和一个从不相识的山民或一个什么人换亲成家啦，得了，一辈子就在这大山坡里吧，和她们的奶奶、母亲、婶子、姐姐一样，生育一摊娃娃，维持一个窘迫的光景，抬头是山坡，低头是深沟，这就是她们生活的全部内容全部意义。我想，这不是葬送她们的青春么？一朵美丽本分的山花就在这大山沟里悄悄地枯萎了，难道这就是秋杏花她们的命运么？她们毕竟还小，受过一定的教育，还有些文化知识，对外面的世界有一种本能的天然的向往，何不介绍她们去闯一闯，领略领略大山之外的世界呢，从眼下利益讲，解决了家庭的贫困问题，从长远利益讲，在今后的人生旅途上也是一个早早的锻炼。至于她们如何走好这一步，因素就比较多了，这就是毛老人家讲过的外因是条件内因是根据，该好的坏不了，该坏的好不了，这就在于她们个人。何况，随着社会的发展，人们的价值观念、审美观念、人生观念在不停地变化着，这未必不是一件好事情。目前关键是走出去这一步，能走出第一步，就是山村人们观念发生变化的第一个标志，也是山村同外面接轨和外界联系的另一个方面，从这一点说，人，这一群活泼可爱可塑性又很强的山姑们，是山杏坡最好的人才能源因素……现在我们来了，创造条件帮他们开发一下，这有什么不好呢？当然，不仅仅是姑娘家，汾北处的可以和一些大煤矿大铁矿联系一下一些合同的、临时的等采煤工采矿工的指标；汾中汾东处的小丁小王在这方面操些心，有些可靠的下苦力又相对固定还能拿到钱的工种，也动用咱的关系联系联系，把山杏坡的男青年们多朝外面介绍一下，解决三个算三个，解决五个算五个，大家看如何？

几个人均被弓月水的见解折服了，觉得他的想法大胆又实在，确实能解决实际问题，地地道道为山杏坡的百姓着想呢。意见就很快地统一到一块儿了。

半天没吭气的李晓涛忽然想起什么来，忙说道：弓处长，现在还不能给男青年们介绍工作哩，假如介绍出去了，咱们下一步的修路、推土的任务谁来完成？

几个人哄一下都笑了，都说，好，等修好公路、推好山头再介绍小伙子出去也不迟……

几个人把村里十七八岁的大姑娘细细过了一遍，就大致分配了一下任务，谁动员哪几家，弓月水反复强调要细心，要讲究策略等等事宜……他决定明天就去秋老树家，他对自己的计划蛮有把握……

七

修路工程在山杏坡人呼啦啦干起来的时候，弓月水才感到了事情的艰巨。

首先是用推土机从坡跟下沿着划好的路线先推一条能过去机子本身的窄土路，再由机器和人力一段一段削崖拓宽，把大的土峁土堆一层一层地切开削起，然后一点点推到右侧的沟畔下。

前期工程，就全仗了力大无穷的推土机了。

看着轰轰隆隆笨重而执着的推土机，弓月水心里就泛起一阵阵莫名的激动，轻重缓急又错落有致的巨大声响在山沟里回响不绝，这亲切而拍击心扉的音响激起弓月水多少美好的回忆哪……在高中刚刚毕业的一九七五年里，农村大规模的平田整地的战天斗地中，十八岁的他有幸被大队干部挑选当了临时推土机手。

年轻人性子急，干活又有狠劲，从没摸过拖拉机、推土机的弓月水及七八个同龄的青年后生仅用了三天就学会了操纵开动这个庞然大物。初生牛犊不畏虎，仗着汾南那片土地较为平缓，地块较为宽大，弓月水居然开了整整一个冬季推土机。

天寒地冻人心暖，敢教日月换新天。

坐在高高的驾驶座上，听着高音喇叭里一声声高亢夸张的战斗口号，一种优越感就充盈了他的心头……今天，想起这些富有鼓动性又显然有些空洞和过时的口号，对已逝昔日的回忆又勾起那一段紧张艰苦却又有几分快乐的青春岁月的憧憬。此情此景，令人感慨，也叫人欣慰，感慨的是韶华易逝岁月无情，二十年弹指一挥，他由一个毛头小伙子成了一个中年汉子；欣慰的是同样面对轰轰隆隆吼叫的推土机，昔日他是一个操纵机器者更是一个受人操纵受人指派的受苦人，如今，他无形中成了整个修路工地的总指挥……心里感叹着，却没有丝毫的自豪感，巨大的工作量和紧迫的任务，如眼前这一堆堆待推拉待彻底移位的土块上峁，压在他的心里。他忽然有了一个跃跃欲试的想法，有了一个重温旧梦的想法。不是心血来潮，更不是想出风头，是形势逼人。

弓月水默默地吸着烟，忽然就站起来，有些弯曲的瘦脊背伸直一下，咳了一声说：司机不难找哇，远在天边，近在眼前，你们有眼不识货哩……

谁？大伙儿不解。

寡人弓月水是也！

弓月水笑一笑，挽了挽袖口，朝推土机走去。

大伙儿有些吃惊地看他。

其实，在开工的这几天里，弓月水就细细观察留意了司机师傅的一举一动一招一式，歇息的时候，就问师傅机器的一些原理和操作程序，二十年了，他没有摸过推土机，陌生不说了，操作也有了许多改进。但，细心的弓月水记在心里了，大杠子没变哩！

在大伙儿惊异的目光下，弓月水不慌不忙地上了驾驶座，一拉档，推土机轰轰启动，开走，缓缓地转了半个身子，车铲向土堆呈三十度角切进，又猛地朝前开去，将愈积愈多的黄土朝崖畔下送去……

大伙儿看得发呆，惊喜着一张张被春风涂抹得粗糙的脸庞，都没想到，蔫了吧唧的弓处长还有这一手。

弓处长，想不到你能文能武哩，常三喜大声送去一句话。

嗯嗯，雕虫小技而已，不足挂齿的。

等推土机声音小下来，弓月水说，好了，从今儿晚上开始，大伙儿加班三小时……

可，总不能让你开机子，这也太……

大伙儿有些于心不忍。

看什么，你没听人说，好的首长既是指挥员，又是战斗员么，我要尽力当一个好首长呢……哈哈哈……弓月水一串哈哈哈的笑声又被机器声淹没了。

工程进行得十分紧张。

这中间，汾南有关方面来电话，几个朋友已在好儿家歌厅联系好了十余个小姐的工作，要弓月水尽快把人送到汾南来。

前二十几天，弓月水他们几个分别到秋老树等二十户人家去过了，这二十户大都十分困难，孩娃多，每家两个三个不等的十七八岁的姑娘也颇长得有几分姿色。人也精精干干素质还可以。像秋老树吧，一听弓月水说明来意，就十分感激地答应了。说托你弓处长的福，让孩娃们到你们那里当歌厅服务员，真不知道怎样报答你才好，就怕咱山里姑娘干不了人家那个营生。弓月水说，无非是给客人倒倒水、递递烟，锻炼适应一段后，慢慢学会唱唱歌，跳跳舞的，女娃们一学就会了……

那敢情好了……秋老树的眼窝里满是感激的目光。

不知什么原因，弓月水这时候不敢看秋老树的眼窝，老树的感激倒使他心里有了隐隐的内疚和痛苦。

给姑娘们找工作在山杏坡引起不小反响，大多数人家还是同意姑娘们出去见见世面的，只要不干桌面底下的事儿就行。也有少数人家觉得在那个唱歌跳舞的地方，姑娘家学坏了不放心，弓月水们也不勉强，话说到、事儿办到，还得要家人和姑娘们的自愿哩！

今儿汾南的电话一来，就得落到实处了。

召集家长们开了一个小型会议，最后就确定了十三个姑娘，有秋老树的秋杏花、秋杏叶，还有其他家户的山杏、杏枝、麦香、桃花、秋月、腊月、冬雪、冬梅等。姑娘们叽叽喳喳嘻嘻哈哈像一群山喜鹊，出门的喜悦和外面世界的新奇，使一张张俊气的脸蛋上红扑扑的。

弓月水抽不出时间，但从汾南借来了一辆小面的，他让队员李晓涛照护着姑娘们，一路送到汾南，并细细安排好了有关事宜。

公路修到靠近山杏坡的时候，意想不到的麻烦来了。取直线，就得毁掉三户人家的几分田地两户人家的三孔窑洞和曲老汉早亡儿子的坟墓。前几户人家曾在支书常三喜跟前放出话来说，给我们划好地掏好窑再从这儿修过，要不，就让推土机从我们身上碾过去吧……

曲老汉没说什么，但弓月水听村人说，当初埋他儿子时，是老人在外地请了风水先生选择好的墓地，这条路一修直线，明显的得迁坟墓了。

取曲线吧，一是要多修七八百米路，也影响整个公路总设计，不能因为几分地、几孔破土窑和一堆坟头而影响整个工程，这不可能。

事情就有些僵持下来，弓月水做了几次工作，说服动员，几户人家思想一时说不通。

理解的要执行，不理解也要执行。到时候推土机硬硬地上，看谁敢阻拦？

扶贫队副队长林志伟沉不住气了，发狠地说：

哪个村里没有几个刁民，你们说我们损失了你们的切身利益，可我们这样做又是为了谁呢？真他妈好糊涂，真他妈鼠目寸光，真他妈农民意识……

队员丁建民和王全荣居然愤愤地骂开了。

住嘴……不可以这么说话，什么农民意识不农民意识，我们还不都是农民？都是农民的后代？总得有个思想转弯的过程么，毁了几分地的，秋后山头平整之后给划分一些，毁了窑洞的，一户先补贴一百块，先慢慢说服搬迁吧。

弓月水狠狠地盯了丁建民、王全荣一眼，脸色青青地说，先干活儿吧，车到山前必有路！

他一人跑上推土机，借着路边刚刚按上的电灯发出暗暗的光亮，发动了机器，开始了晚上作业。

因任务明确，分段到户，晚上的劳力也不算少，在暗暗的电灯下，人们平车拉、担子担或钢铣铲，也干出一派热火朝天的景观。灯光照不到的地方，不少村民就点着马灯，点点灯光像一只只夜晚的眼睛，把多年沉寂的山杏坡晃出一派少有的景致。夜风还有些凉，这种凉中已有了一种柔和的质感了。人们都知道，暖风很快会绿化山杏坡的……

弓月水精力集中地开动着推土机，一铲又一铲黄土被有力地推到路边的沟畔里，他觉得心中那点儿不快也被一点点推到了沟里。他深感自己的不冷静，三十八岁的人了遇事还是沉不住气，农村工作是耐心细致的工作，让老百姓们像兵一样一呼百应，那可能么？农村还要我们这些工作队员干啥？正因为思想复杂也可以说落后吧，才让我们挣着国家的工资来这里开展工作的……农民们每天挣什么呢，这都是义务工呀……

前面有崖大土堆，弓月水开到了最大马力，推过去，崖土动摇了，开裂了，呼一下倒下来。他趁势猛推过去，大土堆像小山一样移动着，移向沟畔边，一大堆土顺着斜坡滚下沟去了，呼啦啦的声音在深沟里传得好响……

推土机却走得过了一点儿，半边轮子忽地陷进虚土里，机身一倾斜，霎时间朝沟里翻去，碰巧沟畔边有一棵粗壮的槐树，推土机歪依在槐树上……

这一幕来得太突然，以至人们还没明白过来发生了什么事情的时候，驾驶座上的弓月水因为倏然间机身的倾斜和在老树上猛力一弹，被弹下深沟去了……

弓处长——

弓处长——

明白过来的人们一起跑到沟畔边，朝深沟里呼喊，空旷的大沟却深幽幽的没一点儿动静。

弓处长啊……啊啊……

有人哭了，大声啼唤着。

深沟依然静幽幽的，夜风在沟里开始微啸。

八

弓处长是在夜半时分被打着马灯的几十号人在半崖上的一棵山杏树杈上发现的。

惊慌的人们在副队长林志伟和村支书常三喜大致安排下，分了两路去寻救弓月水，一路在沟底细寻；一路顺弓月水掉下的方位，把一根粗麻绳拴在槐树上，人们抓着绳子慢慢地滑着寻找，沟底的一路人没有寻找到的时候，副队长林志伟着实慌了，他安慰大家不要慌张，自己的嗓音却有了哭腔，村民大都落了泪。还是常三喜一队人马在半沟里救起了弓月水。那时候已经起了夜风，远远听，深沟里像是初起的海啸。

据弓月水自己的记忆，他在一个猝不及防的反弹中土圪垯一样落在倾斜的有着厚厚虚土的崖坡里，好像栽了几个跟头又像是滚动着朝下滑去，只觉得满坡的虚土草木在踢打他的全身他的脸部，那种感觉惊恐又新奇，像儿时从高高的秋千上掉下来还没有落在地上一样，有一种悬而又悬的味道，之后可能是滚动得晕眩了，意念中落到一个网上，其实半崖上山杏树杈挡住了他，他已经没有知觉了。

除了身上脸上有些外伤，伤情并不打紧，常三喜和秋老树一伙人还是连夜背着他上了乡医院，并叫丁建民在医院照顾他。

第二天上午临时召开的群众大会上，村支书常三喜含着泪激动地说道：弓处长为了给咱村修这条公路，他连自己的命都舍得搭进去，他可是国家的干部，是公家的处长呀，人家是来帮咱脱贫的，人家图个啥呀，人家能图咱个屎呀啥的，可咱有些人就是放弃不了自己的坛坛罐罐，二分地一孔窑，咱不脸红么？

会没开完哩，就见从村边的坡地里走过一高一矮两位老人，稍近的时候大家看清了，是曲老汉老两口。曲老汉担着一担箩筐，细高的身骨弓一样弯曲了，身边的老婆婆矮矮瘦瘦的个头儿，手里提着一把短把儿铁锨，老两口相依为命，一步一步走过来，大伙儿才看清了曲老汉的箩筐里放着白花花的亡骨，那是二十多年前唯一的儿子的亡骨哪……

从早起到前晌，老两口互扶互搀着走到了儿子的坟墓前，静静地坐着，在留有枯萎坟草的坟头坟身上，忆及生养儿子的漫长岁月，忆及孩儿天真的孩提和少年时代，忆及在农业社长成一个小伙儿有依靠有希望的岁月，可是，没有来得及结婚成家的大小伙儿在农业社的劳动中，就那么突然不在了，永远离开了尘世，孩儿早早地睡在了山杏坡……

曲老汉担着孩儿的亡骨，也担着老人家一个白色的虚幻的依托，一步一步，走向另一个挖就的墓地。老两口走进了山杏坡春风的浓郁里，暖和起来的日头把老两口的身影叠印着摇晃着。这时候，坚持不住院的弓月水头上缠裹了几处纱布，在丁建民的照护下沿着已修得初见规模的公路来到了村边上，他站立着，他看到了方才的那一幕，曲老汉瘦长的影子也叠印在他的心里。

满坡的山杏花似乎是在一夜之间开放了，柔柔的，像雪，像缎，在一派迷人的洁白之中冷不丁地爆一树粉红的桃花，山杏坡就以一年中最娇媚的艳姿走进这个渐热起来的季节里。

桃花花你就红来，哎，杏花花你就白
翻山越岭我找你来，哎
找你来……

从山梁县扶贫办开罢会归来的弓月水，一踏上新修的这条公路，就有一种别样的感觉别样的滋味，望着满山坡的杏花桃花，他索性唱了两嗓子。在进入山杏坡地界的公路上，矗立起来还算气派的村子门楼，两座结实的砖柱子上呈弓形托着一道钢盘，上书三个隶体大字：山杏坡。砖柱上刻着弓月水拟就的一幅长联：

雄踞吕梁山祖辈躬耕黄土地
立足山杏坡今朝谱写致富歌

门楼朴素、气派，红红的山杏坡三字像一团火，在空旷贫瘠的山野燃烧起一缕缕希望。

足有一百多号村民的男男女女老老少少散布在河沟里、山坡上和公路路面上，他们在完成着最后一道工序，给路面铺沙石，防雨防滑。

一家占一片面积，一家是一个小组，有平车手推车拉的，更多的是两个肩膀一副担子挑的，不少小伙子们居然脱下上衣，把瘦削结实的膀子裸露在春日的太阳下。

弓处长……你回来咧！

弓月水回头一看，见秋老树担着满满一担沙石气喘吁吁地上了梁，快五十的人了，仅穿着一件小汗褂。两个大姑娘被介绍出去工作，劳动任务就要秋老树一人完成哩，整整二十天，他要用那一根长长的扁担从河沟里把二十多方沙石担到公路上哩，现在老树完成得只剩下两三方啦。

老树哥，你可得悠着点儿，这把年纪，比不得小年轻啦，弓月水劝他。

不瞒弓处长说，现如今干活儿总觉得和从前不一样咧，以前就是打不起精神，干也是个穷干，现在不一样啦，自打你们来了，样样有了变化，村子也像个村子的样样哩，我这心劲儿就大着哩。庄户人就盼个光景好么，咱朝好处奔哩，能没有心劲儿！秋老树凑近了弓月水说：弓处长，昨天咱那两女子来信咧，说她们在汾南一切都好，还让我问你好哩，又说一两天内就给家里寄一千五百块钱咧，好神仙爷，我给全村放一冬季的羊，才能挣二百斤玉茭子，娃一月就给我邮来这多的钱，饮水思源，还不全仗了你弓处长么……秋老树担着担子吱吱前去了。

去汾南当歌厅小姐的十三个姑娘陆陆续续给家里寄回了汇单，最少五百，最多的一千五，这在山杏坡又激起了千层浪花，家家谈及，人人啧啧。好几家家长引着姑娘来找弓月水，看现在是不是能把姑娘介绍到汾南去，只要弓处长插手干的事，就放心着呢。还有几个老汉把儿子领到弓月水他们住的宿舍里，求告弓月水说：弓处长，你费费心把我这儿子也介绍到汾南的歌厅吧，他上学时爱唱歌，再说也能给人家歌厅干些个其他活计，端端水哩，拖拖地哩，就麻烦弓处长给介绍出去吧……弓月水有些哭笑不得，又一时无法解释，就说瞅机会吧，能出去就把孩子介绍出去啦。

踩着公路告捷的尾巴，轰隆隆的推土机第一次开往山杏坡的东山头。推土机的第一缕浓烟在山头缭绕的时候，笼罩山头的千年雾岚第一次被轰隆隆的气势和喧哗的人声击退得无影无踪了。

从弓月水脸颊泛起的那一抹潮红里，能看出他内心的兴奋或踌躇满志。自那晚加班推土出事掉沟之后，精明的李晓涛就及时给汾南处领导做了汇报，汾南处办公室主任弓月水的心腹人马陈宇一立即给省厅和省扶贫办作了书面汇报；同时李晓涛拿弓月水的亲笔手书找到了弓月水以前的挚友，汾南知名青年作家张耕夫。张耕夫获悉此事激动万分，在山杏坡小住四五日后，就在省报副刊发表了万字报告文学《山杏坡里杏花开》，全方位多角度展示了弓月水鼎力扶贫的动人事迹，在全省上下引起一片反响和不小的轰动，据有关人士透露，等到山杏坡的机修梯田和新建校园的工程一待完毕，省厅就在山杏坡召开扶贫工作现场会。

弓月水把这一内部消息紧紧锁在心里，他不让自己表现出哪怕是一点点的喜形于色，他鄙视那种有点儿成绩就沾沾自喜者，认为那是一种浅薄，而浅薄的男人是成不了什么大气候的。

推土机开到东山坡顶的时候，坡跟下则是另一番景致，扶贫工作队的全体成员和所有村干部们用山杏木棍儿简易地绑了一架“木轿”，扶出七十八岁高龄的曲老汉，让老人家款款地坐在“木轿”上，先是弓月水和常三喜抬起了木轿，抬起了山杏坡这位推土扩田的老顾问。扶贫队员和村干部们要替换着把曲老汉抬到东山头上，让老汉亲临现场，亲自指挥这场山头拓田的大战役。这一段时间，他们讨论了拓田增地的好几套方案，最后，还是采用了曲老汉“四十亩山顶头，三十亩绕山脖”的最经济最实惠的拓地方案，山顶上推出四十亩一大块土地，绕山脖开出三十亩弯子地，按照这个路数和标准，以后连年有计划有步骤地开垦出数十亩山腰梯田……曲老汉这一招，有现实性又有长远性，令弓月水佩服不已。他想，调动起群众的积极性，就开掘出无穷无尽的智慧啦，千万莫轻看了山沟里的老百姓，像山沟里的百灵一样，深山出俊鸟哩！

天已经着实地热起来了，满山坡的杏树随着满山坡绿起来的麦苗、野草吹起来，倒有了怡人的凉爽。调皮的山风偏偏抚弄着“木轿”上的布棚，呼啦啦弄出一些声响来，像对这一罕见景观也表示一点儿惊讶。

坐在“木轿”上的曲老汉起先有点儿受宠若惊，之后就渐渐平复下来，望着满山满坡的油绿，早已苍老的心域里被这油绿色浸染得有了几分生气。

忽然，常三喜对着坡下放开了嗓子唱：

三十里的黄河哎四十里的山
哥在坡里看见妹妹的好眉眼
妹在窑顶吃糕哩还就着一丝丝菜
哥在坡里抬着你爹个干瘪老汉汉
……

大伙儿听罢，看一眼曲老汉，都哈哈哈大笑起来……

笑声拉开了东山头喧哗的序幕，自此后的整整两个月里，轰隆隆的推土机和拉土垫土的村民们就没有使山头再宁静过。

当弓月水投入到拓山造田的劳动和紧张的指挥中的时候，汾南处办公室的陈宇一拨响了他的手机，陈宇一有几分紧张也有几分神秘地向他汇报说，副处长乔一鸣前两天悄悄派人搜集整理一份有关弓月水的材料，内容好像和他给歌厅介绍小姐的事儿有关。黑材料是否要给省厅等有关方面邮寄，现在还不得而知。但要弓月水防着一手，材料里肯定没有什么好货色，陈宇一表示要进一步摸清情况云云……

弓月水听罢一愣，他实在想不到，乔一鸣会在歌厅小姐一事上做他的文章，抓他的小辫子，不管三七二十一，他得赶快给省厅老同学厅长助理肖治平打电话，让他留意这几天厅领导的信件云云……

两天后，厅长助理肖治平打来电话，他确实收到了来自汾南的匿名信，就是状告弓月水的，说他借扶贫之机行自私之实，把扶贫村的十几个纯洁天真的姑娘介绍到汾南市的许多家歌厅，有的名为歌厅实为妓院，坑害了十几个山姑，而他自己从中捞取了一大把好处费介绍费等等，还说他给姑娘灌输资产阶级的享乐思想，用消极的观点对待人生，并纵容姑娘们卖淫……弓月水气得脸色发白，他猜想一定是乔一鸣干的这种阴险卑劣的勾当。他在手机里向肖治平叙说了介绍姑娘们去歌厅的原委，并说了姑娘们的现状，又骂了写信人的下流无耻……肖治平安慰了他几句，答应尽最大力量收截寄给领导的匿名信，把这一阴谋扼杀在摇篮中，并叮咛弓月水扶贫之外的事情不要多插手，不要出现其他什么意外……

乔一鸣，你这个白脸奸臣，你要置你弓爷爷于死地了，你可真他妈够损的，弓爷爷身正不怕影子斜，让你好好嚼舌头吧，我老弓还顾不上和你斗嘴呢！

弓月水开着推土机推了整整五天，轰隆隆的吼叫声在宣泄着心中的气愤。

九

两个多月的日夜连轴转，山杏坡的东山顶已被执着的推土机切割得一片平坦了。远远看，像一片白花花的机场，又像一片辽阔的操场。曲老汉抖动着一把白花胡子目测了一遍，略一沉吟，说，四十五亩上下吧，就有热心的村民或用步子量或用绳子拉，算来算去，几个数目一碰，四十七亩整。都叹服曲老汉的好眼神。而四十七亩地的山顶下面，是一块弯月般的环形田——山脖子地，省着说也有三十几亩。村支书常三喜建议说，为了纪念山顶地的形成和扶贫工作队的功绩，就把这两块地都叫作月水地吧。你看那形状，弯弯的像月亮一样，再有雨水一滋润，就没得说咧。弓月水脸子一红，连连摇头，忙说使不得使不得，这是大伙儿汗水的结晶，就赶赶时髦叫作致富田吧，富日子指日可待哩。大伙儿笑一气，东山头上充满了欢愉。

和致富田的初具规模几乎同步，学校的八间教室也矗立起来。山杏坡祖祖辈辈住着土窑洞的人们第一次见识了自家村里的一排亮亮堂堂的新瓦房，都知道，九月份一开学，娃子们就搬到新教室上课咧！

弓月水的一对小眼睛却熬得通红，红红的眼睛里有按捺不住的兴奋的火星子一粒一粒地溅出来，扶贫工作队接到了正式通知，八月下旬，省厅要在山杏坡召开扶贫攻坚模范现场会，届时省委、省政府领导还要光临。这激动人心的大事让他亢奋更让他忙碌。掐指一算，离现场会还有十几天，新学校的围墙还得快些垒，一套桌椅板凳还得加班做；新修的公路经过一个夏季的雨水冲打，还得细细清理修整；标语口号，会场布置得早早设计准备好；让他焦急的是，在短短十天里，村民得自排自演短小欢快的文艺节目，以到时增添欢迎气氛；他自己则得准备一个汇报发言稿子，当然也带有介绍经验的性质。

工作全集中到一疙瘩啦。

村干部会议一次次召开，任务一次次下达，工作队员和村干部一天两碰头。弓月水一边构思着他的发言稿一边筹划文艺节目，中老年男女一百人的秧歌队，青年妇女的表演唱，小伙儿们的三句半和小品，内容就围绕村脱贫致富修路拓地，架线输电盖学校为内容，学校的孩子们全出动，大合唱小合唱表演唱，要来个短平快。在山杏坡前所未有的另一番紧张中，在满坡上下滚荡着山民歌声的气氛中，弓月水的一篇近万字的发言稿写出来了。村民还是很有灵气的，七八天时间，文艺节目就排演得可以了。

弓月水和山杏坡的村民们难忘八月二十八日这一天。天气也争气，一大早鲜活亮丽的太阳就从东山头那块“致富田”上跃起来，坡上坡下，全村生辉，红红绿绿的标语贴满十里公路的两边。十时许，三四辆红红黑黑明光可鉴的小轿车从新修公路上排成一条长龙缓缓上来，在小学生和全体村民的夹道欢迎下，省委副书记、副省长、省厅厅长、副厅长，当然还有厅长助理肖治平，以及县委四大班子领导、乡政府领导，还有省电视台省报社地区电视台地区报社县委通讯组一些记者共计一百多号人马进了山杏坡。山民们哪里见到过这阵势，省委领导恐怕一辈子就这一次能见人家一面咧，眼窝盯着领导，粗糙的手掌就拍打得生疼发红了。

弓月水瘦凹的脸膛被八月太阳耀得一片紫红，熬夜熬得红肿的眼窝亢奋成枣树枝头那两颗泛红的山枣，他引带着平时在电视里才可见到的省委领导人，察看变压器和新盖就的校园，从沟底到村里的引水管道，最后轰轰烈烈的车龙上了东山头，观看新平整推拓出的“致富田”，弓月水一边给省委领导尽可能详细地做着介绍，一边十分谦逊十分恭敬地聆听省领导的意见，他只觉得摄影记者的照相机在他们四周咔嚓咔嚓闪烁，而电视台的记者们扛着机子远远近近地跟着他们。

大会是在新校园里召开的，开会之前，山杏坡村民们扭起百人的秧歌队，表演了十天精心排就的节目小品，有老人有娃子老少共乐，气氛就空前地热烈了。

弓月水汇报工作介绍经验的时候，早已失去了紧张和慌乱，他沉静地站立在主席台上，把平时弯曲的腰板尽量挺直一下，他什么都没带什么也没看，一万字的发言稿这几天时间早默记在心中了，怎么能记不住呢，都是他们一桩桩做过的事情啊。曾写过几年秘书材料的弓月水是善于总结归纳的，他说起山杏坡的工作思路：实施四项工作，办好六件实事，开展九个活动，做到十头并进。具体地讲是：机修农田温饱工程；拓宽公路开放工程；架线送电脱贫工程；兴学育人希望工程；为村民补贴提供2万斤土豆优种；补贴供给20吨化肥；每户日均免费供应三担食用水；购置电磨机、电动机一套；春节前启动农民自身脱贫致富的积极性，举办农业实用技术培训；六一献爱心；七一党员座谈会，火线发展党员；中秋节村民联欢，喜庆丰收；九月十日庆祝教师节，奖励教师；十月国庆节为订婚大龄青年举行集体婚礼或恋人联谊会；组织干部外出参观学习，长见识，换脑筋，提高为官一任造福一方的能力水平；创建文明村。说到十头并进，弓月水如表快板一样，提高嗓门：

机修梯田平山头　拓宽公路为龙头
兴学育人有盼头　户养牲畜达一头

劳务输出找赚头　累累山杏挂枝头
党员干部要带头　全体村民走前头
山杏坡里有奔头　吕梁山上当排头

老百姓像打雷一样地鼓掌，喝彩，省厅领导对弓月水汇报也满意地点头微笑，在省委领导们简短的祝贺性讲话结束后，谁都没想到，曲老汉颤颤地走上了主席台，对各级头头，对着台下黑压压的人群说，让我老汉当着省长的面说几句心里话吧，你们可是派来了好人派来了恩人哪，我老汉快八十的人啦，这辈子已经见过的公家人和成批成群的工作队，就只两批工作队最好，第一次是土改运动时的工作队，第二次就是弓处长带来的工作队，弓处长真是山杏坡的贴心人哪……

台下的百姓们又为弓月水吹欢叫好。

弓处长真是好人呀！

弓处长豁下身子为我村谋幸福哩，恩人哪……感谢省长给我们送来了弓处长这样的好干部……

……

弓月水的泪水就忽然十分汹涌地模糊了双眼，以至老同学厅长助理肖治平拍了拍他的肩膀，他都没发觉。

……

现场会开过后，弓月水觉得浑身像散了架，真想美美地睡上三天三夜。可是手机响了，汾南一个歌厅老板给他来了电话，说是歌厅小姐秋杏花出事了，要他速回来一趟。十分火急的样子。弓月水一惊，感到事情不妙，草草安排一下工作，连夜赶回了汾南市。

原来，一个喝多了酒二十多岁的青年人在歌厅和秋杏花座谈时，发酒疯发虐待狂，居然一口咬掉了秋杏花的左奶头疙瘩，歌厅老板把秋杏花安排在医院里治疗，正不知道事情如何解决呢。

先让公安局逮捕了那个流氓再说！弓月水气得脸皮铁青，因为公安局有他大学的同学现在当着局长、副局长，一个电话报案就来人了。

可是他万万没料到，副处长乔一鸣晚上到他家来说情了，那个咬秋杏花的下流东西是乔一鸣的内弟小舅子。

弓月水盯着这个暗地里对他下毒手、使绊子欲置他于死地的小白脸，心域里充满了厌恶和轻蔑。

乔一鸣是来恳求弓月水不要报公安机关处理，他是来要求“私了”的。望着乔一鸣此刻那一张乞求别人的可怜相，沉默中的弓月水觉得心里一阵报复般的痛快。

你说，你不要我报案行么，让我怎么向人家姑娘的家人交代呢，姑娘的几个哥哥和叔叔们都是那一带有名的二杆子，会拿上刀子找当事者拼命的，会拼个你死我

活的，人家一个农民怕屌什么？再说，姑娘一不是娼二不是妓，年轻轻的就少了一个奶头，这不成了残疾人了么，将来还找对象不？还成家不？将来有了孩子问起当妈的怎么就少了一个奶头，让她如何回答，她将来的丈夫一看那地方就想这档子事儿，还谈何幸福？姑娘万一有个好歹又怎么办？哎！弓月水简直大吼起来。

这把人家女孩子一辈子都毁啦，这该挨枪子的东西！弓月水解气地痛骂。

乔一鸣也感到事态的严重，他原想赔个三万元了事，看来，不行啦。

弓月水自作主张让乔一鸣内弟家赔出五万元了事。不然，姑娘家一旦非要经过公安，少说也把肇事者判个三年五年的不可，弓月水让乔一鸣前后左右想一想。是五万元重要，还是他内弟的前途一生重要。

乔一鸣答应赔偿五万元。一星期内和弓月水交于秋杏花，三人打个照面，事情结束。第二天，弓月水到医院看望了秋杏花。手术是个小手术，杏花哭得泪人一般。弓月水心里亏欠地劝说安慰着姑娘。

弓处长，事情到这一步，你说咋办，你说咋办就咋办。秋杏花毕竟是个聪明姑娘，哭过泣过，就等弓月水出个主意。

弓月水说，要公了，也只能判二三年的，对咱没啥意思，顶多出点儿治疗费营养费，要私了，咱问他要五万，有了这五万元，杏花，你可以个人开个歌厅，也可以不干这一行，开个饭馆的。

杏花含泪的眼里泛出了希望，她感激地看着弓月水说，弓处长，如果私了能要五万块，我以后开个饭店吧。

弓月水点点头。

秋杏花的事情处理完后，已到了九月初了。弓月水到省厅跑了一趟，有些大事儿，还得托老同学肖治平这个桥梁来慢慢办理呢！

十

又是山风呼啸的冬天，又是雪花飘飞的时节。去年在这样的日子里，弓月水他们才进驻山杏坡呢，今年这时候就扶贫期满要离开这儿了，时间可真快呀！沟边站立着的弓月水在慨叹系之，看着满山坡纷飞的雪花，倒真像山杏坡阳春三月满坡满梁的白花花的杏花呢，弓月水仿佛又嗅到了山杏花幽幽的清香，感觉到了那种淳朴素雅洁白的韵味来……说实在的，他真不愿意离开这小小的山杏坡，不愿离开山杏花一样厚道平凡又十分亲切的乡亲们。短短的一年时间，他爱上喜欢上这里了，因为他也是一个农民的儿子，是一个山里的孩子么？是因为这山山峁峁沟沟坡坡里曾挥洒过自己的汗水么？还是有过那么一回有惊无险终生难忘的“壮举”？是那一丛默默无闻野生野长的山杏树救了他，是山杏树一样卑微质朴的山民们救了他，救了他这个来山杏坡的扶贫者。可是，他得离开这里了。山杏坡只是他人生旅途上一段小小的插曲，是他生命海洋中的一波小小的浪涛，也是他奔向事业大厦爬向仕途大山上的一个必备的座基和不可或缺的台阶，从这个意义上讲，他得感谢这片贫瘠苍凉的土地，得感谢这些艰辛中依然难以温饱的大山一样厚重的山民们……各种复杂的感情交织在一起的时候，有两行热泪扑簌簌流到了弓月水的脸上，他没有去擦它，任泪水尽情地流，这样，他才能感到心里畅快一些……才能将复杂的情感之波宣泄一些……

弓处长，马上就开会呢，回来吧……

有人叫，声音是李晓涛的，又像是副队长林志伟唤他。

其实是离开山杏坡的欢送会。弓月水力主会议简单一些，谢绝了县、乡有关领导的参加，只和山杏坡村干部和群众代表座谈座谈就行啦。乡亲们一件件一桩桩历数着扶贫队同志们的功劳，回忆着这一年难以忘却的交往和最珍贵的友谊，村支书常三喜讲着讲着就哭了，四十多岁山汉的哽咽声就感染了其他乡亲；秋老树和妇女代表们都恋恋地抹着泪眼，弓月水也被这真挚的深情传染了，心里头酸酸的，忍了又忍，他慢慢地转了话题，谈到了山杏坡以后的开发和发展上了。

大伙儿的话题就稠起来。

弓月水的手机忽地响起来，他一接，是省厅肖治平打来的，厅长助理问他说话方便不方便，有要事对他秘密地讲下呢。

弓月水离开了会场，来到了一个僻静无人处。

肖治平悄悄告诉他，省厅这一段把弓月水作为提拔人选在考查着呢，估计到明年三月就有分晓了，提个正处长已是把握中的事情，不过，不一定在汾南，也可能在汾北或汾东处，这是全省系统的安排呢。就告诉他这一点儿，知道就行，万不可事先张扬出去。

弓月水多日提着的心放下了，他此刻兴奋的心情难以言表，他知道老同学肖治平帮了他不少忙，没有肖治平，他的提拔是不可能的……多方面玉成此事哪……他对着飘雪的山野无声却是尽情地笑着，他知道，无人能看到此时他那张被巨大的喜悦弄得有些扭曲的脸……

会议快结束的时候，忽然闯进一个村民，十分慌张地对弓月水和常三喜说：快，快，曲大爷老两口，老两口已经殁了……

啊……

众人大惊！

弓月水大惊！

来人是曲老汉的邻居，他说曲大爷家这几天没煤烧了，因为下雪不好通车，老人家也不好意思再麻烦干部们就等着天晴。一到冬天，曲老汉就不能出门一步，全仗了婆婆护理，好像婆婆这几天也感冒了，不见她出门，刚才去他家一趟，才知道……都不行了，身上都凉啦……

弓月水和常三喜一伙儿跑到曲老汉家时，见老两口蜷缩在小土炕上，人早已断了气，老两口的身上，依旧盖着一张又破又薄的旧被子……

这是咋回事？

弓月水困惑着。

曲老汉的邻居说，曲大爷压根儿就舍不得盖那两床新被子，他说，这是人家弓处长的，弓处长是公家的大干部，是共产党的大官哩，弓处长给的被子是随便盖的么，咱一个山民脏里巴叽敢盖这么好的大绸被。这不是作孽么，弓处长的心，咱领了，这被子等弓处长回去的时候还给人家……

曲大爷呀……啊啊……

弓月水听罢大号一声，趴到曲老汉身上痛哭起来……他恨自己的工作不细致，自己的包扶户居然到了这一步，恨自己工作的疏忽，忘了这一些不该忘记的生活细节，曲老汉弓着老腰杆扭着箩筐担着儿子的亡骨的剪影又晃动在弓月水的面前；曲老汉坐着简易的“木轿”被大家抬上东山，颤巍巍地当着拓山推土顾问的场面一次次出现在弓月水的脑海，他的哭声唤不回曲老汉悄然离去的灵魂……

工作队迟回了几天，他们给老两口备了两口棺木，里面铺上了弓月水送的那两床棉被，直到把老人下葬。弓月水充当了一回风水先生，他看好了东山头“致富田”的一角，和村委会研究后，决定把老人一家全葬在那里，让曲老汉看看由他指挥的拓开的土地上，一年一年，长出长长的谷穗，开出白白的棉花……

弓月水走了，离开了他魂牵梦萦的山杏坡，小车儿在逶迤跌宕的山道上颠簸着，颠簸着的还有他逶迤跌宕的情感……

（选自《黄河》1998 年第 1 期）

张行健

笔名张耕夫。1959 年出生，山西临汾人。1986 年毕业于山西教育学院中文系。历任蒲县城关学校和第一中学教师，临汾市政府文教委员会干部。1984 年开始发表作品。1998 年加入中国作家协会。著有长篇小说《天地之约》，中短篇小说集《天边有颗老太阳》《秋日的田野》，电剧连续剧剧本《尧天舜日》（18 集），散文《北方的庄稼汉》，发表作品 300 余万字。散文《婆娘们》获 1990 年—1994 年《人民文学》优秀散文奖、山西电台首届全国文学作品大奖赛一等奖，短篇小说《山校》获 1989 年—1993 年《山西文学》优秀小说奖，《石榴花开》获山西电台首届全国文学作品大奖赛优秀小说奖，《村边一缕孤独的炊烟》获 1993 年《山西老年》杂志优秀小说奖。

乡村里的企业家

杨恒标

政协会一散,金老歪就歪在他的奥迪车里往回赶。这是一次县政协换届前的预备会,分管政协工作的县委副书记老顾,把金老歪叫到一个单间里个别谈话,准备要他当下一届的政协副主席。不过还有小字一行,政协要建立送科技下乡基金会,要他投资一个六位数。

六位数,是十万哪!金老歪没有开口,六位数是拿还是不拿?老歪这会儿正考虑呢,也就是说县政协副主席是当还是不当?显然,拿了就当,不拿就不当。不当还是个政协委员,政协委员是个什么东西,无职无权,简直就是一张空头支票。副主席就不同了,位置虽然不太显赫,至少说是跻身于官场了,打入到县六大班子之列,这官是不算小的,诱人是诱人,得拿票子换。金老歪十分清楚,就他这个二世“黑五类”,能在共产党的天下里人模狗样露露尖,还不是托了改革开放的福吗?

钱花得值。

他出资为乡里修通了三十里的柏油路,使闭塞的乡村一下子推到改革开放的前沿。他呢,捞了个乡政协委员。县教育改貌他三次捐资,总额高达五百万。省里来达标验收,县里的大官们个个光彩照人,后来,他们一个一个都提上去了,他虽然只捞个县政协委员,可是他这政协委员就非同凡响了……

金老歪沾了他爹金大黑子的光。那年国门洞开,金大黑子从台北还乡了。这次还乡与四七年还乡大为不同,四七年,他当还乡团头子反攻倒算,杀了农会主席刘二牛的爹。这次还乡是在县、乡两级官员陪同下,众星捧月回到大金庄。那时大金庄的人全都看傻了眼,天爷,这只鬼还没死哪……二牛,二牛呢,快喊二牛来报仇,拿镢头砸死他……

金大黑子在台湾混得很好,掏手帕带出一沓美元,陪同的乡长捡起来给他,他说算了,给幼儿园的孩子买糖吧!结果,乡里用这沓票子建了一座中心幼儿园。大金庄的人这才知道,美元经花。

老子临走甩给金老歪十万美元，说办厂吧，共产党给你机会了，办吧。金老歪就办了，他在大金庄连续办了三个工厂，成立了大公司，大金庄的人说改革开放，党给了好政策，大陆和台湾也沟通了，有钱就能逞英豪。

奥迪车离开国道，拐向大金庄的路。路两旁的玉米高挑起嫩黄色的花粉，腋窝里鼓起尖尖的穗包，已吐出紫微微的红缨，肥大的叶子上跳跃着正午的阳光，明亮得耀眼。

迎面开来一辆大卡车，车上没拉货，却站着几个人。金老歪认出是他的“大黄河”，不由一怔。

两车相遇都刹住。“大黄河”上跳下一个人，是他的总管事丁纯。丁纯跑过来就喊，老板，老板，出事啦，施工队长叫刘大虎他们打啦。

打了，怎么回事？金老歪这么想，却没下车，只摇开一截车窗问，伤得怎么样？

丁纯说，头铲破了一个口子，得缝几针，我们送他去乡医院。您过来看看吧？

金老歪一挥手，说不看了。小四呢？

丁纯说，四小姐跟南蛮子谈合同去了。

什么合同？

就是那批罐头销售合同。你刚走，浙江的马老板就来电话了，马老板是在徐州云龙山宾馆打来的，他要四小姐带上样品去见他，四小姐临走说，她下午就能返回来。

金老歪冲着热浪滚滚的车窗口嘘出一口气，像从肩上卸下一个沉重的包袱——这批罐头库存期就要到了，再存下去难有质量保证。他相信小四绝对能谈成的，就是打七折、打六折也有十万元的赚头。就用这个赚头买那个副主席的官吧，其他资金很难再挤出来了。

一想到那打破头的事，金老歪又烦恼起来了。你这刘大虎凭什么打施工队长呢？你承包的农杂地我们是与村里立过条约的。三年前，金老歪就计划扩建企业上规模，为了使用十亩农杂地，他给村里整改了高压线路，安装上自来水，新建了一座幼儿园……算算，他已经付出了这块地皮的十倍代价。当时，生意正忙，他腾不出手来搞扩建，村里却一再说明，土地已经归你，几时扩建几时用，但也不能任其荒着，先包给农户种吧。他同意先种着，却不料包给了刘家几户，他与刘家有仇结。可是仇结归仇结，道理归道理，能黄瓜茄子一锅煮吗？

虽然这么想，他仍觉得事情不太妙。

金老歪一进家，果然看出事情不妙。刘大虎的老婆已经把半死不活的刘大虎拉进他家，刘家几条汉子正为女人撑腰壮胆，让那女人一蹦三丈高地骂，金老歪一下车，女人就发疯撒泼地一头扑向他：金老歪，你过来打吧，你有钱有势只管打吧，你不打死俺你是婊子养的……

一骂一脸火。金老歪顾不得脸上淌火，他已经被女人拱得节节败退狼狈不堪。他毕竟七十多了，又是一副绅士派头，幸好金鼓、金锣从门外冲过来，一左一右架住了金老歪，就势抵住女人的进攻。大虎的兄弟大豹蹿上来，伸手薅住金老歪的领带子，说金老歪，过去我们刘家给你做牛做马，任你欺负，现在你又想骑俺头上屙屎屙尿，告诉你，没门儿。

金老歪异常冷静，脸上始终挂着一副老到的笑容，他不同大豹论述阶级矛盾，就改口说，大豹，你这孩子都三十大几了，咋还要小孩子脾气，咱爷们儿还有上不去的坡吗？走走，咱屋里说话，屋里说话。他反而拉起大豹来，大豹就松开了手。

大豹说，你的人把我哥打伤啦，不能算完。

金老歪笑了：你看你看，刚说完要小孩子脾气，又要了不是！狗吃日头了吗？再大的事？咱爷们儿还不至于把脸翻到这份上。老歪是长辈，平时表叔爷们儿相称，老歪这样说，刘家的人就不好再上劲儿，大虎的女人还是不论青红皂白：你金家都是一窝畜生，好好的庄稼就铲了，你不吃粮食俺还吃呢，日他奶奶，我看哪个畜生再毁我一棵棒子。

老歪说，大虎家里，你骂几句老叔行啦，咱说事，说事。金鼓、金锣，你们俩谁打的大虎？

金鼓、金锣是金老歪的两个侄儿，两人说真没打大虎。

金老歪大骂，放肆，没打怎么伤的？

金鼓说，施工队按规划施工，铲了大虎的玉米，大虎不论三七二十一，扬起铁锹就砸了施工队长，我们上去推了大虎一把，他就一头倒地不动了，大虎，你也是条汉子，站出来说说，哪个打你啦？

金老歪忽然抡起手握的七节文明棍，在金鼓身上狠狠砸了一棍：混账东西，还说没打，你一下子把他推倒，能叫没打？接着又照金锣腚上踢了一脚：都滚起来，快把大虎架到车上，送城里医院看伤，又冲门口喊他的司机，金瓜，把车开过来。刘家几条汉子面面相觑，一时无话可说。大虎的女人就到板车那里护大虎，说俺不去医院，俺就死在你金家。

金老歪听出那话是干使劲儿，就随手掏出一叠票子，掖到女人手里，说，大虎家里，你只管放心，家里的活儿我派人干，你给大虎买点儿食品补养，好好侍候，伤好啦，俺爷们儿还得说说话。

女人手里的票子扔了两扔没出手，她觉得那票子厚厚的、硬硬的，大概不少，就舍不得扔出去。在一旁的大豹拿眼剜，心说，嫂哏，打伤看伤，你攥人家的票子干吗呢，后边的事还好说么？

老娘们儿见识短，哪管这些，钱到手就攥住不丢了。

不丢就好办。

往车里安顿好大虎两口子，老歪又给金鼓几张大票子，说去中心医院，挂急诊。

车开走了，刘家几个人却不动。

老歪说，走吧，咱们到里边喝茶。

大豹说，没几个人，好查。得给你说清楚，你的工厂你当家，你怎么扩建俺不管，就不能侵占我们的承包地，谁再动那里的一棵苗，就别怪我们不客气。咱们走。

老歪理也没理，女人走了，老歪不怕他们。

老歪换了衣服，就差金锣去叫村支部书记刘大海。金锣刚发动起摩托车，老歪又出来把他喝住。老歪忽然觉得事态很复杂，金锣去叫刘大海，白惹刘大海发几声冷笑。

刘大海是刘二牛的儿子，年前退伍，今年春后赶上县、乡、村三级换届，担任了大金庄党支部书记。刘大海上任后雄心勃勃，决心大力实施乡村企业二次创业工程，他打算先把两个瘫痪的村办企业恢复起来，然后充分发挥大金庄的工业优势，带领群众奔小康。

刘大海之所以气吞山河，实指望金老歪拉他一把，大海也料到金老歪不能不拉，他敢不走共同富裕的道路吗？前不久，刘大海向金老歪谈过他的雄心壮志，并开口向金家借二十万作为起动资金。金老歪一听就吓了一跳，说乖乖，你当老叔开银行了吧，老叔也到了踢蹬不开的时候喽。接着，老歪向大海诉苦，外面说我有五千万资产，可手里一分钱都没攥着，光三角债、连环债、无头债就勒得公司喘不过气儿来，现在的企业都成债业啦。前些年日子好过，那是因为台北老头子提供资金，缺多少汇多少，那时的企业效益也好，如今不行啦，老头子前年过世，异母兄弟继承了遗产，人家与咱毫无瓜葛，一分钱都没寄过。企业呢，偏偏又不景气，我呀，也被迫过起紧日子来啦。

金老歪说的倒是实情，大海听来就有点儿不高兴，他之所以开口就认为十有八九能借来。大海说，总不至于连二十万都挤不出来吧，船烂还有三千钉呢。

老歪说，烂就好啦，不是还没烂吗？没烂就得苦苦支撑。二十万真挤不出来。

大海说，这些年，你这里奉献，那里赞助都是几十万几十万往外扔，就是没想到促发促发窝边草。

老歪呵呵笑了，说党的政策让我富了，我总得有个表示吧，窝边草我也没忘，刘支书，你问问大金庄的老少爷们儿，我金老歪是对得起他们的，如今我也想促，实在没那个力气啦。

大海说，听说你最近扩建丝绸厂，我看你再缓缓，把那份资金先挪给村里用吧。

老歪正色说那不行，我得抢抓机遇，丝绸市场看涨了，到年底，每吨白厂丝绝对能涨到二十万，我不能丢篙撑船。

大海说你真挤不出来，我就去贷款，你能给我作保么？

老歪说村里是个实体单位，还要别人作保？

大海说办企业风险大，银行信贷部门都把得死死的，况且数目又大，你不担保，恐怕没门儿。

老歪心想，贷款你只是随口说的，你刘大海绝对没打贷款的谱，你的主意是打在借字上，什么是借？说借好听，有借无还，说到底你是讹我来啦。因此老歪就顺水推舟说，你去贷吧，我给你作保。

刘大海走的时候是很不高兴的。金老歪看出来他的凌云壮志损折了六七成……

金老歪想到这里就认为刘大虎闹事肯定不是偶然的了，他与刘大海是叔伯兄弟，还有刘二牛这只鬼，老怀着那本旧账，也绝对出不了好点子，如此看来，完全是刘大海一手策划的。刘大海，你他娘的也太鸡肠狗肚了吧，如果我金老歪顺顺当当交给你二十万，说不定，你得派人帮我铲庄稼。可是……

院子里开进一辆桑塔纳。

小四来了。

小四叫金凤，金凤一下车，院子里立刻荡起一股青春的气息。再看小四那张脸，一轮朝阳冉冉升起。金老歪就知道生意谈成了，刚才那一腔的烦恼立时就退到一边。人哪，也就像六月的天，说不准一天的情绪能变几变。

老歪无儿，却养得一窝金凤凰，四个闺女一个美似一个，前三个早已出嫁。金老歪办厂之后，又把闺女、女婿成双成对接回来，成了大金庄的倒插门，他们为金老歪各把一口，齐心协力撑起一个庞大的实业公司。小四金凤还没嫁，小三十了，天生丽质，聪明过人，说话伶牙俐齿，办事果断干练，既是金老歪的掌上明珠，又是大公司的中流砥柱，金老歪花五万供她读了三年经济管理大学，回来后就如鱼得水，把个公司治理得蒸蒸日上轰轰烈烈。金老歪见她社交才能突出，就直接把她置于商潮的风口浪尖上，出头露面谈生意，走南闯北拉客户，全由小四一篮子挎。他老了，只管内部运筹，出谋划策。

洪老板是金老歪的好朋友，共同做着丝绸生意。洪老板看上金凤，登门替儿做媒。儿子正读研究生，与金凤年龄相当。金老歪没推也没应。洪老板以为金家没相中研究生，不好答应，后来就借谈业务差儿子来到大金庄。金凤看上了，却没情致；金老歪也看上了，却提出了条件，他给洪老板说，他不能没有金凤，他最终要把整个公司交给金凤，如果研究生愿意，只有招婿来大金庄了。洪老板也不愿伤和气，就说了句活话，那就看年轻人的意见吧！从此搁下了。金凤表态说，爹，研究生满好的，可我真心不想离开你，也不想离开大金庄。金老歪点点头。

父女俩的心事合到一处了。

金老歪问金凤谈成了吗？

金凤眉飞色舞地说，我们的产品历来重视质量，重视信誉，不信，可以请化验员来检验嘛，那马老头子被我几句话就说通了。

金老歪咧嘴笑了，他问金凤，几时来提货？

金凤说，最多三天，他回去就组织车辆，装上车付款。

父女俩欣喜一阵，金凤就问爹，不是说今天扩建开工么，怎么停了？

老歪收起笑脸，把刚才发生的事说给金凤听。

金凤忽闪了两下眼睛，说，这一定是刘大海的事，他借不到钱就使坏，什么狗屁支书！金老歪瞅着闺女，点点头，心说，我分析来分析去得出的结论，小四一眨巴眼就看穿了，这妮子，鬼精能。

金凤说，不论什么情况，也得抓紧开工，丝绸一天一个价，杭州销往马来西亚的白厂丝每吨涨到二十万了，年底我们必须投产。

金老歪的脸就生动起来，金凤知道他在酝酿对策。

丁纯进来了。丁纯是金家的大女婿，掌管公司的财务。丁纯说，住上院了，缝了七针。

老歪哼了一声。

丁纯说，施工队长提出，停工期间，我们每天必须付给他两千元的误工补贴。

金老歪考虑一下说，付就付吧，没办法。

丁纯看着岳父大人的脸，说，我们搞扩建是有条约的，他大虎阻挡不了，我们给村里说话，真不行，起诉他。

金老歪摇摇头，苦笑笑。说那个条约是不好上桌面的，经官动府更不行了，就土地管理法也把我们卡住了，打官司，听输不听赢。丁纯说，那地不属基本农田，也能上法？老歪说，嘴是两张皮，反正都使的，说法就法，说不法就不法，就看你怎么去办了！

金凤说，关键是我们与村里的关系比较僵，大海上任后，咱基本上没投资，这一届的干部恐怕对我们都有看法，门口这尊神不烧好香，最容易出问题。爹，我看大不了是几个钱的事。

老歪当然很清楚，但他确实没把刘大海看在眼里，对村级这个层次的官，他也确实有所忽视，总认为自己高于他们，他们说话办事应该多看他金老歪的脸，而不是他金老歪多看他们的脸，结果就在这个认识上出了问题。他认为不一定是几个钱的事，只要方法得力，不一定多花钱。

金凤说，爹，你不是常说，关隘难通钱作马呢，你光疼钱，能开得工？

老歪就有点儿火气了，说不疼钱甩出二十万还有这些麻烦么，问题是甩出去二十万就白扔了二十万，一个声响都没有。

金凤一咬牙，不行就扔它二十万，早投产几天就赚上来了，我们不能光顾小利益，得向大处看。

金老歪沉吟着说，绝对不行，一是我们拿不出这个钱来，即使拿出来，你以为刘大海真能发展工业吗？

金凤说，他不出一年就亏进去了，末了白给大金庄的老百姓落一屁股债。

他不是干企业的料。他给我一点儿颜色看，我就送给他二十万？我能这样没筋没骨地做么！既然到了这一步，就分两步走吧，先在乡里扎扎根，毕竟时过境迁了，乡里刚换完届，那些新官我们都还没结交，人家凭什么替咱说话，我们必须马上与他们拉起关系，他们都是刘大海的顶头上司，说不定一句话就能解决问题。第二步呢……第二步没说出来，金老歪就咳嗽起来。他有个气管炎的毛病，冬天常犯，一旦犯了就咳嗽得脸红脖子粗。金凤赶紧把爹扶到沙发坐下，丁纯就慌慌地找药。老歪一时憋得喘不过气来，张大嘴巴拉风箱似的，好大一会儿才恢复过来，接着说，大海现在肯定是躲着我们，很难接近。先走第一步吧，小四，往乡里挂电话，邀几个头头脑脑的来玩……先给大个子李挂吧，就他是个老关系啦，叫他邀人。

金家邀人好邀，请人好请，邀谁谁到，请谁谁来。你看看，一车装来仨——乡派出所所长大个子李按金凤的旨意邀来了侯乡长和分管乡企的副书记老仓。才近黄昏，比预定时间还提前呢。

一进门，金老歪就率领着三个女婿、四个闺女浩浩荡荡迎出来，大家一见面，像多年不见的好朋友，异常热情。大个子李一一介绍，大家一一握手问候。侯乡长握着金老歪的手，说，金老板可是一方名士，本该早早登门拜访，这些天忙得焦头烂额，今儿个总算透出口气来，多多包涵，多多包涵。老歪说，父母官上任，本该早接和早迎的，可就这岁数不饶人哟，是谁谁画的一幅画哩，早上四条腿，中午两条腿，晚上三条腿。说着就捣了两下拐杖：看我，可不就是三条腿了呵。

大家来到正厅，正要落座，丁纯说，各位领导不必再坐了，老板说了，是请领导来玩玩的，上楼吧。

对对，今儿个没有别的意思，纯粹是玩。金老歪接过来说，大家都轻松轻松，咱们上楼玩去，走吧。

丁纯在正厅一角打开一扇小门，红灯闪处，现出一架楼梯，一色的红毯铺就。大个子李说，脱鞋吧？金凤说甭给领导添麻烦，上吧。自己却换了一双软缎绣花拖鞋，袅袅婷婷上楼来。她老爹将她扯到一旁，悄声说：掌握一个度，不要给他们添麻烦。金凤回答：晓得。

二楼娱乐室里，早有一张地八仙备下，双层紫丝绒细毯罩面，上面码一副藕荷色的麻将。侯乡长抓起一个二条，正反一看，哎哟一声说，正宗的翡翠麻将。

侯乡长和老仓都张大眼睛，惊奇地审视着手中的枚子，不住地揉摸玩味，恋恋不舍。

丁纯抱来两盒饮料和一条红塔山烟，说咋还不开始呢，李所长，你支个风就座呀！

这时金凤进来，金凤一手握了四个红包，往四个角分别一放，说各位领导别害怕，我不是送给您红包，我有红包也不送您，刚才老爹说了，是来玩玩的，玩玩不是赌博，这是我的私房钱，输赢都是我的。可有一条，谁输光谁掏腰包请客。

侯乡长说，谢谢四小姐，这回我们下不了水了。

大个子李抓起一个红包，一捏厚厚的，就要抽出来，金凤“啪”地打上去一巴掌，说想往腰里掖是吧，仓书记，你监视着他。

大个子李笑嘻嘻地说，好好，四妹妹，不看了不看了，末了一兜儿端给你。金老板，往后你得小心点，四妹妹吃官饭攒私钱，那还行？

金老板笑道，她攒个仨瓜俩枣的就攒吧，大河有水，小河不干。

金凤就开了几瓶饮料，挨次递过去，自己拿起一瓶，仰倒在旁边的长沙发里，吱吱品味。大个子李一边喝饮料一边瞅着金凤那优美的坐姿，说四妹妹，借你个吉言，你说我今儿个是输还是赢？

金凤也不瞅他，说你总是个倒霉蛋，准备好钱，请客吧。

你当我还是那几年的水平，早已鸟枪换炮啦，哪天我来车接你，咱到所里比试比试。

臭牌篓子。金凤说，三头听都掰扯不开，还哭着喊着打麻将。

那是哪年的事呢，我都打过五头听。

五头听算什么，老爹在广州打过一次九头听。

侯乡长问，金老板，是真事？

老歪说纯属偶然，打一辈子也难碰上一回。

金凤说，所长先生，我让你摆个九头听的牌，你摆出来，那红包就归你啦。

小菜一碟。大个子李丢下饮料就摸牌，侯乡长、老仓也凑过去帮助排列，三个人摆了半天也没摆成九头听的牌。老李说，四妹妹，你也别吹唬，你也摆不出来。金凤说，我要摆出来你输什么，盒子枪归我行吧？

大个子李一咬牙，说行，你过来摆吧，就掏出枪往桌上一摔。金凤也不过去，还是仰躺在那里品饮料，就说，我说你摆，你先依次摆上九个饼。金凤又说，这是九张牌，你再加两个一饼和两个九饼，九四十三张，这就是九头听的阵容，见饼就赢。

按照这个阵容，三位领导从一饼到九饼挨个示范，结果三人都笑了。老仓说，四小姐，来拿你的枪吧！

金凤说，大李哥，这回服了吧！

四圈刚上头，丁纯进来，丁纯说，准备好了，吃饭吧。侯乡长说晚饭都在乡里吃了，还吃什么饭，不吃了，打牌。老歪说，我们都还没吃饭，一块吃，一块吃。金凤就从沙发里站起来，揉着眼睛说，拾掇拾掇，吃完接着打。就先把李所长的牌推倒，说还是你接着坐庄；还有这包，各人收好各人的。侯乡长、老仓碍于面子都不往口袋里装，金凤就一个个替他们塞进口袋里，说甭乱了套，各人管好各人的，吃过饭好接着输。大个子李说，对了，他们接着输，我好接着赢。金老歪的包也装起来，显然瘪下去不少，金凤就估摸，爹输了至少有八百元，目前是“三喝一”的局面。

转眼间上来了八果四馐。

侯乡长说简单点儿，简单点儿，吃完好接着打。侯乡长的手气很好。

李所长一看那桌面的开局，说又复杂化了，都是自家人，还值得成席。他认出这是“小八四”的席面，在农村只有儿娶女嫁才摆这等席桌。有了这个开局，接下来要上三大件，头鸡二鱼三肘子，每个大件后跟两个座盘，因此也叫吃一看二眼观三。最后是八个大碟压桌，其间穿插两道中饭，一共是四八三十二个盘子。

酒是依了侯乡长的，喝的是易拉罐啤酒。前三听都得喝起，这是本乡的规矩，接着是穿插对酌，交错进行，差不多每人打过一圈。金老歪就说了，各位领导光临，实在倍感荣幸，本来要为各位再加深两个，只可惜到了三条腿的时候，力不从心喽，小四，就代我为各位领导敬上两个。

金凤、丁纯都站起来，丁纯开口儿，金凤敬酒。金凤敬酒你不能不喝，她嘴甜舌巧，话头儿赶得上，尤其是那一双秀美的大眼，咄咄逼人地看着你，你就无法抗拒，是毒药也得喝。

六听酒就顺顺当当地灌进三人肚里。

啤酒也醉人。到此都有个七八成了，金老歪见是火候，就丢给小四一个眼色，自己就眯起了眼。

金凤心领神会，说，爹，你先躺会儿吧。

侯乡长说，金老板骗人，就他那量，还能醉了。

金凤说，爹情绪不好，按说再来几个也没问题。

什么情绪不好？侯乡长问。

大个子李说，对了，下午我听说谁打了你的施工头，有这回事？四妹妹，你说是谁，打人是犯法的该抓。

李所长。老歪叫住大个子李，说，我有言在先，今儿个是请领导来玩的，玩就玩得高兴才是，不提那事，不提那事，喝酒。

侯乡长被酒力烧得脸红脖子粗，问：怎么回事？声音很响亮。

丁纯说，也不是大事，今天扩建丝绸厂，用地的事本来与村里订过条约的，刘家的人硬是不让施工，把工头打破了头，缝了七针，工也停了。

是刘家谁打的？大个子李瞪起眼，眼里泻出两股啤酒样的光，谁？刘大虎、刘大豹兄弟？他妈的，我看他是过腻了，明天传他。

老歪说，传他什么，一点儿小事，不谈这些，不谈这些。

侯乡长很严肃，说这不是小事，这关系到党对私营经济政策的落实问题，农村经济主体早已呈多元化结构，私营经济是一个重要的主体，像金老板这样的典型，全省也数得着，我们要使党的政策在这类典型身上集中体现出来才是。老仓，你分管这块，具体问问。

老仓也显得高度重视，问，村里没来解决，他刘大海干什么啦？

丁纯说，闹事的都是刘大海的叔伯兄弟，刘大海不指使，他敢么？

这个刘大海！侯乡长说，我看他还是个正派的，怎么能这样干！得找他谈谈。

金老板抱歉地说，真不好意思，扫了领导的兴，这纯属小四的不是了，小四，给各位喝个原谅酒。丁纯，你也要敬两个。于是自己就装出几分醉意。

乡长说，真不行，金老板就躺会儿。我们也不多待，明天还有个会呢，我得主持。丁总管，你扶一下金老板。

金老歪就势离开酒桌，下楼了。

金凤说，老头子走了，咱活跃活跃吧！

活跃活跃。大个子李起身就去挑选激光唱盘，老仓见他东摇西晃不成形状，就一把按下他，说我来吧。

金凤就问侯乡长，乡长是喜欢跳还是喜欢唱，我先声明，我唱得不佳，跳得还可以，就用眼睛探问侯乡长。乡长见她一脸桃花灿烂，两目秋月流辉，正摇曳生姿地做着舞前准备，就痛惜自己不会跳舞了——日她奶奶，老娘们儿硬是不让学。

舞没跳成，歌也没唱出名堂，酒却喝出了水平，怎么上的车都不知道，来的时候一车装得下，回去就装不下了，金凤就开起她的小车送……下车的时候，三人都还迷迷糊糊，忘记人家的红包还在自己兜里呢。

金老歪还没睡，他在等金凤，他还有戏。

早上八点钟，刘大海骑车去乡里开会，刚出村头，金凤的桑塔纳就撵上了，与自行车平行，把大海挤到路边上。大海一捏闸，嗵地跳下来，正要发火，见金凤从小车里探出脸来，咯咯地笑。刘大海立刻警觉起来——金老歪开始缠我了。于是就打高了脸子，望着前面一抹玉米：噢，是四姐，我当谁呢！

谁呢，谁敢挤你大支书呢！又咯咯笑，说，匆匆忙忙干啥哩？

乡里开会，九点的。大海说。

金凤说，把车子扔了吧，我送你，就开了车门。

不劳驾四姐，公司事多，你忙你的吧。

嗨哟，才当多大官，就瞧不起四姐啦。

金凤就势夺过车子，就要往村口孟老头家送。大海窘得抬不起脸来，只抓住车屁股，说四姐，你让我跑着去呀！

金凤回首剜他一眼，说听话。就猛地一甩披肩发，有一缕掠上了大海的脸，呛进去一股诱人的香味儿，大海就松开手，转身兀自走了。

金凤开车越过他，把车横斜着，打开车门说，老和尚交代你了，山下的女人是老虎，对吧！

大海不抬头，还是走。金凤就跳下车，用身子拦他的路。大海往这儿走，金凤就往这儿挡，大海往那儿躲，金凤就往那儿挡。大海说，干吗呐四姐，我真怕老虎。

金凤就弯腰笑了，说山下的老虎不吃人，上车吧。大海又要躲，忽见前边路上来了几辆自行车，就不再躲了，说，散了会，你还得来接我。金凤说，我敢扔下大支书？就上了车。

车里扑进去热浪，温度较高，金凤开大了空调。冷风嗖嗖，直扑大海，大海那一身的燥热瞬间消除了。

消除了燥热，却坚定了意志——很显然，金老歪打我的主意了。

车上，两人都沉闷着，都在想心事。金凤并没想如何进攻车上的人，而是想着她与大海的一段荒唐故事。

十七岁那年，金凤已出脱得芙蓉一般，那年乡里兴办合作医疗，凭模样儿金凤被招进医疗人才培训班。那时的刘大海正在乡里干通讯员。大海被臭虫咬了大腿根，越痒越挠，挠得红肿溃烂，痛不欲生。小伙子只好拉扯着腿去医院治疗，正好赶上金凤值班实习，金凤问完伤情就不冷不热了。她对刘家有成见，刘二牛把她爹摆弄得死去活来，她亲眼见了；至于她爷杀死农会主席的事，她只听说过，并没亲眼见，见了和没见感受不一样。

小伙子把裤管卷到极限，只露出半个红疙瘩。金凤说，不行，得从上边脱。小伙子就仰倒在一张木板床上，褪下一条裤腿，又把裤腿往羞处遮了遮。金凤备好治疗用品，一盘托过去，给他实施清洗、消毒、上药。不巧，姑娘的手腕儿碰着了他那个东西，那东西一触即发，跃然勃起，突破封锁线蹿了出来。姑娘一甩手，“啪”地就砸过去一镊子，镊子是不锈钢的，砸得也怪重，那东西倏地蔫了，再看小伙子，口吐白沫，一脸蜡黄，头慢慢耷拉下来。金凤吓坏了，尖叫一声冲出来，正遇上几个白大褂，就大呼出人命啦，捂脸抹泪地跑出去。

白大褂们又掐又捏又打针，着实忙活一阵子，小伙子倒是没事了，金凤却因精减人员被撵回了家。这事故要提前五年发生，就赶在了阶级斗争的风口浪尖上，金老歪就有了滔天罪行，那时的罪行没有不滔天的。四小姐就一定成了继承滔天罪行衣钵的美女蛇而被游街示众。

撵走金凤，院方把事故压下来，十几年过去都忘了，而两个当事人见面就红脸，老远就躲开。后来大海当兵，金凤办公司，相见的机会就很少了……

金凤鼓足勇气，她把车停在一个拐弯处，转向大海。大海忙把脸转向车窗往外看。金凤就深情地说，大海，我知道你恨我，你会恨我一辈子的。

大海心里明白，只说，我恨你什么，我什么也不恨你。

金凤说，大海，我比你只大两个月，咱们都是小三十的人啦，应该说真话，你看那日头，艳阳高照，光芒万丈，在它的光亮里说话，能忍能瞒吗？

大海说，你是让我在太阳光里伸开舌头说话吧！告诉你，你不理解男人，更不理解我这样的男人，我叫大海，我的心也像大海，见过大海吗，博大无边啊！

金凤的心就颤颤地动了，一撇嘴开起车来。

大海也就另有一番感觉，他觉得小车里溢满了温馨的气息，使他一阵激动。

看得见乡大院的大门了，金凤问，开什么会？大海答，一抗双保会。金凤说，我当什么大不了的会呢，庄稼人种庄稼不知道抗旱保丰收，还用得着开会？别开啦，陪四姐进城吧。

大海说进城干嘛，当干部不参加会议还有组织纪律性？

金凤听他打的是官腔，就一加油门冲了过去。大海说，停下停下，下车呢！金凤也不理会，冲出乡驻地入了国道，直插县城。

他们来到外环路，金凤把车驶入道旁一片浓荫里，停住。金凤说，党的干部得有组织纪律性，下车吧，开你的会去。

大海笑了，说撵也不去啦。

金凤说，这就对了，告诉你，现在你已经被拉下水啦，下面就听四姐摆布吧。

大海又警觉起来，却不动声色，心里在说，看你如何摆布，我是祖国的好山河，寸土不让。

金凤整个身子转过来，倒趴在司机座位的后背上，悠悠看了一会大海，说大海，刚才的话还没说清呢，我差点儿要了你的命，你能不恨我？

大海见她脉脉含情，十分真切，又想她主动戳开这件事，就说，四姐，我只是当时恨你一阵子，以后就恨不起来了，我没有理由恨你，反而恨我自己，怎么能说是要我的命呢，是教训我。

金凤眼里就有了波光跳跃，她说大海呀，四姐就那事至少做过一百个梦……声音有点凄楚，脸就扭向了窗外。

大海怕陷入儿女情长里，就说，做恁多梦干嘛，我一个也没做过，我只是记起了教训，堂堂正正做男人，你看我都这么大了还没结婚，咱不想呢。

金凤扭脸问，为啥不想，还怕挨砸呀！

说完就飞快地开起车来，把一句过分的话撇在了那片浓荫里……

进了城，金凤把车停在大观园门口，说下车吧，咱们买点儿东西去看大虎，他在医院呐。

一提大虎就接近了实质性问题，大海装不懂，就瞅着大观园商场五个行书字发呆。金凤说，卖什么呆呢，快进去，帮我选选东西。大海不吭声，大海心里不好受，大海在想着什么。大海说，四姐你去吧，我在外等你。金凤说，说好了陪四姐来玩的，给四姐走一起丢你大支书的人啦？大海红着脸，见一些人都看他们，就勾着头赶紧走进去。金凤说，你挺起来大大方方的，怕谁呢，都当书记了，还没点儿气魄！

大海仍然与金凤拉开着距离。大海穿一身乡村衣裳，与金凤走在一起对比太鲜明，就不想让别人的眼光复杂化。金凤只好凑着他，开心地与他说话……他们前面走着一对青年男女，一看就是农村婚前“上城”的。“上城”是男女成婚的一道重要程序……上城比登记都重要。

大海和金凤都没上过城，一看人家上城就勾起了许多儿女心思。金凤这些年只顾走南闯北赚票子，那儿女情长的事就搁在了一边，这一触景生情，一颗女儿心就活蹦乱跳起来。她拉起大海跟过去，说咱看看人家是怎么上城的。

他们跟到一处柜台前，见那一对男女正在选包，这是上城首要一环，先买个包好盛东西。他们选的是个红色的大包，男的检验拉锁，女的就掰着夹缝看做工；男的问柜台小姐多少钱。小姐说三十八。男的就问女的，行吗？女的点点头，男的就付钱了。

金凤说，小姐，俺也要那包。小姐又拿一个给金凤，就打量她与大海这一对儿，眼光疑疑惑惑，大海就不自然了，不由自主地往后退，金凤就学着人家的作态检验包，然后就学着那音韵问大海，说，你看行吗？抬头见大海已退出老远。一圈人都瞅大海，大海说，忒贵，不买。金凤就大声说，你孬种。

柜里柜外的人都哈哈笑了。

金凤付过钱，买下了那包。

金凤找到大海的时候，见大海正盯着一套西装看。金凤就想，他至今还是那套退伍的军装，从未见他换身别的衣裳，大金庄集体穷得叮当响，他刘家至今还是穷光蛋——也是一村带头人，怎么能不想包装包装呢？

金凤见是一套斯达牌浅灰色西装，牌价一千八。金凤就直接说，拿套西装，就拿这套。大海回头说，买西装干啥？金凤也不理，就接过一个精致的皮革箱子，打开，说，你穿上试试。大海见许多人看他，就难为情地接过来，到一个小屋里试了，出来的时候分外气魄，走几步就潇洒得不得了。金凤见他红光满面的，就捧给他一件糜老大衬衫和一条咖啡色领带，接着就去柜上付款了。付完款还见大海对着穿衣镜看呢，就说，换下吧，还不是时候，过几天再穿。

他们又往里走，大海说，还买什么？金凤说再买一双好皮鞋。大海没吱声。快到鞋柜前了，大海才诚恳地问金凤，四姐你说，你给我买东西到底为什么？金凤说，为那一镊子。两人都红了脸，金凤咯咯地笑着跑开了……

中午，他们看完大虎，就去了太平小区，进了一栋商品楼，在三楼金凤打开一扇门，大海进去就觉眼花缭乱，心说，有钱人家真会享受。金凤说，这套房是五年前买下的，十五万呢，城里得有个落脚的地方，谈生意什么的方便，说着就打开冰箱，拿出几听饮料，一人喝了一听。金凤说，你去那浴室里洗个澡吧，我到外面给你操持个玩意儿。大海说什么玩意儿？金凤说，给四姐说悄悄话的玩意儿。大海一时没反应过来。金凤接着安排，说中午在这儿吃饭，陪四姐喝几杯，然后就睡一觉，下午我教你跳舞，晚上呢，咱上舞厅玩玩，十点钟把你送到孟老头门口，你骑车回家，行吗，我的兄弟。

大海好像什么也没听见，也没感觉到什么，只是看着金凤的那双眼睛，他觉得那双眼睛如同两泓明净的清泉……

大海回到家的时候，老爹刘二牛和叔伯兄弟大豹正在院子里说话，一见大海，刘二牛就没好气地问，你去哪儿啦，半夜才回来。

有什么事么？大海问。

二牛说，侯乡长差人找过你，找几趟没见着，会场都找遍了也不见你的人影，你到底上哪儿啦？你是个村支书，你这样做会给领导什么印象？还有没有一点儿组织性？你想到后果了吗？二牛越说越气，大海心里也一愣，金凤今天拉我逛城，是不是一条计策，要败我？但一想到金凤那一片真情，他马上否定了自己的想法。

大海好不烦躁，只好编瞎话，说一个战友结婚，去喝酒呢。

二牛说，大豹一直等你，给你说事哩。

大豹说，中午，派出所来人把我叫去呢，问我打人了没有。我说没打。那个姓郝的民警说我不老实，照腚踢我两脚，说，不说实话就铐起来。

大海说是哪个问的。

就是那个大个子所长，他妈的，可牛了，还拿盒子枪比量。唏，我怕你拿枪？我又没犯法，不怕。

后来又怎么说的？

我说打包工头的是我哥，他也挨打了，包工头住乡医院，我哥住县医院。他们就消了神到医院调查包工头，下午就放了我。

二牛说，大个子所长与金老歪他们一个鼻孔出气哩，大海，你得多提防，乡长找你八成也是这个事，金老歪把咱都告了。

告就告吧，爹，你以后少管这些事。大海堵爹一句。

二牛说，什么熊孩子，吃枪药来着，爹提醒你呢！

大海说，我心里都清楚，不用你提醒，睡你的觉吧！说着就进屋找杯子喝水。大海才离开金凤，灵魂还在金凤那儿呢，金凤给他的小玩意儿是大哥大，金凤告诉他先保密，多给四姐说说悄悄话。他们在城里一人一个脸对脸地示范了一通……这玩意儿真是个宝贝。他喜欢四姐了，他被四姐整个儿地搞乱了……他实在不想听老爹絮叨什么，他想把爹呛回去，自己再重新放一遍电影。

二牛认为儿子喝多了，喝多了就不听老子的话了吗？这小狗日的！他家几代都是贫农，贫农是革命的依靠力量，他爹是革命的，他是革命的，他希望到了儿子这一代，不能丧失革命性。他爹被杀了，做儿子的不会忘记这个仇，难道做孙子的就那么快忘了？如果不是他爹为革命做牺牲，他二牛能当上贫协主席？能当大队长、支部书记？就是你这小狗日的，能当上支部书记，还不是沾了爷爷的光，沾了革命后代的光？我们跟金老歪不是一种人。如今上头给了政策，金老歪你发财了，你还想当地主资本家？我们还要受苦受穷？可恨的是，大海这小狗日的，才多少年，就把过去忘了？整天新时代了，改革开放了，挂在嘴上，跟金老歪讲什么合作，什么团结。向人家低眉顺眼，全没一点刘家的血性！尤其见了那个小妖精金凤，就勾了你的魂魄。老子的话全当耳边风，说什么现在改革开放，说这种话，全国就你一个人……好呀，你不爱听，我偏要说，偏要你记住咱们家的过去，现在是时候了，要开导开导你了……

刘二牛想到这里，推开儿子房间的门，他的儿子躺在床上，一动不动，只朝他眨了眨醉眼。刘二牛心里有气，但他忍住了，他觉得不能像过去那样，只是吼儿子，训儿子，人家毕竟是支部书记了，也得讲究一点儿讲话策略。他跟大海说，金老歪办企业，赚钱了吗？赚了。他雇人了吗？雇了。这里面有没有剥削？有没有资本主义？如果赚钱的是我们贫下中农，这是社会主义，而赚钱的偏偏是金老歪，这不是资本主义是什么？这不是剥削是什么？

办企业不赚钱吃饱了撑的！大海冷不防顶他老爹一句。

你！……二牛被噎住，一下子气涨了脸。

办企业不雇人，叫鬼来推磨呀！大海又顶了一句。

你！……

好了好了，只有叫你来做，才是社会主义，才不是剥削。你有能耐吗？你能够让大家富起来吗？为了筹集二十万元，我费了多少劲，最后还是没着落。人家只要是走正道，遵纪守法，按我们党的政策办事，人家有办法富起来，我们凭什么眼红？大海越说越激动。对老爹念的老经，他模模糊糊、朦朦胧胧，他很困惑。他烦他老爹。

我告诉你，狗改不了吃屎！刘二牛丢下一句话走了。

大海冲他爹背影说，甭说了，我知道你恨金老歪。

大海知道爹在用地问题上毫无弹性，弄不好他会张罗党员上访的，那就糟了，估计乡里压力很大，恐怕是招架不住的。看起来跟他爹抬杠不行，还得好好说服一下，该妥协也得妥协。还有，对大豹他们也得交代一下，让他把他哥从医院叫回来。

金老歪问金凤昨天的活动情况，但听完金凤的汇报后老歪有点儿不高兴，他认为金凤没能把他的意图落到实处。

这时丁纯跑过来，说，县里的顾书记打来电话，要您去接。

老歪就知道是关于十万元的事。

顾书记电话说，政协换届的筹备工作已基本结束，马上就开换届会，问他十万元准备得怎么样了，如果参加副主席选举，十万元必须在选举前到位。

老歪想到那批库存罐头马上出手，就回话说十万元已经准备下了，马上送去。

顾书记说，那就打印选票啦。

老歪说，就打上吧，我当。

回过电话，他又把金凤叫去，问金凤，马老板说死了吗，几时来拉货？

金凤说，说死了，最多三天，明天肯定来到。

老歪“嗯”了一声，就坐到一把不倒翁似的椅子里，像个钟摆，悠来悠去。

党委副书记老仓来到大海家的时候，大海还没睡醒。大海一夜都没睡着，折腾来折腾去心乱如麻。他认为他已经动摇了，而且也有了形态，和老爹吵，足可以说明在金家事上开始倾斜，当然其主要原因是金凤把他搞得神魂颠倒。金凤缠了他一天，究竟是老歪布下的圈套还是真为那一镊子呢？要是真为那一镊子，她绝不会凑这个时候开展活动，肯定是以此作为突破口，实施腐蚀手段，达到扩建的目的。如果这样的话，昨天的金凤就演了一场十分精彩的戏。人家说演戏的是疯子，看戏的是傻子，他完全充当了傻子的角色。可自己又怎么傻的呢，白捞了许多东西还傻吗，如果不治一下金老歪，他舍得在我身上投资吗？

尽管这么想，他仍不能从昨天的情绪里解脱出来。原来认为四小姐要涉及到扩建上来，结果，不但只字未提，而且抛得很远，始终表现的是一种纯粹的儿女之情，因而也把他带入了一张无法突破的情网里，他想四姐、爱四姐了……快天明的时候才想着爱着地睡着觉。

二牛要叫醒大海，老仓拉住了，说年轻人让他多睡会儿吧。二牛说，昨天在战友那里喝喜酒呢，半夜才回来，乡长找他几趟没见着，生气了吧？老仓说，他生气也没事的，战友结婚他能不去？

老仓人缘挺好，很能体谅人的。二牛说，我做饭，一块吃吧。老仓说，在大院吃过了，都九点啦，怎么，还没吃早饭？

二牛就叹口气，到厨房做饭了。

二牛三个闺女一个儿，大海是他的小生儿，老伴死得早，眼下就父子俩过日子。老仓里外打量一下，满眼都是脏乱差的局面，一个没有女人的家，简直就不成个家。看二牛往锅里颤抖抖地添水，划几根火柴生不着火，心里好一阵感慨。又想金老板的家，两家近在咫尺，却相距天涯。就说烧火的刘二牛，他与金老歪在一起，心里能平衡吗？

老仓问二牛，大海几时成亲？

刘二牛说，还没说妥呢，娶谁家的。

老仓说，还没对象是不是？

二牛说，当几年兵原想能混个媳妇的，唉，现在的姑娘看见当兵的就躲得远，现时姑娘的思想觉悟可差得远了，就不想想，没有当兵的保卫祖国，你们能安得稳么？你说老仓，过去一提当兵的，一提贫下中农的子弟，姑娘们都热眼了，现在正好翻了个儿，怎么说变就变了呢。

老仓笑了。

二牛说，仓书记在外眼宽，碰着合适的，给俺操操心，都当书记啦，再娶不上媳妇……嗨嗨，给党丢人。

老仓答应着，一定，一定。

大海醒来，与老仓打过招呼，老仓说你快吃饭吧，吃过饭我们谈谈。

大海昨天吃了个甜枣，今天还不觉得饿，说我不吃了，咱到村部去吧。大海怕在家里谈话老爹乱喳喳，就陪老仓出了门。

老仓说，金老板扩建丝绸厂出了问题，党委政府专门召开会议研究了这事，责成我来解决，你先说说情况吧。

大海委婉地说，我们这届村干部是承认他的用地协议的，大家也都知道那地划给金家了，可是一到扩建的时候，一些党员群众反映强烈，班子里也分歧很大，尽管这样，我们也没出面制止他扩建，只是涉及到几家承包地的群众，认为到手的庄稼毁了太可惜，就出面阻挡了。

几个群众能阻挡？居然还把头打破，打人的是你叔伯兄弟是吗？党委责成派出所要严肃处理的，非抓他不行，我看，你要负责任的。

大海说，我负什么责任，我又没叫他打人。

你不要弄虚作假。老仓阴下脸来，我问你，你们当干部的不给他撑腰壮胆，他敢这样做么？还说没责任，我看责任都在你身上。你就谈谈是怎么认识的吧。

大海知道乡里已经掌握了全部情况，再打马虎眼恐怕就是个组织态度问题了，就只好说，我是有看法的，那地虽然是农杂地，群众有意见，不能硬着来吧。

老仓说所以你要做工作嘛，还有呢？

二是他光顾自己发家致富，把大伙儿和集体都忘了，大伙儿说他发展资本主义，不走共同富裕的道路，当资本家呢，那还行？村里想发展工业，让他带一带，他坚决不答应。你看，在社会主义制度下他居然敢这样，我们党组织能没个态度？

看看看看，暴露指导思想了吧。还说是组织态度，说到底是你刘大海的态度。大海，我向你解释三点，这三点都不是替金老歪说话，是帮助你提高认识的。第一点，什么是资本主义？他先富起来他就是资本主义？你没富起来你就是社会主义啦，是不？群众这样说可以理解，你绝不能这样认识，贫穷不是社会主义你懂么，社会主义里也有资本主义的东西，如果说金老歪是资本主义的东西的话，那也完全是社会主义市场经济体制的产物。我也做了调查，他富起来之后为大金庄没少办实事，很少有人说他为富不仁。对县乡两级也是做出巨大贡献的，不能因为没达到你的目的就找理论根据，现在企业的效益普遍不好，人家也有难处，得谅解。二呢，金老歪是私营经济的典型，对这类典型得给予全方位的支持，使党的私营经济政策充分体现出来，你不体现，反而设卡使绊子，这就是原则问题了……你别忙，等我说完第三点，金家公司可是咱乡的利税大户，对乡财政的添补很大，侯乡长是抓这一块的，临来，他又专门作了安排，说你刘大海对这个问题真要阳奉阴违，他绝对对你不客气。大海，我就说这三点，这三点足能使你认识到位了。

大海想争辩什么，张张嘴也没说出来，他俩也没到村部去，就愣在村口一片树荫里，大海坐在一块石头上托着腮，老仓马步似的站着，瞅着大海的表情看效果。好大一会儿，大海正想说什么，一辆警车就呼啸着开过来，发出刺耳的声音，车后扬起一团尘埃，立时就模糊了一片庄稼。车在他们身前戛然刹住，大个子李率先跳下车，随后跟下两个干警，全副武装，器宇轩昂。

大个子李与老仓打声招呼，劈头就问大海，刘书记，大虎他人哪，得抓他，熊玩意，把人打伤了，能跑了他。

大海说没见大虎。

大个子李就命令两个民警到大虎家去搜，又说，他媳妇也参与了，一块抓来。

两个民警就飞也似的奔大虎家了。

大海当干部虽然日子短，但也觉察到这是虚张声势，敲山震虎，软硬兼施向他施加压力。大虎住医院派出所是知道的，要抓就去医院抓个稳的，来这里瞎咋呼什么。幸亏大豹没听他的话把大虎叫回来，真把大虎抓住，他大海就肯定不好看了。大虎没真胆，一脚就踢出他的实话来了，准说是大海一手安排的。一个支部书记指使他的叔伯兄弟去打破人家的头，在哪个理上也讲不过去。大海就分外热情了，与李所长握手问候，说当干部的没尽到责任，给领导添麻烦，真不好意思。

大个子李说，刘书记不必客气，没有什么不好意思的，这也是我们应尽的责任，确保一方平安嘛，说着就呵呵地笑了。

大海说，咱们不在这里坐了，到村里去，上午都不能走，我还没陪领导吃回饭呢。

老仓说，有这个必要么，只要解决了问题比吃饭好。

大李说，这大金庄我跑得路上不长草，还真没在村里吃过饭呢，刘书记既然说了，我们不推，仓书记，咱就给他彻底解决了问题再走。

大海就赔笑应酬，谢谢领导，谢谢领导。说，仓书记，你们就上车吧。

大海用大哥大与金凤联系，一拨号码，通了。

四姐，我是大海。

哎哟，大海呀，你怎么现在才给四姐说话呢，你知道给你小玩意儿是干嘛来的？说悄悄话呀。

四姐，你现在干吗呢？

大海，四姐做了一个怪梦，真好笑，你猜猜看？

这个……四姐，我猜不着的，你晚上得闲吗，咱们聊聊，我当面猜。

今天怕不行，公司要发货的，在等车呢！

多大的生意，还要你亲自过问？

一百多万呢，老头子身体不太好，走不开呀！

……

大海，四姐喜欢你，会给你个时间的，等着吧。

我一定等着。

大海喝多了,送走了领导,他就倒在党员活动室里睡了,一觉睡到上弦月立在街头。大海晃晃悠悠往家走,快到门口的时候遇上大虎,大虎显然是刚从他家出来。大虎说,是大海呵,恁晚才回来。大海问,你怎么回来啦?

大虎说,医院做了好多样检查,检查结果说没伤,就把我撵出院了。

几时回来的?

天黑的时候,回来就去找你了,与二叔拉呱哩。

大海说,你不要露面,派出所正抓你呢,天明你就躲起来。

大虎连声应着,仓皇地走了。

大概是害怕了,把他折腾成这样,大海心里就不大好受。

大海走进院子,见爹正歪在枣树那里闷不作声,看上去像一堆沉重的暗影,不觉几分心酸。他问爹还没睡?爹支吾着说,等你呢。就又沉闷下来。大海看出爹在想心事,也不打扰,就进屋打开黑白电视,在当门地上铺张席,边睡边看。看着还在想,爹又想哪门心事呢?

二牛的心事是大虎带给他的。

天黑的时候,大虎眉飞色舞地来找大海,要报给大海一个好消息,大海不在,就把好消息说给二牛。

大虎说,今儿中午他到医院外边吃西瓜,见瓜摊前聚着几个外地人也在吃西瓜,他们有的已经吃完,正在洗手,见大虎过来,洗手的人就随口问了一句,说师傅去大金庄怎么走?大虎说我就是大金庄的,你问巧了。那人就很客气,拿上一包烟让大虎抽,说我们是去大金庄拉货的,一块去吧。大虎见旁边停着三辆大汽车,就问拉什么货。那人说拉金老板的罐头。大虎一听,心里咯噔一下,想,咱报仇机会到了,金老歪,你等着瞧吧。他把那几个人拉到一边,悄声说:那罐头变质啦,你买回去当饲料喂猪?你们是养猪专业户吧。

几个人同时吸了一口冷气,面面相觑,接着就嘀咕,说一百多万的货呢,万一到那里再发现问题就被动了。于是作了决定,返回,车就往回开走了。

大虎心里高兴,一气吃完八斤西瓜,金老歪呀,你太富了,你富得让俺不舒服呢……

二牛听着听着脸就变了,二牛说,大虎,这事可就做得不对啦。

大虎说,二叔,我这两天没在家,你报完仇又和金家好上啦?

你说什么混账话。二牛瞪起眼,仇归仇,怨归怨,不能黑了良心,大虎,你这是办了缺德事。

大虎就往近处套,说他不支持大海的工作,我能不操他?

二牛说,你操得也太过分了吧,这是仨钱萝卜俩钱葱?人家是一百多万的生意，你一句话戳丢了，这钱虽然咱捞不着，可总归是咱大金庄的财富啊！好狗还护三村哩，你不如一条狗。

听二叔这么一说，大虎就目瞪口呆，意识到这事做得确实过分，况且是让金家倒了霉，自己并没捞到好处，仅仅是吸了两支烟的好处，良心上是真的亏了。

二牛就觉得有块石头压上了心，事虽说是大虎做的，可大虎是受了他的耳濡目染才做出这种缺德事的，这么说，他成了坏种啦。

刘家为什么世世代代受穷？儿子为什么说不上媳妇？他为什么落得寂寞清寒？啥事老天看得清，天网恢恢，疏而不漏。可我刘二牛一辈子走正站直没做过亏心事呀，与金家有仇是不假，仇归仇，恨归恨，暗地里捅刀子的事，他从没干过。虽然"文革"时变着法儿整治过金老歪，他曾生出个点子，寒冬腊月天专在夜晚折腾金老歪，他专门盯着老歪家的灯光，灯光一熄，他就会猛踢大门，高声叫道，金老歪，快去大队部，审查你哩。老歪还没暖热被窝子就得赶紧爬起来，衣服像铁片一样冰得透心凉，牙帮骨咯咯响。半夜回来再暖被窝子，就又受二遍罪。后来老歪摸透规律，和衣歪在床上就熄了灯，刘二牛喊他开会，他就装模作样一阵子走出来，少受一遍折腾罪。

这虽然有点儿过分，比起其他村那些残酷的整治手段算什么？什么都不算，是阶级斗争的需要，时代的要求。他当然也认识到，金家杀的是农会主席，是与金家对立的阶级，而不是无缘无故杀死了他爹，他与金家是阶级仇，退一步才是个人恨，如今不搞阶级斗争了，只落得个人恨啦，恨也不能黑了良心啊。

尽管他对金老歪打了、骂了、折腾了，但金老歪还是赞成刘二牛人节人品的，当金老歪被打入十八层地狱，又被革命群众踏上一只脚的时候，金老歪的三女儿到田里挖野菜。刘二牛有个侄儿叫大强，大强盯上那个挖野菜的三妮，从一片棵子里蹿出来，抱起三妮就要施暴，正赶上刘二牛巡查庄稼，二牛大喝一声抓住大强，叭叭先打两个耳光。大强一看是他二爷，说二爷，一拃没有四指近，你还当真打我。二牛就又打了一下，骂道，你行伤天害理事我能给你论远近？走吧，二爷送你去公安局。大强害怕了，说二爷，金家与咱有人命案哩，我有意作践作践金老歪，也算替你雪恨呐。二牛说，这不叫雪恨，这叫缺德，给刘家丢人呢，走吧，不去公安局就听金家发落。二牛揪着大强的耳朵去见金老歪。金老歪以为又喊他开会呢，慌慌地迎出来。二牛说，老歪，大强欺负你家小三哩，你说咋办就咋办。大强扑通跪倒，说金家大叔，我不是人，我是畜生，我保证永不再犯，饶了我吧。金老歪的小三是鬼精的女子，就咯咯笑了，说，大强哥追我玩呢，没有那事，没有那事。金老歪就连忙扶起大强，冲二牛说，他们小孩子家玩呢，主任，您甭生气，大强可是个好孩子哩！这事永不再提，永不再提。

刘二牛为给自己爷们儿赎罪，让金老歪仨月没扫街，还少挨了几场斗。

大虎见他二叔从根本上否定了他的做法，就心虚气馁，结结巴巴地说，二叔，看起来这事不能告诉大海喽。

二牛说，大海要是知道，他一准打烂你的嘴。

大虎就更是惊恐不安，惴惴地溜出去，路上遇见大海，自然就行迹仓皇啦……

二牛到底是二牛。二牛沉闷了许久，终于来到儿子身前，他向儿子说，要是上边压得紧，就叫金家动工吧，硬顶怕是顶不住。

大海觉得爹在说梦话，翻身坐起来望着爹，很惊讶。见爹一脸的诚恳就点了点头，说，迟早得让他开工的，但也不能立马叠桥，得捂捂大伙儿的嘴。

二牛说，也别太耽搁，个别党员真有意见，我能去劝说。

二牛说完就进了里间屋。二牛觉得他能睡着觉了。

金老歪自那天咳嗽起来就再也没断溜，喘气也不能光靠鼻孔，一半得靠嘴巴辅助。他胸中憋闷，认为得了肺气肿。老歪得病一般不去看先生，他很会调节，也很会保养，缺什么补什么，什么多就排什么，过不几天也就恢复了。城里小区那里有个吕先生是老中医，与金老歪的商品房是邻居，他给老歪提供了许多保健常识和医疗偏方，老歪很崇拜他。老歪打算住几天小区，叫吕先生看看，可是这批货该出手了没出手，他放心不下，迟迟没去。晚上十点钟，客户马老板终于打来电话，马老板说，金老歪呀金老歪，你几时学的歪心眼呢，我的一百多万差点儿打了水漂儿。

金老歪说，你说的什么话，我听不明白。

对方说，你心里很明白，我买你的是鲜罐头，不是猪饲料，你把准备卖给养猪场的猪饲料卖给我，我是罐头商人，不是猪场场长。

老歪说，你不要胡说八道，你验证完的产品能说猪饲料？你有什么证据？

证据确凿。今天中午，我们拉货的车到了你们县城，遇上你们那儿一个人住院看病，他亲口告诉我们，说你那批货已经变质了，正准备卖给什么上水乡养猪场喂猪呢，结果你打八折来坑我，金老歪，咱们走到头了，再见，就扣死了电话。

金老歪的耳朵“嗡”的一声，一股血直冲脑门，只觉天旋地转，就倒在了沙发里……

金老歪还算有肚量，他很快就平静下来。待金鼓金锣把金家的家人都招来的时候，金老歪已经有了笑容。他说我没事的，刚才咳嗽得厉害，差点儿憋过去，过那阵儿就好啦，都回去吧，各干各的。

金老歪很注重自己的影响，他始终把自己看作是棵参天树，他们都是绕树的藤，树一折，藤还怎么绕，说不定就四伸八展乱套了。

金老歪心里有数，他是真的病了，无论怎么调节，怎么保养都无济于事，那病就是扎扎实实长驻不退，而且与他较起劲儿来，他深感不妙，就做了番准备，去小区住几天，让吕中医给治疗治疗。他打算夜里走，让金鼓和大女儿金仙陪同就行了，安顿好就让金仙再回来，他不想拖累太多的人。走呢，他不让下边的人知道，金老歪办事很谨慎。

临走，他把金凤和丁纯叫到自己的书房，他们两个是金老歪最得力的亲人，公司内阁也仅由他们三个组成。是夜逢秋，漫天爽着麻秆儿细雨。立了秋，哪儿下了哪儿收。门外哗啦啦，屋内乐哈哈。此时，大金庄的庄稼人无不陶醉在久旱落雨的喜悦里。唯金家没种庄稼，只在天井里种了几株加拿大月季，开得十分热闹，雨打花瓣，飘飘洒洒，淅淅沥沥，却播一庭凄凉的愁情。

金老歪心中忧郁，神色黯然，未曾安排先发一声感叹：看起来，我们只能富起来，难以富下去啦！

丁纯接过说，我查清了，那笔生意是刘大虎捣的蛋。

金老歪一扬手，示意丁纯不要说这些。金老歪并不去追究哪个人，也不追究这件事，那都是现象，他是透过现象看本质的，他的感叹是着眼于实质问题的。他接着说，本来呢，我打算不惜一切挤进官场，自古官商一体，商是官的基础，官是商的继续，如此看来，难以为继啦。他兀自摇着头，扬起脸，长出一口无奈的气。

丁纯很吃惊，就改了一贯的称呼，说，叔，你不打算当那个政协副主席啦！

命都保不住啦，还当什么官呢！金老歪异常平静。他说，不过那块资金还是要拿的，我给老顾许下了，不拿不好，从长计议，也还得拿的，丁纯，你就从扩建费里取出十万吧，明天一早送给顾书记。

丁纯说，扩建费怕是动不得，一旦开了工头痛事就来啦。

老歪说，还头痛什么，不头痛了，我们不再搞扩建。刚才我不是说了，我们只能富起来，难以富下去。

一说不再扩建，丁纯和金凤都睁大了眼睛。

老歪说，没有什么大惊小怪的，该进的一定进上去，该退的就一定退下来。丁纯，工头一出院，你就给他结账，每天两千元的误工费一分不少，除外再给工头一千元的补养费。就这样吧，要办利索，去吧。

丁纯走了，就剩他和金凤爷俩。老歪看一眼金凤，忽然动了亲情，眼圈红红的，似有千言万语。金凤望着爹，说爹，你有话就说吧。

老歪说，小四，嫁吧，还是嫁出去吧。

金凤愕然，说爹，我怎么能嫁出去呢，我不能离开公司，更不能离开您呀！

小四，我反复考虑了，还是嫁出去吧。昨天，我与杭州洪老板用电话谈过这个事，他还想着你呢，你能帮他治理公司，研究生儿子也很想娶你，洪家也是书香门第，大商巨贾，到那里你会得到充分施展的。

爹，你得让我好好考虑一下，我走了，你怎么办呢，爹。

不要考虑我，先考虑一下你嫁的事吧。小四，如果我死了，公司你是不可能撑起来的，你三个姐夫都是外边的人，在大金庄更难立住脚跟，与其让你们苦苦支撑，不如另作他计。小四呀，好好想想爹的话，接着一声哀叹。

父女相对无言，只是垂泪。老歪说，小四呀，这些年你为公司付出得太多啦，爹把你耽搁得也太久啦，我儿，就原谅爹吧！

爹，你还说这些干嘛，我真怕爹有个三长两短的……金凤就俯在爹的腿上抹眼泪。

小车进了院，一切都准备停当，该动身了。金凤扶爹出了书房，门外秋雨绵绵，花瓣儿落了一地，金凤小心翼翼地走过去，她觉得那是爹喷出来的一腔鲜血……

刘大海频频传情，非要金凤与他见面不行。他那颗大男人的心已经被金凤撩拨得难以控制，一而再再而三地邀约。可人家家里出了那么多恼人的事，能有那个雅兴跟你约会吗？金凤就一次次回话说，大海，四姐答应过你的，不会食言。大海就急切地说，四姐，我想死你啦。金凤就说，大海，四姐也想呢！

大海心说，你金家的事还没完呢，一旦放你开工，你会是个什么样子？也许像过去那样，十几年不说个话呢。尽管上头压得很紧，大海就是松松垮垮不让金家开工，就连他爹刘二牛也耐不下了，他给儿子说要讲点儿德性，早比晚好。大海说，爹，你不懂，我有戏呢。

大海的戏就是想重温和四姐在一起的梦，那梦太美了。那天学跳舞，他踩了四姐的脚，本来是不重的，可她却痛得掉眼泪，他认定四姐是爱他的！他应该展开攻势，主动追求，到时候金家的公司不是姓金而是姓刘。

金凤没法，就约了大海，下班之后就调整起情绪来，总不能带一腔的烦恼去约会吧。

金凤的小车开出大金庄的时候，夜色就张开了轻柔的翅膀，缓缓扑下来……刘大海在大西河的老柳树下上了车，他们沿着西河大堤开得很远很远，他们很怕大金庄的人。

大海一上车就激动得不得了，托起金凤的一缕长发捂在鼻子上，说四姐，真香，你用什么洗头发？

金凤说，奥妮皂角洗发露。

大海就忽然想起那个做电视广告的女人，居然和金凤一模一样，就说，那个做广告的八成就是四姐你呀。

金凤笑了，当然是我喽。

大海说，四姐，天底下我看你最美，谁也比不上。

金凤就咯咯咯地笑开了，笑得很响亮。大海就觉着一串一串的花絮扑到他脸上，很好受。

他们在一片河滩里停下车，那晚的月亮还没鼓起来，河滩却是一片清明，河心还有一湾薄薄的浅流，缓缓地流动着，悄无声息。

他们挨肩坐在了水的边边上。大海说，我先向你吐露吐露心声，说到底也是大金庄的宏伟蓝图。

金凤说，我就知道俺兄弟不是凡夫俗子，说说看，让四姐激动激动。

大海说，四姐，大金庄的工业潜力异常深厚，大办工业是我的选择，我要抓住乡村企业二次创业的机遇，一定要办成像你家那样的大公司，走贸工农一体化、产供销一条龙的路子，变资源优势为市场优势，变产业优势为经济优势，我决心在任期三年内，带领大金庄的三千父老乡亲全面实现从温饱向小康的跨越。

金凤沉吟片刻，说，大海，不是我泼你的冷水，你的规划很宏伟，愿望也是好的，但你实现不了。你不是办企业的人。为什么？大海很生气。金凤温柔地笑了，说，一时半刻也跟你说不清。咱不说这个，我要告诉你，我要嫁给杭州丝绸公司的洪老板做儿媳，他的儿子是研究生，按说我不配，可洪家却认上了我，洪家是要我金凤这个人；大海呀，你是不是也想娶我呢？要是想娶我，你是娶我的钱，娶我的公司，是吧，大海？

大海感到一阵心凉，看起来金凤真的要嫁，而且对自己只是喜欢，并未倾心，就十分痛苦，只好艰涩地说，四姐，我也是娶你的人，我对你一片衷情呵！

金凤见他一副凄惶的样子，心就酸了，深情地说，大海，原谅四姐吧，四姐不能嫁你。

大海说，你不嫁我，我嫁你行吗？

金凤说，你也不能嫁我，恕姐说句真心话，大海，你不配。

大海无话可说了，他努力克制着内心的苦痛，随手折根枝条，发狠地抽打着那一泓清水。

月色很美……

他们上了车，金凤就劝说，大海，你不可办企业，我给你二十万只够你一年亏的，四姐的话也许过了头，但你不可实践，除非另请高明。

大海一声不吭。

金凤说，我临走一定给你二十万，这二十万不是让你办企业，而是让你办农业，大金庄不是工业潜力大，而是农业潜力大，你就发展“双高一优”农业，可以走以农带牧，以牧促农，农牧结合，提高效益的良性循环路子。这也是大农业的路子，大海，你调整思路吧。

大海无动于衷。

金凤回头看他一眼，说，大海，你往心里去呢，四姐不坏，四姐是大金庄的人呢，你按四姐的路走，四姐保证供你资金，缺多少，给多少，这行了吧。

大海还是一言不发。

金凤又回头看他，他已经泪流满面了……

他们刚刚到那棵老柳树下，金凤的手机就响了。是老爹打来的，要她立刻过去。

金凤要大海下车，大海问什么事。金凤也不隐瞒，说老头子大概病得厉害，在小区治疗呢，肯定有急事，我得过去。

大海就坚决不下车了。说我不知道便罢，知道他老人家病了总得去看看吧。金凤一想也是，他是村干部，应该去的。于是就关上车门，奔县城飞驰起来。

车一直开到小区那栋楼前。他们刚进楼梯口，吕先生正好从楼上下来。吕先生说，金凤，来看你爹吧？金凤说吕叔，我爹的病怎么样了？吕先生摇摇头，说，他恐怕撑不了几天啦，他心里很清楚，你干脆把他接回家吧。

金凤就什么也不顾了，直往三楼跑，才到二楼，就听见爹的咳嗽声，那声音就像一辆木轮大车顺着陡坡向下滚，你就觉得那车轴里一点儿油星也没有了，难听得揪心。

金凤推开门，尖叫了一声爹，就扑到爹的床前。

金老歪仰卧着，正要与闺女说话，见后边跟进了刘大海，就撇开金凤，强撑起身子，堆一脸笑容，说，刘书记也来了，还来干吗呢，村里一摊子，忙。

刘大海看了金老歪，异常吃惊，本来好端端的说变就变得瘦骨嶙峋了，才几天的工夫竟苍老了十年，看上去真的活不长了。

大海握住老歪伸过来的手，说你老病重也不告诉村里一声，大伙儿都不知道呢，听四姐一说，我就陪她来了，看你。

金凤见爹病得不成样子，想他真没有几天活头，就一阵悲痛，扑倒在爹的身上，哭出声来。

老歪说，小四，快起来，哭的哪门子，爹还好端端的呢。坐过去，爹有事给你说。

金凤只好抬起脸来，泪眼蒙眬，听爹说事。

老歪说，叫你来是安排你出嫁的，顺便把我接回去，回去打发你出嫁。

爹，俺还没来得及考虑呢。

无从考虑了，爹给你当最后一回家。今天与洪老板通了话，明天一早你就去杭州，他们一家到城外接你，说要在西湖宾馆为你举行隆重的婚礼，小四，爹祝福你吧。

咯啦啦一串响雷，把金凤击得失魂落魄。金凤七岁就没了娘，老歪怕她记起娘来大动感情，就吊起脸子，说小四，出嫁是个喜庆事，哭什么的，爹还没死呢，坐下去。

金凤就乖乖地退到一边坐下，她不能跟爹别扭，这当口更不能惹爹生气，她已经很懂事了。她开始向深处理解，她的事之所以急转直下，这说明爹已经知道他将不久于人世，如若迟迟慢慢，丧事就很可能赶在婚事之前，那样的话，金凤又要耽搁一年，为爹烧完周年才能出嫁，这是风俗。

金凤向爹点点头，说爹，我听你的话，我嫁，你接着说吧。

金老歪就断断续续交代闺女那一环又一环的程序，那一串又一串的礼节……说到金凤只身独往，不免又感叹后继无人的悲哀，这时大海就从沉闷中站起来，真诚地说道，金大叔，四姐无大兄大弟，我就当一回她的兄弟，陪四姐出嫁，同去杭州，也算娘家的客吧，你老一定答应。

金老歪十分感动，又重新握住大海的手，说，表侄，老叔就劳驾您了，由您做娘家的人，我一百个放心。于是就交代大海当好客，办好事，三天后，陪小四回家门。家乡的风俗，咱不改。

金凤又叫了一声爹，想哭，被金老歪拿眼瞪住了。老歪说，小四，回来后车也用不着了，就送给大海，村里事多，也好方便。

金凤点头，说，爹，我送。

老歪安排了夜宵，说，既然是最后一顿团圆饭，又是请大海当客的预演宴席。菜上了一桌子，老歪情致甚高，就强忍着喝了一点儿，大海与金凤自然牵起了许多情思，直到黎明前四点钟，才启程上路，回大金庄打发金凤出嫁。

小车里，大海和金凤一边一个护扶着老歪，老歪的身子一直打着战，上了车就嘎嘎地咳起，咳出的全是一摊摊的鲜血，一直咳到出了城才渐渐稳下来。金凤就哭成个泪人。

老歪说，小四，天快明了，天明，你就启程，哭得肿眼泪脸的，像什么！

金凤止住哭，看一眼东边，东边已裂开一条狭长的灰白，黎明与黑暗在那里急速交替，很快，晨曦烘托出大山的影子，挺起鱼背般的脊骨，那些远处的建筑和近处的村庄也从一幅幅碳色的剪纸中显出本来的形体，涂上一层鲜嫩的曙色；一只早醒的白鹭，禁不住黎明的诱惑，在小车的上端尖叫了一声，倏地划向高远无极的天空。金凤隔窗望着那个亮亮的白点，就觉得自己已经走在出嫁的路上，去一个陌生的世界，去迎接一种全新的生活——一个遥远的梦就这么恍然间来到了眼前，爹呀，你给女儿的爱情画上了一个多么简单的句号！

人家出嫁是无比的激动和欣喜，而她却是一腔的愁情和凄凉，置水火于一体——她能做个合格的新娘吗？她忽然记起看过的《人生》电影，电影里的主人公巧珍在极度的悲伤中出嫁了，出嫁的场面越是异常的隆重而热烈，你看了越揪心、难过。她正扮演着现实中的巧珍。幸好大海陪她一路，多少还能转化转化角色的心境。

金凤只觉得被一种青春的激情鼓荡着，连周身的血液都在加速度奔流……她侧身看大海，见大海一副凄苦的愁情，就说，大海，不是叫你戍边，是陪四姐出嫁呢，为四姐高兴才是，干吗吊丧着脸。

大海说，我在想别的呢，四姐。

金凤说，你什么也别想啦，就想天明是个好日子，四姐出嫁。

大海就转向金凤，深深地点着头，笨笨地说，四姐，我高兴。

金凤说,高兴就打起脸来向前看。

大海就挺起身子面向前方——前方,在已经开朗、已经高去的天底下,展现出一片肥绿油亮的玉米。玉米鼓大了穗包,甩开美丽的红缨,正迎接着扑来的花粉——又一个丰收的季节快步走来了。看见庄稼,想起农业,金凤要他发展双高一优农业,也许真的切实可行。金凤坚决反对我搞企业,难道我真的不行……四姐啊,我应该真诚地告诉你,我的心不像大海……

车拐进大金庄的路,驶入早秋的清晨。清晨有雾,淡淡的。淡淡的晨雾织起一匹匹淡蓝色的青纱,青纱在前方的路上编织出一个奇妙的图案,美得如同早晨的梦。金老歪神志清醒,凝神盯着那个奇妙的世界,他叫一声,小四,你看见前方那个境界了吗?金凤说,爹,很美。

老歪说,是的,很美,可我们就是永远进不到那个境界里……

(选自《北方文学》1998年第8期)

杨恒标

1952年出生于山东省滕州。1970年高中毕业回乡当农民,当过铁路工、河工、做过小生意。1989年进乡镇当新闻报道员,后从事文秘工作。1980年开始发表小说,主要作品有《洁白的洋槐花》《铁轨伸向远方》《七月汛事》,短篇小说40余篇,共计30万字。

1960 年的乡村

星 竹

一

大队长赵山一整天都显得心神不宁，吃了晚饭，他便匆匆离开了家。他是去看藏粮的地点了，他对那个藏粮的坡洞越来越不放心起来，像是有什么事终会发生一样。

眼下，他走在漆黑的小路上。几天来，他总觉得自己是干了一件蠢事。进而他也就想到，自己可能会因此去坐牢，或被杀头。被杀头的想法在他心里“咯噔”一下，他立刻忐忑不安起来。他走得很快，脚下的急骤使他的耳边有了呼呼的风声。他被五花大绑的影像，突然很逼真地在他的眼前晃动起来。黑暗里，他看到村人都站在道路两旁，目光又冷又硬，看着他被县里绑走。现在他的眼前总是出现这样可怕的镜头，尤其是在这黑暗里。

自从季节进到深秋以后，他就发现那个藏粮的地点其实一点儿也不可靠，或说是十分的糟糕，情况和他在夏天的判断完全两样。这使他感到一阵阵的恐惧。

此刻，他走得很急，像是事情已经完全地败露，他得赶紧去补救一样。其实自从秋天藏粮以来，他就没有了一刻的安宁，心里总是这样翻来覆去。他被死死地陷在了自己设计的迷障里而无法自拔。

这是北方深秋的季节，大地已是一片空旷，田野里飘荡着一缕瘦弱的荒草气味儿，空气中漫着饥荒年月的清冷，让人想到干瘪的植物。路上极静，能听到地里的鼠叫声，吱吱啦啦的，像是饿得在啃石头。

赵山从家里出来的时候，天色已经黑透。当他走到村口时，便连路也看不清了。北方十一月的黑，才是真正黑，黑暗像水，一层层浓重地扑将过来。人走在路上，就像蹚在漆黑没顶的水里，全身都不自在。

然而这黑暗却给赵山带来了稍许的安全感，他喜欢这样的黑，但他依然很小心。他不时地回过头去，向身后看上一眼，这一眼通常都是又快又仔细，并极力要看得远一些。其实在这样的黑暗里，他是什么也看不见的，但他抑制不住。他知道这个时间身后根本不会有人，可他不能不看。事情的重大，让他一直这样紧张。寂静里，他能听到从自己喉咙里发出来的那种干涩的响动。他在查粮的路上，总是这样提心吊胆，简直就像提溜着自己的脑袋一样，全身的血液都跟着膨胀。

他知道，他现在的行为是在和公社对着来，也是在和政府对着来，是死罪。所以他不敢往下细想。现在他虽然还是正常地活着喘着，自由着，可他却有着一种虽生犹死的体验。

对于张庄今年少交了粮食的事，公社已经有所察觉。这两天正在一块地一块地地估算着他们今年的实际产量。事情时而隐秘，时而又很公开。整个张庄被罩在一只可怕的大网里。尽管天气旱成这样，但公社知道，张庄的地里并不是颗粒无收。

想到公社的追查，赵山就感到浑身燥热，有时他还会不自觉地颤抖起来。这会儿，他身上的汗水顺着脊梁流到了腰上，很不舒服。尽管季节已经到了北方寒冷的十一月，但惊恐还是让赵山常常盗汗。

黑暗里，赵山瞪着眼睛，努力地向左右看去，但他的视野还是一片模糊，他使劲地甩甩头，希望把可能的危险看得仔细。可他看到的却又是那个铺展着几具尸体的场面。他不觉激灵了一下，尸体在他眼前像秫秆槐柴一样，干枯得没有了水分，在黑乎乎的夜里，又像是几根黑黑的木炭。

这是春上，大队里活活饿死的两具孩娃的骨肉。这景象就像干旱的土地，深深地刻在赵山的心上，密密匝匝地无法摆脱。他还隐约地听到村街上女人们的哭唤声，泪水在脸上网网皱皱，与干裂的土地相接，分不出是人脸，还是土地了。哭声在黑暗里时远时近，伸手就能舀起一瓢一碗泪水的模样。大队里的吴爷也饿死了，当然他也是有病。这也是今年春上的事，吴爷柴草一样支支棱棱地皮包了骨头，死时已经丢了人形。可公社不让说是饿死的，上面也不让说。死人是有指标的，不能无故地超额。

事情真是太可怕了。在全县的统计中，张庄的死人比别村多了两个。而险些饿死又挺将过来的人，差不多占了全村人的一半还多。已经七八个月了，人们活得依里歪斜，能吃上一口成了最大的事情。天在闹鬼，人们总是抬起眼睛，愤愤地看天，人们都在恨天。

藏粮，必须藏粮。这是大队长赵山从春上就隐约有的一个想法，嗞嗞啦啦地拧着他心里的一股血浆。一定要想个办法，以对付这漫天漫地的饥荒。然而直到藏粮之后，他才真正地体会到，这天下的事情，有些是比饥荒更为可怕的。

现在，张庄因为明显地少交了粮食，而面临着一场灾祸。

公社的王干事突然在藏粮之后，到张庄来蹲点了，这几天他吃住都在村里，脸上紧紧绷绷的没有一块好颜色，灰灰土土的，像是挂着一层黄锈。表面上，王干事是来检查今年村里的工作的。可饥荒年月，大队穷得叮当响，看啥啥都干瘪，哪有什么工作好查。王干事背后的任务是来查粮，却又不说查粮。

王干事在玩猫捉老鼠。

自从王干事来到大队的那天，大队长赵山便感到了白天行动的危险。他一直利用村人吃晚饭的这个空当，来查看坡洞里的粮食是否完好。他担心饿极的柴狗嗅到气味，会拱开坡洞上的那块石板。

现在真是危险，藏粮的事情不知什么时候就会暴露，赵山总有这个感觉。自从王干事来到以后，他每天都在这样嘀咕，心里不知什么时候就哆嗦成一团。

他更没有想到，深秋季节开始吹荡起的北风，会使人离得坡洞很远，就闻到了粮食的香甜，这真是糟糕。尤其黄豆子的味道更是十分浓烈。北风已经刮了三天了，粮食的气味粉尘一样弥漫在空气里，人们都不自觉地伸出了舌头，在空气里吞咽着这个气味，这曾使赵山吓出了一身冷汗。副大队长柳存生，以及大队干部老朱也都明显地闻到了，他们同样都捏着一把汗。暗地里，他们希望人们永远只是把这当作一种饥饿中的幻觉，而不要弄出什么别的。

因此，赵山开始害怕这种有风的天气。气味这东西真是无法遮掩，在饥寒的年月里，人们对粮食的味道有着一种特别的敏感。人们站在路上，总是下意识地对着坡洞的方向吸鼻子。

今天下午，赵山突然看到一只柴狗嗅着地皮向坡地上走去，他的心都跟着提了起来。可他不敢在白天走向坡地，他是怕暗中王干事的眼睛会瞄着他。

因此整个下午，他都坐立不安。石板被掀塌的“哐当”声在他心里反复不停。他的眼睛都被震出血来，红红地总是瞪着坡地。这会儿，他急急地走在通向坡地的小路上。尽管他知道，这个时间路上很少会有人走动，但他心里仍是说不上来的不踏实。

他不时地停下脚步，听一听身后的动静。

这几天，王干事的到来，使他的心里无法克制地老是冒出一些可怕的念头，如果王干事找到那两吨藏粮，他和副大队长柳存生，以及干部老朱，不但要被开除党籍，就是蹲监或被杀头的可能都是有的。

更糟的是，明年县上给张庄的返销粮就要一笔抹销。这说明，张庄明年还要饿死人，也许会饿死更多的人。这让赵山一阵阵地从心里打冷战。问题十分严重，而藏粮的可怕后果就像这漫漫延延的漆黑一样，紧紧地包裹着赵山，让他无法摆脱。

赵山在黑里瞪着眼睛，耳朵注意着四处的动静。现在风全住了，四下一片寂静。夜晚的特有凉意扑扑落落地打在他的身上，死静中间，只有他自己的脚步和衣服的摩擦声噼里啪啦。打了过多补丁的裤子，此刻的响声就像薄铁皮一样咔咔嚓嚓，老远都能听见，他只好把脚步再放慢一些。

二

下午，王干事找了他们几个大队干部，一起学习了中央文件。王干事手上捧着一本卷了边的毛选。王干事念了《愚公移山》，后又学了毛主席关于抗战的若干文章。那时赵山不觉暗想，难道饥荒还要延续八年吗？怎么学起了抗战的文章？于是他恍惚起来。

王干事念毛选的时候，非常用力，像扛山搬石一样，仿佛要把那字句抠出来死死地贴在每一个人的脸上。而几个村干部却因为肚里的缺食，腹部不断地发出咕咕的叫声，很像是一种对抗。王干事好像知道大家是在对抗，他不时地停顿一下，把毛选合在膝盖上，用眼睛冷冷地扫着赵山和柳存生。可大家肚里的叫声却依然响亮，无法克制。到后来，王干事自己的肚子也叫了起来，这真是没有办法。

王干事的脸色与饥荒中的村人没有两样，被年景涂抹得一层菜色，瘦黄得老像是要掉渣儿。但王干事第一天来的时候，便带头吃了一顿玉米核儿硬窝窝。是把无一粒玉米的棒核核儿磨成面粉，不掺一粒粮食，也不掺一片菜叶，如石灰一样地吞进肚里。

吃这顿饭的时候，王干事是在队委会的大院子里，院门大开，两扇门板敞得笔直。他捧着粉末一样的硬窝窝，嚼得咯咯吱吱，满嘴的声音像是斧子在劈柴。仿佛临来的时候，他特意安了一副铁嘴钢牙，那情景令人惊异。

人们没有想到，书生模样的王干事竟是这样厉害。看来饿极的时候，他还敢带领大家去咬石头。

王干事刚刚入了党，灾荒的年景，县里公社里都突击地发展了一批年轻的党员。“人定胜天”的口号如洪水一样铺展得漫天漫地，还用红纸贴在豁牙露齿的墙上，又清又脆又醒目。王干事就是带着这样的豪迈，把党的事业重于泰山地带到了张庄。他是主动要求到张庄来蹲点的，因此，他的到来，就使藏粮的大队干部们感到异常的畏惧。

其实，到了这个时候，藏粮的举动并没有被人发现，也没有什么不好的迹象发生。两吨粮食，玉米、黄豆、谷子等，都原封不动地放在土坡上的地洞里。但赵山感觉要出事情的念头依然强烈，当然，他希望这只是他的错觉和瞎想。

北方深秋的夜晚真是很凉，各种鸣虫因饥饿都早早地钻入了地下。大地冷而静，脚下已是一片冻土，但赵山身上的汗水却一直不肯落去。他心很急，如果坡洞里的粮食被柴狗拱了出来，一切就麻烦了。

他七拐八拐就到了通向坡地的那条碎石子小路。粮食的气味再一次顺着微风扑进他的鼻子,有一种晃白的面粉感觉,以至于他的肚子里本能地响应了一下,又是那种咕咕的叫声,拉得肠子都疼。"人定胜天",赵山不知怎么又想起白天王干事强调的这句话,他在黑暗里苦笑了一下。他觉得王干事是在搞迷信。

如果是在白天,这个时候的赵山就会看到那个被柴草遮住的坡洞洞口。洞口从外面看只有一个,里面却是两个。其中的一个已经被他们堵死。洞里的两吨谷物,都是他和柳存生还有老朱利用整个秋季的夜晚,一点点地背进去的。整个秋天他们都像做贼,一到晚上便钻进地里,摸摸索索地去偷自己队里的粮食,他们简直就像三只老鼠。

藏粮的土坡并不高,洞是抗战时期村人为躲避日军挖下的,那时主要的用途也是为了藏粮,藏粮的目的是为抗战。其实《地道战》等影片,都是根据这里的真实情况拍摄的。只是年深月久,人们反倒忘了真正如此这般的张庄。无人再提到张庄,而地洞还在,且现在又是用于藏粮。

如今,土坡的四周长满了高高的树木,槐树、榆树、垂柳,甚至还有泡桐,七七八八的。一到夏天,这里便是一片茂密。赵山曾在夏天看中了这个地方,也正是这个地方使他想到了可以藏粮。自然他是先想到了那个最为艰苦的久远岁月。于是,他把这个大胆的想法说给了柳存生和老朱。他真是不要命了。

那是七月的一天,暑热弥漫在空气里。收工回来的时候,赵山突然停住脚步,对着坡洞那边说:"不成咱藏些粮食怎样?"柳存生和老朱都吓了一跳,像被赵山的话死死地钉在了地上。那时他们三个人就站在离坡洞不远的路上,三个人都不觉地向坡地上望去。在一阵愣怔之后,他们终于从紧张的神态过度到了一种兴奋。一股火辣辣的味道在三个人的身上扭得猛烈。老朱狠命地啐了一口,柳存生则把烟屁股拧死在路上,又用脚碾了一碾。

事情横竖就这样了。

他们真的开始藏粮了,是为度过这个可怕的荒年。

夏天看去,土坡这块地方真是一个极好的隐避之处。洞外长满了带刺的枣棵,浓浓绿绿。矮植物密密麻麻,如云朵一样裹着缠着。可是到了秋天,当树木全都光秃之后,赵山才发现,这里其实是非常惹眼的一块地方。尤其是在白天,人在路上站一下,就会很自然地看见这块暴露着的土坡,且土坡上又都为红土,这就更为显眼。

但后悔已经晚了,进入深秋以后,为掩人耳目,他们几个大队干部便开始更多地利用晚上来查粮。当王干事进村之后,他们更不敢在白天走近坡洞一步。

而赵山心里的种种担心,最初是发生在刘嫂的身上。

寡妇刘嫂就住在土坡的下面,刘嫂的房子早已破旧不堪,脱了大块墙皮。但她却因为没有积存,而无法搬到村里去,一直守在土坡下的老屋子里过活。刘嫂是在一次夜间的小解中,意外地听到了动静,于是她系上裤带,小心地跨出院门,并一下子发现了大队干部们藏粮的事情。

那天的刘嫂，最先是看到了柳存生奇奇怪怪的模样。她有些迷糊，不知道柳存生半夜三更地跑到这里干吗。后来她就看出柳存生是在背粮，灰白色的口袋在柳存生的肩上一闪一动。刘嫂惊得一脸苍白，最初她还以为柳存生是在私吞集体的口粮。于是她跟了上去，并一把揪住了柳存生的脖领，柳存生惊得裆下一阵尿湿。从那之后，他有事没事总是想尿。刘嫂抓着柳存生要去找赵山论理。

赵山那时正在坡洞里，他被刘嫂如火车启动时的一声扯喊吓得两腿抖颤。刘嫂在静夜里的呼声真是吓人，像是撕破了肺叶子一般，整个夜空都在抖动。赵山从洞里慌慌张张地跑了出来，并一下堵住了叫喊连天的刘嫂。

“别叫，刘嫂！”声音从他的喉咙里挤压出来，神经已被压制到了极点。

那时赵山以为事情完全败露了，他惊恐地瞪着眼睛，满脸都是汗水。刘嫂看到从洞里钻出来的大队长赵山和老朱，便再一次地愣住了，她以为自己这是在梦里。等赵山向她说出这一切后，她才重新感到了夜的存在，感到自己确是站在坡地上，同时也就感到，这事情的非同小可。她立着不动，死死地僵在那里。接着，她竟浅浅地一笑，白牙在黑暗里闪动。等几个干部从这意味不明的笑里挣脱出来时，刘嫂已经非常果断地站到了他们一边。

刘嫂同意藏粮的做法。

这样，无形中，藏粮的人里又意外地多了一个刘嫂。赵山答应，等明年春天的时候，多给刘嫂分一袋粮食过去，让她保密，但刘嫂坚决地不肯接受。她竟然说起当年打鬼子藏粮的事情，说那时的群众都出来保护，甚至有人为此做出了牺牲。在她的话里，赵山看到鲜血红艳艳地铺展在月色的青光里，为此还要死人的征兆明明白白。

刘嫂的话不但没有让赵山感到安慰，反而让他感到可怕。他怔在刘嫂的如此说道里，刘嫂竟然把两件不同的事情混为一谈。赵山纠正刘嫂，说现在的藏粮是属于违法抗上，实际上是在和政府对抗，相当危险。

刘嫂却坚持说这与那时的做法没有什么不同，藏粮都是为了队里的人不被饿死。庄稼人实在不会转弯儿，这叫赵山没有办法。

这会儿，刘嫂正静静地坐在土炕上缝着一只鞋子，麻绳像锯一样在浆了糨糊的粗布上来回拉扯着，偶有一声尖利的叫声从鞋底上发出来，竟像春分时的一声柳笛。刘嫂有七八年没有买过一双鞋子了，都是自己用碎布头缝制的。

眼下的刘嫂听着院外的动静，她是在等着村长赵山。透风的墙缝里不时吹起一股青剌剌的风，有一股灰土的气味弥漫在她的鼻子下。一只小虫来回撞在灯上嗡嗡，小虫的身影于灯影里变得忽大忽小，似有一张破烂而又疏漏的蛛网晃在刘嫂的头上。刘嫂不时地停下手中的活儿，再听一听院子外面的动静。她想，大队长赵

山要来查粮，这会儿该来了。

自从刘嫂发现大队干部们藏粮以来，她每晚都要这样等待。这使她感到生活里有了一种异样，她真的成了藏粮中的一分子。整个白天，无事的时候，她便站在院门上，向坡洞那里观望，义务地守候着那个粮洞。

三

下午，那只让赵山担心的柴狗是刘嫂赶走的。她同样感到了一些不妙，她想，赵山来时，她一定要和他说一下柴狗已经闻到了粮食的气味儿，应该马上杀掉这只柴狗。杀掉柴狗的想法在刘嫂的心里十分猛然，以至让她哆嗦了一下，她知道队里只剩下了不多的几只柴狗。柴狗已经有了猫的习性，他们一颗粮食也吃不到，而是改成了满地捉老鼠；人也已经改变了习惯，都去啃树皮了。饥荒使一切都变了模样。

这时，刘嫂头上的那只小虫猛烈地撞到灯上，发出一声薄响，却无比地清脆。刘嫂惊得抬起头来看了一眼。她突然感到一丝不祥，心里说不上来的慌乱。必须杀掉那只柴狗，她又想，很是有些迫不及待。

这会儿的赵山，已经急急地走近了山坡。这几天，他很怕王干事会有跟踪，所以查粮的时候，他便一定先要拐到刘嫂的院子里躲上一阵，待他认为没有危险之后，再去土坡查看粮食是否安全。

这样，土坡下的刘嫂住处，也就意想不到地成了干部们躲避的场所。在这种深秋的夜晚，如果干部们真的被人跟踪，也只能走进刘嫂的院子。因为这个时候，无论怎样都是很难再找到别的借口的。土坡的下面只有刘嫂一家，如果不是到刘嫂这里，又能到哪里去呢？这里幸亏住着刘嫂。

可刘嫂是寡妇，这又成了一种不方便。因此赵山在这样的夜晚，除非情况紧急，不然他不会轻易地走进刘嫂的院子。这两天他被王干事的目光逼得没有办法，他不得不如此地小心，王干事的眼神总不对头，像是已经发现了什么。

王干事就住在李旺家，昨天傍晚，赵山就非常意外地在村口碰到了王干事。王干事在暮色中立在街上，向村外望着什么，很是专注。这使赵山一阵心跳，深深地感到一丝不祥。他心想，王干事在望什么呢？他也顺着王干事的目光望去，那正是藏粮的地方，土坡的左右，秫秆如槐柴一样折断了一地，黑暗中，景象凄凉，坡地上的枯条枝杈网网皱皱。王干事的目光却不肯移开，死死地不动，这使赵山有了陡然的恐惧。

他知道王干事在猜测着什么地方可以藏粮，幸亏坡地上的洞口是冲着东边的方向，一时难望到它。

这会儿的赵山，脑子里又是王干事的那张布满多疑的脸，黑暗中他不觉又怔了一下。现在，他离坡洞大约还有百十米的远近，他本能地站了下来。

这时他的脚下出现了一条岔道，这是唯一在他可能被人发现时，拐向刘嫂家去的岔道。因此，几天来，他每一次都要在这里站下，并很仔细地听一听身后的动静。他知道这是自己过于紧张的心理所致，但他没有办法不这样做。其实就是在白天，真正往这里走的人也是十分稀少的。

但这一次，不知为什么，赵山似乎听到了身后有脚步的声音，他不免有些惊讶。他下意识地转过身子，完全地僵住了。四下依然漆黑，黑得无边无际，像是连自己也找不到。土地瘦弱的苦涩味道浅浅淡淡地漫在他的周围，远近一片死静。

虽然他是真实地听到了身后的声音，但连他自己也不敢相信这会是真的。谁会在这个时候到这里来呢？他愣愣地想，可他还是一点儿也想不出来。此刻，他就站在这个要命的岔路口上，他有些不知所措。他又耐心地听了好一阵，四下仍是奇静无比，黑暗里像有什么东西藏着裹着，深不可测。

他在想刚才的那个声音是否就是一个真实？他无法断定。

于是，他慢慢地蹲了下来，仔细地向后面看去。这样他就比站着要看得远一些，可他仍然没有看到任何东西。

他站起身，很坚决地向粮洞那边走去。

其实赵山的身后，这时真的就有一个人。

那人明显的是看到了赵山，赵山停下来，身后的人也就停了下来。事情确实十分糟糕。

赵山以为是自己的幻觉，自从公社的王干事到大队里蹲点查粮以来，他经常会有这样的幻觉产生。但这一次不是，这一次是真的有人跟在他的身后。

接着，赵山再一次听到了身后那个可怕的脚步声。虽然细弱，但他还是听清了，是脚步声！这回他肯定了，他愣在那里，这时他已经迈向了去粮洞的那条岔道。

赵山无论如何也没有想到，他的身后真会有人，那是在村子北面住着的贾一民。贾一民发现大队长赵山的事情纯属偶然，他是饿得要去剥刘嫂院外的那两棵小榆树皮。白天的时候，他发现刘嫂院外的那两棵榆树树皮还很完好，甚至还泛着青绿，看样子比哪里的树皮都要鲜嫩。这事他下午刚刚发现，可他不想在白天干这件事，他是怕引起村人的注意，和他抢着剥。

因此，他也想到了利用吃晚饭的这段空隙，他是在偶然里发现了这个空隙的。这样，他说来也就来了，可他无意间却发现了大队长赵山。开始他也愣了一下，心想，大队长这是去哪儿呢？

贾一民有些糊涂了，他的脚步由于疑心而自然地放慢了下来。他一直跟着赵山，就像捉贼。

贾一民的脚步声让大队长赵山在岔道上死死地立成了一根木桩，此时他的脑子里一团糨糊。他想，也许是他出来得有些过早？要是再晚一些就好了。

也许都不是这样，而是到了该让他出事的时候。如果是这样，那么事情也就怎样都是无法避免的了。

贾一民跟了赵山一段后，开始以为赵山也是去剥那两棵榆树的皮，可他立刻就推翻了这个判断。他只是恍惚地觉得赵山又像是到刘嫂那里，起初他没有想到赵山在这样的夜晚去刘嫂那里干什么。可赵山的突然停下，并又向后望去的行为提醒了贾一民，贾一民突然愣怔在那里。一种意外而又让他心惊的发现，从他的心里一掠而过。

他突然感到了赵山与刘嫂之间有着一种不寻常。

贾一民这下真的愕然了，这个意外发现让他张大了嘴巴。这种事情一旦被人看到，就不难使人产生一连串的想法。而贾一民确实一点儿也想不到别的，难道这么偷偷摸摸的还会有什么别的吗？

贾一民自然不知道干部们在藏粮，在那个年月，这是要被杀头的，谁也不敢轻易去想杀头的事。他在一阵惊奇之后，便把事情看成了是大队长在和刘嫂干那种事——他们在偷奸。

而这时，再次听到脚步声的赵山已经回过头来，走向刘嫂的院子。这就让一直跟在他身后的贾一民有了更充足的依据，他相信自己的判断没有错，惊得出了一身冷汗。

这时的赵山，是完全地按照贾一民的想象走向了刘嫂的院子。他举起手，敲响了刘嫂的院门，声音在黑暗里传得很远，敲击着贾一民的心。贾一民看到赵山闪进了刘嫂的院子。

贾一民是个很不错的人，于是，他当即就打消了再去刘嫂院外剥树皮的想法。他想，那就等到明天早上再来吧。

贾一民提着空口袋回来了，他没有剥树皮。

可这就出现了另一个问题，贾一民得向老婆说明，他去剥树皮而没有剥的原因。女人和孩子还等着他的榆树皮呢，女人们的嘴巴天生就是要说三道四的，永远不会像男人。

贾一民向女人讲述了他如何看到赵山的情景后，他的女人就愣住了，她瞪大了眼睛，半天没动，突然尖叫一声："刘嫂原来跟着大队长赵山！怪不得她老不嫁。"女人的脸上云翻雾涌，气象非凡。

贾一民的心在女人的表情里咯噔了一下，他的感觉特别不好。

四

往下要发生的事情赵山与其他大队干部一概不知,刘嫂当然更不会知道。然而事情的发生却是相当突然又严峻的,这就要了大队干部们的命。

那晚,赵山站在刘嫂家的院外,他敲门的声音低弱而急促。他想,如果是王干事在跟踪,他只要走进刘嫂的院子,王干事就不会发现藏粮的举动。这想法不错,可赵山就没有想到别的,没有想到别人会怀疑到另一种事情。人就是这样,平常注意的事情,关键时候反会忽略。只要掩盖住眼睛的事物就认为是对的,赵山很快就听到了院子里门闩的响动。他顺着刘嫂打开的门缝儿迅速地闪了进去,然后他站下没有动,听着外边的声音。

那时的贾一民,确实离刘嫂的院子不远,只有二三十米。他看着刘嫂的院门打开又合上,他在黑暗里吸了一口凉气,带着满腹疑问转了回去。

赵山的呆愣,让刘嫂暗中一惊,她看出今天赵山的样子很不对头,她听到了赵山急促的喘息声。"王干事知道了?"刘嫂惊异地问,她瞪着眼睛,以为赵山的身后跟着王干事。

赵山侧着耳朵,示意让刘嫂不要说话,他的脑子里还是刚才路上的那个声音,他听了一阵才说:"好像有人一直跟着我。"他望着黑暗中的门缝,仿佛门外随时都会有人撞进来。

刘嫂也受了他的感染,从细细的门缝儿里向外望去,她什么也看不见。夜露已经下来,不时地冰在她的脖子里。他们站在院子的门前,呆呆地听着外边可能的动静。赵山显得心神不定,一动不动。

刘嫂更加紧张起来:"你刚才真的听到身后有人?"她问。

赵山没有回答,他在想刚才的那个声音是否是自己的一个错觉,还是真的就是一个准确无误的声音。要是这样,那会是谁呢,这样跟着他干吗?他自然想不到有人要去剥榆树皮,他不得不想王干事的行为。可他留心过王干事的脚步,因为藏粮,他什么都留心过,在他的记忆里,王干事的脚步比这要沉重许多。

刘嫂望着赵山,静夜里并没有什么特别的声音。刘嫂知道,现在藏粮的几个大队干部都是这样提心吊胆。赵山在刘嫂的院子里只待了有一支烟长短的工夫,他问了一下坡洞的情况。刘嫂很想告诉他那只柴狗的事,可她没有。她觉得现在不是时候,柴狗的行为会使赵山更紧张,她说没事儿,语气尽量地平和,她相信暂时没有事情。

赵山思忖了一下,他决定不去查看粮洞了,如果门外这时有人,那就太危险了,他想应赶快返回去,要是真有个什么不好,他也能极早地料理一下。这样想时,他突然感到自己的眼皮开始跳个不停，心里一团慌乱。他说："今晚我就不去洞里了。"刘嫂点点头。他就又按着原路飞快地回到了家里。

一路上并没有什么异样的动静，赵山还在李旺家的门前站了一下，听到里面的王干事正在和李旺下棋，棋子啪啪地摔得清脆。他真是觉得奇怪了。

然而还是出了事情。

次日上午，赵山女人脸上的气色十分不对，蜡黄蜡黄，像是得了什么急病。此刻她的脑子里一片混乱，她不敢相信别人跟她说的，有关男人赵山和刘寡妇的事情是否真实可靠。她听了这个消息后，就像挨了当头一棒。这会儿她立在院子里，脑袋里还是一片麻木。她盯着豁牙露齿的院墙，怎么也想不明白。

那时深秋的阳光不很明亮地落在院门上，给人一种对日月陌生又稀松的感觉。人们的脚步声沉实而响亮地从院门前走过，说："赵嫂，你没有去地里啊。"她却充耳不闻，没有回声。

她想，幸亏刚才在井台上遇到了李贵的媳妇，不然她还得不到这样的消息。可她还是难以接受，事情太过于突然了。

早上，赵山的女人端着木盆去井台上洗衣服。那时李贵的媳妇正从井台上站起来，她看到赵山的女人过来，便迟疑了一下，她和赵山女人的关系很好，昨天她还向赵山的女人借了一斤黄豆。她想了一下，就迎着赵山的女人走过来，神情怪异地左右看看，四周静静的，一片空落，她突然对赵山的女人唉了一声。她的声音在平静的早晨显得很不寻常，明显的是发生了什么。

赵山的女人已经走到了井台上，李贵女人的神色让她吃了一惊，她立刻觉得是出了什么事。那时远处的太阳已经升了一竿子高，不很暖地把平静的村街铺上了一层黄颜色，有些雾蒙蒙的气体在街上流动。李贵媳妇的身子背着光线，这使她的整个人影都有些发黑，她的样子分明怀着几分神秘。她向赵山的女人跨了一步，声音很轻，说："唉，你知道吗？"

赵山的女人显然不知道，她说："什么？"瞪着眼睛。

于是，李贵的女人便悄声地对她说了昨晚上，有人看到她家赵山迈进刘嫂家院门的事情，还问赵山的女人平日有没有察觉……

赵山的女人先是不知道她在说些什么，等她听明白后，脑袋里顿时嗡了一声，沉重得像一只打满了水的木桶。

她愣在那里，脸色立马苍白了，拧成了一块干丝瓜。她简直无法相信怎么会有这种事，事情真是太突然，太出乎她的意料了。李贵的媳妇知道她不肯相信，就让她去找贾一民的女人去对证，说："是贾一民看见了你家赵山和刘嫂在一起，还听到了他俩在一起解裤子，不信，你去问。"说的就像贾一民亲眼见到的一样。事情在第一次传言中，就加了解裤子的内容。张庄人就是这样，他们总是喜欢震耳欲聋的故事。

赵山的女人不知怎的就低下了头，忘了这是要洗衣服，她的木盆还放在井台上，孤零零的，而她却慌慌张张地去找贾一民对证了。乡村的女人朴实得什么事都敢去对证。

那时贾一民正要去剥那两棵榆树的皮，手上提着一条脏兮兮的布袋，他迎面遇到了大队长赵山的女人。赵山的女人老远就把他吼住，勾着脖子说："贾一民，你说，有没有那个事？李贵媳妇说，你看到了我家赵山和刘嫂昨晚上在一块脱裤子。"

贾一民本来还是笑着，听到这话，脸上一下子就枯死了一样，他立在那里，提着布袋的手不由自主地哆嗦起来，他突然就感到天都塌了下来，跟着他心里便是哐当一声，惊得他瞪大了眼睛。

贾一民没有料到大队长的女人是来向他问这个的。大队长的女人已经迈到了他的跟前，两眼已经含了泪水。

贾一民转着眼珠想了一下，立刻判断出这一定是自家女人走漏了风声，把事情说了出去。贾一民心里很恼火，他不好说是，也不好说不是，其实他就说没有那事也行。可他觉得他得说清楚怎么没有那回事，没有那事他又看到的是什么……

他想说得让大队长的女人相信根本没有那事，这使贾一民感到很为难。这确实是个让人为难的事情，他没有想到自家女人的烂嘴给他招来这么大的麻烦。

贾一民的这一迟疑，也就让赵山的女人看出了破绽，凡女人都在这个问题上十分敏感。何况赵山的女人在来的路上差不多已经料定，事情就是真的。因为她知道，谁也不敢给大队长造谣。何况她想到赵山这些日子，一直都是这样神神鬼鬼，且是夜夜吃了晚饭都要出去。这种时间已经老长，好像是从夏末就开始了，原来他是在和刘嫂偷奸！这样的总结是最为可怕的，简直无懈可击。事情大洋大海般在赵山的女人心里翻卷着，暴暴烈烈地已经形成了波澜。

这样，没等贾一民想好怎样开口，赵山的女人已经什么都明白地落下泪来，她再也不想听什么了，贾一民的迟疑已经告诉她事情就是真的。贾一民还没开口，赵山的女人已经甩手走了。她的脚步咚咚地震着整个村落，事情从天而降，就这么来临了。

在这个早晨，张庄被搅成了一团糨子，事情向不可预知的方向发展，一切都成了另一个模样。

赵山的女人本来是想和赵山干一架，然后再去找刘嫂算账。

女人通常都是这样，尤其是在乡村，女人们一般是不在心里存事的，摔桌子砸碗，把事情吼骂出来才是日月。可那天赵山偏偏不在家里，他是到公社开会去了。如果赵山那天没有去公社，也许事情会是另一种样子，那样赵山可以死不承认，或把事情说开，冒着藏粮秘密被扩大的危险。总之他不走，大概总能使事情过去，最少也该是另一种样子。可是那天他偏偏不在家，这反而让他没有了机会。

天下的许多事情就是这样。

这使赵山的女人有了时间去胡思乱想，这是最麻烦的事情。

五

接下来，一个十分要命的主意便突然地在赵山女人的心里冒了出来。那时她站在空荡荡的院子里望着太阳，太阳的光亮已经铺展到了房檐上，她的思绪在广阔的空间里毫无阻碍地运行，当她把事情掰开揉碎，一通来回之后，竟产生了想要抓住赵山和刘嫂偷奸的念头。尽管她最不愿意看到男人和刘嫂真在一起做那种事情，可足够的时间使她打定了这样的主意。她觉得只有这样，事情才能水落石出。她想要一个水落石出，因为她感觉到，这种事情不抓住男人的把柄，男人大都不会自己承认，她要抓住把柄！

这样，当晚上赵山从乡里回来的时候，她竟做得滴水不漏，样子很平常，她的平静是把本来简单的事情过于复杂化了。她为自己能够如此平静，也感到了几分惊讶。她觉得自己似乎变了一个人，真的，她这辈子也没有如此沉稳过。她对自己有些惊奇，眼下的赵山女人竟完全不像了赵山女人。

赵山其实还是感觉到了女人的几分反常，女人像是在有意躲避着什么。女人收拾碗筷的动作明显地失去了平常的节奏，忙忙乱乱的。赵山本想问一问出了什么事情，却终于没有开口。

赵山无论如何也不会想到，有人已经把他和刘嫂牵扯到了一起，并要开始捉奸。

赵山没有一点儿准备，大意了。

他只顾了防着王干事，却丝毫没有想到，现在他要防的该是自己的女人。

所以，他的一切还如往日，包括他要在吃完晚饭的时候去悄悄地察看坡地上的粮洞。而他的这种行为，在女人的眼里却变成了另一种表现，他就是和刘嫂有着那种关系。赵山的偷偷摸摸，与人们的说法正好相一致，这加固了女人的感觉，她认定就是这种事。

事情真是麻烦。

而当第二天，赵山带着一部分人去平整大田时，赵山的女人又想到了一个可以出谋划策的人。她急急忙忙地去找她哥了，她要商量一个怎么办？

她哥的家离她的家只隔着一条胡同，其实赵山的女人是随时都可以去的，只是她今天早上才下定这样的决心。而她起先的拿不定主意，又正好抑制住了她时时要爆发出来的情绪。这种无意间的做法帮她躲过了赵山，躲过了昨晚上就应该暴发的那场争吵。

赵山依然什么都不知道，他去平整大田了。

而他的女人已经开始做着捉奸的准备。

作为赵山的女人,这一生里好像都没有这么用过心计,这真是第一次。而这一次她却表现得不同凡响,很有谋略。与此同时,她还想起了去年赵山拿出自家的口粮分给刘嫂的情景。现在她才觉得这事本来就有鬼,她开始把日常中的一些琐事与刘嫂挂钩,结果到处都是疑点,解不开的疙瘩密密麻麻。

这种想象使她找出了一堆问题,她很恼火,抓住男人与刘嫂偷奸的决心水涨船高。

这样,她很快就来到了她哥的家。那时她哥正蹲在院子里,从一堆草末中间专心地挑拣着几粒可怜巴巴的豆子。她哥眯着眼睛,把豆子一粒粒地拾起来,又小心地搁在豁牙露齿的粗瓷花碗里。赵山女人走得很急,进门时带了一股风,风把草沫子掀起一层,呼呼啦啦一阵飞扬。她不管不顾地一脚踩在了草沫子上,她哥赶紧从她脚下抠出一粒豆子,然后才抬起头来,很不满地说:"你干什么你!"

她哥这才看到了妹的脸上慌慌张张,还挂了一层惊愕的汗水。妹的气色十分不好,一脸歪七扭八,当哥的心里咯噔一下,暗暗吃了一惊,顿时也就知道是发生了什么不测。

那时赵山的女人在哥的面前已经流出了泪水,泪水无声无息地在她枯黄的脸上尽情泛滥着,使她像是泡在自己的雨季里。

当哥的一下便从地上站了起来,他听了妹含着眼泪诉说了赵山与刘嫂的经过。当妹结束了叙述后,当哥的也就觉出,事情十有八九,就是妹说的那个样子。

怎么出现了这种事,当哥的心里感到一丝苦涩。

他盯住碗里的几粒红豆子,下意识地很想数一下,当然没有。他想,刘嫂如果到了给妹夫赵山解裤的地步,那她一定是为了多得到一些红豆子。他抬起眼睛瞟了一眼妹,妹的脸上同样是青绿地缺食,寡瘦得像一把切菜的刀。他想,这年月确实到了让人只能先顾肚子的地步。如果他是女人,大概也顾不得什么脸面。这种想法让他变得冷静,因为眼下的年景,让他一下子就理解了刘嫂的做法,可眼前受屈的人却是他的亲妹。

他盯着妹妹,又看了一眼碗里的红豆子,豆子泛着红亮,他的目光在豆子上迟疑了一阵,灾荒的年景,豆子也比往年小了一圈。他说:"刘嫂一定是饿的。她要真这样不顾脸面地换吃换喝,你打算咋办?"他想看一看妹对这事的态度,他先要弄清妹的深浅。

"告到公社去,和他狗日的离!"赵山的女人说。她盯着哥碗里的红豆子,声音远远近近的不很真切,心里仍然一片混乱。

当哥的不大相信妹要告到公社去,家丑不可外扬,他也知道妹不会与赵山离。那样妹差不多只能饿死,肯定会饿死。作为一队之长的妹夫,口粮总会比旁人多一些,怎么也有办法搞到一些。他想想说:"那样赵山不就真的把粮食背到了刘嫂的家里,你和孩子吃啥?”

哥的话是在说这个年景,因此也就切中了要害。这个年月,妹可以离开做大队长的妹夫,可离不开那要命的粮食。

赵山的女人似乎没有想到这一层,这又是一个饿肚的问题。现在谁不怕饿肚呢,那是要饿死人的。她不知怎样好,心里也实在没有想过是否就与赵山真离。她又下意识地往哥的碗里瞟了一眼,碗底里的几粒红豆子在哥的手上晃来晃去,发出沙沙的响声,可怜巴巴的。她像是多少清醒了一些,却硬着说:“裤裆下长那个玩意的又不是他一个!”但她的话明显地缺了刚才的气力。

哥这才看出,妹是什么也没有想好。尤其是这个饥荒的年月里,妹已经忘了到底哪一头重大。女人就是这样,总也不能全面。哥想,也就有些怨妹。

他端着只有几粒红豆子的粗碗,掂了一下,豆子翻上翻下,也就掂出了一个大概。他尽量使语气沉稳一些,说:“刘嫂就是饿的,当然挨饿也不该卖腚。可赵山是大队长,刘嫂总要和大队长有个来往才能讨个便宜。她找别人管啥用处!当然要找大队长。男人又能经住啥,男人就是经不住啥。”他瞟妹一眼,看妹的态度。

妹木木然然。

他突然把声音提了起来,很是有些肺腑,说:“事情要往大里说,算是背信弃义,不道德;要是往小里说,也真是这个荒年闹的。”他抬头看了一眼天,深秋的天空一贫如洗,他像得到了证据:“就是这个年景闹的。我看他们不会长久,你不要把他们逼到那个分儿上。”

妹仍然没有言语,目光死死地落在豆子上,人似一根木头。

当哥的叹了一声,他把话说得不上不下,左右都有,暗里也是在为自己考虑。大队长赵山毕竟是自己的妹夫,他不能没有这样的妹夫。这通常就是男人们的做法,远远近近都不想丢。他想,他也要靠着妹夫把这个荒年度过去哩。妈的,他想现在什么都是小事,只有吃粮才是天大的事。

“你的意思倒是啥?”当妹的迷惑不解。

当哥的把碗里的红豆子又掂了掂,豆子在碗里哗哗啦啦地响了起来,细细密密的如一阵雨声。当哥的心里渐渐地形成一道堤坝,他清醒地意识到,他先要拦住妹可能的越轨行为,说什么也不能让妹和赵山离婚。他低着头,想中午还不知道吃什么呢,箱里只有一把粮食了,仗着妹夫总不会饿死吧。他苦笑了一下,说:“这还不好办,他们是贼,你们才是夫妻。让他们断了来往就成,这个很容易。”

听到哥把事情说得这样轻松,又像很有主意,妹的脸色也就有了一些暖颜色。她没吭气,她这才想到自己其实也正是这个目的,她的心境渐渐地平静下来。

“你说咋办?”她问,像从死里缓了过来。

当哥的却又一阵疑惑,因为他在更深的层次上感觉到妹夫和刘嫂都不像那种偷奸的人。他的思索受到了平日现象的阻碍,赵山怎么会做这个事?他有些恍惚了，像被突然绊了一下。他抬起头："要不，咱再看一看虚实，别冤枉了赵山，不然下一步咱也不好落实。"事情到了这个分儿上，当哥的突然慎重起来。

妹知道，下一步实际上就是准备捉奸了。

在捉奸的重大决定中，她就真的冷静下来。

但她想不出关于这个事情的更多方面，她说："怎样看虚实？"她感到了哥的迟疑。

哥说："好办，如果他晚上还出去，你就给我个话，我会把事情弄清楚。"其实这还是捉奸。

捉奸的行动已经不可避免。

当妹的像是点了点头，又像没有。当哥的却明白地看出了妹的态度是同意了的态度，现在只有这一条路好走。当哥的就把话岔开，让捉奸的话题不明不暗地暂且放在那里。当哥的觉得事情毕竟关系到自己的亲妹，说多了不好。当妹的也不想与哥说得太多，偷奸的人毕竟是自己的丈夫。

最后，妹让哥看着办，然后就走了。

当哥的却还愣在院里，心想，真是人穷志短，妈的赵山，你有什么了不起！要不是这个荒年，我这就掴你狗日的嘴巴子去！他感到了他在妹的面前有些窝囊，这半天都没敢说一句横话。荒年把什么都磨平了，人只剩下了吃一口。

六

当天的傍晚，赵山回到家里后，脸上依然是那种心神不宁的模样。女人觉得他心里就像长了草，天还没有完全黑下来，赵山就开始在屋里转磨，一心只等着天黑的盼望相当明显。这使女人的心一下子提了起来，并咚咚地跳个不停。屋里的一对夫妻，却为着不同的目的而共同地处在水深火热之中。

女人忍耐着，她揭开锅盖，锅里漂着几片可怜的南瓜片。那时的赵山还盯着窗子，隔着薄光疏影，他在想白天的事，心里一团乱麻。女人盯着他的背影，真想把一瓢滚水泼到他的身上。女人一点儿不知道，王干事今天已经向赵山明确地提出了有关藏粮的事情。王干事要求赵山交代，张庄是否藏过粮食，并让他用党性担保，还告诉他如果真的藏了粮食，现在说出来可以不受处罚。

赵山没想到王干事会突然揭开盖子，和他直来直去。他死咬住说没有藏粮，怎敢藏粮，心里却紧张到了极点。他不知道王干事这样的问话，是不是已经发现了什么，还只是一种怀疑。他非常害怕坡洞的石板已经被柴狗拱开，天黑一定要去查洞的想法就成了他眼下的唯一想法。

他立在窗前，随着天色的暗淡，赶紧去查粮的急切占据了他的整个身心。甚至他连一小碗菜粥也没有喝完，便又一步跨出了家门。他没有看出女人的脸上是多么的惊讶，简直拧成了一块树皮疙瘩。女人端碗的手一直都在颤个不停，可是赵山心里有更大的事情，他的魂儿今天不在跟前。

在这个要命的关口上，他什么也顾不上了，他什么也没有看出来。

女人在他迈出脚去的一刹那，真就险些激动地把粥碗扣在他的后脑勺上。那时女人就要喊叫出来了，血液无法抑制地漫在她的全身，沸腾不止。她想，赵山一定又是去找刘嫂那个臭娘们儿了。她没有想到刘嫂会是这么一个贱人，竟让她的男人如此丢魂儿。

赵山女人的心里很复杂，却又像被刀子剜了一样地痛，慌乱全都铺展在她的脸上。她这才意识到，她和寡妇刘嫂之间，原来有着一场你死我活的较量，事情并不像她哥讲得那样轻松。

赵山一出门，脚步就快了起来。他想，如果事情真的已经败露，就赶紧打开粮洞，让人们去抢粮。这样总能保住春天时候不再饿死人。他没有想到危险并不在这一层上，而是在他的身后，在家中，在他的女人身上，事情鬼怪得让他没法预防。

赵山的女人在赵山出门的那一刻，也同时放下了饭碗站起了身。她对孩子们说："娘去一下就回。"也就一脚迈出门去，她飞快地来到了哥家。路途只有一条胡同的远近，她却跑得上气不接下气，满头满脸都是汗水。她咣的一声撞开哥家的院门，一脚踩了进去。事情被她如此的行动渲染得异乎寻常，没有了任何余地。

屋里，当哥的被妹的声音吓了一跳。他慌忙迈出脚，骤然僵了一下。他看妹一眼，并听到了妹的喘息声，他知道一切已经来临："他真和刘嫂有那个关系?"哥愣愣怔怔地问，有些反应不过来，其实他一直在心里否认着这个事。

妹的脸色青青紫紫，晃在窗户灯影里："他又去了。"妹的话十分简明，却坚信一切就是真的。妹的眼里露着寒光，十分冰冷。

当哥的本不想把事情弄得如此激烈，可妹的样子让他没了办法。他说："好，我去堵他，是人是鬼，明早上就会两清，到时我去给你送个话。今晚上，你无论怎样都不能跟他提这个事，你就当没这回事一样。不能把事情搞糟，明早听我的话。"当哥的声音抖颤，已经紧张起来。不管怎样说，这是去捉奸!

妹咬着嘴唇，愤愤地瞪着眼睛，却没有说啥。

当哥的心里却突然有了山一样的沉重，妹把事情咣当一声丢在了他的肩上。妹走了，房倒屋塌般地走了。

做哥的眨眨眼睛，也急急地出了门。黑暗一下子扑将过来，事情真是要命了。

哥出门后，反在黑暗里怔住。他想，妹夫如果是去了别的地方怎么办，这一晚上的时间人可以去好几个地方。妹夫是大队长，大队长是自由的，会有许多借口。他想了一下，便直接奔向通往刘嫂家的那条小路。他决定还是应该赶在妹夫的前面，先到刘嫂家的院门上等着妹夫最有把握，这个决定使事情没有了一点儿余地。

北方深秋的天气真是很冷，远近的景物在冷色调里让人感到铁硬一块。村街上，两个男人一前一后的匆匆脚步声，打破了一向的平静，咚咚的声音很像是风暴即将来临的前兆。

这时天色已经完全地黑暗下来，这是那种让人摸不着底的黑。黑暗里，空旷的街上漫着一股秋黄柴草的气息。几颗星星已经早早地升了起来，不很亮地挂在村子的上空，不仔细去看，是看不到的。

赵山没有直接去察看粮洞，街上的那股寒冷清凉，使他的烦躁情绪有了一些镇静。他突然想，还是应该先去找一下副大队长柳存生，问一下白天队里有什么异样没有。这样，他便突然改变了路线。

他拐到柳存生家的院门外，把柳存生从家里唤了出来，问了一下有没有人议论藏粮的事，并说了白天王干事直接问起藏粮的话题。柳存生听了也吓了一跳，他想了想说，白天队里没有意外，一定是王干事在诈你。赵山点点头，他嘱咐柳存生，赶紧到粮洞那里去察看一下，看看是不是那里出了什么问题。然后他又去找大队干部老朱了，现在他隐约地感到，最好还是把粮食转移到别的地方，那个坡洞恐怕早晚会有麻烦。

这样，去坡地粮洞查看的人，半路上就换了副大队长柳存生而不再是赵山，这就更有了戏剧化。

柳存生没有感到今夜与往日有什么不同，他自然更没有想到，这个时候有人已经跑到了他的前面，并正在路上准备着捉奸。为了怕被人跟踪，柳存生同样也是走走停停的模样，并不断地回过头来向身后望去。这就被前面等着他的人看得一清二楚。

黑暗里，赵山的大舅子怎么看，怎么觉得这个人不像是赵山。他琢磨了一阵之后，才看出这个人原来是副大队长柳存生，原来他也有事！赵山的大舅子深觉愕然，他心里一团迷糊，实在搞不懂发生了什么。

柳存生对眼前的情况一点儿都没有察觉，更糟的是，他也没有像往日那样直接去坡地上的粮洞，而是拐上了通往刘嫂家的那条小路。他是匆忙之中，忘记了带手电筒。

赵山的大舅子掩在一棵榆树的后面，离刘嫂家的院子也就三十米远近。

柳存生轻轻地敲响了刘嫂家的院门，声音在寂静的夜晚传得很远。赵山的大舅子心跳如鼓，他瞪大了眼睛，看到刘嫂的院门里闪出一团黑影，那无疑就是刘嫂了。他好一阵惊讶，半天都想不明白。

柳存生走进刘嫂家的院子时，怔了一下。那一瞬，他似乎听到了不远处传来的脚步声，声音很近。其实院里的刘嫂也同样听到了，那是赵山的大舅子。可他们谁都没有对谁说，反都装作没有那个声音。近来他们的这种幻觉和疑心真是太大了，而事实上，每一次都是自己的疑神疑鬼。

然而这一次不是。

柳存生在刘嫂的院子里吸了一支烟，然后他才要了手电筒迈出院门。赵山的大舅子已经亲眼目睹了他的偷偷摸摸。原来还有柳存生！赵山的大舅子匆匆地赶回了家，他比柳存生只早走了一分钟。藏粮的秘密近在眼前，他却没有一丝的发现，而是发现了另一个偷奸的人。

怎么会是这样？他使劲摇着脑袋，希望自己清醒起来。

其实赵山的大舅子一路上都没有转过这个弯来，可不是这事，又会是什么事呢？要是别的事就更离奇了。难道刘嫂同时在和两个男人鬼混吗？她是同时靠着两个男人？那么妹夫赵山和柳存生的关系又怎么处？天下真是出了鬼。

赵山的大舅子走到村口时站下了，他突然想到邻村的一个齐寡妇就是这样胡乱地跟着几个男人，可那娘们儿带着三个孩子，她是为了孩子。刘嫂为了啥，妈的！他在黑暗里使劲骂了一声。

七

大队里，赵山在老朱家说了关于转移粮食的想法。老朱思忖一阵，皱紧了眉头，他不大同意现在冒这个风险，他觉得那样事情反有可能在进行之中暴露。老朱今年四十五六岁，平日嘴上寡淡，但做起事来却比较沉稳，他希望再等一等看。这样，赵山也就回去了。因此他今天回到家里的时间并不太晚，比女人设想的时间要早得多。

这使女人感觉到了事情的多面性，最少有些复杂。因为她细细地在心上丈量了从自家门上，到刘嫂那里的路程倒是该用多少时间。女人的精细帮了她的忙，她感到赵山不像是到刘嫂那里去了，就是去了，也无法办那个事。尽管她的心里仍然七上八下地乱着，但新的疑惑却把她绊住了。她想，最少应该等到明天早上，等她哥的话。

赵山什么也不知道，他进门点了一支烟，心想，看来粮洞那边没事，不然柳存生会来给他报个信，他也坦然起来。

次日早上，赵山女人的心里塞满了疑团，她匆匆地来到她哥的家。晨风中，她大口大口地吸着凉气，她希望一切都不是真的。

她想，这一切一定是某种巧合而另有缘由。而她见到她哥时，她哥向她说的情况简直让她目瞪口呆，大大出乎她的意料。她哥拧着眉毛说："昨晚上去刘嫂家的不是赵山，是柳存生，柳存生去了刘嫂家。我的眼睛瞪得好大，砸碎骨头，扒拉出渣子，我都认得出那人是柳存生。"当哥的说罢便点了烟，把烟吐得云山雾海。

事情也就云山雾海起来。

赵山的女人张大了嘴巴，她被柳存生也去了刘嫂家的说法弄得不知所措。他们这是干吗呢?

哥说:“刘嫂很像是在暗地里卖淫，专门是和大队干部。”当哥的这个结论，实在让当妹的没有一点儿准备。她愣然着，一句话也说不出来。刘嫂怎么会一下子烂到这个地步，而当哥的结论又像是很有出处。

这是灾荒的年景，人们由于饥饿，卖儿卖女的人家和偷偷卖身的女人不是没有。同村的孙家就把两个儿子送了出去，说是送了远房的叔家。可从那换回的两口袋薯干和孙家人痛不欲生的哭号里，谁都知道这是卖儿卖女。

现在又出现了卖娼?

事情不是这样，又能是怎样的呢? 要是别的，干吗偷偷摸摸的? 干吗不白天去? 对了，干部们都不在白天登刘嫂的门，都是晚上，黑灯瞎火的时候，是怕人看到，怕人看到什么呢?

似乎就是这样，灾年到处都是红红血血、哭哭唤唤的鬼怪。

“妈的，这个贱货。这还了得! 该用石头砸死她!”当哥的把烟拧死，狠狠地踩在地上骂。

这一刻，赵山的女人明显地失去了主张，事情不是赵山一个人，最少昨晚上不是，那么这事就得重新论个头尾了。接着，赵山的女人和当哥的商量了一下，两人都同意再等一等。做哥的提出，让妹在暗中看一看，赵山是否有往刘嫂家背粮的习惯。哥说他们一定是在鼓捣粮食，刘嫂一定是为了吃粮。

事情到底还是和粮食挂上了钩。

危险开始在暗里扩大，形成了不可预知的风云。一股殷红的血气在这个早晨的街上铺展得潮潮漉漉。

张庄的夜晚变得沉重起来，四处拧着一团团黑色的鬼气。

人们开始于夜晚的时候，鬼头鬼脑地分别盯住了三个大队干部。这是赵山的大舅子一不小心，把事情说了出去的结果。他当然不是说赵山，而是说的柳存生，可人们又发现了老朱和赵山。要解开谜团的做法，男人们对此有了特别的兴趣，他们觉得事情确实有些诡诈。张庄日落后的气氛陡然地紧张起来，天一擦黑，拐弯处就藏了一双双眼睛，暗里总有一些不明的哐哐当当。

大队长赵山、副大队长柳存生、干部老朱，都在夜晚查粮的路上听到了身后有跟踪的脚步声。他们闹不清到底发生了什么事，于是，只能一律地拐进刘嫂的院子避风，或干脆折回家里。

事情越来越与人们的猜测趋于一致了。

刘嫂在背地里卖娼?

盯梢的人发现，刘嫂简直一天都不歇，几个大队干部一到晚上就轮流着去登她的门，事情使人深感震惊。其实再有一步，人们就会发现事情的真相——藏粮。可是没有，人们在三位大队干部的脚步声中，共同地走入了一片迷茫。

赵山、柳存生和老朱，都还以为这一切是蹲点的王干事在暗里搞鬼。因此，他们在一种不正常的气氛里，反而感到了这是一种必然。他们早有防范，并在和王干事捉着迷藏，这使王干事也犯了迷糊。这两天，他觉得张庄的这三个大队干部都变得异样起来，像是吃错了药，他不知道什么地方出了岔子。

风暴的前夕，四处都是不正常的响动。

这天午后，老朱的女人在街上与人闲扯时，无意间竟听到女人们在说她家老朱。说自己的男人老朱于昨夜晚上，偷人一样地迈进了刘嫂的家门，她大吃一惊，当即便扭着屁股，像母鸡一样的奔回了家，又风一样地推开屋门，老朱却不在。她立刻愤愤地去找大队长赵山了，她是要让大队长赵山找回她家的老朱，然后再和老朱狠狠地干上一架。她快被气昏了，顶着一脑袋的热气。

然而大队长赵山也不在家里。赵山的女人知道老朱的媳妇还蒙在鼓里，她觉得是该说一说了。

于是，她向老朱的女人揭开了这层秘密，当她告诉老朱的女人，这两天，她家赵山也在夜晚走进那个婊子的家门时，老朱的女人完全地惊呆了。她一下猛醒过来，怪不得这两天大队里总是有人说到卖娼这个事，原来指的是刘嫂。

可怎么一个女人会同时跟了三个男人？老朱的女人更是万分地迷惑。于是，另一种说道开始形成，也许柳存生和老朱是在帮着大队长赵山和刘嫂偷奸，或是赵山和老朱在帮着柳存生偷奸，反正他们之间必有一个和刘嫂的关系不正常，他们这样说着时，深信不疑的却是，三个男人其实没有一个好东西！

女人们的嘴巴把事情吵嚷得成了一团糨糊，粘到啥是啥，粘到哪儿是哪儿了。

事情本来是再也藏不住了，到了一触即发的时候。

可是，当三个大队干部的女人在暗中串通一气时，共同的遭遇却把她们团结得就像一个人一样。柳存生和老朱的女人，竟然也学着赵山的女人，暂且地按捺住了心里的怒气和疑虑，突然要等待时机一起行动，把那个烂女人抓住，砸碎她的骨头。

几个女人决定用突然揪斗的方式大闹一场，不但要让刘嫂的丑行暴露于光天化日之下，还要让她游街，并当众说出她是如何拉拢腐蚀大队干部的。既要打中她的要害，又要把罪名归结在这个贱人的身上。

几个女人一致地认为，在这种灾荒的年月里，自家男人的身份不能丢。她们甚至计划着逼迫刘嫂说出如何勾引大队干部们的细节，而对于自家男人的行为，她们却准备着接受屈辱。时间使她们有了这样或那样的选择和考虑，其实最要紧的就是，她们实在不愿意让自家的男人身败名裂。

其实赵山和柳存生都明显地感到了自家女人的不对头。

“怎么我家的那个娘们儿，这几天像是吃了迷魂药！”柳存生那天对赵山说。

赵山愣了一下,然后就笑了起来,他也正要对柳存生说同样的话。

而女人们的性情,在赶上窝囊事时,往往总是要散邪火的。尽管她们商量了统一的行动,但还是会有突然的做法让男人们吃惊。赵山和柳存生都感觉到了家中的古怪,可他们不知道问题到底出在哪里。

而老朱女人的气量就更小一些,她的嘴巴也不够严实,她终于没有忍住心里的愤怒。其实也就是她知道此事的第二天,当老朱又要在晚饭后出门的时候,她嗷的一声叫了一嗓,就像被人扯了肺尖子,接着她就拍屁股打脸地哭号起来。

老朱一手提着布袋,他给女人的样子是去剥树皮。他在女人的扯叫声中转回身,一时愣在女人的哭骂里。他先是不明白发生了什么,瞪着女人看她犯疯。但很快,他就在女人的扯喊声中有些明白了。女人在骂刘嫂婊子、烂货。他大吃一惊,原来女人对自己已经有了如此歪邪的看法,认为他是去偷奸。

老朱的脸色一阵苍白,浑身颤抖,他险些就说出藏粮的事实。他突然也就吼将起来,告诉女人,他要干那种缺德事,朱姓就倒写!

发了疯的女人却不管什么倒写不倒写。

老朱感到事情紧急,他一脚把女人踢开,就奔向赵山的家。老朱呼呼喘着把赵山叫了出来。

赵山听了事情,当即也一惊愣。这事怎么可以和偷奸联系起来,这是何等的荒唐。可不是这样,又是什么?他们每晚如此鬼鬼祟祟地到刘嫂家里又作何种解释?到现在,他们才猛然醒悟,事情好像就是人们怀疑的那种。

赵山让老朱赶紧回去,千万按住女人,然后再想办法。他回头就去找柳存生了,柳存生却不在家,是去外村串门了。赵山心里突突跳着,他在街上转悠了一下,于傍晚时候回到自家。他进门就发现,女人的心里原来早已有数。他一下慌了,瞪着女人,说:“你们千万不要瞎想,没那个事,别听人胡说。”他想让女人放心,可他却说不出更多,那话反而说得不明不白。

女人冷笑一下,一言不发,一脸的冰冰碴碴,地冷山荒,根本不信他那套。

赵山无奈,倒在炕上,蒙头就睡。

八

次日早上,天还擦黑的时候,赵山便爬了起来,他先是去找老朱。老朱红着眼睛从院里迈出腿来,说:“妈的,我那娘们儿非让我说出不是偷人,倒是去干吗!”他的脸色阴沉,看样一夜没睡踏实。

赵山说:“柳存生还蒙在鼓里。”于是他又和老朱急急忙忙地去找柳存生了,柳存生听了事情也惊得呆住了。没想到无意之间,他们竟有了如此的名声,当下也是毫无对策。三个人站在天色发白的街上，心里都是一团乱麻。现在或者赶紧说出藏粮的实情，或者只能背上这个偷奸的黑锅。

看来背上这个黑锅成了唯一的选择。赵山说："幸亏人们是这样以为，不然藏粮的事情早已暴露了。"

"妈的，这叫什么事！"柳存生咬着牙，两只手来回搓个不停。

老朱翻着眼睛，脸都扭得歪斜了："我那女人最不是东西！昨晚上跟我吵到半夜，我担心她会坏了事！"他的嘴里吐着寒气，咝咝啦啦一阵。那时太阳哇叽一声窜了出来，把事情弄得更为紧急。

三个人都伸着脖子看太阳，太阳的红光漫在一片清冷中，柿饼一样贴在大田上。

赵山啐一口，一字一句地说："如果说出藏粮，后果可能就是去坐牢蹲监，这总是政治问题，比什么都要重大；要是背上男女乱来的罪名，顶多是丢了干部的身份，当然家里的女人也会掀翻天……"他说了一半，突然止住，因为接下来的事情到底还能引发出什么，他的心里没有一点儿底。

事情明摆着，无论怎样也不能说出藏粮。

情况的突然，使三个人一同感到只有默认是乱搞了："妈的，怎么成了这个鬼样？"老朱说。

"不然我就一人担当，让人们以为是我在和刘嫂……反正到了明年春上，大家也就会明白。"赵山说。他的声音有些颤抖，他感到深秋早上的空气像水一样凉。

老朱觉得不妥，咧下嘴说："刘嫂一个普通群众，能跟咱背这个？你让她咋想？"

柳存生又瞥了一眼大田上的太阳，此刻的大地正裹在湿润的气体里，有雾一样的东西开始升腾："刘嫂绝对不干，听说有人正在给她说亲。妈的，这叫啥事！"

赵山挥了一下手，打断柳存生的话："眼下最要紧的是去通知刘嫂一声，她一定还不知道这些。听听她的想法再说，也让她有个准备。"

事情反正已经被人怀疑，赵山决定再去冒一次险。这一次他不是在夜晚，而是在白天奔向了刘嫂的家。那时人们院门已经吱吱呀呀地打开，赵山的脚步声踩得人心颤。人们站在远处，迎着缓缓的日头，向大队长赵山投去惊异的目光。这使张庄的整个早晨充满了一种别样。

赵山这才意识到，原来事情已经到了这种漫天漫地的地步，人们像是都知道了这件事。

他的脚步一阵绵软，却也顾不得这些了。

刘嫂见到赵山在这个早上一脚跨进门来，已经感到了深深的不祥，出事了，她脑子里闪过这个念头，她瞪着赵山："粮洞被人发现了？"她几乎叫了起来，声音拍打着空气，使事情更加显出了急骤。

赵山立在门口,对刘嫂凄惨地笑了一下:“不是,可事情……”当赵山把人们的看法说给刘嫂后,刘嫂便一点儿点地僵住了,一股冰冷的感觉即刻传遍了她的全身,她的脸渐渐苍白。她几乎就要流出泪水了,她平日最怕的就是这种风言风语。

赵山呆呆地望着她,不知如何是好。

刘嫂不像三个大队干部,其实她一直就有这个担心。这个担心在她心里一直隐约着,却没有料到事情一下就到了这个地步,她真的没有一点儿准备。

赵山说完人们的看法,便不知再说些什么了,他尴尬地站在那里,盯着院门上的一抹阳光,心里乱得很。他觉得让刘嫂无辜地背上这种罪名实在对不起她,可现在又没有更好的办法向人们解释。何况如果说出藏粮,刘嫂更要受到牵连,事情比偷奸更要可怕。

刘嫂意识到了,这一刻她总算醒过来,叹了一声道:“让他们说去,反正粮食不能暴露!”她的眼睛闪了一下,在进退两难中,她突然地坚定了起来。

赵山没有吭气,他看着那束阳光已经照射在了长草的墙头上。他盯着光线,算着时日还有一百多天,才能够到明年春上。他想,人们到时候都应该来感谢刘嫂才对,可现在的事情却恰恰相反,刘嫂已经被人恨得要死。

这时刘嫂的脸上已经悄无声息地落下泪来,她的心情真是很复杂,但她的样子却是风息浪止的平静。她在暗里承受着,现在的情况让谁也没有办法。

赵山的目光从敞开的院门上望出去,可以看到秋日太阳下的大田,大田黄黄一片,零零星星地摆着一些枯黄的秫秸秆。这一刻天下奇静无比,根本不像有什么事情要发生一样:“咱就再忍一忍,等一等再看。”赵山说。他的话缺乏力气,他感到很难为情,这一刻他心里空得很。

刘嫂抬起眼睛,目光里充满了忧郁,她咬咬牙说:“我知道,反正明年春天不能再饿死人。”

赵山看着脚下,地上有两只蚂蚁正奋力地搬着一只干瘪的虫子:“人还不如蚂蚁!”赵山说。他的话里透着冰凉的痛苦。

刘嫂也看地上的蚂蚁,蚂蚁拖着虫子钻进了黑洞。饥荒的阴影嗞嗞啦啦地扑将过来,从头到脚。

赵山掏出烟来卷,烟是杨树叶子碾碎的,火星一明一暗,透着荒年里的特有的孤寂。他还没吸上两口,烟灰便已经老长,自然地落下来。赵山看了一眼,把半截烟掐灭丢在地上,用脚狠命地踩住。好像事情就这样了,就当是男女偷奸。

“有什么事就说是我吧。”他说得不明不暗。

刘嫂多少明白他的意思,沉默着一声不吭。

“不管咋说,咱得相信社会主义!”赵山把事情拉扯到很雄伟的地步上,好像他还拥有正义。是的,他是一个很有良心的大队长。可说完这话,他却感到喉咙里堵得厉害,他低着头向外走去。

刘嫂痴痴地看着他，她的目光从赵山的肩膀上滑过去，远处是村外干裂的土地，秋日的深黄颜色漫在空气里，到处都是泛泛的枯萎的黄。这时刘嫂想起东升大队的大姨给她说的那个高个子男人，他们见过两次了，她一直觉得那个男人很不错。可这会儿，她却尽量生出一些那男人不怎么样的感觉，她在心里强调着这个感觉。她知道大概那个男人多好也没有用了，她现在已经成了人们心目中的一个烂女人。眼下的事情很快就会传到东升大队那边去，这是肯定的。她下意识地向那边望了一眼，目光掠过河岸，那就是东升大队了。

赵山站在院门口，他不知道刘嫂的这个事。他堆着一脸苦笑，转过身子说："等到明年春上，人们也就会明白过来。"他望着刘嫂菜色的一张脸，说完他彻底地走出了刘嫂的院门。路上，人们都立住脚看他，不知这时该不该和他打个招呼。赵山本来觉得没啥，可人们的目光还是使他垂下头去。

他竟一下子有了犯罪的感觉。女人们拥在一堆，看他过来呼啦一下全都散开。

赵山在心里深深地叹了一声，一股辛酸毫无防备地涌了上来，他不知道如何收拾眼下的局面。

这是一个阳光温暖而又无风的早上，天气难得的好，天很高很蓝，也很纯粹。如果不看田地里干裂的样子，会使人感到这是一个极好的年景。赵山脚步沉重地一直走进村子，他索性谁也不看。他想今天的天气怎么这样好，他觉得这多少有些反常，像是很不应该。

与此同时，他的心里更接近的是一片凄风苦雨。

赵山的行为无疑地激怒了自己的女人，他在白天还敢迈进刘嫂家的消息，飞快地传遍了整个大队。赵山的女人黑着脸，血液顺着脚板在全身沸腾，她被气疯了，再也无法忍受。她在家里等着赵山，全身都在颤抖。

一切都已经来临，风暴骤起。

柳存生的女人和老朱的女人在这个钟点上，似乎也都无法再忍受下去。赵山走到柳存生家的院门时，听到了里边噼噼啪啪地正在摔啥东西。他惊得立住脚，院子里传来柳存生女人的骂声，高高低低地简直掀塌了屋顶，这声音将秋日的宁静一片片地撕得粉碎。

赵山的心被撕扯起来，他愣在门外，本想进去劝劝柳存生的女人，可他立刻意识到，他也是这偷奸的同伙，且是首犯。他把手指头攥得咯咯吱吱响，快步从柳存生的家门前迈了过去。他心情激动地走进自己的家门，他想，总得有个对策才成。他想坐下来好好想想，他觉得他本来就该认认真真地想想。

可是一切都晚了，再没了那个工夫。

院里静静的，女人一脸怒气地立在屋里瞪着他。现在，她的男人，一队之长，竟带头和那个烂女人鬼混。

赵山的脚还没有站稳，女人已经摔过来一只烂盆："你还回来干吗！你说，你在外面天天干的都是啥事?”女人猛地吼起来,惊天动地般向赵山扑来。

赵山躲闪不及,瓦盆砸在了他的肩上,又滑落在地上碎了,声音炸得好响,在空气里一波波荡得如同一股气浪。赵山立着,他无法解释这一切。事到临头,他才觉出这是天底下最难办的事情,他有一万张嘴都说不清楚。

“咱去办离婚！我不跟你丢人。你个忘恩负义的东西！你还有脸做大队长,还有脸进这个家门!”女人尖着嗓子,铺天盖地闹起来。声音招来街上的人,人们都拥在门口看热闹。

赵山愣怔着,他突然平静地说:“好,咱离,我再不回来就是!”他想只能这样了。

女人根本没有料到男人做了这事,还真敢和她离。赵山的平静让女人觉得什么都已经成真,原来男人暗地里竟真的看上了一个寡妇。女人嗷的一声又扑了上来,撕扯着赵山:“咱不如都死,都死了干脆!”她狠狠地把手掴在赵山的脸上,人们听到“啪”的一声白亮。院门上的一堆脑袋都跟着晃了一下,愣怔着。

突然破碎了的生活,让女人变成一头疯狂的狮子。

赵山的脸上火辣辣地疼,他呆了一下,像是被打蒙了。他突然就抬起手,一巴掌把女人打倒在了地上。女人拍屁股打脸,拼命地哭喊起来,声音搅着日光,水一样铺得一村一街。赵山踩着女人的哭声,迈腿走出了院子。

横在门上的人呼啦一声跑开了。赵山走在街上,他不知这是上哪儿,他怔怔地站了下来,街上都是人,横七竖八地望着他。他隐约地听到老朱家那边也在翻天覆地地闹腾。一切都在瞬间瞎塌了,天和地,人和村,都瞎塌了。

九

事情确实出乎意料的糟乱,街上鸡飞狗跳。看来,再不讲出藏粮的事情就无法收场了。赵山感到透不过气来,心里大洋大海般翻腾。他木然地愣在这一刻上,现在,他完全失去了一个“怎么办”。

远处,王干事急急地向老朱家走去。赵山心里咣当一声,他赶紧走出村子。村外,赵山向坡地上望了望,那里安安静静,整个坡地都沐浴在金黄的秋阳里,一片明亮。他蹲了下来,死死地不动,他希望能清醒一下。

这时整个张庄的气流都不对了,村街都像有了一些倾斜,人们由于饥饿,一直被压抑着的情绪终于得到一次突然的释放,人们把对年月的忌恨都集中在了刘嫂和大队干部们的身上。许多人像是重又恢复了元气一样,在街上走来走去,叫着骂着。蹲在村外的赵山,照样能听到燥热的声浪在四处流动。

刘嫂站在院门上,一手死抠住门框,她也在向坡洞上望着。现在,她已经十分具体地感到了危险的存在。她在等着人们的仇恨,她知道事情快来了。这个时候,那只饥饿的柴狗走出村子，又向这边颠来，鼻子嗅着地皮，颠颠地直奔藏粮的坡洞走去。这一次的柴狗不再有一点儿的犹豫，刘嫂的心里一惊。

她迅速地转身跑到屋里，她打开粮箱。粮箱里只有一把玉米种，稀稀拉拉地铺在箱子底上，那是要留到来年春天的粮种。她迟疑了一下，还是抓了一把奔到门外，柴狗听到动静扭过身子。刘嫂张着手，她叫着柴狗，并把几粒玉米散在地上。玉米在秋阳里像金子一样闪着黄亮，金灿灿的。

柴狗不动，愣怔地望着她，终于有了一些领会，一步步颠着过来。刘嫂把玉米种从门外一直撒到门里，柴狗被引进了院子，饥饿中的柴狗只顾去吃地上的玉米种，刘嫂咣当一声关死了院门。

柴狗低低地叫了一声，又去吃那玉米种。刘嫂从门后抄起了一只锹把，她突然猛力地挥舞过去，锹把带着风声，把日光划成一道弧线，接着是一声骨头炸裂的声响，又清又脆，劈柴一样。柴狗在地上弹了一下，四肢一阵抽动。刘嫂扔了锹把，软在地上。她想，必须杀掉这只柴狗，她杀了柴狗之后才这样想。

一股黑暗的血水淌在她的面前，她闻到了冰凉的血腥味。她盯着那股血水，倒像是自己死了过去一样，半天她都一动不动。寂静里，她终于听到来自村里的潮涌声，她惊得坐了起来。

晌午，公社得到了来自张庄的消息，是蹲点的王干事赶去汇报了张庄的情况。公社领导听后，同样感到事情的古怪和不可思议，当即决定把张庄的三个干部都叫来询问。

赵山他们听到传讯后都愣了愣，当着王干事的面，他们谁也没有吭气，跟着几个人便急急忙忙地奔向公社。三人走在路上，心里都是一阵阵地慌乱，不知等待着他们的到底会是些什么。深秋的晌午并不热，但三个人的头上却都挂了亮晶晶的汗水。

柳存生边走边对赵山说："事情到了这个分儿上，就说你是乱搞大概也不成，咱更不能害了刘嫂啊。"

赵山一直拧着脸，嘴上叼着一截早已熄灭了的烟屁股。他也觉得这个说法十分不妥，弄不好还会惹出更大的乱子。

老朱说："反正没人抓住咱的把柄，咱就给他来个铁嘴钢牙，死鱼不张嘴，看他们咋办！"

于是三个人在路上说好，死都不承认与刘嫂有那种事情，不能让刘嫂无辜地担上这个罪名。藏粮的事自然更是不能吐露丁点儿。三个人都凝着一脸的黑气，如同赶赴刑场，全都是挨杀的模样。

就在三个干部被叫到公社受审的时候，大队里终于暴发了一场灾难。三家干部的女人以及部分娘家人，在无法控制的情绪下，把事情吵嚷到了天上去。他们同王干事，刘嫂干吗不去受审？她是祸害、妖精、破鞋，咋反倒没事？

王干事答不出，他很年轻，招架不住这个突发事件。

于是，人们浩浩荡荡地拥向了刘嫂的家。

午后的秋阳里，人们呼天喊地，破门而入。

那只死狗还躺在刘嫂的院子里，几只苍蝇在死狗的身上嗡嗡。刘嫂是想等大队干部们来时说说怎么处理。

看到死狗，迈进腿的人惊了一下，那一刻曾有短暂的宁静，仿佛地上殷红的血水还在流动，在人们的目光中滑落不止。当人们发现那是老孙家的柴狗时，便更加愤怒起来。没想到刘嫂原是这样的可恶，竟然还要偷吃人家的狗肉。而孙家人都还没舍得吃哩！人们拥了一拥，就把事情汪洋成了一片海，再也无法收拾。

刘嫂在一片破鞋、烂货的叫声中，脸上没有一丝血色。她不知应该说啥，也没法解释为啥打死老孙家的柴狗。女人们吵嚷起来，让她交代，倒是跟着哪一个男人，怎样的勾当？

刘嫂死闭住嘴，人们一步步逼近她。老朱的女人突然揪住了她的头发，抬起手来掴在她的脸上，刘嫂歪了一下。接着，在一片喊打声中，刘嫂明显缺粮的身子像枯草槐柴一样倒了下去，人们的拳脚雨点一样落到了她的身上。

刘嫂没有说出藏粮的事情。她想着春天时候，村里饿死人的情景。她还想到明年春天来临的时候，人们总会明白过来。刘嫂想忍过去，等着那个漫长的春天。

然而她的不开口，却证实了人们的种种猜测。女人们没想到一切都是真的，没想到可恨的刘嫂这时还如此地抗着，还和村人对着来！打死她的呼声浪头一样，搅得午时的日光噼里啪啦响。

刘嫂被打死了，是活活地被打死了。

事情像是在一瞬间发生，又在一瞬间结束了一样。

谁也没有想到，刘嫂是这样的弱不禁风。

当三个干部从公社回来的时候，刘嫂已经静静地躺在了院子里。赵山听到消息，简直不敢相信自己的耳朵。他奔向土坡，跨进刘嫂的院子，看到的已是一具干柴样的尸体。刘嫂的身上甚至没有一丝血迹，这与年初被饿死的人情景没有二样。赵山愣在那里，下午的斜阳透过院落的枝叶，不很明亮地铺在刘嫂苍白如纸的脸上。

有人跟了进来，说确实谁也没有想到要把她打死，也没有想到事情会是这样。赵山依然木桩一样没反应，而刘嫂确实是死了。赵山立在刘嫂的尸体前，他好像是在梦里，难以醒过来。

那时更多的人默着立在刘嫂的院门外，他们离藏粮的土坡已经很近很近。王干事也在那里，他到现在也不明白，张庄到底是怎么一回事。

干部老朱，实在无法容忍这悲痛的景象。他奔回家去，一把揪住女人的头发痛打起来，他再也不想这样不明不白地活着。他把女人痛打过后，便说出了藏粮的事情。他是为证实刘嫂的冤屈，让女人一辈子悔死。

这样，藏粮的事情也就被不多的几家人知道了。人们愣着，谁也没想到，几个干部竟敢冒这种杀头之罪。

当天晚上，来蹲点的王干事终于听到了风声，他惊得张大了嘴巴。原来还是藏粮，到底是为了藏粮。可他的做法却与他的初衷相反，与张庄干部们的担心相反。大概是由于刘嫂的死，大概是由于一种复杂的心态，他主动结束了在张庄蹲点的工作。

回到公社的时候，他说张庄没有藏粮，他说刘嫂已经被饿死，他同样与张庄的干部们一起背了黑锅。刘嫂是村人集体出钱安葬的。这是一九六〇年，没有人限制土葬，刘嫂的坟头又宽又大，是葬在那片红土上。

春天，严重的饥荒再一次来临。三个大队干部悄悄地打开了坡地上的粮洞，准备拿出刘嫂用性命保护下的粮食分发给人们。

可是，在他们搬开那座石板的一瞬间，全都惊呆了。石板好好的，稻谷却已经颗粒不剩，洞里一层厚厚的老鼠屎，细密地铺了一地……

(选自《时代文学》1999年第1期)

星 竹

原名郭建华。1954年出生，北京人，中专毕业。1970年参加工作，历任北京造纸三厂干部、昌平工商局干部，昌平文化馆助理馆员、创作员，北京市作家协会合同制作家。1981年开始发表作品。1998年加入中国作家协会。著有中短篇小说集《癞花村的变迁》，报告文学集《京东硬汉》，中篇小说《杀富济贫》等。报告文学《大山之恋》获1992年中共北京市委、市政府好作品奖，小说《两粒砂子》《土沟沟演义》分别获北京市庆祝建国40周年、45周年优秀作品奖，《人性的一种》获1993年文化部全国群星杯金奖等。

稻草湖

楚良

稻草湖早已经不再是湖，而是一个扎扎实实的垸子，外滩垸。坐落在荆江之畔，离江一公里不到。三十五年前，这里是个小湖，约十来平方多公里的水域，像一只圆盘子，很美。圆周是芦苇，如墙如帏。芦子边上是近百米的草滩，如毯如毡，直铺到水边。浅水边是荷，绿荷红花，镶嵌在盘子边上，煞是好看。荷渐渐稀，便是菱，菱紫红一片，贴在水面上，开着水粒般的小白花。水鸟在菱荷间扑扑腾腾，打起一串串水花，由大渐小，爪儿带着水珠儿，飞起来。芦苇、草滩、荷花、红菱四道镶边后，中间是一片白荡荡的清水，水上漂着几许渔舟。渔舟偶尔惊起一群野鸭，从菱荷间呼啸而起，直冲云天，在天空遨游一圈，似暴雨一阵，落在湖的另一边。高空中有白鹤和灰鹳在盘旋，偶尔一声长鸣，气贯长虹。

杨树青出生的那年，农业学大寨，围湖造田，把稻草湖给围垦了，当他睁开眼睛看世界时，世界上根本就没有稻草湖。稻草湖那时叫东方红大队。二十年后编《地名志》，本着沿袭历史的原则，才恢复了“稻草湖”这个被人们几乎淡忘了的名字。为此，杨树青的父亲和杨家儿孙们兴奋了好久好久。整个稻草湖垸一乡一镇一万多人口中，唯他们杨家台上十几户人家是正宗的稻草湖人。其他的都是围垦后迁来的移民。

五十年前，他爷爷堪称稻草湖上一霸。

当年的杨家台是稻草湖边的一个半岛形状的高地。祖宗前两代漂流在此，很有点落草为寇的味道。一叶小舟，一杆火铳，一把渔网，占领了这荒蛮之地，用芦苇搭起了“一眼铳”式的草屋。屋前原来有一条小沟，是稻草湖、秤斗湖的泄洪口。春夏之交，江水从这小口中灌进来，灌满湖泊，淹了草滩，漫了芦苇，广袤的大地同长江连成一体，浩如烟海五十余里宽的水域；秋冬时节，水渐渐退去，直到这小洪口现出来，变得像根小吸管，把稻草湖的水吸得只剩下一小碟儿，洪口也就跟长江断流。这里曾是一条春秋季节的水路，常有航船入口，走东荆河，下汉口，过咸宁，为贪近路而常遭打劫。稻草湖、秤斗湖、赤土坡一带是土匪窝子，杨家台更是赫赫有名。杨树青的祖父“杨大铳”是方圆几十里令人闻风丧胆的人物。谁也没有见过他，“杨大铳”也不是他的真名。关于他的传说非常多，有的说他是江洋大盗，连长江上航行的大轮船也敢登上去抢。有的说他是赤匪，跟贺龙是朋友。日本人开着汽艇架着机关枪去剿他，被他诱到湖汊里，用排铳全部打死了。直到土改时，“杨大铳”才露出真面目。他只是杨家台的一个渔民老大。亲生六兄弟加上两个表兄弟，八九条小渔船，三十条火铳。那火铳一丈多长，小碗口粗，排成扇形打出去，浓烟滚滚，惊天动地。打死的野鸭和大雁一次就装好几划子，到汉口去卖。洪口上有他们家的晾网和大罾。“杨大铳”是官匪兵谁也惹不起的人物。土改时共产党来了，要算他的账。他拿来不出半分田的地契，算贫农。但他很有钱，很有威，于是把他抓起来。他逃脱了，逃到汉口找省长，跑到北京找到王树声、贺龙，然后拿来了个信大摇大摆地回来。你把他没治。“四清运动”工作队要彻底清查他，外来户柳家人全发动起来，要打倒湖霸“杨大铳”。因为他平时很霸道，瞧不起刚迁来的移民户。移民户有工作队撑腰，也不怕他。柳家的出头人物是柳茂林的祖父，当时的大队书记。“杨大铳”火了，把绑在屋子里中柱上已无用武之地的大铳解下来，灌满了硝药铁砂，扛到工作队的办公室门口，指着工作队长和柳书记骂：“狗娘养的，你们敢动我？吃了豹子胆！老子连日本人的机枪都不怕，还怕你们几张大字报？我干赤卫队时，你们这群小杂种在哪里？王树声在我家躲过灾，是我把他送过江的。你们算什么东西？革命？老子革命你娘还没有嫁人哩！你们敢动我一根汗毛，我把你们全轰了。”这下可就惹下了杀身之祸。“杨大铳”被抓到县公安局去了，他不屈不挠，连县长都骂，一头撞死在牢房的墙上。从此杨柳二家就结了仇。若干年后，“杨大铳”他又被封为老革命。他的儿子终于又重新当政做了两届支书。杨家又率先富起来，孙子杨树青成了稻草湖一雄。他父亲八年前把稻草湖垸子中心两百亩低洼地承包下来做了鱼塘，传到树青手里，成了水产养殖大户。杨家人和柳家人几十年的恩怨却埋在心底，两代人，也没有消解。

杨树青的父亲六十岁才从支书的位置上退下来。柳家人多，终于又将老柳书记的孙子柳茂林推上了村长的宝座。

杨树青很不买柳茂林的账。他以为自己财大气粗，哪怕你人多势众。

杨树青狗胆包天，居然干了柳茂林的小妹子柳芹芳，芹芳是稻草湖上的一朵美丽的莲花，正鲜花怒放哩。她才二十三岁，原封未动的黄花闺女。树青却是早已结婚而且女儿也七岁了的大男人。

不过，他老婆去年难产死了，找女人也是势在必行的事，只是在方式上出了点问题。

那天放学之后，校长安排家访。姣姣在学校是有名的娇生，动不动就哭闹，学习也不好，妈妈死了，爷爷奶奶宠着，爸爸有钱，又娇又横，学校里也只有芹芳勉强能哄住她。校长也不敢得罪她,因为她爸爸说了,下学期开学,他出钱,把学校的破课桌全换成新的,条件是让姣姣的成绩名列前三名。校长把这个艰巨的任务交给了芹芳,这也是对她能否去进修能否转正的极大考验。

芹芳想找树青哥亲自谈谈,虽然两家只隔一堵墙,很方便,芹芳却宁可舍近求远,避开双方的父母,好谈得更深一点儿,还想谈点题外话。所以,到天黑的时候,她看到树青骑着那辆漂亮的进口摩托车去了垸子中间的养殖场,她也就骑了自行车追去。妈问她上哪儿,她说去家访。父亲也不好阻挡。妈说:"天都快黑了,早去早回呀。大姑娘家的,叫人不放心。"芹芳笑着说:"我又不会被狼叼走。"嫂嫂开玩笑:"野狼倒是没有的,怕的是家郎哟!"嫂嫂已经发现了一点儿苗头,不准确,还没来得及跟丈夫说哩。

垸子中央的养殖场方圆三四里没人,一条简易公路穿过,公路两旁是树。树旁有两间小平房,是照管渔场的人住的。有一间是办公室,布置得也还干净。除了办公桌和一些简单的用具外,还有一间套房是供树青休息的,有床,床上卧具也很整洁。树青有时也在这里过夜,自从没了老婆,到这里过夜的时间就更多了。长夜难熬,他时常找三个朋友到这里来搓麻将,赌得天昏地暗也没人来抓。连一些乡镇干部也常光顾这里,他们还给它取了个洋名"拉斯维加斯",安全偏僻的赌城。半夜里,捞起活鲜鱼来大吃大喝,快活。照管鱼塘的人是外地人,对老板很忠实。树青近二十天没有约赌了。他的精养池今年投下了三十万,养了虾和螃蟹,还在省城雇了生产专家。他把心思放在年后一百万上,在事业上下了大赌注。

他没有想到芹芳天快黑了来访。

养殖场里静悄悄的,夜幕四合,公路上的行人渐断。这条路上本来就车辆不多,是一条乡间土路,铺了些碎砖碎石,渍涝时常被水淹。树青雇来的四个外地人各霸一方,到四角边的窝棚里守夜去了,他们一般是不管老板的私事的。芹芳到养殖场平房时,树青正打开电视机准备安心看两集连续剧,因为那电视剧中有个女演员长得很像芹芳,这令他产生许多联想。他一集不落地在看,而且是独自一人关在自己的房间里看。芹芳把自行车架放在门外摩托车的旁边,没锁,叫了声:"树青哥!"

树青简直不相信自己的耳朵,以为是一种幻觉。屏幕上的那个女演员刚好出现,他认定自己是在胡思乱想,并笑着狠拍了一下自己的脑袋。

"树青哥!"接着两下敲门声,"这屋里电视在响,难道没人?"

树青这才敢确认是芹芳,兴奋地跳起来,猛地一把将门拉开。

芹芳的手还搭在门上,往门缝里窥探着,门霍地打开,她猝不及防,一个趔趄,倒在树青的怀里了。树青一把将她紧搂住,退了两步才稳住身子,两人差点儿同时摔倒了。

"芹芳！是你?"

“不是我是鬼不成？你以为来了湖蚌精？一个人在这垸子当中。”她从他的怀抱中挣脱出来，笑着，“把人家抱得那么紧……”

“嘿嘿嘿！要不是我抱住，你肯定摔了个鼻青脸肿，还怪我，该谢我才是哩。谁会想到天黑了你会到这儿来？”

“我就来不得么，听说你常约朋友到这里玩？”

“我可没约女人呐！那都是一些赌鬼，跟他们鬼混打发时光。柳老师可是正经人，我敢约么？”

“我今天是不请自来了啰。你不欢迎？”

“一进门就热烈拥抱的，哪能不欢迎呢？”

“你——你是有意的？”

“别别别生气，我哪能有意呢？纯属无意嘛。”

“我来找你可是有事的。”

“什么事？不能过夜的？天都黑了，到这垸子中间来不怕？”

“你在这儿，我怕个啥？除了怕你还怕谁？”

“你不怕我？”

“你谋杀我不成？我想你只会保护我吧？”

“谋杀倒是不会的，当然只会保护你。不过——也很难说呀！我可是没了老婆的大光棍。”

“不就一光棍么？有什么好怕的。怕我就不会来了。你吃了我不成？”

“吃，一餐也吃不完呀！哪怕我是一只馋猫。一个大姑娘，我一口也吞不了啊！真的你找我有什么事？这么急的。”

“没事就不能找你吗？”

“那我真是受宠若惊了，坐坐，沙发上坐，我正在看电视哩。瞧瞧，这个演员太像你了，我就是为了看你，才一个人躲到这湖中间来的。”他指着屏幕说，“不好意思，坦白交代。”

“坦白从宽嘛。我哪有人家漂亮，哪有人家那才华。”

“不，我看你比她还漂亮，才华嘛，是没有那机会。”

“我连个老师都当不好哩。”

“你当得不是挺好吗？姣姣就听你的话。你的话，对她简直就是圣旨，还拿你的话来压我呢。柳老师说的，爸爸说的就不算数了。”

“不过，你说的话还是要算数的。我今天来找你就是为这事。”

“究竟是什么事，闹了半天你还没说哩。我说了什么话，不算数？”

“校长交给了我一个死任务，要保证姣姣在全班名列前三名。”

“这话我说过的，但也不为难你呀？”

“那么期末名次排不到前三名，你就不出钱更换课桌了啰。”

“你是来跟我订君子协定的?”

“也算是吧。”

“你说了,我还有什么好讲价的,君子一言,驷马难追嘛。”

“这可是你亲口对我讲的,毁言我可就看不起你了。”

“决不食言,好吧?不过,我的姣姣没娘了也挺可怜的,你得耐心点。”

“这我知道。你准备什么时候给姣姣找个妈?”

“这个事啊,难哪!”

“难?你这种人还难?怕是你自己挑花了眼啰。”

“眼倒是没花,看倒也看准了的,挑嘛也是要挑一下的。”他盯住芹芳,“芹芳,你说说,我这种二水货,还有个孩子,年纪嘛,虽然不大,钱嘛也有几个,人样儿也不算差,社会上也算混得过去,再找个结过婚、离了婚的女人,那当然是拎着头发尖儿选。怪就怪在我不想找个结过婚的女人,或有儿女的牵扯,或有感情的纠葛,两人都有旧账可提,各自心里有块秘密的天地,各有禁区,互不能踏破,没多大意思。找个女人做老婆太容易了,找个自己爱的女人太难了。我跟姣姣妈妈的关系,你也是看在眼中的,她哥是乡长,我拿她咋办?她走了,留给我一个孩子,也留给了我重新爱一次的机会。我得十分慎重地选择一次。”

“我明白了,你想找个大闺女。”

“但我并不想找老姑娘。”

“胃口倒不错,还想吃嫩的新鲜的。”

“所以说难哪!”

“树青哥,可不可以告诉我,你看中谁了?跟我保密?不想我给你参谋参谋?”

“对别人嘛,可以不保密,对你却要保一些时间的密。不成熟我是不会跟你说的。”树青望着她笑。

芹芳已经感受到他的眼光有点儿异样,不经意地一笑说:“你不信任我?”

“不不不!刚好相反,我是怕你不信任我。”树青毕竟老练,他笑得有几分诡谲。

芹芳也装糊涂说:“我不信任你,我敢在大天黑的到这孤荒野外来找你?”

“那也许是胡校长那家伙逼的。”

“仅仅是为了公事,我也不一定天黑到这里来跟你谈啦!光明正大地到你家去不就十步路吗?”

“这么说,是还有加紧的话跟我谈啰。我也有话想跟你谈谈,但不敢上门,也不敢跟你谈。那话,要是让你爸你哥听到了,不打我才怪呢。”

“你打什么坏主意?”

“嘿嘿嘿……你们家跟我们家可是阶级恨血泪仇啊!”

“那是上两代人的事,跟你我有什么关系。”

“你祖父还活着,我祖父却早就死了。”

“你恨我祖父?”

“那倒没有。你哥可把这当回事,总以为我发横财是土匪的根子。”

“你家也是太出格了,哪个不眼红呢?人家都诅咒你发火烧发水淹翻车撞,连你老婆难产死了,村里人也不同情,盼你家绝后哩。”

“这么恶毒?”

“还有许多恶毒话,我不告诉你。”

“一准都是你们柳家人说的,你们巴不得我打一辈子光棍连老婆也讨不上。我偏要讨个姓柳的姑娘做老婆,我敢当你发誓,不是你们柳家的姑娘,我不娶。”

“好啊!树青哥,你的秘密可暴露了,哈哈哈……村里四十八家姓柳的,姑娘可是不少哟,看中谁啦?我跟你当红娘牵线去。”

树青突兀地站起来,一脸的严峻,像要冲锋陷阵似的:“我看中你哪!”

芹芳也站起来,嫣然一笑,歪着头说:“你敢?!”

“我就敢。”他握着两只拳头,像要跟谁打架。

“土匪,真像土匪,嘻嘻嘻……”

“我就是土匪!我奶奶就是我爷爷抢亲抢来的。要是现在抢亲不犯法,我就抢了你。”

“真可爱,世上这种男人都有的。你抢吧!我是稻草湖的蚌精,小时候,我听你奶奶讲过,说稻草湖中间有个蚌壳精,修炼了五百年,她口里有一颗夜明珠,天黑,她口吐夜明珠,引来一些猎雁打鱼的男人。蚌精天仙一样美,只要那男人一动邪念,她就卷起一阵旋风把船打翻,把男人吞食了。若是正经的男人,她会给他引路,即使碰上风浪,也让你化险为夷。你奶奶说,她还亲眼看见过三次。自从稻草湖围垦变成了良田,蚌壳精就再没有现身了。”

“我也听奶奶讲过好多次,我才不信哩。有时我一个人在这湖中间过夜,倒希望蚌壳精现一次身给我瞧瞧。”

“我就是她来了,变成柳芹芳,你怕是不怕?”

“我才不怕!”树青一把搂住芹芳。

“树青哥!我喜欢你。”

“我爱的就是你,你做我的老婆吧。”

“不,我做你的妻子。”

树青把芹芳抱起来,放到床上去……

柳茂林就是这时候来的。

柳茂林在乡里开会,散会后几个村长难得一聚,在一起撮了一顿,喝得个天昏地暗,天黑方休。他骑着自行车回来,好在路上人少车稀,撞了一回树,他才清醒了一半。直到垸子中间,看到一点儿灯光,他才知道到了树青的养殖场。“妈的!”他下意识地骂了一句。他对杨树青一向不满,这倒不光是因为他的祖父把树青的祖父送进牢房,他的父亲被树青的父亲搞垮台,而他又费九牛二虎之力把树青的父亲拉下马三代恩怨。关键在于树青根本就不拿他当村长。他几次想抓他的小辫子治一治他,他却十分滑头,即使被抓住了,他用钱一疏通,泥鳅一样从手里溜脱了。此时,风一吹,酒又清醒了几分。他见景生情,心生一计。狗日的,今天肯定又在这里聚赌。往日不好意思来抓,是怕抓到乡干部。今天乡干部全在乡里没下来,你他妈这屋里大灯大亮的,不是在赌是在干什么?今日顺路,也该你碰到我的耙齿上了,他把车把一扭拐进了养殖场的小院子。他下了车,蹑手蹑脚把自行车推到门旁边架好,侧耳细听,却没有响动,这就叫他有点儿奇怪了。院子里静悄悄的无人一样,他看见树青的摩托车锁在门外,断定树青必在。他贴近门边,往门缝里一瞧,没人。他就更加奇怪了。他发现走廊里有辆女式自行车,也没看清是什么颜色的,疑窦大生。狗日的!居然拐女人来这里睡觉了,孤荒野外,倒很安全呀。老子今晚就要出你的大洋相,捉你狗日的一次奸,让你见不得人。他从门缝里看见里间的房门并没有关,但看不到,他走到窗下,窗帘倒是拉得严实,什么也看不到。他把耳朵贴到窗上听,听到一阵"哎哎唔唔"的声音。他很兴奋,狗日的,这回可让老子抓到了。他走过去,企图轻轻地使力把大门顶开,这里他也不是第一次来,知道这门并不严实。可今天反锁了,这更加增强了他的信心。抓准了,狗日的正上劲哩。我看你哪里好逃?他一脚把门踹开了。

"谁?"树青在里边大吼道。

"杨树青!你他妈在这垸子中间倒快活呀!把谁家的女人叼来玩?我倒要见识见识。"

树青穿着短裤从里间跳出来:"你——"

茂林直往里间闯,树青把门堵住了:"这是我的私事,你管不着。"

"你干人家的姑娘,我就要管!你他妈的无法无天了?有钱,你到城里嫖去,我管不着。你想在村里乱搞,我就得管。"他一把拉开了树青。

树青尴尬地站在门边了,要是以往,他才不怕他哩。如果是别的女人,哪怕是茂林抓到,他也不怕,他早就跟他打起来了。

芹芳已经从床上爬起来,穿好了衣服,只是头发很乱。

"哥!是我。你要咋办就咋办吧!"她无路可退。

"你!"茂林大惊,简直说不出话来了。

"是你自己找来的?!"

"是我自己来的。"

"你个小贱人!"

"你骂吧。"

"我打死你!"茂林吼叫。

"你打吧。"

茂林的肺都要气炸了。

“茂林哥,你要打,打我。”他还是第一次叫他茂林哥。

茂林一把拖过妹妹,劈头就两耳光打在芹芳的脸上。

树青抓住了茂林第三次扬起的手。

“让他打!”芹芳毫不躲闪。

茂林甩开树青,“啪啪啪”又是三个响亮的耳光。

紧接着窗外一道闪电的强光射进屋里,霹雳一声炸雷。风呼呼地吹过来,把一扇窗也吹开了。

暴雨就要来了。

“我嫁他,你又把我怎样?”

“杨树青！你个狗日的,我饶不了你的,你等着,我会叫你死得不明不白。”

“我跟芹芳结婚。”

“你休想。你个小贱人,我看你有脸回家!”茂林从屋里退出来,骑了自行车,冒着倾盆大雨跑回家。

大雨就是从这天晚上下起来的,一下就再也没有打住。

芹芳也不知道是什么时候回家的,她父母不知道,嫂嫂更是不知道,只知道她第二天照常到学校去上课了。这件事除了他们三个,谁也不知道。茂林当然不会把这家丑泄露出去,他要报复杨树青,决心要他人死财光才出这口气。

树青自然也不敢再藐视他了。

大雨像是天河穿了孔一样,瓢泼桶倒,倒了整整三天四夜,沟里满了,渠里满了,坑满塘满,河满江满,人们的眼帘里充盈着两个字:满,漫。连睫毛上都挂着水。公路上混浊的水滚滚流淌着。一连下了半个月,很少见到太阳。仿佛天也霉了地也霉了房子霉了人也霉了,那固若金汤二十多米高蜿蜒横亘在长江边的大堤也像是在生霉腐朽着,堤坡上的草缝里都长出了地卷皮(一种苔菌,生长在潮湿的地带)。村里的老人说,地上长出这东西,必是大灾年。五十年前,灾民拿它充饥,吃多了中毒,全身浮肿,通体发亮,像即将上棚架的蚕一样死去。年轻人从没有见过这种苔菌。茂林对树青的新仇旧怨积蓄着,先是排涝,忙着,他恨不得大雨把树青的鱼塘全漫了才好哩。树青也忙着护鱼塘。芹芳天天在学校里上课,她和树青再也没见面。

江水就是这时节冲破了警戒线的,防汛开始了。

柳茂林从乡政府开完紧急会议回来,走到养殖场,他真想进去再揍狗日的杨树青一顿以解那憋在心头难以出唇的仇恨。十多天兄妹俩没说一句话,憋着,家里人也不知道发生了什么事。以往兄妹俩十分亲热,突然冷若冰霜,母亲和嫂嫂很是奇怪。芹芳再也没有见树青,再也没有送姣姣回家。在一张桌子上吃饭时,芹芳简直不敢抬头看哥哥一眼。以往,这个小他十多岁的妹妹在哥哥面前娇得像孩子,现在却一下子变得像小媳妇似的了。他为她费尽心血，好不容易把她弄进学校当代课老师，她居然如此辜负了他，做了让他见不得人抬不起头的事，而且是跟杨家尤其是可恶的杨树青。十几天来，他一直想着置杨树青于死地的妙方，但总找不到最恰当的由头。既不让自己丢面子，又让杨树青心里明白。开完了防汛紧急会议，他有了主意。

他进了树青的办公室。

树青见他进来，连忙站起来："茂林哥，你来了，坐坐！"完全不是以往高傲的杨树青了。

"杨树青！你也得跟我上堤！哪怕你钱再多，关系再大，生意再要紧，哪怕你的鱼池翻了塘，虾子走了瘟，你也得丢下给我上堤挑土去。"他是村长，有权这么说，这么做，他有红头文书。

"我雇三个外地民工顶我一个不行吗？"

"不行！"

杨树青不敢反抗，防汛非常时期，他可以拿他当典型治罪的。报复他的好时机来了，柳茂林想：把这狗日的押在大堤上，最好防两个月再退水，叫他完蛋。树青也挺识时务。

"好，我上堤。"他第一次买村长的账。

杨树青不得不丢下养殖场刚刚投放的虾苗蟹苗，让六十岁的父亲和两个外地雇工去看管，挑起篼箕，上了大堤。他想，这水不过只是做做样子吓吓人，十天半月准会退下去。年年防汛，巡巡逻，放放哨，好玩儿，在哨棚里赌博，赌得天昏地暗也没人管。年年这时光，男人们算是找到了合法的借口，痛痛快快地过赌瘾。而且每天还发两块钱的补助，有时象征性地挑两担土。这道大堤从六十年代筑起来，只是在1978年加固过一次。十年前的一次最高水位离堤面还有两米哩。他出世以来就没见过淹水。溃口决堤淹大水是奶奶讲过的故事，小时候听了觉得挺好玩，巴不得淹一次水，让他见识见识。当然，现在他怕淹水，水一冲，冲走的可是他的身家性命。上堤去是轻松活，要是以往，他才不去哩。年年防汛工分派到他家，他都是拿钱出来买工。以资代劳，乡里也高兴。今年他打开了村长妹子的缺口，那口子还是崭新的，加上三代的冤仇，让茂林给抓住了把柄，他才老老实实上了堤。村里人见树青上堤，也觉得莫名其妙，笑着说："杨大老板也同咱们上堤啦？我们正缺个腰包硬的宝倌老爷哩（赌博的庄家）。"

树青只是笑了笑。他想，白天到堤上点了卯，给同岗哨搭班的伙计们一点儿小费做赌资，自己便可以溜到养殖场去。他还想给芹芳悄悄打个电话，如果芹芳走得出来，不被他哥发现，到养殖场那小屋里，再加固一下堤防，把口子做得更紧一点儿。我看你柳茂林拿我怎么办？所以他上堤也带了手机。芹芳学校里有电话。茂林家有一部公家的电话，他从没打过，连号码也不知道。全乡只有三部手机，一个是乡长，还有一个是乡党委书记，再一个就是他。他跟乡镇干部是铁哥儿们，谁没有吃他的喝他的拿他的？

他万万没料到，一上堤就下不来了，连家也不敢回。那水以一天一米的速度往堤坡上爬，那雨一天三十毫米往下倒。半个月，连排涝的大泵站也停止了往长江里排水，封起了闸门，用土把闸口填死，二十四小时派岗轮流看守。又过了三天，长江封航，连船也不许走了。这可是他有生以来没见过的事。

所有的村长镇干部都上了堤，所有村内六十岁以下的男人都上了堤，除了病倒起不了床的。没有孩子的青年妇女白天也要上堤。分段负责，睡在堤上，吃在堤上，稻草湖村的民工在离杨家台五里的段面上。饭由村里送来，谁要是偷跑回家跟老婆睡个小觉，不罚你打锣示众才怪哩。乡镇干部一个个都绷着脸，没有了往日的那种笑容。一个党员管十五个群众，一个干部管四五个党员，简直是军事编制。乡镇干部立下了军令状，手拿生死牌“堤在人在”。要是发现谁一刻钟不在，你的小小乌纱帽就只当扔进长江了。杨树青从来没有看到过这种阵势，一个个如临大敌，这敌人就是江中滔滔的洪水。江水浑黄，浊浪滔滔，站在堤面上，可以把脚伸到江水里去洗。望一眼悬在河床上的滚滚江涛，再看一眼垸子里的村庄和田园。脚下的大堤像一堵单薄的土墙，河面高出杨家三层楼。要是江水破堤，那才叫灭顶之灾。这时刻的干部才真叫干部，党员才真叫党员。往年防汛等于大休息像是梦里发生的事了。有人早把带来的扑克和骰子悄悄地扔到江里去了。树青带来的两千块钱也没处花去，手机也没来得及用一次，装在个小提包里，挂在哨棚的竹柱子上，也没人偷。人们高度紧张，一心贴在堤上，只要堤在，他们的一切都在，堤一垮，一切都垮了。解放军是在江水离堤面只有一米五的时候开来的，稻草湖不到十多里的段面上就压上了一个整团。加上全县调集来的民工，数以万众，众志成城，像蚂蚁一般，爬满了堤坡。军人冒着大雨在筑子堤，老百姓无不感动，同军人一起，同心协力，谁也不肯退后偷懒。

树青的父亲跑到堤上来，二话没说，拿起锹就挖土。他见到儿子时才告诉他说：“鱼池漫了，鱼虾蟹苗都跑了，满垸子都是。”

树青说：“我看得到，幸好我保过险。只要不破堤，明年再说吧。”他站在大堤上就可以清楚地看到他的鱼塘，眼睁睁看着三十万被白花花的水冲跑了。他没有离开大堤一步，此时，他倒不是怕柳茂林抓他的小辫子，假公济私拿他治罪。他看到所有的人都一心在保堤，解放军简直是舍生忘死，为了谁？他若离开大堤，就是连起码的人样子也没有了。

杨树青问父亲：“学校里还在上课吗？”

“上。姣姣每天都上学，昨天雨大，还是芹芳把她送回来的。”

“芹芳进我们家了？”

“没有，送到大门口。学校老师把办公室也腾出来了，硬是拉了一个连的解放军进去住。唉,这些当兵的娃娃,太吃苦了,没个干窝休息一会儿,怎么熬下去?水还在涨,天河像穿了似的,比起1954年的水还要大。"

"怎不把我们家空出两层来让部队住?"

"老子还要你来教吗?你妈都当上火头军了。"

"那好那好。"

"你给我卖力地干,这节骨眼上是偷不得懒的。你小子从来就没吃过大苦,这次防汛对你是个考验。在生死关头,别叫柳家人看不起。瞧人家解放军。"

"我知道。"

天黑,树青父亲才下堤回家。

夜里十二点,树青接班巡查。查险一班五个人,茂林有意把树青编在自己一个班里,一个多月来,他没有放松对他的监视,他不想看到他,但又时时盯住他。眼看着他的鱼塘完了,他暗自庆幸,幸灾乐祸。茂林这段时间也特别地认真负责。

树青打着手电,发现泵站八字墙一侧冒出水来,漏洞口有碗口那么大,水柱水枪似的往外喷着浑水。他叫:"茂林哥!闸门漏水了,快来看。"

茂林赶紧过来一看,连忙喊乡长。乡长立即打电话报告险情,并当即组织人下水查洞口。如果不立即堵塞,十多分钟这碗口大的洞就会变成不可收拾的局面。乡长说:"是党员的先跟我下!"自己先脱下了衣服。

柳茂林二话没说,也脱了。还有两个姓柳的是茂林的堂兄弟,其中一个也是党员。乡长下去不到半分钟就被柳茂林拖起来,他水性不好,喝了好几口水没摸到洞口。树青也把衣服脱了,准备下水。大家都是一块从小在湖塘水洼里像野鸭子一样戏水长大的。树青有个"没鸡子"的美名(一种善于潜水的水鸟)。此时他不先下水,脸上无光。没想到茂林一把将他推开,说:"你又不是党员,留着给你爹做种吧!"树青是独子,他当时以为茂林当众羞辱他,差点儿同他干起来。乡长把他拉住了。柳家三兄弟先下去,他接着也下去了。是他第一个摸索到那筛箕大的洞口,一股漩涡把他吸到洞口,他的双腿被吸了进去,柳茂林抓住了他的一只手,把他从洞口的激流中拖出来。茂林为什么不借此机会报复他?同下的是他们柳家兄弟呀,齐心合力,把他塞进那洞里去,让他光荣牺牲,比顺手牵羊还容易的事,而且丝毫没有犯罪的证据。他们平时不是对他嫉妒得要死,诅咒他翻车撞死,翻船淹死,喝酒醉死,能治他于死地时,他们却放手不干?茂林不是说过,不治他不是人养的么?他干了他的妹子,事先连招呼也不打一声。他感到异常愧疚和不解。电视台来采访他们时,他一句话也没说。他有了一线希望,他爱他的妹妹。他们不要他的命,不置他于死地,就是一种希望。他很想把这件事告诉芹芳,等水稳了,他想抽个机会,给芹芳打个电话,他带来的手机一次也没用过。他的养殖场全完了,鱼虾都跑光了,大家好像对他也好了起来。茂林对他还是老样子。除了骂他,熊他,命令他,对他仍没半句好话。

天突然放晴了，晴得光辉灿烂，还有一抹晚霞，绚丽多彩的，像是久嫁的姑娘回到娘家，把整个村子都照得通红。西天边的霞光掠过村庄的屋顶映红了东边的云彩。这叫“反曝”，农谚说，“太阳反曝，晒得鬼叫”，明天又会有火辣辣的太阳。可电视上的天气预报说还有大雨。老人们不信。这些时，天气预报和水位公报是男女老少都关心的重要节目。天住雨了总是好事。困守在大堤上的青壮年和解放军，的确人困马乏。他们身上就没有干过，脚丫子都有烂了，不少人的胯裆也生了湿疹，一塌糊涂了。江水浩浩荡荡，要不是解放军赶来协助筑起一道子堤，那水怕是早漫过了高坡，稻草湖垸早就是一片汪洋了。

杨树青家那十分耀眼的楼房就坐落在大堤下，离堤脚两百米。他家的宅基原是稻草湖杨家台的老台基，五十年前，老台基上都是住的杨家人，一色的“一眼铳”草棚。九十年代，杨家人一家家盖起了两层三层楼房。杨树青的三层小洋楼鹤立鸡群。柳茂林的三间瓦平房像是一只小母鸡伏在一只高傲的大公鸡的脚下，仿佛随时都可以跳到它的背上去做爱的那种架势。而柳茂林又是村长，腰包里怎么也撑不起来。他心里长期憋着一口气。今年他积攒了一部分钱，秋后等棉花丰收了，再借上一万两万的，就可以把楼房盖起来，也盖个三层楼。一村之长踮起脚来也要做个长子。他万没想到杨树青又在他头上拉了一泡屎，三十多岁的光棍干了他家的黄花闺女。以往，他以有这个漂亮的小妹子为骄傲，如果事情一露馅儿，他再也骄傲不起来。

杨树青的父亲上堤后的第二天，长江第五次洪峰到了青滩口。险段上来了几个大人物。军队是二十四小时不停歇，民工也不休息了，都在拼命了。运防汛器材的军车蹚着水往大堤边开，车已经禁止在堤上通行了。堤坝浸泡得像豆腐，经不起重压了。全靠人海大战，又开来了半个团，还来了一架直升飞机，停落在泵站上。大堤已经是子堤在挡水了。“严防死守，堤在人在”没有丝毫的松动，气氛异常紧张。县长、团长、一个副省长带着水利专家亲临现场察看险情，没有发现特大的异常，结论是顶住第五次洪峰，坚持三个小时。洪峰已经开始下泄，第五次战役胜利在望。天再过四小时就亮了。

谁也没有想到一场灭顶之灾已迫在眉睫。而且不肯给面临灾难的人们一点儿征兆。稻草湖村杨家台那古老的泄洪口，被填埋了三十五年，沉默了近两代人，它将要开口说话了。当年筑堤的水利工程师们早已退休，有的已经去世。当年来挑堤的民工，如今都已老得不能再来了。知道当年情形的只有杨树青的父亲，他当年只不过是土匪的儿子，只管挑土。整个稻草湖除了杨家的几个老人，没有人知道他们的台基下边原来是一道宽三十米的泄洪口，淤泥有两丈深。筑堤时曾经在这里打了五百米宽的压肩才把堤筑起来。现在的领导都很年轻，压根儿就不会知道这里曾经是什么地形。移民来的柳家人以为原来就是这样的平地，解放军更加无从得知这些地质史料。高水位的强大挤压力悄悄地超过了早已变成宅基地的大堤压肩,古老的淤泥层活动了,渐渐地开始向内倾斜,倾斜的速度越来越快。杨家的老人们没有这方面的知识,他们以为有人在,有解放军在,堤是垮不了的。孩子和女人在睡梦中,老人虽然睡不着,但水已经在缓缓地下降着。雨也停了,昨晚太阳还反曝,今天准是个大晴天。他们也没有像往常那样,三四点钟就爬起来到堤外去看水。大堤上仍是灯火通明,垸子里却万籁俱静,偶尔有几辆军车从垸子中间的公路上开向大堤边。公路上漫着浅的浑水,路两旁是两排高大的白杨树。军车的灯光打在树与水之间,十分恐怖。

谁家的公鸡不识时地乱啼了三声,接着是一阵狗吠,打破了垸子中的宁静。

解放军这时全部在大堤上。

杨树青的父亲怎么也睡不着,他突然想到了一个重要的问题。泄洪口上的这段堤会不会突然垮下来?因为他是老人,谁也没有来询问过他,他也早忘了这件事。是生理上的感应提醒了他,他已经感到了,房子好像在移动着。他跳了起来,喊老伴,叫孙女,他想打电话给指挥部,却不知道电话号码。

他开了大门,想往堤上跑。

大堤就是这一刻訇然坍塌下来。

堤外的江水像是终于找到了一个发泄口,十多米高的浪头从溃口处喷射而出。大堤上临时架起的电灯,突然灭了一半,从杨家台往下,全黑了。昏暗的月光惨惨淡淡照在茫茫的江水上,像天河高悬在头顶上。大堤坍塌处,滑开一个近百米的大豁口,江水就像是从天河里劈头盖脑地灌下来。他惊呆了,愣了两秒钟,听到黑暗中三声撕破夜空的枪响,立刻清醒过来:溃口哪!

这种异常意外的灾难是人力完全无法抗拒的。

老伴也没合眼,听到他的第一声喊就一骨碌爬起来,抱起熟睡中的孙女,连衣服也没来得及扣,问老伴:“怎么办?”

“快带姣姣往屋后跑,倒口啦!快跑!”

“姣姣!醒醒!”老伴拖着连眼睛也没睁开的孙女,拉开后门,冲进黑暗,边跑边叫:“快跑呀!姣姣!快跑快跑!水来了!”

姣姣终于被恐怖惊醒:“奶奶!爷爷呢?”她拉着奶奶的手,边跑边喊,已无路可择。她们知道,水在她们的身后赶来,要淹死她们,跑得脱,就是命大。

树青的父亲在月光中看到门前的那段堤往下坍,如山崩地裂,那响声连枪声也淹没了。他一看村里人家,都还关着大门在睡觉,“一梦中死去了”,他脑子里闪过这句可怕的话。他没有犹豫,没有向屋后跑。他很清楚,这场灭顶之灾,不到两分钟,就可以把这百户人家的村子连人带物,冲个精光。

豁口处的水如一把铁扫帚,带着惊天动地的呼啸,闪电雷鸣似的扫过来。飞溅的浪花已经飘溅到他的身上,他感到了一阵冰凉。

他放开脚步,使尽了全身的力气,恨不得撕开自己的喉咙,炸开自己的肺,呼喊:“倒口哪！倒口哪!”第三声没叫出来,他的肺炸了,喉咙破了。他以为自己还在喊,他觉得一股水冲进了他的胸腔,那是血水。他还在跑,还在喊着,终于跑完了一个村子。

沉睡着的小孩和女人被他第一声呼唤惊醒,没睡着的老人们更是惊呼而起,顷刻,村子里一片惊叫哭号。一片开门声,但他们的呼喊惊叫开门的撞击声在咆哮的水声中显得那么微弱。村子里有了灯光,灯光中一片纷乱,很多人连衣服也没穿上。抱着孩子的妇女,拉着老人的少年,跑着,拼命地呼叫着,谁也听不清。

树青的父亲已经没有回头的机会了,他为了别人早半分钟出屋逃命,他把命搭上了,他是迎着水冲来的方向跑的,他喊人家逃生,他却往死里奔跑。洪涛扫过来,飞浪将他像树叶一般扫起,扫出一丈多远,滚滚的浪头,像擀面一样,把他擀了几十个翻身,碾成面条,摔到一堵墙上。洪涛像推土机一样,推倒了那幢房子,墙反倒下来,把老书记压在砖瓦水泥板下了。

杨家台基上的十多幢楼房正当着溃口,暂时像一面屏障挡住横扫过来的水头,但一幢幢坚固的楼房在肆虐的洪涛漩流之中,积木玩偶一般,摇摆着。有的人爬上楼顶,大呼:“救命啊!”没等呼喊三声,楼房被漩流绞得支离破碎,分崩离析,坍散开来,随着波涛滚滚而去。有的人抓住了一根木头或者一件木家具,在浪里挣扎着。村子里的大部分人被老支书的第一声呼唤争取来半分钟时间,跑向村后,拖儿带女,扶老携幼,跟水头赛跑。杨家台上的十多幢楼房为他们的生命,争得了两三分钟的延寿时间。村后的棉花田挡住了人们的逃跑,他们没命地钻进去,顺着棉行跑着,速度当然不快,黑夜里,前途一片黑暗,后头一片白汪汪的水猛兽似的扑来。有的女人手中的孩子脱了,拼命嘶叫着,等孩子从棉行中爬出来叫妈时,水已经淹到了膝腿,她拖着孩子,在水中爬滚。逃命的人们,大多失散家人,许多老人在水中倒下,再也爬不起来了。

棉田过去是公路,公路边是一所学校。不少人终于跑出了棉田,奔向学校,学校是一排两层楼的房子,操场前后都是高大的柳树,公路两边也是大树。从村子到学校和公路中间是棉田,约有一千米的距离。没跑出这段距离的人,也就没有活的希望了。这一千米的生命线并不是一段平坦的路,障碍丛丛,被棉枝绊倒,爬起来,就失去了三秒钟的生存希望。

这是一场争命的奔逃,灾难压顶,只给你两条腿,几分钟,别无选择。求生的欲望人人都有,杨家老书记也想求生,但他选择的却是死亡。他叫醒了几百条生命。他失去了一分钟,把这一分钟平均分给了每一个人。他死得壮烈,却没有人看到,但无论是恨他的柳家人,还是爱他的杨家子孙,永远都会记得那声惊魂的呼唤。他本可以只叫醒他的子孙,而他却跑完了全村。大多数人,而且是恨他的柳家人,听到的是他的第二声呼唤。

堤坝上的民工和士兵们对这突然的险情也一时恐慌了。巡查的一个乡干部和五个民工发现堤坡裂缝，想看裂缝有多长，没等他们报出险情，堤坝就被洪水撕开了，五个人中两个被洪水卷走。军队三分钟内就赶到溃口处，他们都穿着救生衣，当他们听说有两个民工被洪水卷走，便跳下去营救。有穿着救生衣的两个战士跳下去，像一片落叶，顷刻就不见了。有的军人还要往下跳，被民工们拉住："下不得！"溃口处崩岸像切豆腐似的，整块地往下崩坍着。军官立即下令后撤，掩护群众向安全地段退却，那枪声就是他发出的。他知道这不是一般的溃决，是整段堤基滑脱，冲击力不是人力可以阻挡的。他下令士兵迅速营救村民并立即上报求援。

奉命而来的一个连的援军刚好赶到稻草湖村，他们的军车趁夜奔来，快要靠近大堤。他们还没来得及下车，迎接他们的是劈头而来的洪水。浪头打着滚，三辆满载士兵的军用大卡车，也被水冲翻，幸好战士们都穿着救生衣，他们纷纷在水中寻找退路，因为是夜晚，地势又不熟，战士叫班长，班长叫排长，排长叫连长，连长从水中站起来，镇定了一秒钟，他断定是大溃口了，借着淡淡的一丝月光，他发现洪水像是从天而降，前面是村子，村子后面是大片棉田，棉田过去是两排小树。他看清了地形，往大堤上爬是来不及了，只有就近寻找能救生的物体以免被洪水卷走。他听到棉田里呼爹喊娘的凄惨哭叫，判断出那是逃命的老百姓。他果断地下令："向后撤，穿上救生衣，营救老百姓，上树！往树上爬！快！"

战士们纷纷从水中爬起来，有的战士的救生衣没穿上就被冲跑了。

连长把自己的救生衣扔给了一个小战士。小战士大叫："连长，你——"

"快上树，我会水。"小战士是刚入伍的北方兵。

连长带领他的士兵们，凫着滚滚洪流，在棉田里抓老百姓，不论大小孩子，抓到一个就不放，顺着激流往树那边漂游过去。

姣姣在棉田里摔了两次，被奶奶拖起来，再跑："姣姣——乖乖儿呀！快跑快跑！"

"奶奶！奶奶！我跑不动。"

"快跑！跑不动就没命了的，儿呀，快跑！"

"爸爸呀！救救我和奶奶！"姣姣边跑边哭叫。

"快跑，我们跑到那棵树上去，抓住一棵树，就有命了，解放军会来救我们的，爸爸会来的。"祖孙俩还没有跑出棉田，又一次摔倒了。

在另一条棉行中奔逃的芹芳，听到了姣姣的哭喊声，她跨过棉行，棉行里的水已经膝腿深了。棉枝绊了她一跤，她扑倒在水中，连忙又爬起来，她毕竟年轻，一步蹿过去，抓住了姣姣。

"柳老师，救救我和奶奶！"

树青娘一听说是芹芳，没命地奔过去："芹芳！把姣姣给我。你安的什么心？"

"你快跑，姣姣交给我。"芹芳一手扯着孩子，一手把老太太拉起来。拖着一老一少跑出了棉田。

一股漩流过来，把她们冲开。老太太又摔倒了，水把她冲了几个翻身。一个解放军扑过来，抓起老太太，向一棵树蹚去。

"我的孙女！我的孙女！"她哭叫着。

芹芳抱起了姣姣，水已经淹到了她的大腿。她看见了她的嫂嫂和侄儿在水中哭叫。她想放弃手中的姣姣，去帮嫂嫂去救侄儿。当这个念头一冒出来，她就想到了树青和哥哥。此时只要她一松手，姣姣就没命了，如果自己今夜能逃脱，跟树青结婚，可以跟他生一个孩子，但如何向树青交代？树青当然不会知道，那么为这个一松手送了姣姣的小命，她会永远愧疚到死的。既然爱了树青，他的女儿就该是我的女儿，我就是姣姣的再生之母。一种母性的爱使她把姣姣抓得更紧，姣姣就是她生的。她又想到了哥哥，侄儿是哥哥的独子，柳家的根苗。今夜这场灾难逃不脱，他哥这门户就绝了，嫂嫂如果也逃不脱，会再娶。但侄儿是她最喜爱的。侄儿在叫喊："妈妈，爸爸！姑姑！"他在水中扑腾着，离她只有几米远。

"姣姣！抓紧我！"她向侄儿扑过去。

一股激流把她和姣姣冲倒，等到她从水中抬起头来，侄儿和嫂嫂不见了，姣姣还在她手中。水把她和姣姣冲到了一棵不大的树边。她一把抱住了树干，拉住姣姣的一只小手，姣姣已经呛了几口水，叫喊不出，也不会哭了。孩子惊骇坏了，一种求生的本能支持着她，牢牢地抓紧芹芳，小叶儿在水中飘着。芹芳终于把姣姣拉过来，水已经淹到她的脖子。

"姣姣！抱紧树，往上爬。踩着我往上爬！"

姣姣爬上了一个树丫。

"妈妈，爬呀，你爬呀！妈妈！"姣姣把小手伸给了她。

芹芳被"妈妈"这一声叫唤震撼了。孩子在生命垂危时，除了求生的本能驱使，理念中只有妈妈这个概念了。

"我的乖女儿，再往上爬一节，妈妈就上来，不要怕，妈妈在。"她用肩膀顶着姣姣的屁股，姣姣往上爬着，她也爬上了树丫。她紧紧地抱住了姣姣。洪水在她们的脚下哗哗地奔腾咆哮着。

茂林的老婆和儿子被两个解放军送到了树上。

一抹淡淡的月色，照在那波涛汹涌的稻草湖，恣肆暴戾的洪水，席卷着田园村庄。人畜鸟兽，飞蛾爬虫，都在逃命。房屋在一间间倒塌，庄稼一块块被吞没。水头如狂奔的野牛，触角所到之处，顿时支离破碎，随着溅起的浪花瓦解，包括生命。在旷野中，黑暗里，唯一在坚强抗争的只有大树。它坚定地站在自己的位置上，任你惊涛骇浪，它只是抖一抖颤一颤，它顶天立地，伸长臂膀，在拯救那死里求生的人们。

爬上小学校房顶的数十个女人和孩子，哭喊着："救命！"校舍的一层不到半小时就淹了，她们爬上二楼。二楼眼看就要被淹，她们往平顶上爬。横挡着水的半间眼看就要被水冲垮，半边墙已经被激流像扯一块破布一样“嘶——”的一声扯开，“救命啊！”听不清是几个人在喊，旋即就不见了。岌岌可危的房顶上聚集了一堆湿淋淋的大人小孩，在绝望中偎依在一起，在黑暗中哭号。爬上了大树的连长离学校只有三十来米，他那棵树上挂着五个战士，三个老百姓。他命令士兵把三个老百姓推到更高更粗壮一点儿的树桠上，反复喊着：“抱紧！抱紧！千万别松手。”大树承受着，它的臂膀在下垂，如一个到了极限的举重运动员，杠铃在颤抖。连长借着淡淡的月光，看清了学校平顶上的危急。校舍挡住狂奔的激流，刚好形成一个回流。他看清了水情，命令挂在那棵树上的四个战士：“跟我下！到房顶上去，把老百姓救到树上来。”

他带头放弃了树枝，泅向房顶。附近两棵树上的战士也放弃了树枝，泅向房顶。这是用命去换命！谁也说不准下去了还能不能回到树上来，虽然他们有救生衣，三十米的距离不比二万五千里差，也许这就是一生的最后历程。

在战士们一个人拉着两个人离开房顶，泅向大树的一刹那，学校瓦解在洪水中。有三四个士兵连同他们解救下房顶的老百姓因迟了一步，再也没有能回到救命树上，在激流中失踪了。

公路两旁的树上挂满了生命之果，公路已经不存在了，地上没有路，水在树下奔腾咆哮。

稻草湖村的妻儿老小，除了冲走的，除了在大堤上的男人，全都挂在树上了。

挂在树上的还有一个连的解放军。

这两排大树是柳茂林的父亲当林业大队长的时候栽下的。没有这两排大树，稻草湖的大半边天在今夜就塌了。

稻草湖村在眨眼之间，什么也没有了。杨家台上的十多幢楼房，杨家人的骄傲瞬间荡然无存。他们的妻儿父母此时捞到的只是一枝树丫。要是没有解放军，在学校坍下去的那一瞬间，就毁了几十个家。

挂在树上的人们等着天亮，天就是不亮。

芹芳和姣姣抓到的是一棵并不高大的柳树，生命垂危之时，由不得你选择啊！当她把姣姣用头顶上去的时候，自己的两腿死死地盘住树干，两只手抓紧树丫，她的半个身子浸在流水中。睡裙已经被撕破，只有两只袖子还挂在胳膊上，像一面破彩旗在水中“哗啦啦”地飘。当姣姣在高一坎的树桠上坐稳，喊着：“妈妈！快上来！”把小手伸给她时，她不敢去接孩子的手。她知道这是非常危险的，万一失手，连孩子也会带下来一起被水卷走。水的冲击力使她的两条光溜溜的腿不敢松开碗口粗的树干，只要两腿稍稍一松，水就会把她的下半身冲得漂浮起来。她只能像蛇一样地绞住树干，凭着手的拉力，往上蠕动。她的头终于顶到了姣姣的屁股，身子脱离了流水，脚踩到了一个小枝丫上。这棵树上只有她们俩，树在激流中颤动着，水，水，一眨眼工夫，又把她的腿浸在水中了。“姣姣，水上来了，再往上爬一爬呀！”

她顶着孩子又往上爬了一截，终于爬上了两个大丫，离水已有两米多了，她才松了一口气。这时她才发现自己身上只剩下一条三角裤了。姣姣身上也只剩下一件汗衫，连裤子也没有了。她抱着孩子骑在树丫上，感到了一阵彻骨的寒冷。这冷使她感到了生命的真实存在，她没有死，姣姣也没有死。在不到半小时内，如一场噩梦，谁死了，谁还活着，无从得知。她发现邻近的树上也有人，哭喊声已经听不见了。惊魂落魄的人们，被这突然降临的灾难吓得噤若寒蝉，恐怖的夜空里只听到流水的声音。在离她们约十多米的一棵大树上，隐隐约约传过来人语，但听不清。她仔细地往那边一看，隐隐绰绰约有十多个人挂在那棵树上，树干树枝树梢上都有人，那棵树已经不堪重负，开始顺流倾斜。朦胧中看到有三个穿着黄色救生衣的人跳下水，向下游的另一排树泅过去。一个高浪过来，那棵系着一群生命的树，终于连根拔起，倾倒在激流中。人们仍然抓住它不放，随水漂去。

姣姣见到这情景，吓得嘤嘤而哭："爸爸！爸爸！来救救我们！爷爷！奶奶！妈妈！"芹芳把孩子紧紧搂住："姣姣！别哭，妈妈在这儿，你不会死的，抱紧点儿，别松手，爸爸会来救我们的。解放军会开救生艇来救人的。"

溃口的那一刻，稻草湖村的男人们全在离家五里远的堤段上。乡里为了让男人集中精力，便于指挥，防止他们溜回家过夜，有意把工段分在离家较远的地段。当他们得知溃口在杨家台地段时，全都呆了。部队和民工接到命令火速撤往第二道防线，只留下一部分军队参加营救，当地民工由乡政府干部分头带领，回村抢救受难群众。柳茂林领着村民跑回来时，溃口已经拉大到两三百米，整个稻草湖村早已不存在了。妻子老小，房产家园，化为一片汪洋，滚滚的洪涛里，隐隐约约只看见两排树在月影下摇曳。

"完了！完了！全完了！"这是一百多个壮年男人在同时哀号。他们哭不出来，他们是男人。在黑暗中，他们你看我，我看你。"完了！完了！全完了！天啦！全完了！"互相叫着。乡长大声叫："乡亲们！危险！解放军马上调冲锋舟来救人的。不要轻易下水作更大的牺牲，镇静。"

有人骂道："你他妈的才镇静哩，老子们全光了，成了光鸡巴村了！"

一群绝望悲痛的男人在堤上跳着叫着骂着，望着汹涌澎湃的洪水，诅咒着苍天。一个连的营救部队正在紧急筹划施救行动。战士们身穿救生衣，一边安抚劝说着这群绝望得快要发疯的男人，一边分析水情，组织营救。

稻草湖垸是长江主干堤外围的一个小垸子，地势低洼，堤坝也没有主干堤高大。打六十年代初围垦以来，历经洪水的考验，倒也有惊无险。这一次可是灭顶之灾了。溃口之大之深，估计在天亮时，洪水就会灌满垸子，垸子里的人如果不能及时救出，那将是一场天大的祸事了。离溃口远的地方，人们还来得及自救，爬上房顶，爬上树，有的村子里还有些小船可以救急。离大堤近的村庄的人们在洪水到来之前，架起板车，拉起部分家产，往大堤上跑。唯有处在溃口中心的稻草湖村，半小时之内，除了那两排救命树，树上挂着一串串垂危的生命，一切都被洪水扫光。

芹芳抱着姣姣，水涨一尺，她俩就向上爬一尺，一尺一尺地往上爬着。咆哮奔腾的洪水，像一群恶狼，围绕着这棵小树，嗥叫着，撕咬着。那哗哗的水像是狼的舌头，舔着她们的脚板。芹芳不知道水会涨多高，但树的高度她是知道的，再往上爬，树尖只剩下二米多了。树尖上是挂不住两个人的。她非常清楚，她和姣姣的生命极限只有一米了，死亡已经迫在眉睫。她抱着姣姣，无声地哭泣了。她不能哭出声来，她要是哭出声来，姣姣的意志就会立即崩溃。她在死亡前必须安慰孩子，她是母亲，孩子已经叫过她妈妈，她必须像个妈妈那样，庇护着自己的女儿。小树在激流中剧烈地摇晃着，水流也逐渐地平缓，涨幅也慢一些了。三个小时过去了，东方已经出现了鱼肚白，这是生命之光。直升机飞来了，在头顶上来回盘旋，抛下一些救生圈来。因为能见度还很低，目标不太清楚，抛下的救生圈大部分被白白冲走了，也有少数挂在树上，被人捞到手。眼看着一个救生圈向小树漂过来，芹芳多么希望它挂在树上，当救生圈漂到她跟前，她伸手去一捞，树丫一晃，她的一只腿脱空，她连忙收手，抓住树丫。她又一次绝望了。水又向上涨了半米，天蒙蒙亮了。天倒是个好晴天，昨天太阳反曝没有错，能见度渐渐大了。部队准备的冲锋舟正在紧急向稻草湖调运，就近组织的营救船，用最快的速度向洪口驶来。但谁也没料到这突然的溃口，两三小时之内，这些物资不可能到位。落水的人们也只能在死亡线上挣扎，等待。

树大，生命的希望就大。

杨树青估计到自己的父母肯定是完了。因为他的房子一点儿也看不到了，他的楼房正当着溃口，杨家台是彻底地完了，已经被激流冲成深渊。他希望芹芳能侥幸地活下来，她年轻，也许会抓到一点儿救命的东西，或者爬到树上去。那百万家产已经不在他心中了，他的心也像被这洪水掏空了，只剩下那棵生命之树——他爱着的芹芳，这是他未来的唯一希望了。一个多月来，他没有一天不惦着她。他甚至有几次想偷跑回来和芹芳见一面，但茂林盯得太紧，他不敢冒犯这位未来的舅兄，忍着盼着，盼水早点退下去。那夜下雨，芹芳要走，他拉住她，没有让她走。天亮时他才把她送到学校里去。难道那就是最后的一面？他不信。他坚信芹芳会活着。

他面对着空荡荡泼满满浑浊浊一垸子的江水，想：芹芳要是真能侥幸活下来，她还会爱我吗？他回过头暗暗地瞅了柳茂林一眼。他和他是两条光汉子了，绝对平均了。他还有个村长的头衔。转眼之间大家都成了穷光蛋。他呢？村中最富有的杨树青，除了身边还有两千元钱，一部移动电话，银行里比他们多三十万贷款，保险公司能赔多少？总之，他将是村中最大的负债人了。

大水把村中所有的人冲回到又一轮的起跑线上，他还有什么可值得爱的呢？芹芳若能死里逃生，重活一次，能嫁给他这个负债几十万的人吗？柳茂林怕是更加不会赞成了。还有芹芳的父母，是否还活着？若是他们还活着，肯定是不会同意的。

此时，他想，若是能和芹芳死在一起，那倒是不错的事啊！

他一想到死就想到女儿，几乎要昏倒。可爱的女儿在洪水中挣扎叫喊……他的心颤抖起来，他简直想扑向这滚滚的江流，去寻找女儿。

他睁大眼睛看着千米之外的那两排树，隐隐约约看到几个黄点，那是穿着救生衣的解放军，他的身旁也有好多穿着黄色救生衣的解放军。他张大耳朵听，希望听到芹芳的呼声，希望听到女儿的呼声。

一个解放军中尉举着望远镜在向两排树眺望。“有人！有人！树上有很多人。”

他的话把稻草湖的男人们从绝望中唤醒，唤醒了他们对家人生还的一线希望。

树青仿佛听到姣姣的呼唤：“爸爸——”遥远微弱稚嫩的童音从水中传来连续不断：“爸——爸——”“树青哥——”“爸爸——”“树青哥——”两个声音交替着，从滔滔的水底传出来。他再也站立不住了。天色渐亮，树上的人影大多能看得见了，但看不见是谁。有的解放军把自己的救生圈让给了老百姓。死里逃生的人已经没有了原来的形象，几乎都没有衣衫。

杨树青不知是哪里来的那股勇气，贸然一把夺过解放军中尉手中的望远镜，中尉也愣住了，由他拿去，在一旁看着他。

出现在望远镜中的第一个镜头刚好是那棵小树，小树就在他的眼皮底下了，树尖上吊着的便是他心里呼唤着，愿同她们死在一起的两个人，女儿和爱人。他心中一阵狂喜，将望远镜还给了中尉，他挤出了人群。

他抓住一个看上去还像是小孩子的战士，一把将他拖到离人群十多米的地方，将一个小黑包塞到小战士的手中，不由分说，扯下他的救生衣：“把救生衣借给我，我女儿和我爱人吊在那棵小树上，水眼看就要把她们冲走了，求求你做做好事，把你的救生衣借给我，卖给我也行，我用这个跟你换。”他强行把那个装有两千元现金和手机的黑包塞给了小战士。小战士不知所从，任他摆布着。看他那副可怜求情的样子小战士没有拒绝，也来不及多想。等小战士完全明白过来时，树青已经穿上了他的救生衣，跳到激流中去了。中尉以为是某个战士求功心切，看到老百姓在水中挣扎，舍身去救人。“谁?!”那个小战士跑过来：“连长，有人抢走了我的救生衣，这是他的东西，不知道里面装着什么，他说用它跟我换救生衣，交给您。”

“狗日的杨树青，他妈的不想活了？村里的人都死了，他去抢财产？捞什么去？土匪，发灾难财去的吗？要钱不要命了?”柳茂林大声骂着。

“他妈的养殖场里准有钱柜子。”姓柳的几个村民骂着。

“树青！你不要命了，回来！”姓杨的几个哥哥叫着，下去了是回不来的。水流虽然平缓了一些，小垸子差不多快灌满了，但人在水中还是十分危险的。

杨树青仗着自己良好的水性，对准了目标，向那棵小树泅去，那是一千多米的直线，如不发生大的偏差，他只要几分钟就可以抓到那棵小树，把芹芳和女儿搂在自己的怀中，有这件救生衣，他完全可以把生命中的另一半从死亡中捞回来。他坚信自己不会被水淹死。他从望远镜中看到，他的爱人和女儿是坚持不到天大亮，等不到救生船来的。中尉用望远镜盯着他，人们看着他漂向那棵小树。

芹芳和姣姣的腿已经泡在水中了，她们哭着。那棵小树离大树有好远，附近的两棵大树上没有解放军。旁边的一棵大树由于人太多，不堪重负，已经倒掉，被水冲走了，树上的十多个人也生死不明。

姣姣死到临头了哭泣着“爸爸——”

芹芳也呼喊着：“树青哥——”

直升飞机在她们头上盘旋，扔下几个救生圈，她们一个也没抓住。

“芹芳！我来了！”树青叫着，顺水漂过来，并顺手捞到了一个救生圈。他看准了目标，奋力地划过去，抓住了树枝。

“树青哥！”芹芳大声哭起来。

“爸爸！”姣姣也哭起来。

“不要哭。爸爸在。”他把救生圈套在芹芳的身上，抱住了姣姣。小树由于增加了负荷，倾斜到水中，水将他们冲离了小树。两个人抱着姣姣，漂在激流中。直升飞机追着他们，放下软梯。几个来回，树青终于一手抓住了软梯，先把芹芳送上去，自己搂着孩子吊在了软梯上。

“狗日的树青！胆子真大，水性绝好。”

“他妈的英雄救美人哪，宁可不要命。”

“茂林哥，就把你妹子嫁给他吧。”

茂林也盯着待在空中的树青和他的妹妹，没有回答。

直升飞机吊着他们三个人，飞向堤坝。

天亮了。

十多艘冲锋舟和橡皮艇终于赶到，大营救开始了。

直升机、冲锋舟、救生艇、加上临时征用的大驳船组成的救生队，由解放军统一指挥，战士、军官们冒着生命危险，把在树上、房顶上、漂浮物上生命垂危的人，一个个解救出来。为了解救老百姓，他们付出了十多条年轻的生命。

第二天，稻草湖村的男人们总算是在劫后余生中找到了自己幸存的父母妻儿。其他的村除了财产损失，人员死亡极少。地处溃口要冲的杨家台，被冲的一点儿也不留，除了抓到树的百来个人，其余的全失踪了。解放军的救生艇还在水上寻找，搜索着。但这些人恐怕是很难找到的。由于杨家台地段溃口，防守人员迅速撤离二线，稻草湖垸的下游五里多路的何家沟段晚半小时也溃开了。不过，人员在半小时之内已经全部撤离。这样，小小的稻草湖垸就形成了上一个大口，下一个小口，很快就将垸子灌满，灌满之后就形成了上口进，下口出，大吞大泻的局面。许多漂

浮在水上、沉没在水中的人畜财产随着激流，冲进了长江。稻草湖村的许多人就这样永远地去了。

柳茂林的父母没了，妻子和儿子被一个解放军排长拉上树，没有冲走。当那个排长把孩子和女人交给他的时候，他抱着赤溜溜的儿子，跪在排长的面前了。

杨树青的母亲也死里逃生了，当她上岸来发现了孙女和芹芳，抱着她们号啕大哭起来："树青，去找你爸——去找你爸呀！你爸他不会死的。是他第一个发现倒口的，是他把全村人叫醒的，他不会没有跑脱。"

老支书没有跑脱这场灾难，这世上再也无法找到他了。

稻草湖村没有了，除了活下来的人，什么也没有了。连哭泣声也没有了，因为哭也哭不来，死的人多了，反而少了几分悲痛，几乎家家都有人失踪，这太平均了。劫后余生者只有感到逃脱的幸运，来不及为死者悲哀。他们感谢解放军营救了他们，要是没有军队的冒死营救，稻草湖村就成了地地道道的光棍村了。

稻草湖村的人被安置在大堤上的临时帐篷里。一无所有的村民们全靠政府的救济，一户一顶帐篷，发来的矿泉水、方便面、大米、饼干、衣物、床单。柳茂林的村长身份在分配救灾物资上又发挥了作用。

解放军中尉把那个黑包交给了杨树青，赞扬了他的勇敢，也批评了他的行为。当人们知道他还有两千元钱时，纷纷议论起来："他不够吃救济，他不是还有两千块钱吗?""他在银行里说不定还有几十万哩。""他不就死了个爹，还有妈哩。"他妈听了气得直哭。

杨树青是个血性汉子，他当着民政局的罗局长、乡长，和村民们的面，拿起分配给他家的那一份，摘下吊在腰里的那个小黑包，一把扯开，那两千元钞票展现在人们的面前："你们不是说我还有两千块钱吗？有，在这儿，大家都看着了。我还有一部手机哩。"他把钞票展开成一个扇面，"你们什么也没有了，我本不该有，大家一样。我宁可要这包方便面，也不要这两千块钱！"他把钞票像掷铁饼一样，撒向那滚滚的江水中。混浊的江水卷着那飘然而下的钞票，向东流去。

人们惊呆了："你疯了?"

"我才没疯哩。"他又把手机也扔到江里去，"心平了，气和了吧，哈哈哈……我知道你们恨我家已经十多年二十年了，现在好了，大家一样了，重新再来吧！告诉你们，我在银行里还有三十万贷款而不是存款。"

他抱起一箱方便面回到他的帐篷里去了。

芹芳跟着他走进帐篷："树青哥，你有骨气。"

"骨气？嘿嘿，骨气这东西就是他妈的怪，穷才出骨气，难怪人们叫穷骨头。这回我可是穷干净了。不过穷骨头要作烧，烧才起来。我他妈的才三十多岁，丢光了还来得及哩。穷不能哭，哭穷就是没志气。"

"说也怪，水把一切都冲光了，死了那么多人，哭得却没有那么惨。要是以往，哪家死了人,发了火,丢了财,总要大哭一场两场三天两天不得停的。我们家四婶,死了头母猪,还哭了三天哩。这回她爹被水冲走了肯定死了,她自己也差点儿死了,却没见她哭。怪不怪?”

“这是天灾,遭灾的不是哪一家,哭天去?大悲反而不悲,大惨反而不惨嘛。天下就怕孤怕独怕寡,人家都好,你一人坏,就惨。人家都坏,你一人好就不好。灾来了,人也团结起来。大家都穷,心也齐了。平均了,也和气起来。你瞧,我兜里揣着两千块钱去领救济,等于往人家眼里砸石头,谁受得了?如果我把钱拿出来分给大家,不仅得不到一句感谢,还会惹起更多的猜疑,扔到江里去才干净哩。”

“伯娘,您腿上的伤好点了吗?”芹芳过去问树青娘。他娘扒在树上扭伤了左腿,睡在帐篷里临时搭起的铺上。芹芳帮她搓着。

“芳,伯娘错怪你。要不是你,我和姣姣都没命了啊!”

“柳老师!”姣姣偎到芹芳的怀里。

芹芳抱住姣姣:“姣姣。”她的眼泪抑不住流了出来。“树青哥,你知道姣姣在生死关头叫我什么哪?”

“爸爸,我叫芹芳姑姑,柳老师是妈妈了,我怕,叫妈妈我才不怕了。”

“姣姣的命是你捡回来的。”树青说。

“我俩的命也是你从死神手里夺回来的。树青哥,你怎么那么大的胆子。”

“我只是想死也跟你们死在一块儿。”

“芹芳,树青喜欢你,日后你们一起过,好吗?”

“伯娘,只要你不反对。”

“就怕你哥不同意哩。你爹妈都走了,树青他爹也走了。唉,我们两家呀,也该和解了。”

“我嫂我哥巴不得我从他们那个帐篷里出来呢。”

“那就同我们来住,同我睡一铺。”树青娘说,“一家一个帐篷,一巴掌大,小姑子跟哥嫂同睡在一起也怪难为情的。”

“我去跟你哥说。”树青说。

“你呀,胆子真大,不怕他打你?”

“连死都不怕,还怕打?”

“好吧,你有胆,你去说好了。说好了,我就过来。”

树青果然大着胆子钻进了茂林的帐篷。

茂林老婆笑着打招呼:“树青,坐坐,你娘好点儿了吗?”

“嫂,谢谢你,昨天医生来看过了,好了一点儿。这会儿,芹芳在帮我娘按摩呢。”

茂林在一旁绷着脸不说话。

“茂林哥,三天没抽烟了吧,我这里还有半包,给你,你烟瘾比我大。”这是那黑包里保留下来的，他把包扔了，但没扔掉那两包“红塔山”。

茂林接过烟：“你找我有什么事？”

“茂林哥，我感谢你那天没把我塞进那窟窿里去。”

“你知道就好。”

“人家树青舍着命救了你的妹子呀！”茂林已经把妹妹和树青的事跟老婆说过了。

“哥，嫂，我就直说吧，让芹芳同我们住一个帐篷去。你们这儿很挤，不方便。让她同我娘睡一铺。”

“你说干脆一点儿。”

“等水退了，我娶她。”

“你！我佩服你。你他妈跟我一样，穷光蛋。”

“你也看到了，我们生死都想要在一起，谁还不知道。”

“茂林，爹妈都走了，你这当哥的就是爷娘了。他们既然有那意思，你就同意了吧。一场大水把什么都冲走了，他们的关系连大水也冲不开，还有什么好说的呢。”

“嫂嫂，你同意了？茂林哥，我做了对不起你的事，你现在打我骂我也行，只要你同意。”

茂林抽着烟，不吭声。

“树青，茂林哥同意了。”

“你巴不得妹妹早点儿出去。”

“你们俩迟早总是郎舅的啊！”

茂林说：“我不管你们的事了。你们要怎么就怎么吧。”

“你同意了，哥。”

树青喜形于色地回自己的帐篷去了。

芹芳也就再也没过来。

稻草湖垸遭了大灾，稻草湖的老百姓也见了大世面。他们暂居在大堤上的帐篷里，这帐篷却是联合国空运来的，好家伙，美国造的。喝的居然是矿泉水，一箱一箱的。省城来的医生，北京上海来的药。中央台来的记者，联合国来的官员，省长、市长都到大堤上来看望他们。中央政治局常委也来了，副总理就来了两次。大米，白面，饼干，只是没有蔬菜。蔬菜他们才不稀罕呢，平日不就天天是蔬菜吗？大堤两边是茫茫大水，除了分发救济物资，清理卫生，再也没事可干，孩子和大人们就钓鱼吧。发大水鱼特别多，用竹箕也可以捞到。家破人亡的悲哀被强大的社会关怀冲淡了。几乎天天都有新闻，天天都令人兴奋，稻草垸的小百姓一下子成了新闻热点。他们和大人物在一起合影照相，可惜的是家家的电视机都被水冲跑了，看不到电视。

杨树青和芹芳的事被人们议论了一阵，也就顺理成章了。柳茂林又成了大忙人，吃喝拉撒睡，分发救灾物资，接受监督和采访。

一个月过去了，江水渐渐退下去。正当他们打算重建家园的时候，省里下来了一个重大决定：让稻草湖退田还湖，只留下极少数人从事恢复生态的芦苇种植和捕鱼。根据县里的调整，1963 年以前的原居住民和他们的子孙刚好是恢复生态所需要的人口，后来的移民将移到别处去重新安置。

杨家的后代全留居。

秋后，水退入了长江，原来的杨家台旧址变成了一口几丈深的潭。

杨树青和柳芹芳到乡政府办了结婚手续，回到潭边。他和她都是在这儿生长大的，不想离开。保险公司赔偿了他一些钱，他打算买一条好船，承包下五万亩芦苇的种植。

"我再给你生个儿子。"芹芳说。

"我要在这里种芦苇放野鸭，在河口上架两架大罾。"

"你想做湖霸？听说你爷爷是稻草湖一霸。"

"我霸你。"

"要是我爷爷还活着，你休想。"

眼下的稻草湖，只是一片水洼子。

稻草湖还会变成那个美丽的稻草湖吗？芦苇在七八年内是可以恢复的。野鸭还会飞来吗？杨家的人还留在这里繁衍下去，柳家人在这里几十年不白干了？柳芹芳成了杨家的人。稻草湖的名字依然没有改变。

人类几代人的活动，老天一眨眼就给你抹了，让你重新再来。

也许，四五十年后，稻草湖还是那个美丽的稻草湖，四周是芦苇，如墙如帏。芦子边上是近百米的草滩，如毯如毡，直铺到水边。浅水边是荷，绿荷红花，镶嵌在盘子边上，煞是好看。荷渐渐稀，便是菱，菱紫红一片，贴在水面上，开着米粒般的小白花。水鸟在菱荷间扑扑腾腾，打起一串串水花，由大渐小，爪儿带着水珠儿，飞起来。芦苇、草滩、荷花、红菱四道镶边后，中间是一片白荡荡的清水，水上漂着几许渔舟。渔舟偶尔惊起一群野鸭，从菱荷间呼啸而起，直冲云天，在天空遨游一圈，似暴雨一阵，落在湖的另一边。高空中有白鹤和灰鹳在盘旋，偶尔一声长鸣，飞贯长虹。

（选自《山西文学》1999 年第 1 期）

楚 良

原名万良海。1943 年出生，湖北沔阳人。1958 年在沔阳县简易师范培训，从事农村中小学教育 20 余年，1984 年调湖北荆门市文化局从事专业创作。1994 年调杭州市文联,曾任《西湖》杂志编辑部主任。1976 年开始发表作品。1985 年加入中国作家协会。著有长篇小说《天地皇皇》《浪漫与尴尬》,中篇小说集《清明过后是谷雨》,短篇小说集《抢劫即将发生》《玛丽娜一世》,报告文学《硬骨雄风》等近 400 万字,戏剧作品《荷花洲头》《贺家桥边》等及影视作品多部。

六神有主

彭瑞高

一

龙广大说，再来盘香油马兰干星，杀一杀火气！

龙广大是六神乡大户，县里也有名。他在六神乡开着三爿酒店，两家汽修厂，还有一处娱乐中心，年年都是乡里纳税首户。前些天，娱乐中心出了点子事，惹毛了龙广大，很不高兴了两日。这天下午刚撸平这烂事，心里一包火，就邀了些本乡大户，到自家广大酒家碰头，吃时鲜三笋，喝老鸭汤，要紧的是说说话散散火。一瓶六神大曲下肚，龙广大滋出满脸油汗，心里松快了些。

兰亭制衣厂老板马伯生，四十刚出头，颀顶先秃了，这时眨着双小眼睛，说，一盘马兰干星顶什么用，看你龙总烧得，血脉都暴起了。要么——叫两个女子来，照准你穴道下点功夫，杀杀你内火？

众人都笑，看龙广大。龙广大不吱声，只从红壳子里挖出支中华烟，点起，狠狠喷出一大口，那烟浓得化不开样，团团把顶灯遮了。他的脸红着，底色却是黑的，猪肝样显得灰灰的，颜色很不正；两只牛眼也红了，血丝很粗，把眼珠也暴起；话说得紧猛，嘴角不断扯动，唾沫就浓成两粒屎，粘在嘴角，白白的刺眼。他不理马伯生说的话，只一个白眼，就把他主意灭了，说，瘟生，都把心归拢了，我要正经说些事。

众人便都拢了笑意，坐正，又搛些爽口的菜嚼，看龙广大嘴角上那两砣白屎。

龙广大说，众人都晓得了，这次我娱乐中心出了些麻烦，中小学生进去玩，给乌龟举报了。乡派出所正好来了个新所长，来不及打招呼，三把火烧到我头上，跟我上正仗。我花了牛大力气，才撸平这事。

山里红饮料公司老板丁老冬说，龙总你要说什么，直说。

龙广大说，这次出乱子，我方寸有些乱，方晓得平时吆五喝六，很神气，到时却没个屌分量，说话根本不响。还有就是，一个鸟飞天，拉不了多大一颗屎，软软的遭人训就是了。这窝囊日子，害我心里想得很多。想把众人聚起，商量个法子，今后遇上大小百事，也好有个相商。

联明电器公司老板杨四清说，龙总的意思，是想抱个团？

尤广大说，有这个意思。

饮料丁老冬说，抱团还不容易？搞个协会不就成了。

电器杨四清说，乡里不是有个私企协会么？

龙广大嫌恶地说，不提这个屌毛协会，高关根这贼牵了头，能办什么事？只会拍乡里马屁罢了。

制衣马伯生说，龙总说得对，我们这些老板，各人奔富，有时还背地相互绊脚，票子是多的，心是散的。这样子下去，能成个什么气候。商量个法子，抱个团，我赞成。

马伯生的制衣厂，也是六神乡一等大厂，他和龙广大两个大头，富户们都是敬着的，两个人说些什么话，众人也都要听。上次乡里成立私企协会，他们两个都当选了理事，得票还不少。只是这私企协会空有一个架子，理事们平时也不理事，众人并不把这个协会当回事。马伯生和龙广大开始还以为理事这头衔有多大分量，半年十月一过，才晓得它不过是个虚头，缴会员费时，还比一般会员多缴，便很失望，最后，竟都在名片上把这理事头衔去掉了。

饮料丁老冬说，乡私企协会是不成个样子，成立后为众人办过屌的事啊？还是我们自己抱个团好，遇上三长两短的，众人一见面，胆气也壮了，省得没头苍蝇样，撞了墙只会拍翅膀。

电器杨四清也说，是这样，你看曲蟮蚂蚁也讲究抱个团呢。

龙广大说，现在时兴起总汇，我们就搞个总汇，看怎样。

制衣马伯生说，好，起个响亮名字，常来碰个头喝个茶，也是身后一个依靠，是么？

饮料丁老冬说，茶和饮料，我包了。我起个名你们听听，各人都是响当当的老板，就叫老板总汇，看怎样。

电器杨四清说，老板总汇，我去上海时看到有一个，在徐家汇。那总汇的徽标，是个烟斗，翘得高高的。

制衣马伯生说，过去老板都用烟斗吸烟丝，这徽标有点儿意思。

龙广大沉吟道，老板总汇，响亮是响亮，只是太张狂了些，恐怕会引起乡人反感。我改一个字，看怎样。

众人问，怎么改？

龙广大说，就叫大板总汇。

众人问，大板什么意思。

龙广大说，也就是老板的意思，还有大户派头，听上去也响亮。好么？

众人拊掌说好。香油马兰干星这时端上来了，是个年轻女子端的，正好站在制衣马伯生旁边。马伯生就顺手牵羊，在她大腿那里捏了一把，两人一笑。

饮料丁老冬说，总汇总要弄得有模有样。另起楼么？

电器杨四清说，另起楼就另起楼，四个大板做事，不起个楼，算个什么。

制衣马伯生说，起楼。楼上弄几个小间，专养些女子，平时做做卫生，到时在这里过夜，也有些趣味。

龙广大说，伯生，你这下作坯，你要女子，到别处弄去，弄多少个，我都不管。这总汇，都是正经议事的，让些烟花女子进来，不是坏了众人门面。

马伯生嘿嘿一笑，摇了摇头。

龙广大说，起楼的事，我看也免了。不是小气，而是讲究实际，跟国际接轨。国际上大板，真正成事的，都是节俭的，不来吃喝嫖赌这一套，有事出门叫出租，连私家车都不养的。我看这总汇，也要来新的一套，就在这广大酒楼里挂个牌，我作总汇东家，看怎样？

电器杨四清说，不是你龙总做东，又有谁来做东。

龙广大说，拣日我让人上牌子，带霓虹的，把大板总汇四个字高高镶在壁上，这就算公开上市了。

马伯生说，字要写得好，不要那些做官的写。那些做官的，其实肚里墨汁没有几滴，写的字比我好不了多少，也摆了功架写字，那字做了招牌，只是讨骂。有文化的人见了骂，连请官写字的人也一道骂上。

饮料丁老冬说，伯生说得对。我看可以请包金亭写，他有一手好字。

正说着，有呼机嘤嘤响，四个大板同时旋转腰身，摸裤带上机子。龙广大先摸准了，说，说曹操，曹操就到。包金亭拷我。

马伯生说，叫他来，叫他现在就来。百事都要讲究趁热的上，叫他来当场把大板总汇四个字写了。

龙广大打着手机，说，急个卵啊。手机通后，他就对着机子说，包老师，你饭还没吃罢？请你到广大酒家来一趟，吃几筷抵抵饥。那件事，我们边吃边聊，正好有几个朋友也在。

关了手机，龙广大又对门口小姐说，到门口候一候包老师，再叫厨房添几个菜来。

二

把包金亭叫作包老师，是有出处的。他原来就是教书出身，在六神乡中心学校先教语文，又当教导主任，再升任校长。前些年乡政府换班子，要一个懂教育的做文教副乡长，选来选去，就选中了包金亭。虽当了乡长，乡里人还是按习惯，叫他包老师。

说包金亭写一手好字,也不是虚说。他真练过九成宫,中规中矩,不是泥草架子。后来见多了,他又嫌欧体字忒文人气,又选颜鲁公的字练,壮了笔骨,数年里竟自成一家。他的字,不仅六神乡有名,周遭三乡都晓得。街上开个店挂个牌什么的,都叫包老师写字。有读书人要包老师写个小品条幅什么的,他的行书也拿得出手。乡里人传,包老师这些年靠一手字,赚的钱早超过乡长工资了。他听后总是嘿嘿一笑,不屑一辩的样子。

包金亭走近广大酒家的时候,街已经全黑了。有些店家玩新鲜弄的连珠灯,还有小霓虹牌,三三两两点起,很有些少妇媚眼的样子,醒目是醒目了,只是乡气中又添了些妖气。整条街上,拉灯的毕竟没几家,看上去还是暗多亮少,不成个气候。只有这广大酒家,三层楼面都大放光明,把门前映得白天样;门口停满了单车、摩托,还有几辆桑塔纳,一眼看得出,它的生意别是一样。那厨房排出的川辣味,窗口逸出的烟酒气,还有人声歌声,热烘烘地混在一道,让小镇上人见了闻了,耳朵会像兔子样一抖,且在精神一振间,从心里升起股莫名的欲念来。

包金亭从自行车上跨下,抬眼看看这三层的酒楼,抽一抽鼻子,先骂了一声娘。小姐见了他,嗲嗲地走上来,叫包老师,伸手帮他提包。包金亭也不推让,趁小姐在前引路时,悄悄竖起指头顺顺头发,又悄悄验一验裤门扣子,才直起胸上楼。

那一桌老板,本乡本土,包金亭都是熟的。一见面,少不了一顿喧哗。夸张的呼叫中,透出乡情,又透出若干敷衍。包金亭下午踏了几个乡校,独自骑车赶回,肚里早空了,一见台面上摆着这样的酒水,目光顿时就硬了。就着众人的劝,他狠狠搛了一筷子蒜泥白切肉,把嘴嚼得鼓鼓的,猴子样。龙广大见了,就很大度地看着他,跟老板们笑,说,包乡长真是饿了。

包金亭不说话,先吃了几筷子,又干了杯酒,才说,当这个卵泡乡长,骨头都饿细了。

大家笑。制衣马伯生说,看你这乡长当得怨的,你若愿意,跟我换换肩,我来当乡长。

包金亭直了腰,大声说,换!龟儿子不换!卸了这乡长,当你这制衣厂老板,要钱有钱,要楼有楼;高兴了,酒喝喝,女人玩玩,不是神仙样的日子。你要换,我巴不得今天就换。

众人又笑,笑得包房里热烘烘的,可龙广大的脸上,却突然间没了笑意,目光空空的,看马伯生,又看包金亭,那样子,像一时失落了什么,又像牵动了什么。

电器杨四清说,你们两个人啊,在这里白白嚼舌。这乡长的位置,人民代表一本正经选出来的,又不是草鞋,说换就可以换。要你当,你就当,不当也得当;不要你当,你就不当,想当也不让当。

大家连声说这话说得好,要杨四清喝酒,又殷勤地给包金亭搛菜、斟酒。这酒水,渐渐喝得深了,包金亭的脸,就泛出青紫来,额头上,也油腻腻地发亮。眼见包金亭的筷子头点得慢了，制衣马伯生就说了向他讨字的话。包金亭一口答应，说，你们老板向我要字，算是抬举我了，不要说只叫我写四个字，就是要我到各家府上，各写四条条幅，四幅中堂，我都屁颠屁颠的。

龙广大说，包老师到底老交情，还有什么说的。等吃完这饭，我让小姐把场子铺开了，我来磨墨，马老板递笔，看包老师当堂表演书法。

包金亭摆手说，开玩笑了，我是什么人，敢叫龙总磨墨马老板递笔。他埋头吃了几块鹅翅，细细地吐骨头，忽然放下筷子，看定龙广大，说，龙总，我上回跟你说的那个事，有些音讯了罢？

老板们一怔，不晓得包乡长说的是什么暗话，都用陌生的眼光看龙广大和包金亭，透出些局外人的尴尬来。

龙广大不作声，先点起支烟，慢慢地吸一口，说，包老师，不瞒你说，那事，靠我龙广大一个人，做不大。今晚上，六神乡各位大头都在这里，你不妨把事情再说说，让各位老板都晓得，说不定可以联手帮你一把。

包金亭就正了脸色，把目光在众人脸上扫了一圈，说，龙总有这个意思，那我就厚了脸皮，向众位老板开口了。事情呢，是这样的事情：我们乡七十年代那些年，还是“文革”中吧，在各村陆续建过一批戴帽乡校，就是小学头上戴个初中帽，小学初中混在一道的那种。如今，这批乡校早已有些年头了，二十多载风风雨雨，学生都成了青壮年，学校还是那么些学校。那年头众人晓得，造的校舍都很毛糙，猪棚样，有的还用泥墙，顶上用芦柴搁瓦。这些年一过，这批校舍都成烂房子了……

饮料丁老冬说，我见不得说话兜圈子的，包老师你要说什么，就直说，这样罗罗罗吃不吃力。

包金亭说，情况明，决心大么。这批校舍成了烂房子，一苦了学生，二苦了老师。年前下雪，井下村乡校的那排校舍，屋面竟给雪压坍了，压着二十多个孩子，幸好没出人命。上亭村乡校的校舍，北墙淋了点子雨，正逢隔壁畜牧场一匹公猪逃出来，在这墙上蹭痒，一蹭两蹭的，生生把一片墙蹭倒了，窗架砸下来，伤了四个学生，还把一个女教师吓昏了过去。人家是城里人，从此就不肯再来乡校上课。至于教室雨季漏水，冬天漏风，地面不平，采光不好，这都不去说了。

制衣马伯生说，我晓得了，包老师要派点希望给我们做做了。

包金亭说，马老板聪明人。前些天我跟龙总说的，就是这事。要请六神乡先富起来的大头，支我包老师一把，无论如何，把那些校舍危房，给我改造了。

龙广大说，我让你回去造个预算，你弄了么？

包金亭说，你龙总让我做的，我敢不做么？自然是弄好了。粗粗算一算，把乡里的校舍危房都修一下，要这个——

他说着，把十个指头伸直，翻了三下，又从内衣袋里摸出一张纸，展开了递给龙广大。龙广大一边看，一边吐烟，眯缝着双眼，眼光始终没离开那张纸，老谋深算的样子。众人看包金亭十个指头翻三下，就都不作声，目光在龙广大和包乡长之间游来游去。

烧去半支烟，龙广大才说，三十万，不是小数啊。这希望若都摊在我们头上，你不是把我们都当成瘟生了。

包金亭说，有瘟生，也是我来做。乡政府方面，肯定也要投入的。但究竟能投多少，说不出个准头。

电器杨四清说，乡里块头大，拿几个钱来修校舍，还不是牯牛身上拔根毛。

包金亭摇头说，杨老板啊，你不晓得，乡里企业，现在没剩下几家是好的啦。上回木器厂去，我冒冒失失责问他们厂长：怎么教育附加费不交乡里？为这句话，差点吃了他们的老拳。说，还教育附加呢，老子都三个月没开工资了。

马伯生鬼鬼地凑到龙广大耳边，说，这点子希望，我看可以接下来……

龙广大突然在桌下踢了马伯生一脚，截断了他的话头。

包金亭又说，乡里书记乡长，这些天都成了救火队长。孟乡长去了塑料厂，那里资金亏空，停工待料几个月了，发库存的塑料拖鞋顶工资，一对夫妻领了一百二十双拖鞋，职工扬言要去县政府静坐，把拖鞋给县长穿。郎书记去了灯泡厂，那里上了条新流水线，一下子减员百把人，闹到了乡政府，把大院里的月季花拔个精光，还把我们食堂老孙养的两头大猪打死了，说，我们吃不成饭，也让你们乡干部吃不成肉。千言万语，总起来一句，没有钱，雨也打你窟窿……

正说得起劲间，包金亭包里的拷机急吼吼响起，他手忙脚乱拿出一看，叫道，不好，郎书记拷我，明天有暴雨，要我通知乡校，危房教室里不准上课……各位老板，我要回乡里去了。

饮料丁老冬啧啧道，看这乡长当得，忙得安乐饭都吃不上一顿。

包金亭起身，在桌中水果盆里拿了一块西瓜，一边说，这还算是好的，有时半夜也救火样拷你，叫你从热被洞里拔出来。

马伯生低声说道，做你老婆，倒也不容易的。

电器杨四清说，这个郎书记，也真是郎里格郎，生生把包老师的书法表演拷走了。那四个字，大板总汇，什么时候写啊？

包金亭说，叱，一个乡里住着，抬头不见低头见，我包老师还能逃走了？字么，我得空写了就送来。

众人笑着，感慨着，把包金亭送下楼。

龙广大重新坐定，一开口就对马伯生嗔道，你马老板戆卵，说话也不看个场合，什么这点子希望可以接下来，他包金亭听了，不是要说我们来钱容易，生生把你我都看作瘟生么？

马伯生连声说，对不住，对不住，我冷猛里跳出了个好主意，头脑就热了。

饮料丁老冬说，有什么好主意，说来大家听听。

马伯生不看他。他嫌丁老冬是养猪户出身,又不识几个字,前两年暴发了,竟还交了桃花运:一个城里来的女大学生,做丁老冬女儿也做得的,应聘在山里红饮料厂试工,起始当化验员,又技术主任,又工程师,又副厂长,现在成了丁老冬暗地里的二房。这女大学生姓董,白嫩得像春茭白,现今竟落在丁老冬这秃毛狗手里,马伯生心里总是愤愤不平的。

马伯生说,乡里不是有土政策么?谁给乡里希望工程捐资,就减免谁的税。我看,把钱交到税务所,水花都不起一朵的,与其这样,还不如把钱捐给希望,也好扬个名,给后代积个德。

龙广大说,这想法忒浅。单扬个名、积个德,扔那么多钱不是太冤枉。我倒是想了件事,看在不在理上。

电器杨四清说,你说来听听。

龙广大说,刚才听马老板跟包金亭说换肩当乡长的事,我七窍一下开通了。我们这些人,苦了这些年,四下里是一项也不缺了,可是往细里想想,究竟还缺一样东西。

杨四清问,缺哪样?

饮料丁老冬看看龙广大,说,是不是还缺点儿说话的分量?

龙广大说,是这意思。我回头想想,要是有点儿说话的分量,那派出所的小所长,能斜眼拍桌子,大声武气呼我大名龙广大么?能竖起根烂指头,戳着我鼻子训话么?

制衣马伯生点头,说,是这道理。像我们这种人,看来神气,其实也不过在穷人面前神气,骨子里,腰板还是软塌塌的。办个卵大的事,也要低声下气。

饮料丁老冬说,是这样,见了大盖帽,见了乡官,说起话来,心头总是虚虚的。

电器杨四清说,我赞成龙总意思,手里这钱,不能瞎糟蹋了,单扬个名、积个德,算个什么。真正用在刀口上,是要换更要紧的东西。

饮料丁老冬忽有些紧张地问,你们的意思,是不是想花钱弄个位子坐坐?

龙广大说,你丁老板说得这么白,就没意思了。社会上混了这些年,百事就讲究一个点到为止,是么?

饮料丁老冬说,那你龙总的意思,准备怎么弄?

龙广大吸烟,不响,待了一会儿,才用夹烟的手指点着一盆残汤,说,这事,就像熬这老鳖浓汤,要一步步来,懂么?

三

暴雨下来的时候,文教副乡长包金亭已走在去乡校的夜路上了。他带了个年轻助理小王，各骑一辆破单车，在泥泞里挣扎前进。雨披一次次吹翻，扑盖到头脸上，那王助理又是个近视眼，好几次滚到垄沟里。两人都成了泥冬瓜样。郎书记借给包金亭一只大哥大，是乡里唯一的一只，他一路巡查，一路就用它给郎书记通电话，报告各乡校风雨飘摇的情况，几乎每只电话都没好音讯。郎书记听烦了，就说，包乡长，不要再打卵电话了，我在乡里坐等你，乡校诸种情况，回来一并报我。

这郎书记，是县里下来的，通文墨。他在县里历任县长、县委书记的秘书，凡一十二年。秘书任上最后两年，已任命他当了县委办公室副主任。换届前，县委书记晓得自己要去市里另有任用，想得很周到，就把秘书等一干人都安排了。司机当了县府三产的花木公司副经理，郎秘书则征求了本人意见，准备放到乡里去，先锻炼锻炼，再图大计。职级呢，反比县委办副主任上了一个台阶：当乡党委书记，正职。郎秘书什么头脑，一礼拜里就下了六神乡，还看定了镇上的住房。家眷虽未迁来，平时却很少回县，周末也在各村里滚，是定下心来干一番的样子。郎书记到底是文化人出身，又在县里一把手身边待了这些年，耳濡目染，这书记当得就很有模样。郎书记说，百代更替，风云际会，他最崇拜的还是毛主席。在他的办公室和寝室里，到处是毛主席的传记，《走下神坛》、《红墙内外》等等。他还喜欢模仿毛主席，批个文件，说个话，作个报告，都这样，自己也觉得很有些气度。反正六神乡十里方圆，他是抓总的人，对他的批示及口吻，没人说过不字。加上晓得了些他在县里的经历，就蒙上一层神秘感，各级干部对他的一切，就都很服气。

偏偏遇上包金亭，也是个教书出身，根底不浅的，不仅写一手好字，古文底子也不薄，党史近代史，都懂得若干。他对郎书记的做派，就有些好笑。不过包金亭到底也是文化人，理解郎书记的心思，从来不在明里笑书记，只常常拿了郎批的文件简报，回办公室暗笑。遇到开会时，听了郎书记那口气，则闷在心里笑；实在憋不住了，才捂嘴笑一下，即刻就大透气，正襟危坐，绝对不让书记发觉的。在郎书记面前，包老师只是做戆，百事把头点得马卵样，作个土包子。包金亭晓得，人家做得很得意时，你态度不恭，就会把人惹毛了，且自己位子要坐稳，除了真要做些事外，还得给一把手一种安全感，让他觉得你这人对他没什么麻烦。这样当干部，论实干有业绩，说瓜葛却丝毫也没得，组织上就放心使用。是夜，包老师在乡校廊檐下用大哥大跟书记说话，耳边是遍野大雨声，心里是乡校百千师生忧虑的面孔，听见郎书记说，乡校诸种情况，回来一并报我，那口气，就令他不免想得很多。

八九个乡校一圈巡查下来，包乡长和王助理两人，就都成了泥潭里蹦起的活鬼了。回到乡政府大院，门房养的那条大狗又突然蹿起来猛叫，夹着风雨，平添了恐惧。王助理吆喝着它的名字骂，天虎，瞎了你的狗眼，也不睁眼看看，是谁人回来了。包金亭看看他，笑笑。年轻人难得下村折腾，夜半风雨交加，跌爬滚打，就晓得他心里有气。走进大院，满目乌黑，只书记办公室一灯独亮，心里便陡地升起暖意，对王助理说，郎书记等我们呢。

郎书记听见声响，就出了门，站在廊檐下，迎接他们。包金亭一看，郎书记披一件夹克衫，两手叉腰，夹克就篷样撑起，背着灯光，看不见头脸，身子一周的轮廓，却是灿灿的边沿，很有些样子，就想，郎书记这会儿，是把六神乡大院，当成八角楼了。

郎书记啧啧着把他们迎进办公室，拿出两碗康师傅牛肉面，亲自泡，一边摇头道，人在乡里，真个是风声雨声狗叫声，声声入耳啊。

包金亭不跟他对下联，只嘿嘿笑，说，郎书记何必等我们，什么事不能天亮说。

郎书记说，睡不着啊，听你说过乡校危房的情况，一见这样的鬼天气，心里就坠坠的，透不过气。

王助理饿狠了，早在两人对话间，龙取水样，把一碗面吸个精光，连汤水也不剩半滴。包老师见了，就笑着把自己那碗也推到助理面前，想自己黄昏时已在广大酒家把肚底垫扎实，此刻还不至于那么饿。郎书记落眼，又取出一碗来，还是亲自泡了。包金亭谢了接过来，等一歇，低头一筷筷吃了，身体到底暖和了些。一边吃，一边就把大雨中危房的境况叙了一遍，不免添些枝叶，把情况说得更严峻了些，直听得郎书记坐立不住，篷样撑着那件夹克衫，在办公室里搭角踱来踱去。

包老师说，我跟那些值班的都说了，明天——哦，不，今天——一早，凡危房教室，一律不准开课。若出了事，校长负责，乡里不留情的。

郎书记连连点头道，好，勿谓言之不预。这样强调，很有必要。

包老师说，井下村学校，还有桥东村小学，那一片校舍，我看都险了。师生长期停课，也不是办法。作为乡里，郎书记，总得拿出一个中心意见来才好。

郎书记说，包乡长，你不要逼我。屋漏又遭连夜雨，现在我们面临着非常时期。乡财政的情况，你也不是不晓得。下个月你我的工资，也都没着落呢。真正是手中无粮，心中着慌，两脚踏空，徒唤爹娘啊。

包金亭说，郎书记这两句说得好，韵脚也押得响亮。

郎书记说，我是步毛主席诗的原韵，反其意而用之。

包老师笑出声来，郎书记也笑出声来。王助理第二碗面也吃完了，只剩下些渣土样的汤脚，他摇着碗底，抬起头，用很渺茫的目光，看书记和副乡长的脸。

郎书记说，上回，我们曾说起让乡里大户们来支一把教育，事情有些进展么?

包老师说，我正要向你汇报呢。黄昏时，我跟龙广大他们几个大户碰头了，谈了初步意向。我造的危房改造预算，也给了他们。

郎书记问，你预算造了多少?

包老师说，三十万。

郎书记摇头，说，忒少，大可翻它一番么。

包老师愕然问:还忒少?

郎书记说，钱多不压身，要多了还怕花不掉么? 一样开口，不多要些干什么。这些老板，钱都是潮里来浪里去的。龙广大那贼，三家酒店两家汽修厂，一个月下来，净利二三百万；娱乐中心也有十几二十万进账。不引导他们做点儿善事，还不都花到歪道上去了。别人不说，那制衣马伯生，在市里嫖一夜，扔的钱就上四位数。这是什么概念？就是说他跟女人睡一晚，抵得上井下村村民风里来雨里去干一年。这些人啊，钱多得卵子胀呢。

包金亭说，可就是我报的30万预算，他们也没接嘴。

郎书记说，为富者不仁，真是越富越小气啊。

包老师说，钱在他们兜里，你能拿他们怎么样。

郎书记咬牙切齿道，没有改革开放，他们能发什么财？还不是草民一个？现在共产党求他们做些事，倒眼睛朝天，搭起架子来了。老人说我们是养猫咬卵子，真是一点儿不错。

包金亭拿出那只大哥大，用干布擦擦，还到郎书记手里，说，若说他们真个一毛不拔，倒也不是的。刚才我们查到井下村乡校，看那房子实在不得过了，我便当下给龙广大通了电话，请他无论如何先支一把，拿笔钱出来给我们救急……

郎书记问，他怎么个态度？

包金亭说，他说完全可以考虑，只是有几件事，想见你郎书记，当面谈谈。

郎书记说，他们不是跟你谈过了么？还见我干什么。

包金亭说，他们知道我包老师，这乡长还是副的，副乡长里还是管文教的，没个分量。在六神乡，只有你郎书记说话算数，一言定乾坤，大小百事，他们愿意跟你谈。

郎书记啧一声，皱着眉，又搭角在办公室里踱来回。虽说包乡长这话说得苦恼，又有些怨气在，可这恰恰是郎书记中听的。党委书记抓总，包老师懂这规矩，这就好。他最讨厌那些乡政府干部，不知轻重，动辄把自己凌驾于党委之上，整天神抖抖的；而有些老百姓，这些年来头脑也糊涂了，以为政府办实事，有实权，比党大。殊不知在中国，党永远抓总，最大。这个道理，要反复讲。他常这样想。

电话铃突然响起来，众人心头都不由一抽，想，都什么时辰了，还会有谁人来电话。

郎书记拿起电话，嗯嗯几声，说些在办公室处理急事的话，又啪嗒一声挂上，满脸的不痛快。包老师和王助理一旁看了，呆呆地，也不敢问。倒是郎书记自己叹口气，说，你们看看，我这乡党委书记当得难不难。老婆在城里，叫她下来，她不肯来；不来吧，对我又一百个不放心，怕我起野心思，养乡下妹子。常常半夜，一个个电话打来，不是袭你宿舍，就是袭你办公室。夜深人静的，烦不烦人。要是两处地方都没人接电话，嗬，第二天日子就难过了，她那个审问，比公安差不了几步，你看无聊不无聊。

王助理先是笑起来，说，郎书记官做这么大了，也有这种烂事。

包金亭却说，也难怪嫂子要这样，你郎书记是跨世纪干部，文武双全，软硬都拿得起，前程不知几远呢，人样又是这样的周正，她放心不下你，是爱你入骨呢。

郎书记说，我在这个位子上，会起野心招乡妹子睡觉，去惹一身骚么？也忒不合算了。

包金亭肃然起敬的样子，说，是这样。

郎书记又摇了一回头，忽而把手一挥，很果断的样子，说，天要落雨，娘要嫁人，随她去吧。

包老师说，不过你也要劳逸结合，常回县城去看看才好。

郎书记苦笑两声，两肩一耸，抖了抖篷样的夹克衫，说，凄风苦雨，百姓苦难都来不及解决呢，谁还有心思想这个。

包金亭就说，那郎书记你拿主意，跟龙广大他们，是见也不见？

郎书记抬起头，望黑黝黝的窗外，目光如炬，在风雨声中沉思良久，终于说，共产党死都不怕，难道还怕见几个私营老板么？你传话给龙广大他们，只要能解决实际问题，我意可以一见。具体时间，由你酌定。

四

天亮之后，雨还在下，只是小了些，仍滴滴答答的，落得人心烦。包金亭早想跟龙广大他们打电话，定书记见面的时间，可一想，这些老板都是什么人，惯于做夜游虫的，百事都在黑天里做下，现在作兴还落了窗帘，睡得正好呢。便一直熬到午饭过后，才打了电话。龙广大是爽气人，听说郎书记这么快就肯见面，立即把约好的一个上海小老板回头了，说改日再见面，却跟包金亭定下来，晚上就请郎书记到巨龙酒家——他另一间产业——的雅室里碰头。

郎书记有心把这件事做成，早饭吃过后，就叫上个办公室主任，到近段的乡校去走走，想掌握些第一手情况。不料才到第一处乡校，就出了件事故。那校舍的屋顶，原来用芦柴搁瓦，雨下久了，烂柴吃不住力，湿瓦便坍下一半来。其中一爿，不偏不倚，正好打在郎书记额上，砸出蚕豆大小一个洞，当下血流如注，把书记半张脸糊住了。乡办主任大呼小叫，抢书记手里的大哥大，说要叫救护车。郎书记喝道，你出什么洋相，卵大的一个伤，捂紧一会儿，血就止了，叫什么救护车。

乡办主任说，这瓦都是烂货，怕你破伤风呢。

郎书记说，没这么金贵。人家村民也有皮破血出的时候，他们日子不过了？

又坚持看了两所学校，才回大院。其时郎书记捂在额上的那块手帕，已浸透了血。乡办主任好说歹说，把郎书记架进乡卫生院。院长一干人见书记半脸是血，先是吓白了面孔，七手八脚消毒清创，撞翻了粥锅样。郎书记一脸阴沉，不断地摇头，临走时摸着头上的纱布，对院长说，紧张有余，医技不足。待我把学校这块理顺了，回头考虑整改你们卫生院。说得卫生院院长脚抖抖的，脑门上都是汗。

天黑时分到了巨龙酒家，郎书记那头纱布，先是让龙广大这些大板吃了一吓。龙广大说，这是怎么说的，郎书记哪里碰了不巧。包金亭一边作了简单解释。大板们便啧啧地感叹，轻伤不下火线，这样的书记还有什么话说，跟黄继光差不多了。龙广大尤其感动，说，郎书记包了头，还来跟我们谈工作，不拿点诚意出来，天雷也要打下了。

这时小姐鱼贯进来，把托盘里小碟一样样摆上来，见是自己的老板，还有乡里头头，格外拘谨。郎书记用眼角掠桌面，见是芦笋、鸭舌、蜜汁红枣、香油黄瓜、辣白菜、酱汁豆腐衣，还有一碟黄泥螺，足有拇指样大，一一都是清淡开胃的，便晓得后面上的，必是浓脂厚膏的大菜，就说，龙总，我今天下村挂了点彩，原想早点儿歇下的，因为跟各位老板见面，信用要紧的，就硬着头皮来了。但头有点儿晕，不想吃什么东西，浓油赤酱上来，怕要恶心，看弄得简单些怎么样。

龙总说，按菜单，今晚倒是要上些好东西的，还叫个司务来烧红烩鱼脑，想在书记乡长面前露一手。既这样，就少弄几个菜，炒些素吃吃怎样。

制衣马伯生说，请郎书记吃素，像个什么样子，红烩鱼脑大补，郎书记又是伤了脑门儿这里，吃吃是最好的。

郎书记笑笑说，要吃你们吃，我没胃口。这与你们不相干，不要扫了各位兴。

龙广大说，喝些酒活活血，总可以吧？

郎书记手摇得蒲扇样，说，我伤口还是新的，止血就不易，喝酒不是要我命了。就来杯清茶，茶叶好点儿，无妨。

大板们就摇着头，感慨书记不烟不酒，说这样的官人，世间已剩不下几个了。

包金亭抓住了机会，说，郎书记的头，是今天上午下村视察乡校时，被屋上烂瓦砸了洞的。你们想想，这学校的危房，已危到了什么地步。郎书记还说，这烂瓦幸亏砸在他头上，若是砸翻了哪个娃娃，不是又要闹得家翻宅乱。你们听听这说的！

饮料丁老冬说，这是什么话，十个娃娃，都没我们书记一个金贵。他家翻宅乱又怎样，书记有个三长两短，这一乡的日子不要过了。

郎书记说，丁老板这话不对，共产党历来讲群众第一。我们都是黄土埋到胸口的人了，哪有祖国花朵金贵。不信，烂瓦砸死一个干部，跟砸死一个学生比比，哪个更轰动。砸死个干部，最多是条社会新闻；可砸死一个学生，却是件了不得的事故啊，它可以牵出许多部门许多领导来，折腾起来没个完，弄不好，一串干部下台，也是作兴的。

电器杨四清说，郎书记左一个事故，右一个下台，多难听。这种不吉利的话，现在不说为好。

包金亭有些紧张地看郎书记。郎书记轻松一笑，说，共产党是彻底的唯物主义者，不信那一套。我郎某不怕下台，就怕老百姓吃苦。

包金亭赶紧接口，说，龙总你看看，郎书记为了这乡校危房，命也豁出去了。不是说有钱出钱有力出力么？各位老板都帮乡里一把，也不枉书记一路淌的这点血。

郎书记笑笑说，包老师，也不作兴把老板们逼得这么急，有事慢慢相商为好。

龙广大也笑着说，包老师恨不得立马带我们去乡校翻房子呢。心急吃不得热豆腐，支援希望的事，我们一定考虑的。这是关乎子孙后代的大事，怎么会马虎——来，先吃菜。

龙广大说着，就热心为郎书记包乡长搛菜。郎书记不知是真的没胃口，还是摆架子，只一口口呷茶，对那些冷菜热炒并不热心；即使吃，也是浅尝辄止，很恬淡的样子。包乡长却是个好胃口，一天一夜折腾下来，肚里油水又枯去了，原想既然来吃了，不吃白不吃，对老板们搛菜，要来者不拒的；可一看郎书记吃得这么文雅，便不敢狠吃，怕露了猴急相，惹书记不高兴，便只得小口小口抿酒，煞有介事的，一次一次搁下筷子，心里毛糙得不行。

小姐进来打开电视，画面正走着些泳装女子。郎书记捧着茶杯，眼睛终于有了着落处，看那画面，有兴味的样子。制衣马伯生落眼，就悄悄跟龙广大说，有没有更刺激的，拿出来放放，也可让书记散一散心。

龙广大看看郎书记，放大嗓门说，什么刺激不刺激，下作东西我们从来不弄的。精神要文明，郎书记你说对不对。

郎书记说，守法自重，我很赞成。

龙广大在桌子底下，踢了制衣马伯生一脚，眼睛却看着乡里头头，说，郎书记，你今天肯到小店来，给足了我面子。我想给你说句心里话，不知这个场合妥也不妥。

郎书记说，你龙总今天怎么了，说这样的客套话。都是一乡里朋友，什么事不能说，说。

龙广大扫了大板们一眼，说，今天我看见郎书记伤成这样子，还坚持工作，跟我们打成一片，真是很受感动。郎书记把共产党的样子，做到我们眼下来了。我从郎书记这里，认得共产党又多了一层，冷猛间冒出个念头，不能不说——

郎书记看定龙广大，微笑点头，只是鼓励他大胆放言的样子。

龙广大说，我龙广大不晓得轻重，也想进党，不晓得郎书记看得上我么？

郎书记脸上顿时生动起来，说，好啊好啊，我个人对龙总这个想法非常欢迎。

龙广大说，若我提出申请，这事今年办得成么？

郎书记看看包乡长，脸上笑容依然，说，龙总，这事用得着你们刚才说过的一句话了：心急吃不得热豆腐。入党有许多准备工作，要上党课，要学党章，要写申请，要找谈话，成熟了才发志愿书。你有这个愿望，很好。至于什么时候能进党，我不好说。

龙广大说，进个党还有这么多事，倒是第一回听说。听他们说，进党还得有介绍人，我若就请郎书记当介绍人，你肯么？

郎书记说，这有什么不肯的？你信任我郎某，再好没有。不过我跟你说了，定介绍人，这是后事，要紧的还是你先向组织表示这个愿望。你们不是有个私企协会么？高关根兼这个支部的书记，你倒可以找他谈谈。

龙广大说，找高关根谈？跟他能谈出个什么鸟。实话对你郎书记说，我看不起高关根这人。要我向他申请进党，我宁肯不弄这事了。

郎书记笑说，只晓得你们有些矛盾，不想还很深。

龙广大说，现在不是讲特事特办么？像我这种人，对六神乡多少有些贡献，不能直接向乡里申请么？

郎书记想一想，说，也不是说绝对不可以，不过事情总得一步步来，支部这一层是不能跳过去的。回头党委讨论一下，给你个说法。不过不管怎样，党的大门总是开着的。龙总你好自为之。

龙广大说，是好自为之呢。包老师提出要我们支援希望的事，我们就准备好自为之。我们几个议了一下，搞个三二十万元，问题不大。不过有个想法，要跟乡里相商。马老板你说说。

制衣马伯生说，也不是什么大不了的事情。井下村乡校不是危房情况最严重么？我们几个议下来，想集中财力，帮助乡里解决这个学校的问题……

包金亭一拍筷子，叫一声，好！井下村村民要向你们几位叩头了。

郎书记也说，伤其十指，不如断其一指，集中财力支持最困难学校，这办法，我看可行。

制衣马伯生说，不过我们有个小小的要求——

包金亭中气很足地说，不相干，有要求，大胆提，乡里相帮解决。

郎书记呷着茶，说，马老板，但说无妨。

马伯生扫一扫酒桌，说，井下村乡校不是有几个名牌班么？黄继光班，雷锋班，焦裕禄班，刘胡兰班，老师都是最好的，学生考初中高中，录取率也都是全乡最高。我们想，几个人合资给学校建栋新校舍，三十万，一座楼造得很登样了；学校方面呢，就把那四个班的名字改了，改成我们兄弟四个的名字，看可以不。

包金亭目光一跳，筷头上搛得很好的一块五花肉，叶一下掉在醋碟里，溅了半桌。他看看马伯生，又看看郎书记，仿佛等待着空气爆炸。

郎书记却仍是笑容可掬，很悠然地颔首，侧过脸来问包金亭，包乡长，用大板们的名字来命名名牌班级，你看怎样？

包金亭说，这几个名牌，名声都是在外的，前两年命名时，县教委领导都来了，还来了位副县长。现在把黄继光、刘胡兰的名字都拿掉，改叫龙广大班、马伯生班、杨四清班、丁老冬班，叫起来顺么？

郎书记笑着说，问你呢。

包金亭就看郎书记脸色，想从郎书记目光深处，从他脸上皱纹的细小抽动里，寻出某些信息来。然而郎书记笑得一如既往的平和，目光也静得水样，还有一种居高临下的宽厚相。包老师便觉得自己一下子被推上了前台，四下空落落的，没人来搭手，舌头就莫名其妙大起来。他说，这件事，恐怕要跟县里通通气吧。

郎书记说，乡校的事情，我们自己决定为好。跟县里相商，县里也正穷得眼珠子发红，又做惯了雁过拔毛的事情。他若截留下一半钱款，你怎么办？不是打了兔子喂白眼狼么？

龙广大说，郎书记老辣，到底县里有根基。

丁老冬说，这里只有郎书记，一眼看得到县府骨子里。

包金亭尴尬地笑说，这是自然，郎书记在县城那么多年待下来，八卦炉里炼成金，谁人有他对县里那么深的了解。

郎书记摆摆手，不想听这类好话的样子，说，各位老板，如果乡里不同意名牌班改用你们的名字，你们怎么样？

电器杨四清说，一手交钱，一手交货，名不改，钱不付。

龙广大赶紧说，倒不一定做得这么绝，可以商量办么。改名有改名的付法，不改名有不改名的付法。

包金亭说，我谈个人看法，不一定中听噢。名牌班改名的事，慎重为好。黄继光，刘胡兰，到底是英雄名字啊，全国人民都叫顺的。我有个侄子在井下村乡校读书，问他在哪班，他小胸脯一挺，说，雷锋班！骄傲得不行。若是改了名，小孩子能答得这么骄傲么？

电器杨四清说，这也是个习惯问题，时间一长，叫起来就顺口的。说我在龙广大班，杨四清班，不是也很响亮么？

龙广大沉着脸，说，不改名当然也可以，不是非改不可的。不过我倒要问一问，黄继光能给乡校带钱来么？雷锋能解决危房翻建资金么？焦裕禄刘胡兰，三十万二十万拿得出来么？

包金亭被呛得一句话也说不出来，他看龙广大，见这老板也动了颜色，嘴唇抖抖地发紫，两颊却泛出白来，那眼睛，不看别处，只看定桌中一盘大王蛇肉，目光很毒。

郎书记说，这事，就说到这里吧，再说下去，怕要翻脸了。容我和包老师到隔壁去一去，我们两个相商一下，再答复你们，看好不好。

龙广大就站起打开了腰门，让两个乡官进了隔壁雅室，又把门拉上。包金亭心惴惴的，想郎书记要批评他了，却不料，书记用手势把他招近，神秘兮兮的，一副要跟他密商的样子。

郎书记说，你刚才几句话，说得好。说明这事我们有不同意见，乡里同意名牌班改名，是付了代价的。

包金亭说，听你说法，你要同意他们改名？

郎书记说，不是在跟你包老师相商么？

包金亭说，把英雄班改名老板班，我总是觉得心里不踏实。

郎书记摇头说，你包老师胆子还是太小，思想还是不够解放。

包金亭叹气说，看得出，你郎书记要答应他们了。

郎书记笑笑，说，他们刚才说了两件事，对不？一件是进党的事，一件是改名的事。关于进党，这是一个原则问题，不能让步。这件事，我意可使缓兵之计，就像小孩子用蚂蚱钓田鸡，田鸡一跳，蚂蚱一吊，让它永远扑不到目标。

包金亭脸色稍解，点起头来，心想，到底是县里机关出身，有办法，老板们晓得了，不四脚朝天喷出血来才怪。

郎书记又说，至于名牌班改名的事，我提个看法供你参考。不用黄继光、刘胡兰的名字，又有什么大不了的？到底是三十万元巨款啊，到底是一栋崭新的教学楼啊。我们一个穷乡，一下子哪里拿得出这么多钱来搞教育。共产党不图虚名，人民却需要实惠。我准备答应老板们，包老师意下如何。

包金亭说，我是怕乡里县里有人说难听话。

郎书记说，怕有人说难听话，改革开放就不要搞了。我们的事业就是在难听话中发展起来的。比起农民子弟在危房里上课，我宁可听几天难听话，就是担骂名，我也上的。

包金亭就吸口气眼睛亮亮地说，郎书记这样硬，我也决不做软蛋。我跟郎书记一道上。

郎书记说，这就好，我把你引为同志。说到这里，郎书记顿一顿，若有所思的样子，又说，稍过一歇，就由你去向老板们宣布，乡里可以考虑名牌班改名的事情。不过，话不要说得太满。办事想问题，总要留些余地才好。至于乡里同志，看来还要做些工作。

五

六神乡的人，不能不佩服龙广大这批老板。乡里一答应可以用他们的名字来命名名牌班，他们马上就去银行，把三十万元划出来了。龙广大是个角色，故意把钱划到乡政府账号上，而不是划到乡教委独立的账号上。等到包金亭想到这儿，赶去找龙广大时，龙广大说，钱昨天就划出了，我哪里晓得乡教委有独立账号？你们乡政府乡教委不是一家子么？

包金亭目光直直地看龙广大，像冷猛间吃了一个耳光，想说什么，嘴唇鱼脱水样动了几下，却没说出来，只狠狠砸了一下脚，摇头而去，一边走一边说，晚来一步，晚来一步！龙广大看他跌跌撞撞的背影，只是暗笑。

包金亭走出龙广大的公司，怀着最后一丝希望，赶到街上农业银行，找到所长，要他查查龙广大他们的款子处理了没有。所长一查，昨天下午就做了，现在钱已到了乡政府账号上。包金亭不死心，把这钱的来龙去脉说了一遍，问所长，能不能帮帮忙，把钱改划到乡教委账号上去。所长说，我吃豹子胆了，你们乡会计胡秀云是个多厉害的女人啊，要是晓得我听了你话，把乡政府账号上的款子划到外面去，报告孟乡长，不抽我的筋剥我的皮！

包金亭说，嗤，我不也是乡长么。

所长嘻嘻笑着说，包老师，你是文教副乡长。我只认乡里财政一支笔。

包金亭如丧考妣样，又跌跌撞撞闯进郎书记办公室，说，郎书记，大事不好了，那三十万元钱，龙广大他们划出了，可没到我们手里。

郎书记一拍桌子，说，难道有强人半道劫去了不成？

包金亭就说了一遍去银行的事。郎书记回透一口气，说，我还以为是什么了不得的事呢，钱在乡里就好，肉烂在汤里，又不会给别人家夺去。

包金亭说，只怕事情没这么顺当。郎书记望你去跟孟乡长通个气，说明这三十万元钱是群众捐给希望的，专款只能专用，谁挪动谁负责。

郎书记见包金亭一脸的紧张，方才意识到可能遭遇的麻烦，他说，我立马跟孟乡长说去，你放心请建筑队去，最好天一放晴，就开始乡校危房改造工程。

包金亭骑着辆破自行车，啃哧啃哧跑了几个乡，还上了一回县城，终于选定了一家资质好、要价低的建筑队，双方达成口头协议，决定下礼拜师傅进场，发车运石料，傍晚才回到乡政府大院。他正拿个脸盆，撅着屁股在井台洗脸，郎书记来了。

郎书记说，包老师，我给你赔不是来了。

包金亭听出事情不好，眼光直直地看定书记，说，是不是那笔钱出了毛病？

郎书记说，你交给我的任务没完成，那三十万元钱，乡政府要雁过拔毛。

包金亭脸色当下就变了，嗓音也发了毛，说，不作兴啊，不作兴啊，我好不容易求来一笔救命款，怎么就这样倒霉呢。你找孟乡长，就没把我们教育口的苦处多说说么？

郎书记说，你这样就是冤枉我郎某了，我怎么能不说呢？不过我先纠正你的一个说法，这笔救命款，怎么是你一个人求来的呢？跟老板们谈判拍板，不是我跟你一道去的么？说这个，倒不是我跟你包老师抢功，而是说，我也十分看重这笔钱。难道我愿意我们一道求来的救命款，半道中给人截去么？

包金亭脸上就有些挂不住，连说，那是，那是。

郎书记说，我看孟乡长说的，也不是没有道理。他说，有钱进账，正好，我下个月乡干部工资还没着落呢。

包金亭心里暗暗骂一句，强盗。

郎书记说，我给孟乡长解释，这是包老师求爷爷告奶奶，从老板们那里好不容易求来的款子，专门用来抢修乡校危房的。我还说，危房危到什么程度？你看看我郎某头上的伤口就晓得了。这一笔钱，乡里若挪用了，危房怎么翻修？老师学生万一在危房里出了纰漏怎么弄？

包金亭急问，孟乡长怎么说？

郎书记说，孟乡长倒也通情达理，说，我也不是狮子大开口，把三十万一口吞了。他说，乡干部工资每月五万，我只留十万，应付一下这两个月的开销，要不然，乡干部闹起来，大家吃不了兜着走。其余二十万，你给包老师拿去修危房。

包金亭带着哭音，说，孟乡长这一截，就截去了井下村乡校一层教学楼啊。郎书记你倒忍心点这个头。

郎书记叹口气，一脸的难过，心里却说，不点头怎么弄？我们党政一把手关系重要，还是跟你文教副乡长的关系重要？

包金亭赌了气，转过身去，孩子似的，双手把脸盆里的井水掬起，一捧捧往脸上泼，直泼得一头一脸，鼻孔里还哼哼地喷粗气。

郎书记冷冷地看着他，等他直起身子来擦脸，才又说，关于抢修危房，孟乡长还谈了一个意见，他说，二十万元钱，不能一下子全给了井下村。他说，各村的乡校都有危房，都要修，这笔钱，要阳光普照大家暖，不能小狗撒尿湿一摊。

包金亭说，这是怎么说的，井下村的困难是特殊困难，特殊困难就应该特殊解决。郎书记你不也主张伤其十指不如断其一指么？

郎书记怔一下，说，伤其十指，是不如断其一指，但现在是十指俱伤，不能只医一指啊。包老师，具体情况要具体分析，这是马克思主义的精髓。

包金亭咕哝道，精髓精髓，你嘴里说出的都是精髓。

郎书记说，我到六神乡时间还不长，许多情况还要拜你为师。孟乡长警告我说，这种事情乡里有过教训，各村给钱给得不均，村干部就会到乡里来造反。

包金亭急问，照孟乡长的说法，井下村乡校能拿到多少钱？

郎书记说，利益均分吧，第一批四个乡校先修起来，井下村和各村一样，都分五万。

包金亭一砸脚，脸像抽筋样痛苦不堪，说，要命了，这事叫我怎么交代。不瞒郎书记，老板们同意给钱那天，我已经给井下村乡校苏校长报了好讯。这苏校长还不舍得那几个名牌班改名呢，说不知该怎样给老师学生做工作。现在好了，雷锋、黄继光的名字改掉了，老板的名字上去了，他井下村乡校拿到手的却不是三十万，而是五万！苏校长晓得了，不是要掐我头颈，跟我包金亭拼命么！

郎书记说，包老师，不是我批评你，你这人缺个组织观念。乡里还没决定的事情，你怎么往外传呢？谁给了你传达任务呢？我早说了，办事想问题，要留有余地，你跟苏校长一说，不是把自己退路断了么？你这个包老师啊，还是书生一个。现在好，自拉的屎尿自己清，这事引出的麻烦，你自己去了断。

包金亭的目光，本来还是充满了怨气，狠狠的，此刻却一下子软下来，心想，这郎书记真是了得，不愧县衙门练出来的，怎么一会儿前，我还占着理，光火发脾气，腰板硬硬的，给他三言两语一说，就转成了下风，而且还不晓得是怎么转的。

他说，郎书记，你批评，我接受，以后我要增强这方面的修养。你看孟乡长截去的十万元钱，以后还会还给乡教委么？

郎书记说，这我不敢打包票。不过我看孟乡长这人，不是那种借了钱不还的角色，等乡财政好转了，他加倍偿还你，也未可知。

包金亭心里说，要么等日头从西天出来。

当晚，包金亭就细细盘算，那二十万分到四个乡校，能办多少事情。他把井下村乡校的苏校长叫到镇街一家小饭馆里，要了几盘便宜小炒，喝加饭酒，作促膝长谈。其实，包金亭这人，哪里又是一个好糊弄的角色，这些年校长、乡长当下来，早练成人精了。老板捐助三十万元的大事情，他怎么会随便告人。他所以在郎书记面前说已透露给了苏校长，只是想给郎书记施加些压力，让乡里少扣些钱，倒不料给郎书记抓住这话柄，批评了一通。不过他想来想去，还是觉得这样说没吃亏，至少给书记造成这样一种印象，他包金亭是风箱里的老鼠，两头受气，日后在乡党委这里，也许可以多得些支持。

他给苏校长斟满酒，笑着说，这顿饭，本该是你请客的。

苏校长是个泥腿子校长，一边教书，一边还帮老婆养鸭子，一身的鸭屎味，浓浓的，几次让包金亭闻了要打喷嚏。这时他的眼一眨一眨的，说，你包老师请我客，我都莫名其妙；你还说叫我请客，我就更不懂了。

包金亭大声笑起来，说，苏校长，今晚我是专来给你报好讯的，你交好运了！乡教委准备拨给你一笔钱，让你解决一下学校的危房问题。

苏校长听了，一时不敢相信，眼光拔直了看文教副乡长，说，包老师，我们都是教书出身的，不作兴骗人。

包金亭说，这么多年交道打下来，你还不了解我？我包金亭什么时候骗过你？

苏校长兀自站起来，手猛拍胸膛，抬头看着墙上一个颠倒的福字，说，盼星星盼月亮，老天总算开眼了，这是救命钱啊。

包金亭说，你这人还当校长呢，说话没个政治觉悟，怎么是老天开眼呢，是乡里帮你争取的呢。

苏校长笑着，又改口说，该死该死，我应该给乡里烧高香，给包老师叩头。

包金亭说，倒也不是我一个人功劳，郎书记也出了大力的。他下村视察乡校时，头都给烂瓦砸破了，这你晓得么？我们两人跟龙广大这批老板谈了几次判，总算争取到一笔钱。这是抢修危房专款，一定要专款专用的。

苏校长点头不迭，说，专款专用，专款专用！就不晓得这专款有多少。

包金亭说，一下子拨给你五万，怎么样？

苏校长放下酒杯，两眼睁得大大的，像已见了那笔钱，目光竟是金灿灿的，说，包老师，五万元啊，这么大一笔钱，你叫我怎么感谢你啊。

包金亭说，钱是龙广大他们的，还要感谢那批老板。

苏校长脸笑得一朵花样，说，感谢老板，感谢老板！

包金亭说，老板们这笔钱，也不是白给的，他们还提了个条件。

苏校长说，什么条件，说这话时，他依然满脸是笑，似乎从这一刻起，这张脸已只会笑了。

包金亭说，龙广大他们四个老板提出，你们井下村乡校的四个名牌班，要改成他们的名字。

苏校长脸一紧，第一次敛了笑容，说，怎么改？叫龙广大班、马伯生班？

包金亭不无紧张地说，是这个意思，你看呢？

苏校长抿一口酒，搛了一筷松花蛋放进嘴里，只稍许沉默一歇，就说，改就改吧，名牌班用那些名字，不过图个响亮罢了，经济效益半点儿也没有的。今天老板们花了这么多钱，只买几个班级名，我看我这里还是合算的。

包金亭透了口气，心里松快了一些，举起酒，跟苏校长碰了下杯，说，这个事，不作兴后悔的，老板们的名字，要长期用下去。

苏校长说，不后悔，后悔什么。龙广大他们只要肯出钱，不要说买我几个班级的名，就是要买我的学校名，我也乐意上的。

包金亭看着苏校长脸上的笑，心里忽然酸了一下，一句话也说不出来。他端着酒杯，在杯沿上看了苏校长好长时间，慢慢的，那校长影子就糊了。他咬一咬牙，仰脖子干下那一杯酒，自己觉得有水样的东西，从眼角这里，滚了下来。

六

包金亭联系的建筑队，说好是建造井下村乡校一幢教学楼的，现在变了卦，钱四下分开，包金亭只好跟他们重新打招呼。那建筑队的头说，我们这样的企业出马，只是翻你们几间危房，你把我们当游走木匠啊！话说得很牛气，一口回绝了包金亭这点小业务。包金亭没得办法，只好哨哧哨哧骑破车，再找建筑队。找来找去，没有哪家肯承当，都说眼下遍地是工地，造大楼业务都做不完，谁有空给你翻危房去，把包老师气得眼睛翻白。他无头蝇似的，各处转，一天老车骑下来，卵泡都磨破了。回乡里时，他忽然想，自己这样弄，不是包了结婚又包生孩子，何苦来着？争取到这笔钱，已经大好了，何不一家五万，直接分到各个乡校手里，让他们自己找施工队去？发挥了基层积极性，自己又乐得省力，各乡校平白拿得这笔钱，找个施工队还不高兴得屁颠屁颠。

这事包老师不敢自作主张，怕郎书记又批评他没有组织观念。回乡后，他立马向书记汇报了。郎书记想一想，摇头说，不妥。

包金亭问，怎么不妥？

郎书记说，建楼造房这事，是眼下最容易出纰漏的，没听说楼房矗起来干部倒下去这句话么？乡校都穷得眼睛发红，你一下子放那么大笔钱下去，下面不给你做手脚？

包金亭说，怕不会这样吧？

郎书记说，你包老师书生气十足。这种事，我见多了。

包金亭说，乡里千辛万苦搞到的钱，他们要是再用这钱做手脚，忒没良心了。

郎书记说，什么良心，共产党不讲这一套的。基层乡校干部，好的是大多数，但六神乡穷急了，保不了会有几个人，偷鱼当馋猫。倒不是说一定明火执仗搞贪污，而是拿了这五万元钱，给你玩障眼法，偷工减料，以次充好，假公济私，危房是改造了，新的隐患又给你埋下了。截下的钱，也许给老师发点奖金，也许留在小金库里，也许呢，就进了他私人口袋。你若去查吧，一时又查不清，你看怎么弄！

包金亭皱着眉，连连点头，说，郎书记到底老辣，你说的这些情况，打死我也想不到的。

郎书记说，为此说树欲静而风不止，百事不能书生气十足。我倒建议，这种翻修危房的小业务，技术要求又不高的，可以交给本乡建筑队去弄，我给他们队长打电话。以后呢，你就让王助理三天两头下村看看，代表乡里当监工，这也是锻炼年轻干部。全部危房改造工程结束了，我跟你一道下去验收，不怕他们打马虎眼。

包金亭一听，笑了，说，有郎书记这话在，我百事不忧了。那就请你跟建筑队长通电话，我立马去落实。

本乡本土的，到底好说话，加上郎书记打电话作了交代，乡建筑队就把这危房改造，当作了一号工程，兵分四路，力聚一处，进展得很有样子。那建筑队长还叫人在工地四周拉了横幅，写的是：再苦不能苦孩子，再穷不能穷教育；还有：保质保量改危房，面貌一新迎"人代"。

"人代"，就是乡人代会的简称。六神乡五年一届的人代会，眨眼间又要开了。乡里为此成立了筹备组，郎书记当组长。这次人代会非同小可，涉及换届大事，县里规定，各乡镇都要由书记挂帅来筹备，越细致越好。

就是这个筹备，牵出了郎书记一件大事。

那天，郎书记到县城去，开人代筹备工作会，去时还是好好的，两天后从县里回到乡大院，却已大变了样子：脸灰灰的，气色很枯；头发也散了，不是以前那么黑亮、不梳也很精神的样子；眼睛明显凹了下去，眼圈还乌乌的，像生了场病。原本，他在大院爽爽朗朗，见人就打招呼，从没架子的，可这次回来，却绷着张脸，让人见着，一时竟说不上话去。

大院里众人问,郎书记怎么了?生病了么?没人应得。只有孟乡长还敢开玩笑,说:三十是狼,四十是虎,人家十天半月才回一趟县城,不跟女人搏命干个通宵啊?看样子是脱了元气,三五日就补得回的。

三五日过去了,郎书记精神是略微好些,但那病恹恹的样子,没完全缓过来。包金亭有些担忧,中午吃饭时就跟郎书记坐一桌,叫郎书记有空去看看医生,郎书记只是摆手。孟乡长一边用胳膊捅包金亭腰眼,警告他不要再说下去。包金亭心里一时塞满了疑雾,不晓得究竟发生了什么事。

当晚,孟乡长把包金亭叫到自己办公室,跟他说了郎书记的事。

原来,这天郎书记去县里开人代筹备会,他家里是不晓得的。不知为的什么,他事先也没通知他女人。这天开完会又在县府招待所吃了晚饭,书记县长来敬酒,很热闹了一番;接着,县文化馆来放了一盘美国碟片,很刺激的,郎书记回家就很晚了。他怎么也没想到,打开自己家门,他女人竟跟一个男的睡得正好,两人都脱得剥皮田鸡一样。郎书记当下寻了打被子的藤拍,扑打这对男女。也许因为急火攻心,用力太猛,郎书记扑打时一跤跌在床口上,把胸口跌伤了。那男的他认识,是县剧团的指挥,他们结婚前,女人跟这指挥恋爱过几年。郎书记跌倒在地后,吐了两口血,挥手叫那指挥穿衣滚出去。第二天,又跟女人说离婚的事……

包金亭就想起那个风雨之夜,他女人深更半夜突然打来的电话,还有郎书记一番苦语,就问,这婚离成了没有?

孟乡长说,没有,女人眼泪一把鼻涕一把,死活不肯离。

包金亭说,她既不肯离,为什么又要偷汉呢?

孟乡长说,她说她跟郎书记还是有感情的,她跟那指挥睡觉,只有这么一次,为的是前些年欠了他的相思债。

包金亭说,这话不可信,谁晓得他们睡过几次,郎书记平时又不回去的。

孟乡长说,是这话,而且这种事情,有一次跟有十次,有什么区别。

包金亭说,对极,偷十只鸡是黄鼠狼,偷一只鸡就不是黄鼠狼了么?

孟乡长说,郎书记一向精神头十足的,这次脱落了形状,都是这女人作孽啊。

两位乡长就摇头,叹息得苦苦的。

包金亭说,这些天,我连话都不敢跟郎书记说。有几件事,要他出面呢。

孟乡长问,什么事?

包金亭说,四所乡校的危房,都改造好了,郎书记答应跟我一起去验收的。

孟乡长说,你大胆跟他说,他会去的!这个同志,我了解。

第二天,包金亭早早来了乡大院,见郎书记做完操开始散步,就把要去乡校验收的事情跟他说了。郎书记哦了一声,说,工程进展神速啊,质量怎么样啊?

包金亭说,王助理天天在各村转呢,他说质量可以。

郎书记就一拍手，说，好，吃罢早饭，我们就下去。你通知建筑队长，这次若校舍改造有问题，我当场撤他职。

包金亭出发时还担心郎书记情绪不好呢，却不料一下村，看见乡校改造的那些校舍，一间间有模有样的，黑板是黑板，课桌是课桌，又高爽又亮堂，跟新矗起的一样，还散发着新木料和泥灰的香味，郎书记的眼睛就亮了，笑容也上来了，几次拍建筑队长的肩膀，说，想不到你一个土木匠，房子造得还真有些模样。

建筑队长说，你郎书记亲自给我打电话，我还敢偷懒。凭良心说，改造这些危房，我建筑队一个子儿没赚，还倒贴了不少材料。

郎书记说，这话我信。以后乡里找机会补你吧。

建筑队长说，补不补的无所谓，有郎书记这句话，我心就满足了。

郎书记又看到建筑队在工地上拉的横幅，心里更高兴，口口声声说建筑队长是个有头脑的人，还当场承诺，日后乡政府大楼翻建，就请你六神乡建筑队上。

建筑队长听了，大声说，一言为定，真让我上，我不把它建得宫殿样，割下头来当夜壶用。

大家就笑，验收就在笑声中进展得很顺当。

一干人验到井下村乡校，正好碰上龙广大、马伯生这一班老板。郎书记见了老朋友样，大声跟他们打招呼，起劲地跟他们握手，还往后退几步，站住，拱手向老板们作揖，说，我代表六神乡三万父老乡亲，向你们四位老板鞠躬敬礼，你看看这些新翻的教室！

龙广大赶紧上前拦住，说，这怎么敢当，出了几个小钱，受你郎书记这么重的礼，不是愧煞我们。

郎书记说，四位老板真是顶真，还亲自下来督办工程。

龙广大说，顺便看看那几个匾牌，写得是不是好。

郎书记顺着龙广大的手指，看见那一排四间新教室门楣上，早已钉好四块横字匾牌，上书龙广大班、马伯生班、杨四清班、丁老冬班，一律仿红木底，铜绿色阴文，平白添了些古色古香。

郎书记一一仔细看过，说，好，用老板名来命名名牌班，也是个新生事物么。

半天巡察下来，郎书记出人意料地高兴。回乡路上，他一手扶自行车把，一手舞舞扎扎的，大声跟包金亭说话，话题离不开校舍、教育和为民办实事。包金亭发觉，以前的那个郎书记又回来了，他脸色透红，两眼的瞳仁很亮，说话中气十足，一个个手势做得都很得劲，骑车的速度也比平时快了。他暗自庆幸，这半天没白跑。

然而不过几个小时，晚上郎书记的脸又阴沉下来。他把包金亭一个电话叫到办公室，问，电视里的县办节目你看了没有？

包金亭说，我老婆一手把持了电视，天天看港台连续剧，天天陪着落泪，我轮不上看的。

郎书记踱着步，两手叉腰，外套又像篷样撑起，目光冷冷地看着桌上的电话，说，龙广大他们能量不小，把县里电视台的人也请来了，拍了个《名牌班改名》的专题片。他们想把事情做到哪一步啊？

包金亭说，出了那些钱，他们自然不肯放过宣传机会的，老板么。

郎书记冷笑一声，这声笑让包金亭浑身上下打了个寒战。他一侧看过去，郎书记脸色严峻，两片嘴唇抿得很紧，额头上新结的那块伤疤，在灯下发出冷冷的青紫色。他晓得郎书记真生气了。

几天后，县报上也登出了以老板姓名命名学校班级的新闻，标题是《如此改名为哪般》。市报上接着还以《这样改名是否可取》为题，展开了一场讨论，每天发表两组观点相对的文章，一组说改名不好，老板名替代英雄名，是我们时代的悲剧；一组说改名并没什么不好，市场经济，老板就是当代英雄。讨论持续了好多天，自然就惊动了市委、县委的领导。县委书记把郎书记叫了去，谈了一个上午，到底谈了什么，谁也不晓得，但一看郎书记那张铁青的脸，晓得谈话并不令人愉快。

这时恰恰又来了件事，给郎书记火上浇了一蓬油。市报编辑部派了两个记者，到乡里来找郎书记，说，本报《这样改名是否可取》的读者讨论，准备告一段落，最后阶段，想请郎书记作为负责人谈谈看法。郎书记晓得记者不好得罪，可心里又实在不愿再淘班级改名这只粪坑，就借口县里开紧急会议，来了个溜之大吉。记者们等到天黑，不见书记回来，又找孟乡长、包金亭。这两位又是什么人物，早晓得班级改名这事情，上面有人不高兴，推避得远远的，不愿接谈。报人等毛了，一不做二不休，想既然老远来了，就不肯白来，于是又去采访龙广大那批大板。龙广大就在广大酒家设宴款待记者，又把马伯生他们请来作陪，觥筹交错之际，一篇访问记已有了着落。三天后，市报刊出了这篇文章，标题做得大大的，叫《私营业主的新贡献》。郎书记这天正好到门房取报纸，看了这篇文章，火冒三丈，想找包金亭发一通的，不料包金亭已去乡校核查改造危房款的账目。郎书记就回办公室，拿笔在报纸空白处批道：

请包乡长即下村做一调查，龙广大一干人究竟意欲何为？查清后速书面报我，勿拖为要。

包金亭在六神乡教了那么多年书，桃李满天下，调查那么几个人还不容易。查了一个段落之后，他不等王助理写出调查报告，就匆匆找郎书记，要作口头汇报。不想找遍大院，不见郎书记影子。那个孟乡长却满头大汗，从外面骑车归来，一见包金亭，就把他拖到一边，悄悄告诉他：出大事了。因为郎书记离婚态度坚决，他女人在家吃了老鼠药自杀。昨天一早，女方单位负责人找上门来，把郎书记叫去县中心医院，等候抢救消息。

包金亭问,这女人救得过来么?

孟乡长说,还未脱离危险。医生进进出出地忙,翻倒蟑螂窠样。

包金亭说,郎书记怎样了?

孟乡长说,他究竟狠不下心来,昨天早上一听女人到了这地步,当下急白了脸,脚步都乱了。我昨晚去医院探他,又脱落了形状,还落了泪。

包金亭说,这女人真是做得出的,寻死觅活逼书记让步。也不知那老鼠药是真是假。

孟乡长说,这不管,病危通知总是真的。

包金亭说,不是我说话狠毒,这女人活过来,郎书记没好果子吃。

孟乡长说,莫非你要她死?

包金亭说,我是什么人,敢要她死。

孟乡长摇头,说,清官难断家务事,这种男女纠纷,外人说不清楚的。现在人都快殁了,好好的家庭,怎么想得到。

包金亭说,这就叫作祸福难测,本是好好的夫妻,男人做乡党委书记,很好了,女人偏要起野心,外插花,生生坏了一个家庭。唉!

孟乡长叮嘱,这事,大院里只有你我晓得,事关郎书记形象,外面说不得的,晓得么?

包金亭说,到此为止,到此为止。

两人散了之后,包金亭就到办公室,催王助理赶快写调查报告,报告一煞尾,他又马上动手修改润色,把龙广大一干人的动向,说得清清楚楚。

七

这时的龙广大,还折腾在起劲头上呢,哪里想得到自己的动向,已给乡里掌握了。他把马伯生等一干老板叫来酒店,商量下一步怎么弄下去。

电器杨四清最后一个到,进门就喊,龙总,我来给你报好讯,我上去了。

龙广大笑笑,只挥手叫他坐下,还亲手泡了茶。小姐不让进来,这是会议密级的一种显示。杨四清由此晓得,这会要紧。

马伯生说,你杨老板叫个什么。我马伯生哪里没上去?丁老冬在饮料公司,也上去了。会抓老鼠的猫,不叫。

龙广大满面春风,难得这样快活。他发了一圈中华香烟,舒舒服服坐下,说,谁说我们这些业主名声不好?我看这次各人都不错么,真像是油煎臭干,闻上去臭烘烘,吃起来香喷喷。

老板们都放肆地笑,升腾了半屋子的烟雾,被笑声冲得四处乱舞。

龙广大说，原先我想，冲过村选这一关，起码要投好几万。现在回头一算，上一个代表平均才几千元，真是忒便宜了。

马伯生说，我们制衣厂大多是本乡的女青年，我跟她们明说，只要选我马伯生当乡人大代表，我给你们每人增发二十元奖金。二十元算个卵钱啊，四百多号人，我八九千元就拿下来了，想不到这么顺啊。

丁老冬说，你马总还做了个发奖金的形式，我却是当场兑现的。他一手画我丁老冬的圈，我一手就给他二十元。一手交钱一手交货，厂里那个高兴劲啊，过节一样。

杨四清说，其实，若不给工人钱，要他们选我杨四清当代表，还不是顺顺当当的？给他们一份工做，就是养活了他们一家子，感激你都来不及呢，叫他在名下画个圈，还有什么不肯的。

龙广大说，照你的话说，你没花钱就弄成了这事？

杨四清说，你龙总给的经费，我为什么不用？就算买肉喂家狗，也乐得做一次好人么。

龙广大就伸出一根指头，点杨四清的脑门，一副大人不计小人过的样子。

马伯生说，杨总说得有道理，我看我们这些老板，在工人中都还有些人缘。毕竟我们是吃新社会奶大起来的，不是旧社会的资本家。谁不晓得想要马儿跑要给它吃草的道理啊。

丁老冬说，我们给几个乡校抢修危房的事，现在看来做得真漂亮。有几个工人就说，就是不给钱，看在他们给学校翻造危房的分儿上，也该投一票。

龙广大愈发得意起来，大嗓门笑出声，又吸进一口热烟，重重地呛，把一张脸呛成猪肝样。他喝了好几口茶，才平下气来，说，老话说得好，行得春风有夏雨，意思就是这么个意思。你们以为我龙广大那三十万块钱，真是无偿奉献啊？没有的事。那是用票子铺一条路，比做生意的路子更紧要。这些钱撒下去，也会生根开花的。不然，老百姓怎么会对我们这些老板叫好？还有一件事，我没告诉你们诸位：这三十万元钱下去，我还把他们乡政府玩了一把。

马伯生眼睛一亮，起劲地问，怎么玩的一把，说说。

龙广大鼻孔里喷出两股烟，脸是笑着，眼睛却闭着，像品着什么味道，等鼻烟淡了，断了，他才睁开眼，说，乡里穷得，只剩下裆里两粒蛋啦！乡干部工资，不知天上飞着，还是水里游着。乡财务走投无路，到处借钱。大院里各部门，眼睛一个个都红着，要是能搞到钱，命也搏得。我若把三十万元钱一笔划到乡教委，不是忒便宜了包金亭，大院里水花也不见一朵，多没劲！

丁老冬说，是这样。乡里现在穷成个空架子啦。

龙广大说，我一样出血，就要他们饿狗抢食，扔一根骨头过去，要他们咬得呼天喊地。那天我就把钱划到了乡政府账上，让教委跟政府抢去，书记跟乡长争去，副

职跟正职夺去！

杨四清说，他们怎么夺的，你说说。

龙广大说，杀鸡的不看鸡斗，他们怎么夺，关我什么事，我还懒得看呢。那包金亭后来送字过来，就埋怨我划账时怎么不先打一个招呼。我去村里一问就晓得，那钱根本没有全部到学校，必有一大笔给老孟截走了。行路的留下买路钱，做这种事乡政府是老手。

丁老冬说，包金亭斗不过老孟。

马伯生说，他书蠹头一个，有什么本事。乡里真正有根基的，是郎书记。

杨四清说，龙总，你进了乡政府，万不能当包金亭这种角色。文教副乡长，放屁也不响。

龙广大笑着说，你这话说早了些，进乡政府，还有好几关呢。

丁老冬说，管他还有几关，我们一关关都闯过去。手里有票子，怕它个卵。

马伯生瞟了丁老冬一眼，问龙广大，你进党的事情怎样了？

龙广大说，申请书早叫人写了，送郎书记也有些日子了，就是不见有个回音。

杨四清说，这事没盼头，有人从读书郎起，一直申请到白胡子那么长一把，都没进党。急巴巴等几十年，临咽气了，党组织倒来宣布，批准他进党了。

丁老冬说，是听说过这种事。

龙广大说，这事我已经撂下不想了，想也白想。好在不是党员，也能进政府。乡长县长里，不是都有党外人士么。

马伯生说，不要说乡长县长，就是市长省长里头，也总有一个非党的。

龙广大说，所以当务之急，不是进党，而是进班子。进了班子以后再进党，一样的。

丁老冬说，事情很蹊跷的，说不定你不进党，反而容易选进乡班子；一进党，反而选不上去。选举这东西，非党有时是个优势呢。

龙广大转过脸，眼光很惊异地看定丁老冬，说，丁老板，你说了几十年话，就数这句话说得见水平。是不是你那个姓董的女大学生调教的？

众人笑。丁老冬得意地嘿嘿着，点头不迭，扫过马伯生脸时，方见这制衣厂老板只有半张脸是笑的，那目光，却十分冷毒。

龙广大敛了笑，坐正身子，说，现在，第一关已经过去了，各位都成了乡人大的代表。我研究了选举法，十个以上代表联名推荐，可以出一人进候选……

马伯生插嘴说，这不难的，我们这里已有四个人了，到时再拉六个代表，联名推荐你龙总就是了。

龙广大说，这是不难。难的是进了候选名单后，真正选进班子。这个票数，要过半才选得。

杨四清说，乡人大代表总共有七八十人，起码要有四十个人画你的圈，才选得上。

马伯生目光硬硬地说，四十个人，我们一个个去做工作。只要把钱甩上去，就是四十个碉堡，也把它一个个轰下来。

龙广大说，钱的事情，放宽心，我早准备了一笔，包括修危房的三十万，也在这笔里头。你们看，攻乡代表的关，行情是个什么行情？

丁老冬说，各人各性，不能一刀切的。有的代表，土老鳖一个，给他五百元，就眉花眼笑了；有的代表，胃口就大了，说不准三千五千上去，也拿不下来。

马伯生白他一眼，说，有人也许根本说不上去，拿多少钱他都不动心。

杨四清说，天下没有不吃腥的猫，你把票子一刀刀加上去，不信他脚花不乱。

马伯生说，这你就不懂了，杨老板。六神乡里头，是有些软硬不吃的角色。他也许穷得叮当响，但若你给票子要他办不愿办的事情，他就一口臭水唾你个满脸。

众人不由沉默了一歇。丁老冬说，龙总的钱，也是一笔笔生意做出来的，不容易。这选举，也是笔生意，总要掂掂合算不合算。我看一个代表，若谈到五千元以上，就不要谈了。

大家点头，认可了这数目。马伯生说，还要防有人拿了你钱，却去画别人的圈。

杨四清恨恨地说，这忒毒了！若给我们晓得，日后让他见血。

龙广大却大度地说，无记名投票，你晓得他的圈画在谁个名下？只能凭他良心了。生意么，总要担点风险的。

丁老冬说，照这样说，要攻的人应该超过四十个。不然有几个反了水，你龙总得票不是还过不了半么？

龙广大点头说，嗯，这个要紧。一样出钱了，宁可咬咬牙，做过头。

马伯生说，做这事还要防一脚的是，你丢了票子去拉他选票，他前脚笑一笑，后脚就去揭发，说你收买他。出这样的人，最毒了。

龙广大连连点头，脸色严峻，一副广纳良言的样子，说，要紧，要紧！为此我提醒众人，攻这关，一定要看准对象，一是要有些了解，能对得上心思；二是他心里有缝，塞得进钱；三一个最重要的，要靠得住，不会坏我们大事。有了这三条，一个碉堡一个碉堡去轰，还怕拿不下来。

杨四清拍了一下巴掌，抬头看顶上吊灯，很痴迷的，自己先笑起来，说，哎呀，龙总你要是这回当了乡长，哪怕是副的，也有多好啊。

丁老冬说，是啊，有个人在乡里说话撑腰，我们百事可以放手，四季不忧了。各人把盘子弄得更大，发哇！

龙广大说，这要放一年以前，我还不敢说；现在看，有些把握了。那三十万元扔出去，报纸电视广播，文章都做足了，老百姓个个拍手，干部也称好。这时选举，天时、地利、人和，都有了。

马伯生看着龙广大踌躇满志的样子，脸忽然有些阴郁下来，说，龙总，你若当了乡长,过河拆桥、卸磨杀驴的绝事,做不得的。翻脸不认人,我们不答应。

龙广大说,你马老板这是说的什么话,没有你们众人支撑,我还不是烂布一块。何况,我龙广大为人,你们不是清清楚楚。若我龙广大当了乡长忘了本,给你们几位弟兄冷屁股看,不是让共产党把我抓了,就让天雷打下把我劈了!

众人连忙掩他嘴巴,还要他喝水漱口,把晦气吐掉。龙广大就顺着众人意思,漱口吐茶,弄得像真的一样。又招呼小姐来,上些细巧点心,重新沏新茶。忙完这些,大板们接着商量下一步的事情:选择哪四十多个对象去做工作,各人又承包哪一群人,这些人面前,都说些什么,缺口怎么打开,票子怎么个付法,等等,一一商量得滴水不漏。龙广大心劲十足,当场要把票子分发了,说马上就可以开展工作。大板们说,急个什么,等你选进了班子,我们再去乡里报销不迟,还怕你龙总赖了这笔钱不成。龙广大就大笑,跟众人又干了好几杯酒。

八

包金亭催王助理弄的调查报告,已写成了好几天,可起意要这报告的郎书记,却一直没回大院,那好几页白纸黑字,便一直锁在包金亭抽屉里,不得用。

说实在的,包老师对郎书记,平时是有些意见,可有些天不见面,倒是很有几分念想,觉得这人在乡党委书记位置上,坐得还是正的,没有什么让人戳脊梁的事情,这就不易。故白天走过书记办公室,包老师就不免要伸了头颈,看看那张桌子旁,有没有他坐着;晚上回大院,见郎书记那个窗口,跟屋前屋后的树冠竹影一样,都是黑黜黜的,静得祠堂样,便想起这里常有的风景:郎书记坐在灯下,仄着头,学毛主席的意思批文件,或两手撑起,在办公室搭角踱步,夹克衫撑成篷样,满额的皱纹,都皱成忧国忧民四字……心里竟觉得空落落的。

眼看人代会近了,包金亭真想把了解到的龙广大等人的情况,先跟孟乡长通一通。几次想说,终没开口。主要是考虑,孟乡长又没给你布置这任务,要你去打小报告,特务兮兮的干什么;又考虑,郎书记和孟乡长之间,关系处得有些微妙,日后郎书记若晓得,他布置的事情你竟向孟乡长汇报,用意何在,岂不又生麻烦。总之两者都是讨骂,何苦来着,想来想去,心里搅成粥样。包老师甚至有个冲动,想独自去一趟县城,看看郎书记,顺便把事汇报了。又想起那女人吃的老鼠药,不是光彩事,郎书记心里必烦着,贸然上门,让人尴尬,也不是上策,遂断了这念头。

这天晚上,轮到包金亭在乡大院值夜班。他觅了本领袖传记,半躺在值班铺上,看得很有些心得,尤其是对郎书记批文和办事风格,有了更深妙的会意,甚至晓得了某些文辞的出处。这书一翻,不觉夜深,了无倦意。正聚神间,电话铃却突然响起来,包老师抓起一听,意外一喜:电话那头的声音,正是郎书记。

包老师大声说，郎书记啊，这么夜深来电话，你好么？

郎书记声音却喑喑的，说，见面再说吧，请你马上帮我办件事：让司机小陈来一趟县城，接一接我。

包金亭说，这么晚了，你何必再赶来？明天一早吧。

郎书记硬硬地说，你不要管这么多，叫小陈马上来。小陈不来我就自己走夜路来。

包金亭一辨话音，马上说，那好，我也去接你，好么？

郎书记没表示什么，包金亭即披衣出门，到镇街上叫醒了司机小陈，开出乡里唯一的北京旧吉普，亮起大灯，直射县城而去。

郎书记早已在县城大街口等着。车灯长长的光柱里，郎书记直挺挺站着。那光太刺眼，他不由手搭凉棚遮了遮。这时包老师突然看清，他左臂衣袖上，佩着一圈黑纱。包老师的心蓦地一沉。

三个人都不说话。夜色重重地笼罩了一切。镇街上，只有吉普车燥热的喘息声。郎书记爬上车，重重地跌进后座，动作显得迟钝，又有些疲惫。他坐定了身子，用手拍拍小陈的肩膀，又拍拍包金亭的肩膀，依然没有说话，只长长地透了口气。

包金亭又掠了一眼那片黑纱，目光怯怯地移上郎书记的脸，见这张脸黑铁样，暗暗的，硬硬的，只脸颊上的肌肉，随着吉普颠簸不断颤抖，才动出些活气。开出好几里路，郎书记才突兀地问一句，包老师，我的事你晓得了？

包金亭心一紧，想了想，才说，晓得一点点。

郎书记叹口气，说，她殁了。

包金亭喉咙抽动了一下，自己也不晓得是否发出了声音。

郎书记又说，她娘家来闹啊，把家具全砸了，把我的肋骨也打断了。要不是县公安出面，我今天就不晓得能不能活着回六神乡了。

包金亭在黑暗里摇头，连声啧着嘴。

郎书记问，你有烟么？

包老师还没反应过来，司机小陈抢着说，我有。

郎书记就抽起烟来。他平时绝少抽烟，班子开会时，他常常是唯一不抽烟的人，但他能抽。包金亭看到，这时他吸得很猛，吐烟吐得很长。颠簸中，他的手在抖；烟头在他猛吸时，燃得很亮，把那张黑硬的脸，就映成了古铜色。

吸完一支烟，郎书记问，上次让你搞的调查，进行得怎样了？

包金亭说，弄得差不多了，等你明天安顿下来，再向你汇报。

郎书记说，有什么好安顿的，吃了点儿皮肉苦，地球照样转动么。现在就把情况说说。

包金亭看了他一眼，心里有些感动，就把前些天调查龙广大他们的情况，简要叙说了一遍。他见郎书记又点着了一支烟，却不大吸，只用两根指头夹着，眼光直直地望着挡风玻璃前方，嘴里单调地嗯嗯着，呼应包金亭的汇报。

包金亭说，明天一早，我把书面的东西报给你。

郎书记又嗯了声，背向后一靠，头枕在椅背上，闭下了眼睛。

包金亭想，也真是难为他，家破人亡，家翻宅乱，他都占全了，必是半个县城都引得鸡飞狗跳。幸亏是女方犯贱，出了丑闻，要是反过来他郎书记偷奸，搅得满城风雨，撤销职务开除出党也有份。几天折腾下来，心力交瘁，就让他清静清静吧。遂闭了嘴，不说话，又用手势让小陈把车子开慢点，免得颠痛了书记。

郎书记到了乡政府大院，因为难得半夜出车，车灯又开得贼亮，把整个大院照得雪样，大狗天虎就从草窠里跳出来，扑向吉普车头乱吼。包金亭厉声喝住这狗，猛一回头看见，郎书记正把左臂上那黑纱狠狠扯下来，一扬臂，扔在墙角里。

翌晨上班，大院里干部都很惊异地跟郎书记打招呼，但声气都轻轻的，眼神也虚虚的，像书记一下成了个碰不起的薄碗样。包金亭注意看他沉着镇定的神情，不免对他暗生敬佩：这家伙，生活里吃了那么大的一个变故，内伤外伤都还新鲜，眼光却已平静了，还吩咐乡办，马上开班子会，讨论乡人大筹备种种事宜；那会一开，他两眉又挺起，脸上肌肉又紧了，看人时，目光硬硬的，又直逼人家心底，问问题时，一句紧一句，又不容有半点儿含糊。食堂老孙烧完了饭，又热了两遍菜，坐到门槛上，撸着大狗天虎的脊背，叹口气，说，郎书记归了，这开饭的时辰，又没定规了。

乡人大换届的日子，越来越近；龙广大一干老板活动的心劲，也鼓得越来越高。隔三岔五的，下面就有些新的动向，不断传到包金亭耳里。原来，包金亭虽是副乡长，管教卫文体、计划生育，行当都是软软的，没多少权，但他在六神乡，却有个好人缘。前一阵出马调查龙广大这些老板的勾当，寻了些旧时学生，等于布下了若干耳目。这些天，龙广大等人日夜没有闲着，串村走户，忙得灯下的蛾虫样，这些又都落了有心人眼睛。包金亭这里便常常有人来，有信来，告诉他许多蛛丝马迹。他掂一掂，若是再写一份补充报告，材料也够了，只是郎书记没布置，不便写。又想，占有这么些新情报，不断告知乡党委，也可以增加跟郎书记接触的机会，把自己各方面的才干，表现得更充分。值此换届之机，生杀大权都在郎书记手里，这是一点儿也马虎不得的。

龙广大一干人，拳脚施展得顺当，腰板又是铁硬的，等于拥有足够资本，渐渐的，所作所为就没了分寸。当有人来报，老板们分了工，各人寻门路，拿了一刀刀的票子。去攻乡代表的关时，包金亭着实是吃了一大惊。他想，这些老板，莫不是钱多得卵子胀了，竟做出这种事来，全县各乡，恐怕也没这样胆大的。这个动向，他认为最紧要不过，必须立即报知郎书记。为此，他穿过走廊去书记办公室时，心里就满满的，有一种莫名的成就感。

郎书记正伏案修改乡人大的工作报告。包金亭瞅了个空隙，言简意赅，神情严肃，把老板们拿票子攻关的事情，说了一遍。他原以为，郎书记听了，一定会怒不可遏拍案而起，把龙广大这批人痛骂一通，然后立即下令采取措施。却未料到，郎书记对此平静如常，只在听到这情况初时，抬头哦了一声，接着便像在吉普车上一样，嗯嗯嗯地敷衍，目光仍落在那份工作报告上，还继续一页页翻过去，仿佛眼前没包金亭这人一样。

包金亭说，郎书记，我看这情况，是一个情况。

郎书记嗯了声，不抬头。

包金亭说，我有个想法，想跟你说说。

郎书记看着文件，说，说吧。

包金亭高高鼓起的心劲，此刻一下泄了，人竟是软软的，说，我看要及早制止龙广大他们，否则，六神乡要在全县弄出些丑闻来了。

郎书记这时才抬头，目光定定地打量一下包金亭，复又低下脸去，几个手指在桌面上弹啊弹的。

包金亭说，从乡里工作着想，也该拿出果断措施来。不然到时候，党委定的选举方案，乱在他们手里。

郎书记笑一声，在那纸上写了几行字。

包金亭觉得很没劲，脑子空空洞洞的，像只掏空的南瓜。他就站起来，准备告辞。

郎书记放下笔，说，包老师，你说的我都晓得了，今后几天，你该干什么干什么，龙广大他们的事，你不要管它。只是，他们去攻了哪些人的关，各用了多少票子，几个攻下了，几个没攻下，诸如此类，你写个情况给我。乡人大筹备工作，一如既往，不存在受干扰的问题。晓得么？

包金亭点着头，就出了书记办公室门。之后，他便总是打不起精神来，觉得自己自作多情，在郎书记面前，跌了水平，不像个成熟的副乡长。又探析这次没趣的原因，自我安慰地想，这郎书记，必是近几日给女人自杀的烂事捣昏了，故六神乡的事情，他不会有心思管得那么细的，只求个表面太平就是了。既如此，何必皇帝不急太监急，挖些馊主意去让他做凶人，自己不也可以落得轻松，也学做个游手神仙么？

乡人代会开会的氛围，渐渐就浓起来。龙广大他们花了大钱，通了关节，这些天那个《名牌班改名》的专题片，在电视台播得紧猛。还有大小报纸，也夹泥夹水的，发了好些老板们心系希望的巴掌文章。包金亭想，谁说这些老板是笨伯，他们准备得有模有样呢。照这样下去，他们民心也理顺了，选票也抓到手了，龙广大挤出党委定的候选人，一步跨进乡班子，日子不远了。

包金亭心里一千个不痛快。虽然拿了龙广大他们几十万元钱，乡校的危房平白成了新教室，他一块心病去掉了，但他还是不喜欢龙广大他们这些老板，从心底不喜欢。他羡慕他们，又看不起他们；厌恶他们，又有些怕他们。他甚至有预感，龙广大一旦进入差额候选的行列，那个将被排挤出局的倒霉鬼，就是他包金亭了。

他真想找郎书记再说说，提醒他：龙广大这些人，有野心呢，不是我嘴臭，你若任他们进班子，将来就用得着一句老话：养了猫，咬自己卵子。

可是郎书记又不见了。孟乡长说，他又回县城去了。包金亭想，节骨眼上，郎书记变成这样，实在想不到；天灭我也，就是跳死，也没用的。

乡人代会终于开幕了。果然不出所料，龙广大进了乡长候选行列。这成为县乡当天的头号新闻。

那一晚，镇上广大酒家灯火通明，半个镇街上弥漫着六神大曲的酒香。更多的老板走拢一起，大板总汇显出从没有过的热闹。龙广大这贼，唱卡拉OK，扯起嗓子吼：几度风雨几度春秋，风霜雪雨搏激流……

包金亭心里滴着血，踏着夜色去大院找郎书记。在大狗天虎的狂吠中，包金亭看到，曾经多么明亮、多么温暖的窗口，今夜又是黑洞洞的，死一样冷寂。他想，县城那女人死得真不是时辰，六神乡一乡之主，为了她灵魂都散了。这怎么弄啊。

他吐了一口恶气，在大院里狠狠砸了一脚。

第二天一早，郎书记两眼乌乌的，很疲惫的样子，出现在大院里。他从县城回乡，赶上主持上午召开的换届选举大会。

这是乡人代会的焦点时辰，代表们到得特别早。礼堂门口，还聚起好些不相干的村民，想最早晓得新班子人马。工作干部来往穿梭，热闹的表面上，涌动着一股紧张的空气。

郎书记带着主席团成员，从后厢鱼贯上台。他们显然刚结束一个短会，走上台时有的还在耳语，相商着什么。

郎书记咳一声，说，在大会议程正式开始以前，我宣读县人大常委会的一份通告——

> 查本县六神乡金龙实业公司董事长兼总经理龙广大等四人，在本届人民代表选举中，对所属企业选民进行利诱，骗得了人民代表的光荣称号；又在乡人大会议换届选举前，相互勾结，斥巨资贿赂代表，少则数百元，多则几千元，企图各个击破，赢得乡选。县人大常委会经派专人调查，核准了以上这些事实。根据《中华人民共和国选举法》有关规定，县人大常委会郑重宣布：撤销龙广大等四人六神乡人民代表大会代表资格；主要涉嫌人龙广大，已经触犯法律，着由县公安局执行拘留，进一步进行审查。
>
> ……

这时有代表才发觉，一辆县公安的吉普，已停在礼堂后门，还闪着警灯。两个公安在人指领下，把龙广大从代表席上揪了起来。会场上一阵骚动。走过主席台时，龙广大那双牛眼，恶狠狠瞪着郎书记，还朝台上啐了一口。

六神乡人代会的换届选举，仍按党委预定的方案，依次进行。乡政府班子的组成人员，基本不动。变动的只有一个人，包金亭。他由副乡长升为乡人大主任，成了正职。

包金亭的办公室，搬到了郎书记隔壁。有时郎书记打电话，他也听得清清楚楚。听多了就听出了些名堂，原来是县里什么人，要调他回去，又要给他介绍什么女人。郎书记嗯嗯嗯，不置可否。包金亭听了，就想得很多。

有天郎书记来串门，进门就说，包主任，现在我们是平起平坐了。包金亭听了一怔，即刻又诚惶诚恐地站起，说，这是什么话，没有你郎书记，我怕早已回到乡校去教书了。郎书记微微颔首，拍拍包老师的肩，把篷样撑起的夹克衫很见气度地一耸，笑了。

日子一天天过去。郎书记既没有离开六神乡，也没有再娶的信息。他那个窗口，一直亮到现在。

1998 年秋

（选自《上海文学》1999 年第 1 期）

彭瑞高

1949 年出生，江苏苏州人。1989 年毕业于华东师范大学中文系。1968 年赴上海郊区插队务农，大学毕业后历任乡村中学教师，上海文化年鉴编辑部编辑，专业作家。1970 年开始发表作品。1985 年加入中国作家协会。著有长篇小说《中锋之死》《球场上的流星》《女儿们的追求》《贼船》，散文随笔集《世纪末留言》《徘徊城乡间》等。《本乡有案》获 1998 年上海市中长篇小说大奖，《秋夜蟹棚》获 1988 年上海青年文学奖。

一亩二分地

阙迪伟

一

洪喜孤单单圪蹴在山边地头，眼望着公路，一脸苦愁。

公路是前年动的工。这之前，乡里修公路，村里没打算。没打算是村里有想法：公路修到乡里，离村里也只四里了，你乡里就看得过去不接龙样接到村里？可公路修到乡里时，停了，村里才梦醒过来，一个个闹哄哄像茅坑里的蛆。就统村跑到乡里，乡里说修公路要钱呵，村里没钱怎么做？村里说，公路过村里的山，都是无偿的，乡里就白揩村里便宜？乡里凶起来，说你官山村人日后就不走公路？村里才蔫下去。隔日，统村再跑到乡里时，已是一条心了，说要致富先修路，官山村砸锅卖铁也干，要求乡里批砍林木。乡里挺支持，当场就答应了，还说拆迁征地碰到矛盾解决不了，乡里出面调解。公路就接龙样从乡里向村里修去。可没想到公路是断头路，修修停停，修到离村还有一里半时，缺钱，支书老万又得病送进县城医院，就停了。这一停日子长，三个半月，公路就瘫着。支书不在，为这路，说要做的，说不要再修的，村里闹翻了天。洪喜想把公路修到村，可没老万支书有魄力，出面调停过几次，村里七口八天窗，谁也不听他的，就镇不下去。

洪喜眼望着公路正一脸苦愁时，忽听有人叫唤，抬头看去，见细林娘儿俩从村里朝他走来。洪喜知晓又是为地，唉了声，便站起来，装没听见朝山上走去。

“村长！村长！”娘儿俩拼命喊，一边小跑起来。

洪喜知晓躲避不了，回头朝他们看。见细林娘在田埂上跑得踉踉跄跄，几番险些儿摔倒，心里便老大不忍，就又唉了一声，只好站住。

娘儿俩气喘吁吁跑到跟前时，洪喜不待他们开口，就先问：

“没上山？”

细林的脸就阴下来。公路占去他家一亩二分地，缺粮口子大，他得每天上山砍一二担杂木，卖给邻村的香菇专业户。如今山都有主，砍杂木得偷，抓住了，轻则斥几句，重则打个鼻青脸肿还得认错求饶是平常不过的事。可要吃饭过日子，细林就歇不下。

细林说:“落雨天闲着没事,昨日去了趟羊角村。”

洪喜这才发现细林右眼角有片乌青,不由一怔。

细林接着说:“我去催桂云结婚,婊子人家,不睬我,就吵了,吵着吵着,老婆舅趁我不防,送我一记老拳。”

细林就将乌青指给洪喜看。其实,细林到羊角村是有阴谋的。大前年订的亲,说好第二年冬过门,岂想村里修公路,却将婚事修黄了,再催也没用,一拖再拖,弄得没年没月。细林昨天到羊角村就是想来强的,将生米煮成熟饭。到羊角村时,恰巧桂云一人在家,细林就动手动脚起来。桂云生气,掴了他一巴掌。细林不管,抱着桂云不放。之后,两人就扭打起来。再之后,眼看要得手了,桂云却杀猪样嚎叫起来,统村子震天响。细林就怯了,半途而废想爬起来逃跑。可已是迟了,舅子闻声冲进屋,一把将细林拎小鸡样拎起来,又一拳,将他捅得捂着眼角圪蹴下来,连声喊皇天。舅子说,还喊皇天呢,姐夫,你他妈的跟我姐好也不是这个好法,你想先弄大我姐肚皮,事情就由你做呵是不?老实告诉你,我的老婆本还想敲姐夫你头上哩。一语就戳穿了他的阴谋。又说,姐夫你干脆就别想动这些歪脑子,直爽点儿,蹬了我姐算了。细林懂乡俗,若男方先开口退婚,女方就名正言顺不退定亲礼金,官司打到乡政府也只能退还一半。哪个叫你黄女方呵。就忙说我不蹬,要蹬你姐先提出,我同意。舅子就笑,说这样,姐夫你就耐心点,明媒正娶才是道理。正说着,丈母娘从门外进来,说,女婿呵,你想想,当年分地有政策,说是生不补死不抽,十五年不变,如今公路占了你家一亩二分地,只剩六分,你娘儿俩吃饭都愁,桂云再过来,吃什么?过来还要生养,添了人丁,吃草呵!你不去要回这地,跑羊角村寻事干什么?那才是正经大事哩。细林心灰灰的,阴谋又失败,就作声不得。

细林说:“村长你要还我地。”

细林娘说:“没地,我细林都要断子绝孙了呵村长!”

洪喜不吭声。

细林说:“村长哩,当年村里乡里都开过口,说户里的地规划进去修路,日后村里统一调整补还,要不,我家一亩二分地,死活不会让修路的,村长你说是不?”

洪喜只好说嗯哪。

细林娘说:“修路就修穷了我家哩,媳妇也赖着不过门,村长你说说,怎么活人!”

洪喜又说嗯哪。

细林说:“村长你怎么老说嗯哪?你要为我做主呵,我娘儿俩都没法活哩。”

细林娘说:“村长你就帮帮忙吧,这日子,我都喊皇天了。”

洪喜说:“你还喊皇天?都是你皇天喊坏事的,要不,一亩二分地早调整给你家了。”

就说得娘儿俩作声不得。

前年修公路时，村里规划到用地的有九户。细林家大头，只留下六分地。其他八户都只是规划掉二三分，乡里村里保证当年调整。动工时，乡里主张全线铺开，支书老万说要接龙样从乡里接去，让村边的规划用地多收一季番薯稻谷。村边规划用地都是万姓人的，老万支书也规划了二分。村里就有不同意见。可老万支书是说一不二的人，狠起来谁也不敢惹他，加上不同意见的毕竟是村里几个寡姓，就起不得浪。但当年村里没调整地，用地的几户就要求村里补偿损失。支书老万不睬。又吵到乡里。乡里做了工作，支书老万说损失多少能一碗水端平？总有个多有个少，都计较，工作没法做。乡里认为有道理，反过来做这几户的工作。这几户不尿，联名写信到县里。县里将信返回来，还批示了，要求乡里村里酌情处理。乡里村里就不高兴了，尤其是老万支书，更是横下一条心，说有本事告到中央也没用。几户里细林是大头，白白丢掉一亩二分收成，也就最积极，次次不落。也是久拖不决，再说缺粮口子大，想苦了，细林娘大年三十跑到老万支书家喊皇天。老万支书恼了，说是犯了村规民约，罚细林放电影一场。几户就怵了，再不敢闹。老万支书呢，嘴上说要调整，可就是拖着不办。便拖到户里再筹不出钱，这公路也就停了。这当儿，老万支书那天突然病发，送到县城医院说是胃癌也就再没出来……

见娘儿俩蔫蔫的，洪喜就叹道："情况我都知晓，可叫我怎么为你做主？"

细林说："你能做主的。老天有眼，如今支书生癌，都说拖不过这个月了。你是村长，做得主哩。"

洪喜批评道："细林你莫坏良心，幸灾乐祸干么？"见他低下头去，就又苦笑，"万姓人不把我村长放眼里哩，我说话等于放屁。"

细林娘就认定村长不管，觉着绝望，眼都黑了去，扑通一声跪下哭道：

"村长我求你了，没地没法活人呵！我老了，死了也就算了……可细林没法活人，他老婆赖到如今死活不肯过门，村长你说，我死了眼泪水能干？村长，我就是死了，眼泪水也不干呵……"

洪喜木木地站着，想说，可终是不知道说些什么好。

细林搀扶娘："娘你就莫求了，村长心肠硬，娘跪破脚骨头也没用。都说要致富先修路，可官山村这路，倒是让我致穷哩，村长你说说，还有没有天理呵。"

娘不肯起来，一个劲儿地磕头。细林搀扶不起，心里酸楚，忍不住落下泪水。

洪喜看不过，说："起来吧。你给我磕头，我消受不起，磕也白磕。你家这事，我也不是不明白；我当村长没卵用，你娘儿俩肚里也清楚。不是我不帮你做主啊！"

细林说："那村长你说说，我该找哪个做主去？"

就问住了洪喜。

细林说："有话在先：逼我没路走，我今年顾自割稻掘番薯去，到时候莫说我抢啊；要么，掘了公路还地，你村长莫说我破坏叫公安抓我！"

说罢拉了娘就走。

洪喜怔着，看娘儿俩走出好远，才喊道：

“你娘儿俩也急不来，总得让我想想，是不？”

二

洪喜想了整整一天。

一天里，洪喜想得最多的，是村里的人和事。村里的人，姓万者居多，其他姓，杂七杂八都有。说是万姓祖宗500年前迁居于此，才有了官山村；村里的事，也是万姓人说了算，杂姓人掺和不了。说起来，解放也快50年了，村里大小位置一直是万姓人稳稳地坐着。村里的杂姓，虽说这些年人丁也逐渐增多占了村里半数，可没万姓人团结，遇事都缩头乌龟样，生怕让人家割了头去。于是在村里做人做事，就都矮万姓人半截，起不得浪。杂姓人就积怨甚深，到上头将选票送到手里那天起，便想选个自己人当村长。可选了几次，均告失败。直到前年才拉票成功，以微弱的票数硬是将洪喜推上村长位置。杂姓人于是欢喜若狂，心想这下总算腰板硬了能响当当说话了。可洪喜这个村长当得窝囊，两年了，一直像菩萨样让供着，连一点儿村长的威也没有，村里事，还是老万支书说了算。洪喜也说，可要看怎么说。合老万支书意的，说了就说了，下面也听。不合意的，说也白说，老万支书不支持，万姓人也不尿，等于放屁一样。久而久之，杂姓人就说洪喜是坐地菩萨不显灵，中看不中用，还是没有好。就说修公路吧，万姓人说要像接龙样从乡里开始修，杂姓人则说要全线铺开。洪喜为杂姓人代言，万姓人就哄起来。最后老万支书一锤定音，洪喜便不敢再说，杂姓人也哄不起来，于是公路从乡里修起，万姓人占了便宜；如今公路瘫着，万姓人不想让占地，就说里把多路，肩膀扛扛挑挑辛苦几步就到公路，这路不修了。杂姓人的地已修了公路，又得不到调整，说公路定要修到村的，嚷嚷着不肯罢休。洪喜又没魄力，镇不下去……

洪喜想了整整一天，脸都想长了，晚饭后正想出去走走，却见乡里小高文书撞进门来。

小高文书说：“出门呀？莫走了莫走，将一军怎么样？”

洪喜只好退回，拿出象棋摊开。可洪喜脸拉得苦瓜样，总是输。

小高文书笑道：“村长，你今天手臭，动过嫂子了？”

洪喜说：“没心思花哩，村里的癞痢头，都没法剃啊！”

小高文书说没法剃，我给出出点子，你说。洪喜苦笑一下，道了原因。

小高文书是大专生，这些年，毕业生就业双向选择。他爹是农民，没钱也没门路，结果七弄八弄弄到这破乡当文书，就觉得屈才，很想在仕途上有番作为。可一个小文书要爬到书记乡长位置，得熬多少年啊，何况官场钩心斗角凶险难测，不一定就能熬到那份儿上。因而就有点儿泄气，爱好起摄影，应付过工作，常挎了相机溜到官山村转转，转乏了，就在洪喜家落脚休息，下几脚臭棋。撞上了，也留下吃饭，因此跟洪喜说得来。现在，小高文书想了一会儿，从政的心理又活了，觉得官山村这事，倒是可以检验一下自己的从政能力，就说：

“我只问村长一句话，这村长，你到底想当还是不想当？”

洪喜见他一脸认真，就叹道：

“我是真心想为村里做些事哩。”

小高文书高兴了，说：“真心想做事，就当。老万支书自身命都不保，再没人为万姓人撑腰，你就摆出村长威来，找个把万姓人差错，灭灭他们的神气，我就不信治不了万姓人，治不好村。”

洪喜叹口气，说道：“万乡长是村里万老黑的儿子哩，村里姓万的，七拐八拐都是他亲戚，他能不向着万姓人？”

小高文书说：“这点，村长，你就不懂了。官场的事复杂，他当乡长，就是公家人，能不讲理明目张胆帮万姓人？也不敢做得太出格吧。名分上，你是主持村政，只要占理秉公办事，他奈何不了你。再说，还有刘书记呢，乡里又不是他一人说了算，是不？你要争取乡里支持，书记乡长的马屁要拍，拍好了，再用乡里威信压村里万姓人，同时串通好杂姓，叫团结些，就能办事情，过些年威信提高了，你就是老万支书第二，是不？”

就说得洪喜心动，眉眼也开了。

小高文书说：“想要提高威信，第一步要做的，就是调整土地。这是当务之急。”

洪喜又愁上眉头：“难哪！”

小高文书说：“难什么？事在人为。这第一步先要做的，就是串通杂姓人，找万姓人差错灭他们威风，调整土地才能顺利展开。”

洪喜还是愁眉不展。

小高文书不管他，继续说：“土地调整了，群众修路的积极性就会出来。只要公路修到村，老万支书办不了的事，你办了，就是政绩，威信自然也就树立了。”

洪喜说：“高文书，你这话也对，可修公路，没钱拍巴掌啊！都筹过两次了，户里再难拿出钱。贷过款，欠乡信用社三万，催死催活，害得我和老万支书见了他们就躲。树也砍光卖了，集体山上没树哩。为这公路，村里都砸锅卖铁了，筹钱的门路，再没有啊。”

就说得小高文书脸蔫蔫的，作声不得。直到留下吃过饭，他才眉眼开了，说筹钱的办法有了。洪喜忙问什么办法。小高文书说，我有个同学分配在地区报社当记者，他爸就是报社老总，我可以写篇文章，将官山村为脱贫致富奔小康修公路，却因缺钱陷入困境的情况登在报上，呼吁全社会支持，弄得好，撞个有钱公司跟官山村结对扶贫,这公路到村就不用愁了。

洪喜问:“这办法行不?”

小高文书说:“过阵子我请那同学来玩玩,村里接待一下,再送点儿土特产,准行。”

洪喜就有点儿高兴起来,“就依你高文书说的做,这第一步,我先到乡里说说,争取争取支持。”

小高文书说行,可想想又说:“乡里不急。村长你先团结村里杂姓人,找个把万姓人杀杀威风,同时叫人到乡里烦,烦得乡里头疼,你再出面。打一下摸一下,有效果,乡里会支持。”又交代说,“千万莫说我给你出谋划策呵,要不,我在乡里日子不好过。”

“放心,我嘴紧。”洪喜说,“我这就去串通,明天叫细林找乡里麻烦。”

三

细林来到乡政府门口,掏出白洋布抖开,倚着砖墙站了。白洋布上写着冤情,内容是公路占去他家一亩二分地,没饭吃,穷得要讨饭了,强烈要求乡政府调整土地,云云。细林听了洪喜的话,决心这样站到天黑不吃也不喝,哪怕站昏过去,也要引起乡政府的重视。

围观的乡民很多,走了一拨又来了一拨;议论也很多,热闹得很。

细林站累了,就将白洋布摊在地上,圪蹴下来让双脚歇息歇息。可歇息久了,双脚就麻木了,又只好换个姿势站起来。这样站起来圪蹴下,圪蹴下又站起来,细林都觉得头晕眼花了,可乡大院里还是没一个人冒出来。

细林就有些恼,卷了白洋布塞进裤袋,二话没说进了乡政府大院。大院静悄悄,空荡得很。细林正怔时,忽然听见一阵女子笑声,就有些好奇,寻声走过去,却见办公室里刘书记头戴纸官帽,鼻尖上粘一纸长条,正与乡里电话员广播员玩“拱猪”。

细林原是一肚皮情绪的,却也忍俊不禁,扑哧笑出声来。

几个人一怔,忙不笑了,扭头看他。

“找哪个?”刘书记看细林一会儿,问。这一问,鼻尖粘的纸条被嘴巴呵气拂飘起来,刘书记才省悟了,忙伸手掳去。女电话员手快,摘了他头上的纸官帽。

细林忍住笑,说:“找你刘书记。”

“哪村的?”

“官山村。”

刘书记沉吟一会儿,说:“今天是星期日,不上班。有事,初一十五,随便哪天,找我找万乡长都行,好吗?"

初一十五,是刘书记定下的书记乡长接待农民来访日。刘书记去年到乡里任职,考虑前任书记修公路,修出了政绩升迁到县里,他再重复就没意思了,于是先搞调查研究,定下初一十五为书记乡长接待农民来访日。此举一是标新立异,在县报上登了,上上下下都知道;二也是想找突破点,搞出点儿政绩。开始还热闹过一阵,可后来来访的农民就渐渐少了。也不能说书记乡长不热心,确是农民的烂事太多,许多事令书记乡长力不从心。

细林说:"干么要等初一十五呢,我的事急哩。"

女广播员接腔:"初一十五是书记乡长接待农民来访日。"

细林说:"知晓。可等到初一十五,还要多少天哪。"

女电话员忙帮腔:"你这人,成心不让刘书记休息啊,人家刘书记没日没夜工作,都累垮了呢。"

刘书记对她们摆摆手,意思是不要再说了。他已经后悔刚才的话,农民跑一趟路来访,总有急难事,干么初一十五地打发他再来?既然来了,接待一下又何妨?于是他问:

"你叫什么名字?"

"细林,姓管,管细林。"细林说完,忽然恼起来,心想你刘书记不认识我,还是装不认识?为那一亩二分地,我找了万老黑家小子三次,找了你刘书记两次,你刘书记还在本子上记了,说你先回去吧,调整地的事,乡里会坐下来研究,认真解决的。可研究多长日子啦?研究到屁股去哩,一些日子没来催,连名字都给忘了呢!可恼归恼,细林明白求当官人的事,恼起来人家还尿你?!细林就忘了洪喜的话,很老实地站着,掏出支烟递过去,说:"刘书记,你抽烟。"

刘书记接了,瞥一眼牌子,一边挡细林递上的火,一边将烟丢到桌上,笑道:"这些天喉咙上火,等会儿再抽。"

细林就勉强下来,自己点了抽起来。

刘书记说:"这样吧,农民兄弟的事急,星期日破个例,接待一下。"

两个女的一笑,忙收拾好扑克,小鸟一样飞出办公室。

"坐。"刘书记说,找出笔记本和笔,"说吧,找乡政府什么事?"

细林不说,细林不说是心里凉了半截。细林想,都告诉你名字了,你刘书记还想不起我细林找你什么事?莫非前两次,你刘书记在本子上记下我的事,是做样子给我看的?细林心里很不高兴,脸上没了笑。

刘书记催道:"说呀,你说。"

细林说:"刘书记你忘了不?我家地修公路了,没饭吃了哩!"

刘书记噢了声,想起来了,不免有些惭愧。

细林说:"官山村地少,人均才六分。分地那年,我爹还在,一家三口分了一亩八,地少人多,不够吃饭。爹死后,家里才不缺粮。可公路占去一亩二分地,我娘儿俩死路一条,都喝汤了……”

细林说过,就有些愤懑,从裤袋里掏出白洋布唰地一抖,摊在办公桌上。

刘书记瞄过一眼,批评说:“我告诉你啊,现在不许这样,动不动上街,派出所要关你呢,信不信?”又笑道,“你这事,我想起来了,心里有数。”

刘书记就收起笔记本。刘书记现在是真的想起来了,不禁有些同情。是啊,六分地,怎么养活人!刘书记记得第一次接待眼前这个山民是他刚上任不久,当时油然而生的同情,竟使他心潮难以平静,要不是克制,眼泪还真的差点儿滚出来。那次他对眼前这个山民说,你放心,土地一定调整,六分地,怎么养活人?不像话!骂“不像话”是肚里有气,故意当了众人的面说前任书记。前任书记修公路,说是扶贫致富,吹得邪。上头的眼睛却埋在裤裆里,还说前任书记政绩突出,提拔到县里去。其实公路劳民伤财,农行80万,施工队20万,都欠着,隔三岔五跑到乡政府催讨;各村硬性集资,元气大伤,春耕在即,农民却连买薄膜化肥的钱也拿不出;官山村是该死,公路瘫着,不死不活,遗留问题一大堆,像管细林只留六分地……留给他的是一个烂摊子,一屁股烂屎。开始,刘书记也想力挽狂澜,可具体面对,就发现无法收拾,像100万欠款,一个穷乡,怎么还?下世纪也难还清!官山村土地调整问题,原以为不过放个话,叫村里调整就是了。可话放下去,实行不了。老万支书不说不执行,可就是拖着。再催,就回答说工作难做,不如筹钱将公路修到村再一次性调整吧。万乡长也持这意见。话也对,挑剔不来,又不好硬性调整。官山村万姓人宗族势力太强了,若来硬性,村里顶着,万乡长又有意见分歧,自己就下不了台,弄得没威信。刘书记就觉得很棘手,事情便拖了下来。拖久了,想想,觉得前任拉屎他揩屁股,那才屈呢。没规定他就得为前任义务揩屁股呀。这么想,也就觉得无愧,慢慢踏实起来。

现在,刘书记觉得作为父母官,不说为民做主吧,连同情心都丧失殆尽,能踏实?农民靠地吃饭哩,为了农民,就揩一次前任书记屁股吧。再说,如今老万支书住院,跟村长洪喜说说,事情好办多了。于是,收拾起笔记本后,他说:

“这么吧,你先回,这事急不来,我心里有数就是。万乡长在党校学习,过半个月回来,你再找他反映反映。到时候乡里坐下研究一下。土地调整政策性强,面对的是一家一户,具体得很,出不得半点儿差错哪。”

细林一听就是官话。细林听这样的官话也不是一次两次了,心说你明摆着是拖,不想解决么。再说,细林也不想再求万老黑家小子了,屌乡长一当就摆卵坯,爱理不理,还向着万姓人,说你想调整地找上届乡政府去,我这届不管上届事。细林听了恼火,当场就跟他驳脸吵翻了,此后再没找过姓万的。

细林听着不顺耳时,刘书记又想起一件事,叮咛说:

“你过去给县里写信反映过这事,说得过去。现在是解决遗留问题,够我们这届乡领导为难了，你再写信反映，就说不过去了，是不？”

细林忍不住：“写信是没办法，都不管哩。刘书记你如今说心里有数，可我没数哇！”

刘书记就有些不悦。

细林又说：“实在是没法活了哇，换了你，你都要去抢银行哩。”

刘书记真的不高兴了，想斥他几句，转个念头，又理解了他的心情，就说：

“你要相信我嘛。”

细林不相信。拖了这么长日子都解决不了，细林能轻易相信？回村的路上，细林火起来，真想掘了公路以泄心头之恨。但细林没掘，吼了一通，之后瘟着头走了。

经过万老黑家葡萄秧地时，细林才一激灵，兴奋起来。贼样地看了看四周，见没一个人毛，他就圪蹴下来，将葡萄秧一株株拔起，掐去根又栽回去。

干了这事，细林就像调整回一亩二分地一样高兴，回家吃过饭，倒头就呼呼睡去。

四

洪喜思来想去，下决心拿万老黑开刀，灭灭万姓人威风。

洪喜说，万老黑的二媳妇头胎生囡，按国策间隔三年才准生二胎，可才一年，肚皮又鼓样了，违反国策哩，就拿这点儿，开她刀。小高文书说，开她刀就是开万老黑的刀，这刀开得好，理直气壮。违反国策的事，谁敢出面阻拦？谅他万乡长没生两颗脑袋！洪喜笑笑，说我也这么想。小高文书高兴，说，而且，意义非同一般，深远哪，了不得！又说，万乡长的爹都开了刀，就镇住了万姓人，日后哪个敢老！洪喜笑道，万老黑不算年长，辈分也不高，可儿子吃官饭，去年又回来当乡长，说话做事就像万姓人族长一样，威风得很，连老万支书也让他三分，把他弄灰了，万姓人尾巴就不敢翘。小高文书说这样，村长你威信也就树了，村里的事，好治。下步再搞调整土地修公路，没人敢反对。洪喜得意，丢一支烟过去，说下步的事再说，先把这事做了。小高文书说要抓紧，也要保密，最好今天就叫人，把万老黑二媳妇塞进拖拉机，送到县城医院做了，搞他个措手不及。洪喜说，万老黑是有脸面的人，先请示乡政府，再跟他本人打招呼，有理有节，万乡长也就说不响话。小高文书说也是。

洪喜就来到乡里，先找刘书记汇报情况。

刘书记说：“国策哩，皇亲国戚也不好违反，村里大胆做就是。”

洪喜知道刘书记会这么说，转出来去找万乡长汇报。

万乡长很严肃，听罢没马上表态，连抽了两支烟。

洪喜苦着脸说：“也是没办法，村里都哄了，说万乡长嫂子带头违反国策都没事,他们就跟着学样,也趁早生二胎。这号事,乡长你说说,我怎么压得住?难哩。”

万乡长还是没表态,看他,像要把他看透。

洪喜就低下头说:“万乡长,我等你指示哩。”

万乡长这才说:“我首先声明,嗯——一是我嫂子的事我不接头,是不是,嗯?确实不知道她怀孕。二是,违反国策嘛,是不允许的,是不是,嗯?这就是我的态度。”

洪喜说:“有万乡长这指示,我回去就动员你嫂子到县城做了。”

说罢正要走,万乡长却问:“我嫂子是人流还是引产,嗯?”

“肚皮鼓一样,人流怕是不行了。”

“引产的话,安全要注意,嗯?不是我嫂子,我也要交代这话,人命关天哪。这点儿,你洪喜要负起责任,嗯?”

洪喜听着刺耳,可又挑剔不来,只觉得这话分量不轻,便不免心里叽里咯噔起来。从乡政府大院出来,见小高文书正在乡街上等他,就说了情况。小高文书鼓励说,你别听万乡长唬,如今医院做引产,百分之百安全,没事。

洪喜听说,就有了信心,说回村就找万老黑。

万老黑家住村口,一幢三间青瓦泥屋,说不上气派,却也是村里最体面的屋宇了。三个女儿早嫁,大儿子结婚分开另过。小儿子,也就是万乡长,早年当兵,转业安排在城里就做了城里人女婿,家也安在城里。去年回乡当乡长,却很少回村,休息日四个轮子飞样转,都回城里陪老婆。二儿子也结婚,没分家,还跟万老黑过。村里人都说万老黑日子过得滋味,可他有苦没处说。三个儿子都不争气,替他生四个孙女,脸就整日阴阴的。直到二媳妇怀上二胎,肚皮鼓起来状如畚箕,万老黑才感到日子有滋味起来。民间的经验:“布袋肚”生囡,“畚箕肚”生儿,万老黑敬二媳妇就像伺候老娘似的,地里活免了,家务事也不让她插手,怕动了胎气。

洪喜找到万老黑家时,见他正在水池边忙乎,水池里红红绿绿的,有女人的裤头衣衫。二媳妇鼓着肚皮熊猫样,倚着房门嗑瓜子,瓜子壳儿吐得满地都是。见是他,冲他一笑,扭身钻进房间。

“老黑叔。”洪喜唤了声,上前笑吟吟地掏烟。

“是村长啊,稀客。”万老黑闻声转过身,双手水淋淋的,抖了抖,便往身上揩。

洪喜就将烟塞到他嘴里,又凑上火。两人在水池边吸烟,有一搭没一搭地说着话。待一支烟吸完,万老黑才想起似的,说有事?

洪喜就做了苦脸,忙又敬上第二支烟,却故意做出犹豫状。

万老黑不耐烦了:“有话就直说吧。”

洪喜这才说:“真不好意思开口哩老黑叔,可当个屌村长,这事又只好硬了头皮说。”

万老黑脸就有些不好看:“说,只管说!”

洪喜说:“做人难哪,做屌村长更难,村里都反映到乡里去了,说你媳妇生二胎,没间隔三年，乡里刘书记就叫我去刮鼻头，老黑叔你说我难不难？哎……"

万老黑恼起来："放他娘大麦屁，我媳妇有准生证！"

说过，进房间找出递给洪喜过目。洪喜接过看了，一怔，便明白乡里给的生育指标，老万支书自作主张了，心里就很气。可他没表露出来，笑道：

"知晓知晓。可村里反映，说没通过村委，是开后门的，要收回。"

万老黑一把夺回，骂道："是你洪喜的意思吧，我可没听说村里反映。告诉你，是你洪喜的意思，就放你洪喜娘的大麦屁！"

洪喜有些恼，但还是克制着，说："我是村长，为难哩。我娘的大麦屁再臭，我也不能让乡里刮鼻头，老黑叔你说是不？"

"你要怎样？"

洪喜不应他，退出，一下子召了十多人，然后一窝蜂拥进万家。洪喜是横下心了，要来硬的，将万老黑二媳妇架走，塞进拖拉机送县城。十多人都是杂姓青皮后生，早串通好的，细林也在其中。细林此番打头阵，他听说治万老黑灭了万姓人威风，下步就调整地，精神像吃了人参样陡增。

洪喜率众人进了万家后，才发现先礼后兵是个决策性错误，就懊悔该听听小高文书的话。万家已聚了不少人，一色的万姓，将院子挤得像茅坑里闹哄哄的蛆一样。洪喜心里就凉了半截，再看手下人，脸都有了怯色。洪喜知道这场合不能怯，喝一声，领着众人就进了房。万姓人也不阻挡，可寻遍角落，哪还有万老黑二媳妇踪影！

洪喜知道她还藏在村里，可这会儿较真儿，弄不好要闯祸伤人，就丢下一句，说国策人人要遵守，便作势要退出万家。手下人见了，忙抢先奔了出来。

万姓人哄地笑了。洪喜羞恼，出来后吩咐众人看好万家门户，只要瞅见万老黑二媳妇，就捉。洪喜说。

"出问题，我当村长的一人担当！"

可是第二天，突然冒出万老黑家葡萄秧被毁事件，将村子搅个鸡犬不宁，国策也就被丢在一边没人理睬。有人偶尔经过山地，发现葡萄秧枯死，回村报告了万老黑。万家也有十天半个月没转山地看了，听说跑去一看，眼便黑了去。再看，就骂开了，说哪个绝后代算的做绝后代事，不得好死！

当天，万老黑就跑到乡里。

此后三天，乡派出所到村里蹲点破案，万乡长亲自督阵。刘书记没来，但表态说葡萄秧被毁事件一定要查个水落石出，对犯罪分子严惩不贷。声势搞得很大。可调查来调查去，却没能搞出一点儿线索。乡里就出面请县公安局破案。县公安局来了三个人，看过现场，盘问了几个人，当晚吃过饭就走了。乡里问，有没有线索？答，报案延误，现场已破坏，一时还没有线索。葡萄秧被毁事件就成了悬案。

两次破案，尤其是万乡长督阵那次，官山村杂姓人成了主要被怀疑对象，一一被叫去盘问，连一村之长洪喜也不放过。洪喜身份不同，盘问也巧妙些。可洪喜还是明显感觉到是冲着上回的事报复他，心头结了个块，不快活了好几天。三个跟万老黑恶过脸的，被盘问时间最长，叫进去一天一夜，饭也不让吃，第二天出来鼻青脸肿的。村人问，打你啦？都说没打没打，一溜烟跑回家，再不与人说话。

细林也被叫去盘问过。细林自信当时作案没人看见，也没留下尾巴，所以就很镇定。细林进去便开始诉苦，说公路占去我一亩二分地我一天不砍杂木卖吃饭就成问题，我没工夫作案呀，再说，我也没那么毒。细林说得振振有词，又可怜兮兮，于是很快就被放出来。

两次破案，官山村杂姓人被搞得缩头乌龟样，一个个灰溜溜的，再不想出头问事。

那天洪喜在山地干活，远远见万老黑二媳妇在村街上优哉游哉地荡，心头忽然一阵绞疼，张口就吐了一口血。

洪喜是气的，葡萄秧被毁事件后，洪喜已是没一点儿村长的威了。

五

天黑那会儿，洪喜正跟细林说事时，见院子茶树蓬里闪出个人影，鬼样不知是谁，更不知这人偷听多久，两人都吓了一跳。

细林是找洪喜纠缠要求调整土地的。

此前，也就是葡萄秧被毁事件后，细林又找了乡里三次。第一次乡里没研究，但刘书记态度诚恳，说你不要急，乡里一定研究。第二次乡里还是没研究，刘书记不在，万乡长却主动对细林说，刘书记跟我说了，你的事，一定解决，不能让你没饭吃。细林很高兴，看到了希望，还趁落雨天去了趟羊角村，将好消息告知桂云。这次桂云没恼，还笑，割了块咸肉烧了留他吃饭。丈母娘说拿回地，桂云跟你的事，趁早办。说得细林云里雾里兴奋了好几天。第三次到乡里，刘书记说研究了，具体让万乡长给你说说。万乡长也没多说，叫来洪喜当着细林的面，说乡里研究了，你们村里调整土地的事，由村长洪喜牵头去办，乡里一定支持。

洪喜和细林高兴，回村时一路说笑。回到村，洪喜才悟过来，说乡里是推担子哩，我一个屌村长万姓人买账？细林不信。果然通知开会，乡里没人参加，万姓人也不尿，杂姓人一盘散沙，调整土地的事就无从下手。汇报到乡里，刘书记、万乡长都说这些日子忙，等忙过这阵子再说。过些日子再催，乡里还是说忙。洪喜就明白乡里是拖着不办，把矛盾转给他。可细林不管。细林说乡里叫你牵头，你就得负责。洪喜说，你看到的，我这个村长灰儿一样，没一点儿威哩。细林说，都没人管，我火起来把公路掘了，再杀个把人！

细林太激动了，心里愤恨，就说给村长听听，以泄心头之愤。或者，细林真有这想法,也说不定。总之,细林很激动地这样说了,洪喜呢,却想谅你婊子不敢,二也是觉得自己窝囊,就说你杀,你婊子杀个人给我看看,你杀个人,我就奖你 500 块钱! 都是气话。可万姓人听去,村里不发生刑事案还好,发生了,就是有预谋,两人都脱不了干系。所以,两人都吓了一跳是自然的。

洪喜就喝道:“哪个鬼? 你出来!”

茶树蓬响起一阵哈哈大笑,转出一个人来。细看,原来是乡里小高文书。

洪喜不悦。细林说:“高文书,你怎么像地下工作者一样啊!”

小高文书笑道:“还真得像地下工作者一样呢,不这样,我怎么帮助你们?”

洪喜说:“你是越帮越坏事哩,这不,灭不了万姓人威风,倒把自己弄得灰溜溜的。”

小高文书说:“半路杀出个葡萄秧被毁事件,把事情弄黄了,能怪我? 不过,通过这事件,也看出问题,一是万姓人宗族势力太强了,你们又心不齐,加上万乡长支持他们,刘书记又持多一事不如少一事态度,力量对比就悬殊了。所以,要想调整土地要修公路,树立村长威信,难啊。”

洪喜说:“难就趁早,我不当这屌村长了。”

细林说:“你不当村长,我就死路一条,再莫想要回地了。”

小高文书笑道:“莫悲观,这路走不通,就走另一条道。不就是调整土地么,不就是想灭万姓人威风树立村长威信,然后将公路修到村,再然后,让官山村脱贫致富奔小康么,办法有的是,就看你们敢不敢干。”

两人都一脸狐疑。

小高文书说:“不相信?”

两人说:“莫卖关子了,有屁快放!”

小高文书说:“这条路,就是打官司。”

说得两人一脸木然。

小高文书说:“打赢官司,就灭了万姓人威风,下步好办。”又说,“如今我国法律越来越健全,老百姓法律意识也越来越强。万姓人怎么样? 万乡长又怎么样? 法律才是至高无上的。”

两人还是一脸木然。洪喜问:“官司怎么打哟?”

小高文书说:“细林当原告。当初修公路征地,乡里村里不是答应调整么? 如今不兑现,细林却因此致贫,告上去,笃定赢。”

洪喜明白过来,说:“打这官司,是告乡里告村里啊!”

小高文书笑道:“告你村里又怎么? 目的是调整地,树你村长威信。看起来是坏事,实际上是好事,对不对?”

洪喜说:“也有道理。我想,这官司,能打赢。”

细林却惊呼起来:“村长你不计较,可乡里计较呢。老虎屁股摸得? 我吃豹子胆啊！我想都没想过。”又说，“乡里法庭还不是听乡里的。”

小高文书笑道：“叫你告到乡法庭啊，直接告到县法院去。笃定赢的官司，吃豹子胆又怎么？就摸他一次老虎屁股。官大还是法大？当然是法大。你赢了，就有法律保护，乡里屁大的官，敢对你怎样？敢对你怎样，就是无视法律。无视法律的意思懂不懂？我就不解释了。这深浅，刘书记万乡长懂，还是会乖乖服从法律的。这一点儿，你细林放心就是。”

细林说：“可打官司要钱，还要贴工夫。这官司我打不起哩。”

小高文书说：“现在县里成立了法律援助中心，专替穷人打官司，不要钱。你只要肯告，星期天我带你去，你自己进去喊冤。”

洪喜说：“这事细林你要想想，去了再问问。打不赢官司，趁早不起这个浪。”

细林想了一会儿，说：“地都没了，横竖活不成，只要不要钱不贴工夫，这官司就打，管他娘！”

六

从县城回来，细林再没心思上山砍杂木，整天闲着。

细林是有点儿心神不宁，一会儿兴奋，一会儿又感到紧张。兴奋是他想这官司能赢的话，一亩二分地就能要回来，那么吃饭就不发愁了；吃饭不发愁，桂云也就愿意跟他结婚了，然后就能传宗接代。细林的日子愁什么？就愁这两件事。这两件事了了，细林还求什么呢，难道还想像城里人样，天天吃白片肉不成！该知足了。细林最怕是官司输了。一想到输，他就紧张，两腿儿软塌塌的，头也勾了，像被敲了一棒的狗。细林想，上回写信反映到县里，乡里村里就不高兴了，这回剥下脸皮告官，是死对头了，乡里还不恨死！赢了还有法律保护，输了法律还保护你！乡干部整一个农民，就像一个小指头捻只山蚂蚁，稀松哩。那时，他细林就是落坛的菜干抽不了青，是官山村最灰的人了。

娘看在眼里，说整日鸡婆跳窝样，也不上山，哪样想不开？细林说，没想不开，就是脚骨软，想歇几天力。娘问病了？细林说没病，过一两天我就上山。细林不想让娘知道告官，知道了，娘还不急愁死！

这样，细林在家里就待不住，整天往洪喜家钻。洪喜也把不准官司。洪喜现在有点儿懊悔当初没阻止细林，一个农民告官，天大的胆哩，胳膊能拧过大腿？再说，打起官司，这里头名堂多，权没有，钱没有，熟人也没有，如今一些部门腐败哩，就相信一个法律援助中心的律师，能行？到时候莫给人家当死猪煺啊！可事到如今，洪喜知道不能说泄气话。洪喜说按道理，能赢，不赢就没天理了，是不是？洪喜又说，要相信人民法院，要相信法律援助哩，要不，怎么叫人民法院，怎么叫法律援助？总有好人的，放心。细林听了，也真放心了些。

等待官司的日子有点儿度日如年。幸亏有洪喜说些安慰的话，替细林分担些精神压力，他才不至于想不开。可是十多天过去，县里却没有一丁点儿有关官司的消息，细林就有点儿坐不住了，想到县城催催。洪喜说催个魂啊，这官司打就打，不打也算了，你做你的活儿，再不上山砍点杂木卖卖，你娘儿俩吃什么。细林想想也对，再想想，觉得洪喜的话里有一种暗示。真的，官司难打哩，万一打输了日子更难过，还不如不打好。懂得了这暗示，细林心情轻松起来，当天就上了山。管它呢，管它官司不官司，大不了做光棍日子苦点儿算了。这样，等待官司的日子就过得不知不觉，近乎麻木。

于麻木中，有一天那个接待过细林的朱律师忽然来到官山村。那天细林在山上，等村人跑到山上找到他，他汗淋淋匆忙赶回村时，朱律师在洪喜陪同下正从他家走出来，打算动身回县城。他家挤了不少人，里三层外三层，茅坑蛆样闹哄哄。

细林抢上前，握住朱律师一只手，眼泪就有点儿不听话要涌出来。

朱律师笑笑，拍拍细林肩膀，告诉他这些日子忙，今天才来取证，实在抱歉，等等。又说忙了半天，现在已经完成取证工作，想走前见见你，听说你上山了也就算了，不想你又赶了回来，见到你真高兴。细林感动了，见人围着说话不方便，就一个劲儿把朱律师往屋里让，说来了，死活吃过饭再走。

把朱律师让到屋里，细林再也控制不住激动，眼泪哗地涌了出来。

细林说："朱律师我就问一句话，这官司能赢么？"

朱律师说："你放心，能赢。"

细林感动得一塌糊涂，要跪下来给朱律师磕头。朱律师手快，忙搀扶起他，说你干么你干么。细林才免了，有些兴奋地对洪喜说：

"村长，朱律师说官司能打赢，能拿回一亩二分地！"

洪喜也高兴，说："是啊是啊，你真要好好谢谢朱律师哩。"

细林说："是要谢是要谢。"又对娘说，"娘，我过去一直瞒你，如今你也听到了，朱律师说官司能赢，能拿回一亩二分地！"

娘被今天的场面弄得惊惊悚悚，后来听说是打官司，就吓蒙了，此番听朱律师亲口这么说，才缓过气来，忙点头不迭，揩着泪说听到了听到了，菩萨保佑你这个城里大官长命百岁，好人有好报，好人有好报哪。说得朱律师忍不住笑，说老人家你放心，法律面前人人平等，公路占了你家的地，不调整还你是没道理的。要相信法律，依靠法律；有法律给你们撑腰，千万不要怕，对不对？

朱律师一番话再一次让细林娘儿俩感动得胡乱抹泪。

送走朱律师后，细林发现村人全变了态度，见面都朝他讨好谄笑。细林有点儿得意，那天就按捺不住告诉村人，说朱律师是我朋友，很要好的朋友哩。村人便一脸敬畏。细林更得意，走路时脑壳就仰起来看天，好像当了官一样。

几天后，县城法院又来了一位法官，到官山村取证。那天细林仍在山上，但村里没人通知他。细林听说后，有点儿不安，可想起朱律师，不安情绪就又烟消云散。

法官走后的第二天，小高文书来了，说乡里叫我通知你去，刘书记万乡长有事要跟你说。细林猜想是官司的事，不免有点儿紧张，说话也口吃起来，问小高文书乡里找他什么事。小高文书笑了，说你告到县里，乡里发火了。细林就怕了，说这样的话，我不去乡里了。小高文书说，细林你怕什么？乡里发火其实是心里发虚，想叫你撤诉。细林问，这么说乡里认错了？小高文书说，我猜猜，有这可能吧。细林说，乡里既然认错，那我也不能给脸不要脸，还是撤诉吧。小高文书说，这个问题要具体分析，如果认个错却不调整还你土地，或者答应你调整，却又有年没月地拖着，你也撤诉？细林沉吟不语了。小高文书说，乡里要你撤诉，其实是死要面子，你撤了诉，他还是不可能给你调整土地。他怎么调整？要把官山村土地重新收了，再统一分配，还不打死人命！这工作太难做了。所以乡里不会做这傻事，只会把这傻事推给洪喜村长。村里的事，你知道的，村长怎么给你调整地？又是一场空。细林急了，说，高文书，你说该怎么办？小高文书说，一句话，相信法律。又说，到这地步了，你千万不要听乡里吓唬，只有相信法律，只有法律才能帮你调整回土地，官司打赢了，就有法律依据，哪个敢不调整还你土地！细林说，高文书你这么说，我心里有数了。

到了乡里，细林远远就看见刘书记和万乡长在走廊上说笑，一副亲密和睦的样子。细林知道他们已看到他，正想招呼，却见他们止了说笑，各自钻进自己办公室。小高文书说："你自己找刘书记万乡长吧，挺住。"说过甩下他走了。细林有些怔时，迎面过来一个人，远远就朝他吆喝："喂，你过来！"细林认得是乡派出所干警，只好走了过去。

干警将他带到走廊，打开一个房间，狠狠推搡了他一把，喝道：

"进去！"

细林踉跄几步，回转身，干警已将门锁了。他有些害怕，说：

"你关我？你有什么理由关我？"

干警说："下回再撞我手里，我还要铐你，信不信？"

细林就蔫了些，心想下回的事难讲，犁不着耙着，铐你还找不出你差错？就咽下一口气。又想起朱律师和小高文书的话，觉得法律在我一边，能拿回地，吃点儿眼前亏也就忍忍算了。

这样，一直到天快黑肚皮饿得咕咕叫时，细林才等到干警来开门，然后见万乡长剔着牙走进房间。

万乡长坐下后，摸出一支烟点了悠悠地抽，不忙说话，一双眼狠毒地看他。

细林被看得心虚，就先问："干么关我？"

万乡长厉声道："问你自己。你做了对不起乡政府的事没有，嗯？"

细林装糊涂，摇了摇头，说没有呀。

万乡长说："还抵赖？人家法院都到乡里取证了，你还想抵赖？"

细林就勾下头，蔫头蔫脑起来，只好说："我告了，乡里村里把我的地占了修公路，又不调整还我，我没饭吃，就告了。"

万乡长说："承认就好。我说，乡里不是已经研究过，叫洪喜牵头调整么，你怎么还告呢，嗯？我告诉你，乡里正在搞形象工程，你这样做，是给乡里领导脸上抹黑，知道不知道，嗯？"

细林说："我只知道要回地，乡里没年没月拖，我没饭吃才告。"

万乡长凶起来："口嘴还很硬嘛！我不管这么多，你考虑考虑，撤回上诉吧，嗯？你不撤也可以，但造成的后果，你要负全部责任！"

细林一震，脸孔痉挛了几下。他感到很作难，咕哝着，声音轻得连自己也听不清。

万乡长逼道："你咕哝什么，嗯？你妈的哑巴了不成！"

这时候细林再次想起了朱律师和小高文书的话，就横下心来，抬起头说道：

"我就不撤，你有本事把我的卵咬去！"

万乡长噎了一下，脸就青了白白了又青。

细林也不知哪来的胆子，逼上一句：

"关我是违反法律的，火起来，我就告你！"

万乡长气得要发火，却又发不出火来。

恰在此时，走廊传来一阵哈哈大笑。细林看去，见是刘书记，身后还跟着乡里炊事员。刘书记说，怎么说说说说就顶撞起来呢，先吃饭，有话慢慢说嘛。说话间，炊事员就把饭菜摆好了，有肉，还有荷包蛋。万乡长哼一声，铁青着脸甩门而去。刘书记对细林笑着，我以为你早谈话谈好走了呢，吃，快吃！细林饿得不行，心想要关要剐，吃饱肚皮再说，就捧起饭碗吃起来。

细林吃着时，刘书记就边跟他说话。刘书记说话像拉家常似的，很随便，也很亲切。人言软软麻绳捆死人，刘书记说着说着，就说得细林不好意思起来，也真觉得把乡政府告到县里有点儿过火了。

刘书记说："看我面子，细林你就撤诉吧。"

细林突然警惕起来。他现在明白万乡长刘书记一个红脸一个白脸，目的只有一个，就是叫他撤诉。乡政府干么急着催他撤诉呢？细林想了想，懂了：打起官司，乡政府要输。也就是说，细林能赢，能调整回一亩二分地。细林兴奋起来，可他不想当面驳刘书记面子，做出很诚恳的样子，说道：

"听刘书记的，我就撤吧。"

"明天你就去县城撤诉，好吗？"

"明天就去。"

细林第二天就躲了。

七

终于,法院的传票送到了乡政府。

前些日子,乡里把寻找细林当作头等大事,找来找去都没找着,心里就有了数,知道迟早要对簿公堂,所以接到传票也便没觉得惊讶,只是感到很生气,憋在肚里要炸,恨不得将细林碎尸万段。

万乡长说:“这个刁民,嗯!爬到乡政府头上拉屎哩,你说气人不气人,嗯?”

又说:“这个刁民,把乡政府当被告哩,嗯?被告被告,就是被告了,是不是,嗯?难听哩!好像乡政府偷鸡摸狗,见不得人呢,嗯?妈的,乡政府面子都叫他丢光了,乡政府威信也叫他败了,都被告了,日后怎么再做农民工作,嗯?”

刘书记说:“被告啊原告啊倒没什么,到法院都是平等的,无非是他先告,才当原告。”

万乡长说:“农民可不这么想。农民以为被告就是有错才被告,是不是,嗯?再说,这官司乡政府能赢?公路占了人家地,又不给调整,害得人家没饭吃,不输才有鬼呢,嗯?”

刘书记就噎住了。

刘书记原先是非常同情细林的。刘书记为细林的事专门跟万乡长谈过,主张调整。万乡长说调整也是对的,不能叫细林没饭吃,可调整牵涉官山村 78 户,复杂,工作量大;乡里工作又忙,头一开进去,乡里今年的精力大部分投到官山村,其他工作就顾不上,要影响全乡工作。刘书记知道万乡长是为官山村万姓人说话,可思路也对,官山村太复杂了,重新调整地肯定牵扯太多精力,洪喜是饭桶,万乡长又不配合,自己督阵也就不见得有成效。如果没成效,倒就显出自己没水平了。刘书记就有点儿为难,决断不下,便将事情拖了下来。可如今细林告到法院,刘书记又觉得丢了面子,甚至还有点儿恼羞成怒。刘书记辛辛苦苦建立起初一十五书记乡长接待农民来访日,目的就是为了乡政府的形象工程,如今你细林告到法院,乡政府成了被告,这影响多坏啊!所以,刘书记现在一点儿也不同情细林了,他跟万乡长心情一样,恨不得将细林碎尸万段。

刘书记说:“既然传票到了,就要认真对待,我们坐下来研究研究吧。”

研究了一下午,结果是:乡里不应诉,要应诉,官山村去应诉。其一,官山村是被告之一;其二,上届乡政府拉的屎,这届去揩屁股,没道理。去揩屁股应诉,现世哩,又不是哪个个人的责任!刘书记原想指定人去听听,可哪个也不愿意,也就算了。不算又怎么办?都不去,难道还书记亲自去不成?

官山村也不应诉。洪喜说乡里有人领队,他才去,乡里不去他去,责任太大。刘书记和万乡长也拿他没办法。洪喜心里暗自高兴。

细林去了。消息传到乡政府时,万乡长刘书记恨得咬牙切齿,可又无奈。

自然是开不了庭的。

这样,过了十天,法院第二张传票又送到了乡政府。乡政府态度还是三个字:不应诉。这一次就由不得乡政府了,县法院如期开庭,缺席判决乡村两级政府有责任为细林调整补还土地。

细林接过法院判决书时,感动得热泪盈眶,连声说包青天哪包青天哪!

第二天,细林从县城回来直接去找乡政府,刚好在门口碰到了刘书记。细林便很理直气壮,将判决书递过去说道:

"刘书记你看看,法院判我赢了,你看看你看看。"

刘书记已经看过昨晚县电视台播的镜头,也看过今天县报发的消息。刘书记看那镜头和消息时肚里像吃了桐油般难受,直到现在心头还隐隐作痛。如今面对细林,刘书记恨不得冲那张得意嘴脸扎扎实实捅一老拳。当然,刘书记没有那样做。刘书记只是皱着眉,看也不看判决书,边走边说:

"你找万乡长去,跟他说。"

细林不明白刘书记干吗这样,不及多想,就找到了万乡长。

万乡长不看他,却接过判决书认真看了,看过丢还给他,说道:

"你不要找我。找我没用,我不管这卵事。"

"判决书说我这事要乡里管呢,这是法律。"

万乡长一下子火了,"嘭"地捶响桌子,喝道:"卵个判决书,卵个法律,嗯?又不是我把你的地修公路的,是不是,嗯?我不管这些,说不管就是不管!你不是会告么,那你就继续告吧!"

细林一下子懵了。细林没想到法律在乡政府会像揩屁股纸一样不值钱,就灰心丧气起来。

回到村里,洪喜和小高文书都先后来给他打气。他们说,现在乡领导输了官司觉得脸上无光火气正旺,是很自然的事,要谅解他们。但法律就是法律,至高无上,过些日子领导气消了顺了,就会明白过来,到时候再去找,自然会心平气和,依法办事。他们说,细林呀,法律判你赢了,你就耐心再等几天吧。细林觉得有道理。

可是,细林等了几天再找去时,乡里都是这态度,还将他骂得狗血喷头。

细林就觉得法律像揩屁股纸一样不值钱,便彻底泄了气,懊悔不该打这官司,赢了也白赢,不能调整回地,还跟乡里当官人结了仇,被看作敌人样。

小高文书说:"你真是!乡里不依法办事,你可以申请法院执行庭强制执行呀。"

洪喜说:"就是,到这地步,就不管那么多了,申请吧。"

细林果真去了趟县城。过不了几天，法院也果真来了人要强制执行。

乡政府却不慌。刘书记说，这事，细林其实没必要打官司，乡政府早就成立了土地调整领导小组，具体叫官山村村长洪喜去操作的，只是工作忙，拖了些日子罢了。万乡长说，当时有会议记录。拿来笔记本，果然有记载。法院同志问，干么不应诉？都说，忙，抽不开身。法院同志不放心，找洪喜核实。洪喜明知会议记录是假的，可没证据，就不好乱说，只好实事求是，说是有这回事，乡里口头说说，我去办了，乡里没人来，村里不听，就办不下去。又找细林核实。细林说乡里空口白话，拖着不办啊。法院同志就明白了原委，可事已至此，只有督促乡政府和村里按法律办事。

乡里一口答应，说坚决依法办事。上次没形成文件，这次专门下了红头文件，成立官山村土地调整领导小组，万乡长任组长，兼职；洪喜任副组长，后面有括弧：具体负责土地调整。法院同志见乡里这态度，也就没话说，当日打道回府。

洪喜肚里明白，只好再次当真认真对待。自然，开起会乡里还是不来人，万姓人不尿，杂姓人一盘散沙。洪喜倚了有红头文件，觉得不能再窝囊了，决定来点儿强制。可强制意思的会刚在村委开过，没几天家里的猪就让人毒死了。知道是万姓人所为，告到乡里，乡里叫派出所来看了看，之后不了了之。老婆就怕起来，说你还管，到时候要没命的！洪喜想想，连法律都奈何不了，乡里嘴上说支持，心里却跟你作对，就泄气了。

最泄气的是细林，官司打赢一晃又是几个月，乡里跑断了腿，就是不管用。那天，细林在山上砍杂木，忽然间，七八个人拥上将他捆了，一顿拳打脚踢后送到乡政府。细林喊皇天也没用，谁叫他到别人山上砍杂木呢，那是偷窃行为，严重点儿，可以说成盗伐山林。乡派出所二话没说，就给细林上了手铐。

万乡长说："对付贼骨头的办法就是打，只要不出人命就行。"

细林就被打得喊皇天不迭。

刘书记没说打。刘书记说打是不妥当的，关几天，写个检查再罚点儿款吧。

细林吃不消关，关就误工夫，细林不上山，娘儿俩吃什么？

七天后，一头猪仔抵了罚款，细林才放出来。细林这时候是真灰心了，连法律也帮不了他的忙，又跟乡政府搞得敌人样，日子是没法过了。

细林说："没法过，管它娘的先掘公路还田，哪个要挡，我也不要命了，拼了算！"

细林的样子像癫了样，扛了锄头要上公路。娘急得没主意，怎么求也没用，只好哭哭啼啼来找洪喜。洪喜有什么办法？只有劝。细林不听劝，红了眼破口大骂，骂乡政府，骂法律，癫人样惹得一村子人围观看热闹。正闹得邪时，小高文书来了，好歹才将他劝进屋。

到了屋里，小高文书才对细林说：

"我是冒着挨整的危险来的，告诉你一个好消息，省里的大官来了！不过你得躲躲，再想法子见大官。”

八

省里的大官是到县里视察脱贫情况的。

县里通知乡里，说首长要下村，就安排到官山村看看，一是距离乡里近，二是修了公路，虽然没到村，也算是脱贫硬件，嘱意要做好充分准备。

乡里慌了，班子坐下来召开紧急会议，研究接待工作。刘书记和万乡长表示，在做好脱贫情况汇报的同时，乡里接待工作一定要跟上，绝对不能给地、县抹黑，总之一句话：让省里首长乘兴而来满意而去，留下个好印象。

紧急会议开了半天，研究出接待工作的要点，归结为三个方面五个字，即：进出口安全。可三个方面五个字的接待要点如何具体执行，却意见各一，莫衷一是。刘书记说，开个扩大会议吧，集思广益，听听大家意见。

人多果然点子多，七口八天窗的，许多疑难问题不说迎刃而解吧，也都落实了下去。

首先是进口问题，即省里首长的吃饭接待问题。

刘书记说：“这是个大问题。其一，要绝对卫生。首长要是吃了不卫生饭菜泻肚怎么办，哪个也负不起责任。乡里只有一个顺来饭店，也只能在那里接待。可顺来他妈的卫生条件太差，脏兮兮的；老板也有个坏习惯，炒菜时擤鼻涕不洗手，手掌心擦擦算数，看了腻心，谁都吃不进去。怎么办?”

万乡长说：“这个问题好办，叫他突击搞卫生，乡里验收合格才过关，不然日后别想乡里照顾生意，是不是，嗯？擤鼻涕这坏习惯，嗯，到时候派专人在灶头监督提醒。不管怎么说，老板烧菜技术还行，而且屎急上茅坑了，乡里临时到哪里请厨师，嗯?”

刘书记说：“也只有这样了。现在说其二，就是接待规格问题。这个问题有点儿微妙，规格太高，省里首长批评不廉洁怎么办？规格太低，县里说你妈的乡里怎么搞的！难哪。”

万乡长说：“干脆请示一下县里，叫县里拿主意。”

刘书记说：“县里领导这会儿围着省里首长团团转，万一他们也吃不准，不烦你？批评你几句，吃松豆一样。”

就都感到为难。这时，小高文书站起来说：

“我提议还是野菜上桌。如今苦益菜、香紫都进高档宾馆餐桌了，很受欢迎。还有食用菌，灰树花啊，牛肝菌啊，再上几样鱼啊肉啊，既廉洁又不失体面，保证省里首长县里领导都满意。”

大家眼睛就亮起来,都说好,这主意不仅好,而且妙。

接着说出口问题,即首长的如厕问题。这问题看似不重要,但往往是不重要问题偏偏出事情,因小失大。万一首长要方便怎么办?下到村里,厕所脏还可理解,农村嘛。可乡里那个厕所破烂不说,还臭气熏天,脏得踏不下脚,你叫首长怎么解决出口问题?乡一级政府哩,厕所这么脏,也可见精神文明建设之一斑。省里首长批评你几句,县里就当大事。

刘书记说盖一个么,来不及,乡里也缺钱,厕所明摆在那里,首长万一要方便钻进去,怎么办?

就说得大家的脸苦瓜一样。

刘书记说:"大家开动开动脑子,说错了没关系,帮乡里排忧解难嘛。"

万乡长说:"封吧,贴张封条。到时候就说是危厕,早封了。"

刘书记说:"可是这样,万一省里首长要方便,怎么办?"

小高文书接嘴:"大活人还能让屎尿憋死?紧急情况,自然会想法子解决的。"

刘书记瞪他一眼,可想想,也只有这样,就说这次就擦烂糊算了,好在是农村,首长能理解,地县陪同的领导也会体谅。不过,这次也是教训,要好好地汲取,无论如何,乡里厕所要建一个了,还有餐馆。不然,上级来了,乡里脸面不好看。刘书记这么说过之后,突然想起,就对小高文书说:

"你今天去一趟官山村,通知洪喜,叫村民把路头路脑茅坑里的粪都挑了,用清水冲洗干净。一是进村不会臭气冲天;二是首长万一方便,也卫生。"

小高文书说好的,开完会我就去通知。

第三个问题是安全。这个问题扩大会议之前已形成共识。所以刘书记说,我主观想想,省里首长下来,配套人马也一定跟下来,秘书啊,保健医生啊,还有便衣保卫啊,等等。总之,省长的安全一般来说,是不用我们操心的。但是,到了我们乡这地头,我们不操点心也不行,万一出点儿问题,吃不了兜着走。

乡干部们都说,是啊是啊。

刘书记说:"所以,一,派出所责任重大,要抓紧盘查摸底,一些可能会对首长安全构成威胁的人,像精神病人啊,对社会不满的刑满释放人员啊,还有上访人员啊,等等,要事先向他们家属打招呼,叫他们看管好,不要惊吓了首长;二,干警都穿便衣,乡干部配合,在一些首长经过的路头路脑站岗放哨,防止这些可疑的人靠近首长。"

万乡长接着说:"这么做,为的是首长安全第一。另一层意义,是为乡里,这些人都拥上去干扰首长,乡里形象就受到影响。人家说,你乡里烂事怎么这么多啊,你乡干部吃干饭的啊。不用多,就这几句,乡里以前的辛辛苦苦,都白干。"

刘书记说:"是这意思。所以,官山村的细林是重点防范对象,要打招呼。"

万乡长说:"打招呼没用,他会听洪喜和他娘的?去一个干警,把他带到附近村看管起来，管他吃喝，等首长走后，再放他出来。”

刘书记说：“小高文书你别开会了，马上和一个干警走。你的任务明白么？完了叫洪喜一起来乡里，我还要交代他一些事。”

小高文书说明白了，站起来叫上一个干警正要走，刘书记又叫住了他。

刘书记说：“我想起来了，你这次另有重要任务，负责拍照。胶卷没有的话，你马上到城里买胶卷。”

小高文书懂他的意思，说：“我还有两个富士胶卷，够用。”

去官山村的路上，小高文书怀一肚子心思，又不好表露，焦急得要命。好在到村口时，一个村民拦住干警说事，婆婆妈妈没完没了。小高文书瞅住机会，说，你们说吧，我在村长家等你。他说过拔腿就走。

待干警进村，细林已不见踪影。小高文书和洪喜都说，刚才还在闹的，怎么就没人了呢。三人就急着统村找，也没找到。干警肚里明白有鬼，也不点破，转了转，一起回乡里汇报。刘书记和万乡长听了，也无奈，只好交代明天要严防细林捣蛋。

九

细林被一泡尿憋醒时，有些糊涂，怔了怔，才明白自己钻进路边灰寮的稻草里睡了一夜。他拨开稻草爬出来，朝灰寮角撒了尿，然后探头去看村子。这时，天已大亮，村人在阳光下懒散地走动，鸡鸣、狗吠、牛哞，声声传来，此起彼落，村子与昨日没有什么异样。

细林饿了，他想一夜没回家睡，娘不知该怎么愁哩，就想钻出灰寮，回家吃两碗番薯粥，可一想到小高文书和村长的再三叮嘱，也就罢了念头，忍着饥饿钻进稻草堆，将自己整个儿藏了。

细林想，省里的大官到底什么时候来呢？

细林这么想的时候，省、地电视台打前站的小车刚好到达乡里。那个扛摄像机的地区记者一下车，小高文书就怔了一下，原来是他的同学。小高文书忙上前招呼握手，说你不是在报社么？同学说，刚调到电视台。小高文书很高兴，忙介绍给刘书记万乡长认识了。又私下跟同学说，帮帮老同学脱离这水深火热的穷乡吧，跟你爸说说，好不好？同学敷衍，说好的，说说看呢。小高文书听了，就觉得阳光都灿烂妩媚起来。

过不了一会儿，一溜儿小车鱼贯驶进乡政府大院。乡干部忙碌紧张起来，早把笑容挂在脸上。省里首长其实没带几个随员，一个秘书，一个办公室主任，加上驾驶员，也就四个人。陪同省里首长来视察的小车却有四辆，地区的专员，县里的书记县长，还有县里一些有关部门的官员。

省里首长瘦瘦的，不高，平头，戴副眼镜，其实一点儿也没有大官的样子。倒是他的秘书，个头长相很像首长。有一个笑话，说他刚到省里工作时，首次和秘书到某地视察，当地官员以为他是秘书秘书是他，弄得很尴尬。倒是他没尴尬也没恼，哈哈一笑了之。说明是很平易近人没一点儿架子的。自然，几年过去了，电视频频亮相，现在大家都熟悉他，再不会闹那笑话了。

所以，小车一停稳，刘书记和万乡长就率先迎了上去，率先跟省里首长握手而不是先向他的秘书投之以热情。这瞬间的场面，小高文书快捷地按下快门，将瞬间永恒地定格下来。之后，刘书记万乡长去跟专员、县委书记、县长握手时，小高文书都“永恒”了，看刘书记、万乡长就一脸的满意。当然，小高文书不敢掉以轻心，要抓拍到刘书记和省里首长单独在一起的镜头，还得靠机缘。这事刘书记交代过。

按惯例，自然是先汇报脱贫情况。刘书记昨天准备了一通宵，完美了再完美，此时虽然觉得身体疲倦，却信心百倍精神振奋。到会议室简单介绍过情况后，他打开笔记本正想开始汇报，不想却被省里首长挡了。

省里首长说：“还是先走走看看，边看边听汇报吧。”

刘书记一怔，马上就说：“好。”

乡所在地村事先有所准备，领着走了几家，家境都还可以，红砖瓦房，家里电视机、电冰箱、洗衣机齐全。省里首长与农户亲切交谈，拉家常似的。问得很详细，粮食啦，副业啦，有没有加重农民负担的乱收费、乱罚款啦，等等。几家走下来，看得出省里首长是满意的。有一家还摆了个电脑，使得省里首长和地、县一帮领导兴趣陡增。

刘书记介绍说：“这一户是香菇专业户，发了大财，所以买了台 586 给儿子学，说下世纪不会电脑就是文盲，还蛮有眼光的。”

省里首长说：“是这样想的么？”

这家的男人不在，女人见问，就很窘迫地点头。

省里首长就问，你儿子呢，叫他来敲几下键盘看看？女人涨红了脸，说在学堂念书哩。省里首长就坐下来，打开电脑。当屏幕显示的都是乡信用社账目时，刘书记、万乡长尴尬起来。

万乡长解释说：“是、是信用社淘汰，便宜处理的。”

省里首长笑笑，从这家出来，他的秘书就说要到乡信用社看看。此话一出，刘书记、万乡长脸孔便有了呆若木鸡状，看省里首长已率先走了出去，地、县领导也严肃起来。

所幸信用社主任证实电脑确是淘汰处理的，才化险为夷。至此，刘书记心里将万乡长这一画蛇添足之举骂得狗血喷头。

接着又走了几户，都是事先没安排，省里首长自己钻进去的。这几户景况就大不如前几户，不过都还过得去，报上的收入啊，粮食啊，也都达到脱贫标准。

看吃饭时间还早，县委书记提议先到官山村。刘书记、万乡长不好推辞，肚里再次被进出口安全问题搅得忐忑不安，钻进吉普时，腿肚儿软软的有点儿不听使唤。

这样，吉普领路开头，一溜儿小车跟着，就去了官山村。

距村一里半时，大家弃车向村里走去。由于这断头公路，话题就展开了。有了前车之鉴，刘书记想起来都胆战心惊的，所以就不敢造次，汇报说，这个村脱贫还比较勉强，因为缺钱，公路就瘫着再也修不下去了。

省里首长说："这段公路不长嘛，因为缺钱而瘫着，肯定要挫伤农民脱贫积极性。"

专员接话说："县里是否考虑一下扶贫，用不了几个钱嘛。"

县委书记、县长就说："回去研究研究。路不长，是用不了几个钱的。"

说着时，省里首长径直朝路边的田畈走去。大家怔了一下，正要跟过去，见首长的秘书抬手挡了一下，才都明白过来。小高文书跟在后面，没见这手势，以为省里首长有什么惊人之举，忙举起相机想"永恒"一下，见万乡长瞪他一眼，才恍然大悟。小高文书就想：原来大官也跟常人一样要方便的啊！

村长洪喜早在村口迎接，都握过手，领着大家进村。刘书记、万乡长见村街村弄都游荡着便衣干警与乡干，就会意一笑，放下心来。刘书记虽然已暂时解除了首长如厕的包袱，但还是将洪喜拉到一边。

刘书记说："臭气冲天的，怎么没把路边茅坑的粪挑了，再冲洗冲洗？"

洪喜苦着脸说："刘书记，你鼻头也特别灵，我怎么就闻着不臭呢！这事我不敢马虎，回来就布置过，可哪个听我？万姓人尾巴翘天，不把我这村长放在眼里哩。"

刘书记听了干瞪眼。洪喜便不再解释，丢下他跑到前面领路，回答一些省里首长的提问。

照例是转一些农户。村里农户跟乡里比，就明显有了距离，很少有三大件齐全的，更别说电脑了。再问到粮食情况，十有八九说不够吃的，原因是地少，又让修公路占去部分，等等。刘书记、万乡长脸色就有点儿难看，朝洪喜瞪眼，心想关照过，叫你有准备、有选择地看一些农户，你怎么专挑困难户带呢？又不便表露，就解释说这村的情况，有距离，脱贫还比较勉强。省里首长严肃起来，批评说：

"要实事求是，不能为了达标搞虚假，要对老百姓负责。"

就批评得刘书记、万乡长很狼狈，好一会儿怔，省悟过来，忙连说是是是。陪同的地、县领导，脸色也不大好看起来。

转过几户，洪喜说请首长们到村尾看看一家贫困户，大家就跟了过去。省里的摄像记者屁颠屁颠的，一路将镜头摄下。小高文书就不敢造次拍"永恒"了，和同学拉在后面，无话，心里却越来越紧张起来。

一行人沿着村路走，经过路边灰寮时，洪喜咳嗽了几声。是那种不经意的咳嗽，谁都不当回事，更没想到会引出一桩事来。

洪喜的几声咳嗽刚罢，灰寮里突然蹿出一个怪物来，伴随着一声震天响地喊：

“我有冤哪！”

所有人都猝不及防，惊了一下，包括省里首长。待回过神来，那怪物已抢到路中，跪下趴在省里首长的脚下。再看，却不是怪物，而是一个人，衣衫不整，满头满身的稻草梢末。刘书记、万乡长认出是细林，脸就青了。远近散着的便衣干警和乡干想上前有所动作，见刘书记、万乡长没表示，也就不敢轻举妄动。

万乡长说：“这、这人，神、神经有点儿毛病。”

省里首长没听他的，俯下身去搀扶细林：

“有冤起来说，干么这样，啊？起来吧，起来吧。”

细林死活不肯起来：“我有冤哇！我没饭吃哪包青天！”

首长身边的几个地、县领导都忙着帮忙，才好不容易将细林搀扶起来。细林就抹着泪水，抖抖颤颤地将白洋布状子和法院判决书呈上。省里首长接了，认真看起来。都敛声屏息，村路上一时噤声，唯有细林咽咽呜呜地哭泣抹泪。

待省里首长看完，村长洪喜说：

“公路占去他家一亩二分地，只留六分，娘儿俩吃饭成问题，更别说讨老婆了。”

万乡长忙解释道：“乡里早就成立土地调整领导小组的，由于忙，一时……”

细林反驳说：“法院判决书都下了，没用，乡里就是拖着，有意为难！”

刘书记说：“这就冤枉乡政府了，具体叫村长办的，洪喜，你说说。”

洪喜说：“叫我说，我就不管你×了。调整地，说说快两年了，法院判决书下来，也有几个月，细林家吃饭成问题，乡里不是没眼睛。叫我管，乡里会也不来开，说透了就是不支持。我去管，家里的猪都让人毒死，乡里对这案子重视么？再管下去，命都要贴上！”

刘书记、万乡长的脸孔又青了，正想解释，省里首长摆摆手，有些生气地说：

“修公路，是为了脱贫致富，没想到反而致贫，这个问题值得深思。问题出了，又拖这么久不解决。对农民的疾苦，无动于衷麻木不仁嘛；有法不依，眼中根本就没有法律嘛。”

专员接话说：“这件事，乡政府要负主要责任。”

县委书记说：“事到如今，还说人家神经有毛病，我看农民不告你乡政府才怪呢！”

刘书记和万乡长便嗖嗖直冒冷汗，神情如丧考妣，小学生样站着不敢吭声。

县长握着细林的手说：“放心吧，你这事，政府一定解决，决不会让你因公路致贫的。”

细林就哇地放声大哭起来，叽地跪下，一个劲儿地磕头：

“包青天哪！包青天哪！”

一帮子领导为之动容，忙将他扶起，说怎么能这样，怎么能这样。

省里首长拉着细林的手说："政府的工作没有做好，出了差错，应该向农民兄弟赔礼道歉。"又亲切地笑道，"不过，我还是要批评你一句，以后随便见到哪一级领导，不能下跪磕头，那是封建一套嘛，是不是？我们是社会主义国家，人民当家做主人，随便哪一级领导，哪怕职位再高，也都是人民的勤务员。"

细林就感动得泣不成声。

劝走细林后，省里首长意犹未尽，说道：

"这件事值得深思，说明有法不依、执法难的问题，在一些地方，一些领导干部身上，还严重存在。依法治国不能是一句空话，出了问题，哪怕是细小的问题，假如都要江总书记过问才能得到解决，你们想想，会是怎么个局面？再就是，到底是法大还是官大？还要不要法？看来，普法宣传的任务还很重，要教育好农民，更应该教育好我们的干部。"

地县领导们都颔首点头不迭。

顿了顿，省里首长又说：

"管细林的问题要尽快处理，而且要处理好。我会经常过问的。"

地县领导们就忙说处理结果一定及时汇报。

最忙的是省城那个摄影记者，屁颠屁颠的。他身前身后跟了一大群看热闹的村民，常常挡他的镜头，可又不便驱赶。小高文书就空闲了，他将刘书记的吩咐置之脑后。显然，他觉得再抓拍刘书记单独与省里首长在一起的照片已失去意义。

十

之后，事情发展之快，令官山村的村民们瞠目结舌。

省里首长走后，第二天官山村又热闹起来。由专员和县委书记召集的地、县两级财政、民政、交通、农业、电力、公检法，以及有关部委办局的一把手，云集乡里。乡里从来没有来过如此之多的手握实权的头头脑脑，此次是破天荒。他们在乡会议室开了个短会，然后由乡里吉普领路，30 多辆小车长龙出游般驶向官山村，进行实地考察，要对口扶贫干几件实事。考察于当日结束，随之鸟兽散。

翌日，由地委办、县委办牵头的地县联合工作组一行五十余人进驻乡里，帮助官山村续修断头公路，并主持土地调整工作。同时，五万元公路扶贫专款也到了位。

刘书记和万乡长自说是犯过错误之人，此番将功补过，人前人后忙得屁颠屁颠的。还专门去向细林赔礼道歉，请求谅解，表现出干群鱼水关系已恢复如初。

续修断头公路自然得到村民们的拥护，可调整土地却不是一帆风顺。工作组如大军压境，万姓人蔫了些，但磕磕碰碰之事，时有发生。万姓人是气不顺，那日说动万老黑，到乡里要求替万姓人说说话。万老黑懵里懵懂，果真去了，却被儿子说了一通。

万乡长说："都什么时候了，爹你还糊涂！官场的事，爹不懂，爹以为我还能当官啊，官大一级压死人，弄不好这次我要翻船哩。自身都难保，还顾得了村里人？回去劝劝，枪打出头鸟，叫忍忍，千万千万不要闹了。"

就说得万老黑心惊肉跳，着实替儿子担心。回去一说，万姓人信心大挫，一个个牢记枪打出头鸟，都做了缩头乌龟。

如此，官山村土地调整不出半个月就顺利完成：两个月后，公路接通到村。工作组大功告成，遂撤走。

与此同时，细林的婚事进展也非常之快。土地调整后，正是冬种油菜季节，工作组帮他解决了化肥、油菜秧，抢种了下去。细林看着属于自己的油菜地，心里美滋滋自不待说，脚头跑羊角村也就勤了。丈母娘一家态度已大大改观，毕竟家里养了大囡，久留也没意思。这样，细林脚头一勤，一来二往，桂云肚皮里就有了他的种子。农村的说法，这叫先斩后奏。政府的说法，就是未婚先孕，违反计生政策了。

细林便积极筹办婚事，到乡里办结婚证、领准生证，等等。乡里也知道他是未婚先孕，可刘书记万乡长都睁只眼闭只眼，一路给开了绿灯。

婚后两个月，桂云就像稻草堆般臃肿起来，肚皮凸得厉害，状如畚箕。农村有"畚箕肚生儿"一说，夫妻俩因此都很自豪。

一天夜晚，桂云让肚皮里的小家伙一阵拳打脚踢，幸福得有点儿眩晕，说：

"细林，你听听你儿子，哇哟，在肚皮里翻跟斗哩！"

细林就贴着她的肚皮听了：

"是哩，是哩，这儿子，未出世就这样，了不得！"

就特别兴奋，这么说过之后，细林忽然想起，说：

"该给儿子取个名字哩。"

"闲着没事，你就想想，取一个呗。"

细林就想了，一脸严肃，一脸认真。

桂云说："龙生龙凤生凤，老鼠生儿打地洞，山里人取名，阿狗阿猫的，好养。"

细林说："没见识。做老鼠有出息？一辈子灰死了，还受人欺侮。儿子将来要做大官，大官管人，放个屁，连刘书记万乡长也不敢说臭……噢——对、对了，儿子就叫大官，长大也做大官，这名字好，这名字好！"

桂云笑道："你儿子叫大官？长大也做大官？你神经病啰！"

细林说："就叫大官！就叫大官！大官他娘，你莫笑，儿子名字就叫大官，长大就当大官！当大官好哩，管人，嘴巴皮轻轻动动，下面人狗样听话；放个屁，哪个敢说臭？香哩，香哩……"

笑容在桂云脸上消失，她觉得惊讶，抬起头，忽然发现细林眼睛里闪着痴癫的光。桂云就有点儿惊骇，怔得张开嘴，一时竟说不出话来。

（选自《时代文学》1999年第2期）

阙迪伟

笔名曲河。1950年出生，浙江丽水人。1968年在本县插队，当过工人、编辑，现任《丽水文学》主编，丽水市作协主席。1982年开始发表作品。2002年加入中国作家协会。发表中篇小说《莽莽丛林》等30多部，短篇小说近30篇，电影剧本1部。中篇小说《一曲未了》等3部连获浙江省三届优秀小说奖，中篇小说《绑架》获《广州文艺》朝花文学优秀小说奖。

空　缺

史生荣

早上只喝了点儿稀饭，胃就疼得厉害，游小二拿起电话，想给县医院工作的妻子说说，刚拨通说了几句，吕根本就闯了进来。吕根本说，游乡长事情麻烦了，村里有一帮人闹事，要炸掉拦水坝放水。炸药包都绑好了，说今天不给他们个答复就炸坝。

游小二皱了眉说，你去找吴书记，这事由他一手抓。吕根本说，我找了，吴书记说他要调走，让我找你。

游小二一惊。吴广成要升到县里的消息，在乡政府已传了半年，前天吴广成还说，提升的事还没影子。昨天晚上，乡党委办公室主任于海过来，说吴书记连夜收拾整理东西，是不是上面下文了？他说不会，若有消息，吴书记怎么也要和我打声招呼。没想到他真要走了，而走的消息，竟从一个村长嘴里传递过来。看来吴广成对我是有成见的。传说吴广成要升副县长，也有人说要升县经委主任，副县级待遇。但不管升啥，对乡里来说，都是好事。乡里的干部，已有五年没动窝了。上次书记调走，有了空缺，大家正想着老牛推磨，都动一动，上面却派来了吴广成，把空缺填死了。这回早有人吹风，说这次若吴书记调走，乡里要立即到上面活动，讲明全乡干部多年没动的困境，不要让派人来，一定要老牛推磨。若上面一定要鬼推磨，咱们就集体上访，闹他一出。这也是游小二的想法。老牛推磨，就是小步慢走，乡长升书记，副书记升乡长，副乡长升副书记，党办主任升副乡长，乡办主任升党办主任……推一圈下来，皆大欢喜。鬼推磨，就是上面有人使了手段，被安排下来。当然，还有懒驴推磨，把乡长升为书记，再派个乡长来，升路堵死，像懒驴推磨，一步一停。

电话里，游小二的妻子使劲喊叫，要他回话。游小二回过神来，对着电话说，我有个急事，一会儿再说，就挂了电话。游小二问吕根本，究竟怎么回事，吴书记亲口说他要调走？

吕根本愣一下说，你还不知道？刚才我去找吴书记，吴书记说他调县里当副县长，今天就要到县里开会让我来找你。

游小二低了头，觉得吴广成是故意这样做，要不然一个院里住着，抬头就见面为啥不说一声？游小二叹口气心里想，人家真当副县长了，他拉过屎的屁股得我来擦了。前年荒山荒地全部出卖，游小二就有不同意见，但还是按吴广成的意思把全乡的荒山都卖了。这些山加起来有三十多万亩，每亩四到六元不等都卖给了个人，50年不变。卖地总共得款一百五十多万，村里乡里四六分成。乡里用这近百万块钱，建了现代化的大型养猪场和养鳖场。村里用卖地的钱，也都办了一些小企业。卖地办企业，全乡成了改革的样板，脱贫致富的标兵，省、地、县各级领导都来视察过，均给予了充分的肯定。全乡成了小康乡，吴广成成了改革家致富带头人，上报上电视，红遍全省。买荒山荒地的有本地村民，也有外乡大公司，人家买了地，就圈起来，不让别人入侵。黄土塬上，祖辈半农半牧。农，是广种薄收靠天吃饭；牧，是养群山羊吃了羊肉羊皮穿在身上。山被部分人买了，没买的人就没处放牧，常来乡里告状闹腾。同时为争地界打架斗殴接连不断。特别是东沟村，整整8架山卖给了阳光公司。今年一开春，阳光公司就治理荒山，满坡都挖了鱼鳞坑，雨水都流到了坑里。住在沟底的东沟村，一年也没见从山上流下一丝雨水。更严重的是阳光公司还在沟口建了蓄水坝，上个月坝一合龙，沟底村就彻底断了水，人畜饮水都发生了困难，村民们就嚷着炸坝。这事确实棘手。好在乡里的工作，吴广成一人说了算，游小二一直不闻不问，现在这事又一下碰到了头上。官大一级压死人，吴广成成了顶头上司，这事更难处理。游小二点支烟，坐下思考。吴广成走了进来在沙发上坐了，游小二一时有点不自然说，我正要过去找你，请示一下这事咋办？我看这事还得你来拿个主意，以后也还得你多多指导。

游小二用请示这个词，吴广成心里感到得意，但他脸上毫无表情。故意沉默半天才说，上面调我当副县长，昨天我才知道下了文。今天县里通知我，要我去参加常委会，现在就得走，我虽要走了但还没出这县，乡里的工作我还要关注。我走后乡里许多具体的工作得你来干。东沟村的事，你现在就去跑一趟，告诉村民，水的事由乡里出面和公司协调，保证大家都有水用。具体怎么办，你要尽快和阳光公司协商，拿出一个解决办法。

要去参加常委会，说明吴广成是常委。游小二心里一阵妒意，但脸上努力保持平常。游小二说，咱这里祖辈就缺水，把荒山卖给人家，人家要种树种果没有水不行。一点儿水两方争，要解决这个矛盾困难很大。好在你现在是常委了，你和县里商量商量，看上面能不能帮咱出点儿钱，想点儿好办法。

和县里商量无非是想让县里知道卖荒山留下了后患，以后出了麻烦事，也是前任的责任。你游小二肚子里的那点东西，看一眼就知道是啥货，吴广成心里一阵冷笑，他想，游小二本来就软弱，现在又是这种心态，由他主持全乡的工作，弄不好真要出点儿事。东沟村事多确实得花点力气做工作,看来得给游小二加点压力打点气,让他把这一阵子顶下来,以后的事到了县里再商量。吴广成严肃了脸说,老游,你也是老同志了,我们干工作几十年,啥时候没有困难?困难要人去克服,东沟村的困难有多大?无非就是点儿水么,解决的办法是现成的。阳光公司虽建了坝,但东沟村的用水,公司必须包下来,必须让村民有水用,关键是有偿和无偿使用的问题。这些问题都得乡里出面和公司谈。这也是考验工作能力的一个机会,我相信你能干好。

吴广成已把话挑明,他可以左右游小二的前程,再说啥都多余了。游小二说,我现在就去一趟,按你的意思尽量把这事处理好。

乡里只一辆吉普车,吴广成要坐了去县里。游小二问吕根本,你们村那么远,这怎么走?吕根本心里急,一直候着游小二,他忙说就坐我的摩托车,你穿厚点也不冷。游小二知道这摩托也是阳光公司所送。游小二心里更恼火,卖了荒山吴广成升了官,吕根本也得了车,你们都得到了好处,可拉屎的屁股却让我去擦。游小二阴了脸一声不响,坐在了吕根本的后面向东沟村进发。

到东沟村走小路十五六里地,走大路绕来弯去二十多里。外乡人把这里叫作山区,其实这里也算黄土高原,常年的风吹雨刷,冲出一条条沟沟叉叉,刷出一个个连绵不断馒头样的大土包。看着窗外光秃秃的土山,游小二想,这里如果雨水充足长了草长了树,有山有水峰峦起伏,别说是塞外江南就是人间仙境,也只能是这个样子,但没有水一切都没了。虽说是走大路,但土路坑坑洼洼,几次将摩托颠熄了火,到东沟村已快到中午。游小二下了车,腿都冻麻了,半天迈不开步。进了吕根本家,游小二照照镜子成了个土人,不由骂了句脏话。吕根本说,应该给你顶件衣服。游小二说,打点儿水来得洗洗头脸。吕根本老婆急忙出门端来半盆底水,游小二看那水浑浊发黄,说算了。拿起毛巾将头上的土干擦一阵。吕根本一边给游小二扫身上的土,一边说游乡长你也看到了,池水都成这样了,再过几天就连这脏水也没有了。

游小二不吃饭要到坝上看看。出了门吕根本说,你看炸药包就挂在树上。吕根本家大门外有棵大杨树,树杈上架了个破麻袋捆成的包,导火线长长地垂下来在风中摇荡。阳光公司买地考虑到吕根本是村长,强龙不压地头蛇,在人家的地盘上取利,就得和村长搞好关系,于是拉吕根本入了伙,吕根本象征性地出了点儿钱就成了阳光公司的股东。这事村里人都知晓,骂吕根本是两面村长维持会长。给吕根本挂炸药包原因就在这里。游小二说,快把这玩意儿取下来,不然让坏人点着了闹出事来。

吕根本说,我看还是让它挂着吧,那伙人正愁找不着茬子,你一取掉他正好闹,挂在那里也是吓唬人的,我看谁敢点。游小二想想觉得也是。他们给吕根本挂炸药包无非是逼他出面和阳光公司协商，把水要回来。游小二问，阳光公司那里你和人家谈了没有？

吕根本找过公司胡经理，经理不但不听他的劝说，还给了他许多指示，要他制止村民闹事。吕根本一脸为难说，公司方面是能拖就拖，人家不买村里的账，人家只认乡里，乡里不出面不行。

东沟村东面就是东沟。沟边转弯处有个大蓄水池叫涝池，东沟村祖祖辈辈人畜饮水都靠这涝池。过去这池四周敞开，牲畜喝水就下到池里，池里到处漂着牲畜的粪便。游小二调到这乡工作时，看到村民挑了池里的水，捞出大的粪便等脏物就把水倒入锅里，蝌蚪蛆虫满锅乱游。村里人说这水养人，知青刚下来时面黄肌瘦，吃一阵涝池水一个个红光满面，两个脸蛋紫红下坠一走两腮乱颤。游小二吃惊之余弄了专款，用水泥把涝池四周围起来，把人畜饮水分开。现在村里仍用着这个涝池。游小二走进涝池看池水已结了薄冰，在池底处有个冰洞，往洞里看池水只剩了薄薄的一层，本来就浑浊的池水更是污浊不堪。几个从冰洞里舀水的村民见乡长来了就围了诉苦，游小二不知怎样作答。村民缺水迫在眉睫，让阳光公司放水又没一点儿把握，若不放水村民只好爬过蓄水坝到库里背水，一来一回少说也有十里，村民能接受吗？这都是吴广成干的好事，就凭这人家升了官！游小二一言不发转身离开。

阳光公司建的拦水坝还没完工，坝上仍有一些人在干活。坝是石土混合坝，竟没留闸门，只在坝中间留了几米宽的溢水口。就是说蓄满了水后，才有水溢出，下面的人才能使用。登上坝顶里面只蓄了半池水。在工地负责的是阳光公司的副总，他说蓄到溢水口库容为 2 万多立方米，我们再建个扬水站，把库里的水抽到山顶可灌溉周围六架山。

建这样的坝是一个自私到极点而又极不负责的行为。游小二估计这么大个库，中等降雨年份要蓄满库也难，加上公司还要用库里的水，这样绝不会有水从库里溢出。阳光公司建坝的事游小二听说过，但有吴广成在，他从没认真想过这事。他是这里的几任乡长，以前倒也积极管事，吴广成调来不久，有次游小二决定在乡大院门房旁边盖一个车棚。动工后吴广成发现了坚决不同意，说这么大的事为什么不商量？乡政府大门口是全乡的门面，只能建花坛种鲜花，决不能弄这些乱七八糟的东西。当时游小二很生气，他认为乡政府没个放车处，自行车晚上放到外面不安全。建车棚是给大家办实事。建到门口一是有门卫负责不用设专人看管；二是来乡里办事的人顺便可把车放到这里。至于不商量，他认为这是政府职能，一个乡长有权决定这样一件小事。当时游小二据理力争，吴广成火了说开党委会解决。在党委会上吴广成批评游小二工作作风缺乏民主，遇事不商量不请示不论证，说这种做法是踢开党委闹革命，吴广成上纲上线就差提到路线斗争的高度了。最后吴广成说，游小二的错误是严重的，要做深刻的检讨并要党委成员举手表决。表决时开始只有几个人举手,在吴广成针样目光的逼视下,又有一些人举手。那些保持沉默的一看自己被孤立就有点儿怕,也违心地举了手。大多数人同意游小二作检讨,这让游小二很伤心,本来是为大家办事却落得这样一个下场,痛心之后他就再不主动管事,真正成了听从支配的副手。阳光公司建坝吴广成参加了开工典礼,有人私下议论吴广成和阳光公司关系密切,里面有猫腻,这话游小二相信。建坝拦水不仅影响东沟村的人畜饮水,还影响沿沟几十亩地的灌溉。在这样一个大是大非面前,吴广成不出面干涉还代表乡里支持,如果说里面没有问题很难让人相信。

游小二板了脸看半天一言不发。吕根本沉不住气了,他对阳光公司副经理说了村民要炸坝的事,劝副经理尽快放点儿水先解决村民的吃水问题。副经理默不作声,他想听听游乡长怎么说,但游乡长表情冷淡只看不说。昨天公司领导开了个会,认为村民饮水发生了困难不放水确实不行,但放水的河道,是几千年洪水冲成的乱石滩,放一次水得浪费半库水,更何况现在筑了坝得用抽水的方法放水,抽出的那点儿水根本流不到涝池里。会议最后形成了个初步方案,就是让村里铺设管道,把水管架到村民的锅上节约用水。铺管道方便了村民,村民没意见,但铺管道得花一大笔钱,村民拿不出钱,钱怎么拿还得仔细商量。公司虽有了初步方案但不能先提出,要让乡里先拿个方案。副经理说,坝上风大,我们下去再细谈。

在坝下不远处阳光公司建了几栋平房。副经理说,初次和游乡长打交道,我们备了一桌薄宴联络一下感情,请游乡长赏光。

刚见面时吕根本就对副经理说,吴书记要调走,以后乡里的事由游乡长管。现在副经理要请客,显然是在用水的问题上要讨价还价。游小二认为现在的问题不仅是怎么分水,而是必须要在坝上建闸,由乡里来控水。这个要求阳光公司肯定不会答应,以后肯定有一场大闹。游小二说,时间不早了还得到村里看看,听听村民的意见,吃饭的事下次再说。费了好大劲儿,才推掉副经理的宴请。

村里领头闹事的是孟三。卖了荒山,山就被买主围了起来,不许别人放牧。孟三养的羊最多又没买荒山,羊没处放牧,孟三就串联几户同样情况的人来乡里闹事。那天这几户把几百只羊赶进了乡政府大院,食堂菜窖里的过冬菜也让羊吃了个精光。好在没买荒山的养羊户不多才没掀起大浪。这次村里饮水困难事关全村,孟三趁机挑头又闹了起来。孟三的情况游小二知道一点儿,听说孟三只在娘肚里怀了七个月,早产,生下来先天不足,眼斜嘴歪流口水,面部表情还有点儿呆。游小二要和孟三谈谈就来到孟三家,游小二细看孟三,怎么也看不出这样的人还会领头闹事,更别说智慧才能。游小二和孟三谈了几句就证实孟三确实不行,趁孟三去赶羊,吕根本悄声对游小二说,孟三憨人有憨福,他干不了别的活,生产队时就给队里放羊,却一直讨不到老婆。分田后孟三分了几只羊仍以放羊为生,大羊生小羊,羊一天天多起来。前些年,羊肉值钱羊皮值钱羊毛也值钱。邻乡有个皮毛贩子常来孟三这里收购。这几年皮价毛价大跌,皮毛贩子亏了本欠孟三六七千块钱,孟三就常去讨要。皮毛贩子欠了债就去西山深处淘金，结果沙坑塌方被埋在了沙里。皮毛贩子死了，孟三仍去要钱，不给就住在人家家里不走，贩子的老婆知道孟三是光棍，也知道他有钱就嫁给了孟三，这婆娘才三十四岁，比孟三小十一岁，其实闹事的真正后台是孟三老婆。游小二再看孟三老婆，人长得真是漂亮穿戴也干净，几乎认不出是个村妇。吕根本又说人们叫她孟三嫂，这次孟三领头闹事，一是因为他家羊最多，二是谁也不敢领头，孟三人呆胆子大有股愣头劲，又有老婆出主意幕后支持，就公开出头叫板。

孟三家盖了整整六间新房，还是青砖瓦房，但门窗没安齐全。吕根本说房子是前年盖的，盖了房就没钱安门窗了。孟三的屋后有两排羊圈，圈顶都盖了塑料膜，游小二知道这叫保温羊舍。孟三成了养羊大户，畜牧局的人就来扶持帮助设计建造的。游小二问孟三养了多少只羊？孟三说大小 432 只。

游小二大吃一惊，八山乡是穷乡，想不到乡里有这么大规模的养羊户。光棍孟三养羊娶佳人倒是一段致富佳话，可惜吴广成没发现没总结到他的工作成绩中去，要不然还不知怎样吹哩。游小二问孟三，你养这么多的羊为啥不买荒山不围草场？孟三叹气。孟三嫂嘴快说，早几年盖羊舍花光了钱，前年盖房还借了债，原先他一个人，住的屋不如羊圈，结了婚不盖房不行，刚盖了房就卖荒山，我们哪有钱买！

孟三嫂不仅人标致嘴也会说，和孟三形成了明显的对比。人常说鲜花插在了牛屎上，孟三嫂这朵花却插在了羊粪上。钱这东西真是好东西，孟三有这一群羊一院房，娶个老婆也不难。游小二就和孟三嫂细谈，问养羊的收入情况。孟三嫂就诉起了苦，说这两年肉和皮毛都不值钱，本来就亏本，山又被人家买了没处放羊更没法养了。刚开始，孟三和老婆都有敌对情绪，见游小二态度温和不像吴广成，才没了敌意，要游小二到屋里坐。屋里几乎没什么摆设，游小二在炕沿上坐了，孟三嫂就责问游小二，她说孟三的祖祖辈辈就住在这里，就在这几架山上生活，这山有他们一份，为什么不把山平均分给大家，而是卖给了部分人，让部分人富让部分人穷，故意制造不公平。

这样的问题游小二无法回答。商品经济，不是商品的东西怕是越来越少了。如果不卖这荒山，乡里就不会有那一笔钱，就办不了养猪场、养鳖场，吴广成也升不到县里去。当然阳光公司也不会进山来开发荒山，荒山就永远还是荒山的道理，也没必要再讲，现在的问题是，孟三家的羊怎么办？游小二知道两全的办法肯定没有。孟三嫂又说，已把口粮喂了羊，乡里再不管人也得饿死。游小二知道问题没这么严重，但这个问题会长时间存在，长期影响乡里的安定，弄不好就要出事，出了事就说明领导无方。到时别说老牛推磨升为一把手，就是保住乡长也难。不行，怎么也得让上面知道吴广成留下了后遗症，闹矛盾不安定不是我游小二无能。现在唯一的办法，就是设法提醒养羊户让他们到县里去闹一闹，让县里知道这回事就行。但有吕根本在场不好提醒。见孟三嫂到厨房去给大家倒水就跟了去，游小二小声

对孟三嫂说，你是个聪明人，有些事我没法给你明说，荒山是乡里吴书记主持卖的，人家买了山就有权围栏。这事只能由县里出面阻止，你们应该到县里去一下，问题才能解决了。我是为你们好才说这话，我说的话你不要告诉任何人，就说这主意是你想出来的。

乡长站在咱的立场上说话替咱出主意，孟三嫂很是感动，她一个劲儿地点头。游小二回到大屋，孟三嫂也跟来说，今天就在我家吃饭，我给你们做羔羊肉。七八斤重的羊羔最好吃，又嫩又香，说完就要孟三去杀羊羔。游小二急忙阻止，孟三嫂一片诚心坚持要杀，吕根本也替孟三嫂说话，说炖羔羊肉煮面饼是一绝。游小二早饿了，胃一阵一阵疼，但杀一个未成年的小羊糟蹋浪费，再说让孟三去闹事，就不能和他近乎。游小二推托不过，看到院里有奶羊，就说我想喝点儿羊奶，给我烧碗浓奶茶。孟三嫂听了就愉快地去做。

回到乡里天已黑尽，游小二觉得很累，想回宿舍躺一躺，再到饭馆吃点儿东西。到宿舍门口，乡里的几个主要领导都在等他。明天是双休日，往常到下午，乡里特租的面包车会把家在城里的干部送回县城，星期一这车再准时把大家送回乡里。今天他们几个都没回城。游小二惊问，出事了？大家都不作声，见游小二一脸惊疑，党办主任于海说，大家心里都急，想在一起商量商量。游小二一下明白了，急忙开门让大家进屋。

柴卫魁给游小二递一支烟说，这次吴书记走对乡里的干部震动很大，大家都在议论，都说这回怎么也得来个老牛推磨，不然干五六年不动一动确实没干头了。特别是你，你们那一茬乡长没升的也没几个了，这回怎么也该轮到你了。于海也说，游乡长我们商议了一下，觉得这次再不能傻等，得到上面活动活动，一定要推一圈，不然下面的人肯定要骂咱们无能，咱们也抬不起头来。

柴卫魁是乡党委副书记第三把手，柴卫魁的话很明显，是让游小二当老牛，把磨推一圈。这想法确实是乡里许多人的迫切愿望，按正常的牛推磨，乡长升书记，副书记应该升乡长成为正科级；党办主任升副乡长，正式进入副科级干部行列，向前迈一步。柴卫魁和于海都三十出头，跨上这个台阶才会前途无量。其他干部也可动一动。其实游小二心里更急，在这点上大家彼此彼此，到上面活动确有必要。游小二说，要牛推磨还得靠大家共同努力，到上面活动不知你们谁有门子？有靠得住的人事情就好办了。

于海说，我有一条线索，我哥在城关派出所工作，有次扫黄，县委王书记的儿子嫖娼被扫到了派出所，我哥悄悄把这事压了，我们可以通过这条线和王书记拉上关系。

王书记是副书记分管组织工作，他的话有一定的分量，但通过这种事拉关系有点儿要挟人家的味道，弄不好反会惹出麻烦。但这话游小二没说，只说谁还有更可靠的说出来我们议议。

柴卫魁说,我们这次不但要活动还要快活动,听县委的一个朋友说吴广成调走,书记一职县里很快会有个决定。朋友说,县委王书记的秘书想来当书记,人家想来肯定能来,那时我们就没办法了。

柴卫魁前年从县委办公室调来,对县里的情况消息最灵通。他能讲县委的许多趣闻逸事,惹得大家一片羡慕。但也有惹事的时候,有次柴卫魁说,县委有四大忙、四大闲、四大没脸皮。四大没脸皮中的一大没脸皮,就是王书记到了退休年龄不退,回原籍开了证明把年龄改小了 4 岁。因这三个"四大"编得很有趣,就在乡里广为流传,不知怎么就传到了王夫人耳里。王书记专门打电话到乡里把吴广成狠骂一顿,要吴广成查查是谁造的谣?吴广成知道是柴卫魁说的,把柴卫魁叫到办公室问他怎么办?柴卫魁知道自己闯了大祸,痛哭流涕要吴广成保他过关。最后吴广成带了礼物登门向王书记道歉,说他对部下管教不严冒犯了书记,但是谁胡编的没法查清。其实四大没脸皮的事,在县委人人皆知,柴卫魁说王书记的秘书要来也许是真的。游小二的心一下缩到了一起,血都涌到了头上。王书记的秘书才三十出头,给这样的小青年打下手还有啥脸皮当乡长?怎么给全乡干部交代?游小二半天说不出一句话。

柴卫魁看出游小二这次是一心要当一把手就又说,不过这事还没定,听说王书记不同意让他离开,在这种情况下,就要看谁活动快活动得有成效。你们知不知道,吴广成曾到县里活动了一年多。司机小吴说去年春节,吴广成装了一提包红包,到上面一些主要领导家里拜年。不管大人小孩,一人一个红包。这笔钱从哪里来?是从取暖费里出的!吴广成开来一张买煤的发票,整整 1 万 6 千块。

这话听得游小二心跳。每年春节乡里都要给上面的有关单位送东西,无非鸡鱼猪羊土特产。去年办了猪场、鳖场,送得就阔点儿,总共送了二千多斤猪肉,二百多只鳖,这些乡里谁都知道。每年游小二也给上面的领导拜年,给孩子们一两张压岁钱是平常事,但像吴广成给那么多钱,性质就变了,领导肯收吗?游小二提出疑问,柴卫魁说,你没听人家讲笑话吗?说有个书记,一到过年就把父母岳父岳母孙子外孙子都接来,全都坐到客厅专门收压岁钱,有一年书记父亲死了,书记老婆急中生智,把遗像供到客厅,遗像下的供品是一叠百元的钞票,来拜年的人看了,就得给死人也添上几张。

不管怎么说,道听途说的话还是不能当真,但柴卫魁话的意思很明白,要给上面送点儿厚礼才能办成这件大事,但送厚礼弄不好要出麻烦,要承担很大的责任。游小二一时拿不准主意只埋头吸烟,游小二住的屋不大,四五个人吸烟屋里乌烟瘴气。计生办主任文英要去开窗户,游小二说小心让别人听到。文英看眼窗外,双休日都回了家,鬼影都没一个,但她还是没开窗户。沉默一阵,副乡长老黄扔了烟头说,我仔细想了,还是活动活动的好。现在的许多事,说到桌面上不好听,但还得那样干。这次乡里的事不活动就没人注意到咱们,更没人管咱们的事,要活动就不能空手上人家的门。给领导送礼人家收了更好，不收咱的心意也表达到了，领导也会高兴，我的意思是大家讨论一下，看究竟怎么个活动法。

老黄是本乡人，从生产队长干到副乡长，文化程度不高但实践经验丰富，加上平日说话稳重办事认真，在乡里威信不低。老黄都支持活动，更增加了游小二活动的决心。老黄办事老练，不像柴卫魁嘴上没个把门儿的，事情还没影子就胡说乱吹惹一摊麻烦。游小二说，我看，黄乡长说的有道理，但这是大事具体操作起来要慎重，黄乡长心细经验多，我看这事黄乡长牵个头，拿个主意。具体办事时，你用谁就调谁，乡里全力支持。

黄乡长说，这事我出个主意还行，但上面我认识的人少没门子，还是柴书记熟悉上面门子也多，由柴书记牵头再合适不过了。其他几位也同意柴卫魁牵头。游小二征求柴卫魁的意见，柴卫魁说，到上面活动是大家集体做出的决定，我个人服从，让我牵头我就有要求，最少得准备一万块钱，我开一张买煤发票，煤是消耗品，烧掉了，谁也没法查。不过这事可是你们命令我干的，如果有谁把这事捅出去，大家都得担责任。

游小二又有点儿怕，犯法的事他还没干过。柴卫魁积极是为了他自己，副书记升乡长由副转正也是一大步。既然决定要活动不好再打退堂鼓，再说当官不打送礼人。游小二说，送礼千万要慎重，不要过法律线，最好不要送现钱，要买成实用又保值的东西送。

柴卫魁心里高兴，说，你就放心吧，我保证让大家满意。大家又说起县里的人事情况，分析评论到深夜才散去。

晚上睡得迟反而睡不着，游小二醒来太阳已老高，刚穿好衣服柴卫魁就在门外喊，游乡长快走吧老婆都干等一晚上了，再不回去那自留地就要招猫了。游小二看窗外，于海也在等他，乡里的吉普吴广成坐去了县里，今天只能搭便车回家。三人一起来到乡街上，八山乡地处偏远不通公共汽车，好在乡民们都认识乡领导，一辆手扶拖拉机要进城，他们喊一声就坐了上去。

游小二回到家妻正等他，说娘家的一个侄儿要结婚要他一起去，妻娘家在乡下，几十里路当天回不来。昨晚游小二就想好了，虽说活动的任务交给了柴卫魁，但自己不露面也不合适，谁知张书记还能不能记起我？得亲自去张书记家一趟，汇报一下乡里的工作，探探风联络下感情争取个主动。游小二说今天还有重要的事，要妻一个人去。妻很不高兴，摔摔打打磨蹭了半天才走。妻走后，游小二准备到张书记家。一准备觉得这事还真难，空手去不好进门，带礼物不年不节没有借口，也不知该带啥。为难半天，游小二改变了主意，他想再等几天看看情况再说。这一想游小二心里轻松了许多，闲转一阵感到无聊，就动手收拾家务把屋子彻底打扫一遍。

星期一回到乡里，吴广成也回来了。游小二向吴广成说了东沟村的情况，说挂炸药包是吓唬吕根本，逼吕根本出面解决问题。游小二说，不过东沟村的涝池就要断水了得尽快解决。吴广成说，这事得和阳光公司协商，你尽快去找找他们。

阳光公司的事一直是吴广成出面，现在出事了就让别人去。游小二说，吴县长，阳光公司的人我不熟，你们关系好，你现在又是副县长了，你的话他们不敢不听，还是你出面和他们打个招呼，具体事我来办。

吴广成在收拾柜子里的东西，他嗯一声不再作声。游小二又说，还有没买山的养羊户没处放羊的问题，也得想个解决的办法。

吴广成住了手，显得有点儿不高兴说，不买草场怎么养羊？草场不是商品的观念早该转变了，能养羊的就养，不能养就卖了羊干点儿别的，这就叫因地制宜发展生产。

游小二一时有点难堪，本想再说说乡里的人事安排问题，让他给县里反映反映，但又不好开口。这时不断有人进来，游小二知道这些人都是来和吴广成告别的，吴广成升了要联络感情。游小二起身告辞，吴广成说，根据县里的安排，我明天就走，乡里如果有啥安排你就张罗一下。

游小二答应着出了门去找于海，他对于海说，吴书记明天就走，你赶快通知一下，有送纪念品的及早准备，明天上午开欢送会，会后摆酒席，给饭馆说一声，你现在就去安排。

游小二回到办公室坐了半天没人来找，他知道这是吴广成又回到乡里的缘故。看来在人们心目中，我和吴广成是死对头，其实矛盾根本没有那么严重。吴广成为人还算正直，这些年咱退让不大管事，吴广成也没为难咱，咱想干点啥就让干点啥，人么哪有没缺点的。游小二有点瞌睡，看着吴广成办公室人来人往，游小二想，这次吴广成调走，咱要振作起来强硬一点儿，改变人们心目中咱软弱的印象。游小二起身回宿舍想好好睡一觉，所有的事等吴广成走了再说。

文英敲门才把游小二惊醒，一看表已过了中午。文英进门就说，丈夫，怎么了？要当一把手架子大了，吃饭也要我请呀？游小二洗把脸，就跟了文英往饭馆走。文英 42 岁比游小二小 2 岁。她原是县乌兰牧骑的演员，不演戏了就转业到了乡里，后来离了婚就常住乡里，在乡里文英开了个饭馆让表弟经营，说是表弟的饭馆。游小二胃不好吃不了食堂的饭，加上游小二经济条件还可以就在饭馆吃包饭，每月交二百五十块钱的伙食费。游小二和文英一起在饭馆吃饭，许多乡干部就开他俩的玩笑称两人为夫妻，他俩听了也不见外。因为大家都知道两人没那回事才敢开这样的玩笑，真有那事反而谁都不会这样开玩笑了。吃饭时文英说，这次大家都要求老牛推磨，私下里都排好了推磨的办法，他们说你当书记，柴副书记当乡长，黄副乡长当副书记，于海当副乡长。这一来就把我放到了一边，我是副科级主任，于海啥级都不是，我当副乡长，也是平级前推，于海当副乡长就是跳级，跳过了我这个副乡级干部。如果这样，我坚决不同意！人家都说你是我的丈夫，我也真心对你好，就是你看不起我，你也该看在我对你好的分儿上，心疼心疼你这个妻子。

文英心直口快，任何玩笑都敢和男人们开，加上她练过功夫，动起手来男人也占不了便宜。文英说话常常是半真半假，让人摸不着究竟，但今天的话肯定是心里话。游小二知道文英对他不错，有次两人面对面吃晚饭说起女人，文英说，丈夫，你就不想在我身上打点儿主意？游小二说，女人都一样。文英放了筷子做解衣状说，我让你看看我的身子和你那黄脸婆一样不一样？游小二赶忙制止。其实文英长得漂亮，他也喜欢，但他知道文英和她表弟好，这表弟既给她管饭馆也给她当丈夫，这个二十多岁的表弟实际是她养的小情人。游小二想起这勾当就觉得恶心，就不愿和文英再有那事，现在文英提出当副乡长，让他感到事情麻烦。他感觉用老牛推磨的办法也还有很多矛盾。比如老刘在部队是营级，现在是正科级乡纪检书记，还有财政所长老高也是副科级。游小二不想说这些也说不清，等把一、二把手定下来再慢慢安排。他说，我的事都不知道会是个啥结果，说不定一个也升不动，你的事到时再说。

文英说，在县里我倒有个关系，那晚我没好意思说，我在剧团时，马县长是文化局长，有次他握住我的手故意搓摩，眼睛色迷迷的，如果需要，我可以找找他，把你往前推一推。

文英虽四十出头，但保养得好又会打扮，看起来像三十，正有风韵。文英要用色相攻关，如果搭上关系，效果最好，成功率最高。游小二心里真希望她能挺身而出，但文英说话向来真假难辨，如果是试探咱，就探出咱过于卑鄙。游小二故意不正面回答，他笑着说，想不到文小姐还有这么一段艳史，马县长刚升为正县长，也许正等着你去祝贺哩，啥时去？派车送你。

文英呵呵地笑再没往下说。游小二说，于海和你说了没有，明天中午在这里设宴。文英说再不能欠账，乡里已经欠我上万块了，再欠，馆子就要关门了。游小二说，吴广成走后，我想办法还你。文英再不提马县长的事，游小二也不好意思再提，两人默默吃饭，吃过各自回去休息。

欢送会刚散就接到县里来的电话，说县里要派办公室主任来接吴广成。游小二急忙让人通知饭馆，饭菜先放放，等县里人来了一起吃。院里几个人正在往一辆客货两用车上装东西，东西主要是送吴广成的纪念品，都是乡里各单位送的。大大小小长长短短很快就装了一车。游小二细看这些纪念品，有电饭锅洗衣机音响等一批杂七杂八，纪念品上面都贴了纸条写了单位和姓名。送这些物品的，都是医院饭店小工厂等一些乡里的附属单位。乡直机关的领导干部出一百，一般干部出五十，本要买个纪念品，想想干脆把钱给人家，让人家自己买。送纪念品最有意思的要算各村。他们好像商量好了，一律杀两只羊，写一块匾。牌匾上的话很有意思，有好官好运，有恩泽乡民，还有一个写得很白，是致富不忘吴书记。匾都上了红漆，细看有个裂缝，缝里有朽木的痕迹。游小二一下明白了，这匾是用棺材板做的。阳光公司开发荒山，挖鱼鳞坑时挖出了不少棺材。因山上土干这些棺材埋了许多年，木板只朽了表皮一层，用刨推推完全可用。见游小二在看匾，吴广成走了过来笑着说，人家是致富不忘邓小平，我有多大的造化能享得了这么大的尊敬，还不把我胀死。谁让送这么多的东西，让车快走，再不能收了。

这一车东西确实惹眼，让人看着影响不好。游小二说，客货车先走，直接送到吴书记家。有人说还有没到的单位哩。游小二说，没到的不管了，让他们自己送，快开车。

县政府办公室主任一到就被请到饭馆。赴宴的除了乡里全体职工还有下面各单位的领导和村长。人多吃喝起来也费事，一直闹到傍黑才散。

酒喝了不少有点儿晕晕乎乎，躺下感到浑身舒服，游小二觉得也怪，这胃疼，喝了酒反而不疼，可能是酒有消毒作用。看人家吴广成多顺，咱这次再原地不动，把别人也压住升不动，就真成一大没脸皮了，在这乡里真没法待了。在官场，游小二总觉得不顺，有人开玩笑说，你的名字就不是个当官的名，永远只能做小二。他曾改成游晓二，但这么多年，档案里的各种表格填了无数，改后那年提他为乡长时，组织部的人把他当成了另一个人，说找不到游晓二的档案。组织部长讽刺游小二说，你改成晓二，是晓得哪个二？只晓二可不行，干部要知识化要通晓百业，我看叫小二就不错，党的干部就要甘当小二，为人民服务。名字改不成，但官总不能永远不变，看来还是早点儿到领导家里活动要紧，把这件大事活动下来，以后的事就再不费这心血。但想到要提了东西到领导家，游小二就一阵心跳，好在柴卫魁自告奋勇要去活动，真帮了大忙。柴卫魁这种人，送礼求官都不脸红，在乡里还真得这么个人才，明天再好好和柴卫魁商量商量，搞出个具体方案。

吴广成走了，游小二一下感觉到整个乡的担子都压在了他肩上，他真真切切地感到了这份沉重。他觉得老牛推磨是乡里最要紧的工作，游小二找到柴卫魁，说商量一下到县里活动的细节。柴卫魁说搞这种事细节不好商量，也没啥细节，走哪儿说哪儿的话儿见风使舵，随机应变，现在关键的问题是给我一笔钱，没钱啥都办不成。

乡里还欠职工半年的工资，财政上没一分钱，再说搞这种事也不能明目张胆由乡财政出钱。柴卫魁说让猪场卖猪！游小二想也只有这招了。柴卫魁说，咱现在就去，今天就把这钱落实到手。

猪场建在一片土塬上，离乡政府三里多路。建场时请了省里的专家设计规划，要求建成现代化的五千头猪场。猪场建成后来参观的人不少，都说大开眼界。猪舍一砖到顶，里面一张挨一张的铁床，床是一小条，把猪放到床上，猪只能起卧不能转身。猪在床上，伸嘴可吃食喝水，抬腿可拉屎撒尿。屎尿漏到床下，水一冲干干净净，猪不能动消耗的能量小，吃饲料少还长肉多。对猪的现代化生活，吴广成总结成这样四句话：

住的砖瓦房，睡的钢丝床，喝的自来水，吃的配方粮。

这四句话恰当顺口，上了大报小报广为流传。对这四句话吴广成很自豪，他说这四句我要申请专利。现在全县已有多家建了这样的猪场，人们也不再来参观。今天游小二一到猪场就感到一种冷清，看看猪舍，有好多床都空着，床下到处是猪屎，一摊一摊冻在地上。一个无臭清洁的现代化猪场成了这个样子，游小二心里一阵不快。

场长办公室门锁着，让人去找了半天才将场长何有信找来。何场长矮胖，五十多岁，原是乡兽医站的站长，何场长边走边揉眼一副没睡醒的样子。游小二皱了眉问，又打了一夜麻将？何场长一笑说，没办法，都是些关系户，陪太子读书，给人家送钱。进了场办，桌椅上一层黄土，何场长吹几口要二人坐。游小二说乡里有急事，急需一万块钱，要何场长快去准备一下。何有信问究竟是啥急事？游小二说，你就不要问了。没想到何场长听了一下黑了脸。他将水杯咚的一声放到桌上说，你们今天要钱明天要猪后天又要肉，猪场又不是摇钱树、唐僧肉，谁都能摇谁都想吃。现在，猪场亏损十多万连买饲料的钱都没有了！猪场亏损，有肉价下跌的原因，更主要的是乡里白吃白要，一年至少要吃掉百头猪，再这样，这个破场长我不当了！

何有信的态度让游小二难堪，猪场亏损更让游小二吃惊。卖了荒山有了钱，乡里花钱就大手大脚起来，支出一年比一年大。今年上半年乡财政就吃紧，开始拖欠职工的工资。吴广成说，到年底猪场出栏一批猪就可解决财政困难。大家都相信吴广成的话，都等着补发拖欠的工资。现在猪场亏了，拿什么给职工补工资？游小二感到问题远比想象的严重。吴广成在乡里留下的后患比村里的还要难缠。游小二不知该说啥好，柴卫魁现出一脸巴结说，乡里确实有急用，先借点儿也行，没钱就卖几头猪，总之，你给想个办法。

一万块钱，这么大的数，我到哪里想办法？说完，何有信气哼哼地起身就走。到门口又说，除非拿吴书记的条子来，要不这猪场就别办了！

何有信是吴广成一手任命的场长，也是吴最信赖的助手，大家都知道，在乡里何有信只听吴广成的，别人的话他都不当回事。现在吴广成走了，乡长和副书记的话他也不听，不听也罢态度还横。游小二再也压不住火，他喊道，何有信，你听着，现在乡里的事我负责！但何有信头都没回，径自走了。

猪场建成后，许多人建议，现代化的猪场就要请个现代化的场长来管理，吴广成不以为然，力主让何有信当场长。望着何有信的背影，游小二恨恨地说，回去尽快把这兽医换了，再让他当场长，这猪场得全完。

副场长不知从哪里钻了出来，游小二问副场长，猪场真的亏了十多万？副场长说，可能没那么多反正是亏了。问到亏损的原因，副场长说，主要是管理跟不上，配种、防疫、饲料配方，是现代化养猪的三个关键因素，防疫没搞好前不久死了几百头猪；饲料配方有问题，耗料高长肉少效益差，这样搞下去越搞亏损会越大。游小二说，我早说过现代化的企业，必须得现代化的人来管理。柴卫魁说，这话我当时就说过可惜吴书记不听。从猪场出来两人都一肚子气，都说猪场的事再不能让何有信管了，再管下去不仅银行的50万元贷款没法还，乡里投入的50万元也要打水漂。让谁来当场长，柴卫魁提了个人选，游小二说回去咱们再议。

回到乡大院，就看到黄乡长穿了一身孝服。游小二惊问，黄乡长咋回事？黄土生转身碎步跑过来一下跪下。游小二明白了，按风俗父母去世，作为孝子见了人就要跪下。黄乡长是领导可以不跪，但跪了，可见他为人实在。游小二一边扶黄乡长一边问，是父亲还是母亲？啥时仙逝的？黄土生说是父亲，四天了，明天就出殡。

这些天黄土生基本都在乡里，算算上周五在一起商量到上面活动时，他的父亲就去世了。游小二说，这么大的事为啥不请假？黄乡长说，我想这阵子乡里事多情况也特殊，反正家里的事也有人办，人已经去了，我就没声张。游小二有点儿感动，多好的同志，这样善良肯干的人最可靠。黄土生走后，柴卫魁说，黄乡长这些天不敢离开乡里是怕咱们偷着活动，私下安排乡里的人事。游小二听了心里不满，这是以小人之心度君子之腹，你柴卫魁才是那样的人！但游小二啥话没说。

下午，游小二把几位领导召集到一起开了个小会。会上主要谈了猪场的事，说猪场亏损得换个懂管理有技术的场长。要大家谈看法时，于海说，何场长和吴广成的关系我最清楚，两人不是一般的关系，换何场长，吴书记就觉得是打他的脸，吴书记成了副县长，在这种时候我们最好还是不要得罪吴书记，如一定要换也要征求一下吴书记的意见。

大家都说于海说得有道理，游小二觉得也对，但自己第一回主持工作，第一次提出议案，就给人轻易地否决了，在大家的心里我游小二确实无能。游小二脸上难堪心里更不好受，他不知该如何表态。这时柴卫魁问于海，何有信和吴书记的关系究竟怎么不一般？于海停半天才说，我也是猜测。于海是党办主任，和吴广成关系很好，吴广成的事于海最清楚，肯定不是猜测，两人的关系于海不说大家也明白肯定有经济上的关系。游小二说，那么换场长的事咱们以后再说，看大家还有没有别的事？

散会后，游小二对柴卫魁说，活动经费的事，还是再想点儿办法，能不能自己先垫支一点儿，过后再慢慢报销。柴卫魁说，我一个人拿不出这么多，游小二说，咱们一人拿一半，柴卫魁点头答应。

全体乡干部乘坐猪场拉猪的大汽车，到黄乡长家吊唁黄的父亲。车开出不久就坏了，又修又摇半天才启动。游小二本可以坐吉普车，但大家都坐大车他便坐到了大车的驾驶室里。到黄乡长家路过东沟村，游小二想到孟三嫂，想到曾鼓动孟三嫂到县里闹事，心里突然不安。孟三嫂毕竟是农民，有乡长撑腰说不定真要去闹，要是说出后台，乡长支持闹事，性质是非常严重的。游小二想下车到孟三家看看，又怕汽车熄火，再说天已不早了，黄乡长一定等急了。他想返回时，到东沟村停一下，顺便了解一下村里的情况。来到黄乡长家，果然黄家已等不及了刚开过追悼会，见乡里干部都来了还带了这么多花圈，主持仪式的人觉得很可惜，征求孝子们的意见后，决定追悼会重新开。

在乡下，对老人大多是薄养厚葬，老人活着时看不出儿女的孝心，老人死了却要大操大办以表孝敬。黄土生说，我四个兄弟都给阳光公司挖鱼鳞坑，每月能挣五六百块钱，一年下来也能挣五六千。生活好了丧事就办得铺张一些，农民就这思想，没办法。

院子里摆了半院纸做的供品，有童男、童女、奴才、丫鬟还有门楼四合院。四合院里，没摆家畜农具，却摆了家用电器和小汽车，可见儿女们是想让死去的老爹当富人享大福。游小二看着可笑，他想做这么一套摆设最少得花近千元，最后不过是到墓地烧掉。但这也可以看出，阳光公司一年投资几十万，确实让村民们挣去不少，开发荒山确实是件利国利民的好事。以后山绿了果熟了，那时整个乡就会成为富裕乡，那时这里还会成为旅游的好去处。在这样的乡里工作也是一个美差。游小二的心情好了许多。

重新开追悼会，游小二成了最尊贵的客人，又讲话又受孝子们的跪拜。这么多年一直当陪客，今天才有了尊贵的感觉。追悼会后，主持人招呼乡干部们入席开宴，主持人说，大家慢慢吃，要等天黑定才能出殡。游小二问，怎么晚上埋人？主持人说，有个讲究说死者的灵魂怕鸡叫怕太阳，鸡一叫，灵魂就不敢跟着尸体一起入墓，灵魂留在家里就会闹得人畜不安，所以晚上埋。

游小二心里高兴话就多些，他觉得主持人的解释不能自圆其说，他想出一个新的解释。他说，我看是过去穷，棺材不好或买不起棺材怕人看了笑话，就半夜偷着埋掉遮遮丑。游乡长的话让主持人难堪，这分明是笑话我们的先人哩。主持人沉默一阵才说，游乡长说得对，过去我们村就是穷，听老人说只有财主家才能买得起棺材，穷人家都是用柳笆卷了埋，所以老辈人说有钱的埋钱没钱的才是埋人。今天我看得改革一下了，咱们也白天出殡，我去问一下看主家同意不同意。

听主持人说了，兄弟几个都看黄土生，黄土生说那就改革，白天埋。兄弟们说，爹的棺材是一立方松木做的，一寸厚的木板，上面还雕了两条龙，晚上埋可惜了。

游小二没想到一句话惹出了这么多的事，他嘴里说抱歉心里高兴，他觉得不能久待，得到孟三家看看，再晚要出麻烦。开宴后游乡长说，大家快吃，回时得到东沟村看看，了解一下村里的情况。游小二心里急便提出，今天的酒要快喝快散。乡里的干部单独安排了一屋，有人提出快喝快散就要换大酒杯。用大酒杯又喝得快，一会儿纪检书记老刘就醉了，他晃晃悠悠要和游小二碰杯比高低。游小二不喝，老刘就揪了游小二领口将酒倒了游小二一脸，又骂，你们一伙儿跑官要官结党营私，你们他妈的算什么东西！惹火了老子，把你们干的那些勾当全部抖搂出来，把你们一伙儿统统收拾掉！

人们把老刘按到座位上，刚放手老刘突然站起，一下掀翻了桌子，杯盘一阵乱滚，汤菜洒了人们一身，屋里鸦雀无声。游小二气得发抖，半天才喊，回乡再说，转身就走。

在乡下宴席上掀翻桌子，是大忌大不敬，在丧宴上掀翻桌子，又多了一层不吉利。游小二气急败坏地出了门，黄土生追了出来，黄土生一副哭相欲言又止。游小二感到对不起黄乡长，他拉住黄土生的手说，今天没给你长脸反让你丢了面子，真是对不起，回到乡里我给你赔不是。

路过东沟村时天还没黑，游小二让车进村，他一个人来到孟三家，一进院门，孟三嫂就迎了出来。孟三嫂说，游乡长，今天一早他们就到县里去了，四户赶了二百多只羊。

游小二一惊，脱口说这么快就去了？为啥这么快？由于游小二口气生硬，孟三嫂愣了说，迟了吗？本来昨天就要走，结果没准备好，今天天不亮他们就赶上羊走了。

游小二急得简直要跺脚，一早走，中午就到县里了，追也没法追回来了。游小二强压下心中的气，压低声音说，这次去闹事是你们自己要去的，千万不要提我，提了要闯大祸，闯了祸，就再没人为你们做主了。孟三嫂点点头，游小二仍不放心，说，你没给孟三说我吧？孟三嫂摇摇头。游小二说，孟三老实，你对他说起我，他会说给别人，传出去你们要吃大亏。孟三嫂连连点头，游小二还是不放心。但这种事越描越黑，游小二叹口气，转身出门。

到县里闹事，县里肯定把电话打到了乡里，游小二让司机快往乡里赶。回到乡里，游小二问遍所有的办公室，也没接到县里来的电话，羊怎么也该到县城了。回到自己办公室，他急忙给妻子打电话，妻子每天都要路过县政府，游小二问妻子看没看到一群羊？妻子不解地问啥羊？游小二不作解释，问究竟看到没看到。妻子说只看到卖羊肉的，驮了剥皮的羊在街上走。游小二就压了电话。

没有消息游小二更急，决定给县里打个电话，主动把情况通报给县里，虽是马后炮也能争取点儿主动。县政府办公室说没有羊来，又打到县委，县委办公室说有这回事，一群羊全进了县委大院。现在羊和人都得到了妥善安置，明天县委张书记要到你们乡里去。

这下可不得了，把羊赶到县政府还好点儿，糟糕的是赶到了直接管官的县委！游小二放了电话就急忙召集乡领导干部开会，说刚才到东沟村了解到孟三等人赶了羊到县里闹事。现在羊进了县委，张书记明天要来，问大家怎么办？这情况来得突然，大家议论一阵都认为没啥大不了的。游小二还是心虚说，关键是不明县委的态度。柴卫魁说，我给县委熟人打个电话探点消息。柴卫魁给县委办公室主任打了电话，主任说，张书记亲自处理这事，把羊安排到了车库，张书记还自己掏钱买了一百斤饲料喂羊，把人也安排到招待所。问张书记啥态度，主任说他也不知道。

不明县委的态度也就不好有对策只好散会，情况不明游小二心里更慌。孟三嫂肯定把话告诉了孟三，孟三一伙儿住县委招待所一感动，会不会把实情说给张书记？乡长鼓动村民闹事，这可不是一般的小事。游小二睡不着，越想越觉不妙。村民去闹事，县委不给乡里通报情况，可见县委是生乡里的气。游小二又怕张书记明天直接到东沟村，就起来安排乡办主任明天一早到通往东沟村的路上探望，看到车就立即报告乡里。再次睡下仍不踏实，折腾一晚没睡着。

张书记的车终于来了，直接开进了乡大院。张书记要乡里主要干部都走，都到东沟村现场办公。吴广成也来了，可能是张书记要他来的，游小二心里一直敲鼓，观察张书记看不出对谁不满，可能孟三没说出是谁指使闹的事。孟三一伙儿已赶了羊返回，如果没供出后台，事情就是好事。游小二紧跟在张书记左右。吴广成来仍是这乡主人的派头，到了东沟村吴广成就领着大家先看东沟村的涝池。涝池里的水基本干了。吴广成对张书记说，我已经和阳光公司商量好了，乡里和公司各出一半钱铺水管，给村里上自来水，让水库的水直接流到各家各户，彻底解决村民饮水不卫生的状况。但水管只铺到村口，村里各家各户的自己铺。阳光公司的经理也来了，他也点头。张书记高兴地说，这不就解决了吗？虽没通知村民，但看到这么多小车来，村民们拥来了不少。张书记问村民有没有意见，村民们都拥护，还高兴地说，我们也要当城里人了，一拧水就到了锅里，就像往出倒肚子里的水一样方便。

张书记更高兴了，说咱们这里水是要命的大事，你们都要重视把这事处理好，给村里通自来水的事马上就搞，涝池里的水再也不能用了。吴广成说，没问题保证一周弄好。

游小二心里叫苦，你吴广成越俎代庖，在乡里时拉下的屎还没弄尽又放臭屁。埋水管要十万元，乡里得出一半的钱，从哪儿来？一周怎么能弄好？游小二正恼火，张书记回头问，游乡长表个态，一周能不能弄好？

游小二有点儿犹豫：和吴广成唱反调不行，提点儿困难还可以。游小二正要表态，张书记说，干工作就要有点儿魄力有点儿闯劲，犹犹豫豫小脚老太婆一样不行。游小二一下涨红了脸，早就有人说他工作没魄力没干劲，游小二一肚子不服。他常想不是我没干劲是我说了不算，等我说了算时看我有没有干劲。但没魄力这样的话从张书记嘴里说出，就如刀一样捅在了游小二的心上。完了，这话肯定是吴广成给张书记说的，还加上了小脚老太婆，游小二真想仰天长叹！但态还得表，现在像吴广成这样胡吹乱捧的人最吃得开。游小二说，乡里缺钱，困难是有但请张书记放心,我们一定克服困难按张书记的要求,保证一周完成任务。张书记说,这样我就放心了,干工作就要这样干。

离开涝池,张书记又问围栏和放牧的矛盾,你们打算怎么解决?这回游小二要表个像样的态。巧了,昨晚睡不着,天明时迷迷糊糊做了个梦,梦见孟三赶了羊回来,羊都披红挂花,孟三高声喊解决了,解决了,张书记让阳光公司放开围栏让我放羊,还让我入股,我就是阳光公司的股东了,以后公司每月都给我工资。游小二说,我有个想法,就是让孟三这样的养羊大户和阳光公司合作。阳光公司围栏也要养一些羊,大户以羊入股连人带羊加入到公司里去。然后大户们专门放羊,按月挣工资。当然,具体细节我们帮助协商解决。别的养羊小户没买草场的,只能调整生产结构,少养或不养羊。

张书记觉得这个办法确实不错,他看看阳光公司的经理,经理说可以考虑。张书记笑了说,来时我还感到问题严重不好解决。你们有这么多好办法我就放心了。这一来说不定能走上公司加农户的联合体道路,使全乡经济来个快速发展。

张书记要上山看鱼鳞坑,看看围起来的山头。山,其实是黄土包,一个个像馒头。山上都挖满了坑,鱼鳞坑直径两米深一米,像一片片鱼鳞爬满了山坡,坑里蓄了半年的雨水湿漉漉的,满坑都是倒伏的干草。吴广成说,过去天一下雨满山流水,雨过地表湿下面干,下面都是干黄土,所以山上能长点草,但不能长树,挖了坑,拦住了水,如今地表的湿土已和地下水连通,开春就能种树。

许多山上设了围栏都围在上山的路口,铁丝网水泥柱很结实。围栏都留了门但都上了锁,看来有长远打算想大干一番。张书记看着,心里高兴,已满头大汗了还想上一座更高的山。吴广成说,算了算了,你年龄大还身体好,我们年龄小倒不行,休息一下还得留点儿力气下山。

张书记说,在学校时搞爬山比赛,上千人我得了第二。大家都说看您现在的身体就知道年轻时很棒。张书记停下来,四周看一阵说,这么多的山都种了树结了果,那经济收入了不得。老吴干了件大好事,游乡长今后就看你的了!

今后就看你的了,这话让游小二激动,这就是说,今后要让我来领导乡里的工作。游小二再想一遍,没错就这意思,游小二的心情一下愉快无比。

返回东沟村,召开了村民大会,会上张书记谈了解决饮水和放羊两个问题的方案,并保证一周内让水流进各家的锅里。问村民有啥意见?给装自来水当然没意见,养羊多又没处放羊的,对加入阳光公司这样一件大事,一时拿不定主意。养羊少的还要减少养羊就有意见,但他们更是少数掀不起个浪头,这几户刚讲了几句,就被买荒山户打断,不花钱买山还要养羊,不养儿子还要娶儿媳,这不是胡搅蛮缠么?这样一说就争起来。吴广成说,不要争了这个问题会后解决。

张书记讲完,吴广成和游小二都讲了几句,会就散了。

一行人回到乡里时还不到中午,游小二要张书记到饭馆吃饭,张书记说让食堂随便做点儿就行，昨晚没睡好，我现在得睡一会儿。安排张书记睡下，游小二急忙到食堂，要食堂做几样菜。乡里没啥好吃的，好在有个养鳖场，游小二要人到鳖场去拿几只大鳖来做个清炖王八。鳖拿来了，都是小的不足半斤，这不行。吴广成放过两颗卫星，一是现代化猪场，二是高原鳖场。高原鳖场被誉为塞外明珠。可惜鳖场带有实验性质。由于成本高经济效益差，鳖场的鳖实际上只供参观和招待贵客。张书记明明知道乡里有大鳖却拿些小的糊弄他，这不是成心小看人。游小二坐了车亲自到鳖场。鳖场的王场长说，来的不是县里领导吗？游小二说是。王场长说，前些时省里来了人把最大的吃了，吴书记吩咐过，来大的吃大的，来小的吃小的，县里的领导来只能吃小的。

王老头真是老昏了，游小二气不打一处来。张书记是县里一把手，那是县里的一般领导吗？游小二狠了脸说，老王你听着，现在乡里的事我说了算。现在我要你把最大的拿出来，还要多拿几只，立即就去！

游小二从没这么凶过，王场长愣一下叹口气说，只有中的了一斤多重的行不行？游小二点头答应。

把鳖拿回食堂，游小二来到张书记睡屋的窗前，看看张书记睡着了。刚才他想好了，与其担风险送礼不如趁张书记高兴，把乡里的情况向张书记面谈一下，要县里不要派书记来。游小二在窗外站一阵又回到办公室，他要写个汇报提纲。写了一半看看表，又怕别人去找张书记，谈这样的事只能单独谈，张书记也许下午要走，错过这个机会怕是再没机会谈了。游小二匆匆收拾起纸笔，来到张书记睡屋窗前探头向里看。张书记睡得正香鼾声呼呼地响。游小二只好在屋前转了等。

张书记终于醒了，游小二进来先打来洗脸水，等张书记洗完脸，游小二正要说汇报点工作，吴广成进来说饭好了。游小二一阵懊丧，这样的谈话机会也许再没有了。游小二恨恨地想，吴广成你真是我的天生对头。

吃饭时上了酒，张书记说今天不喝酒，下午还有点儿时间还想到山上看看，你们这里风景其实不错。吴广成说，老游准备一下，咱们到鬼狐沟让张书记看看那里的风景。

鬼狐沟沟畔有不少荒废的窑洞，可以看出原是个不小的村落，可能是一场瘟疫，也许是一场杀戮，反正人没了，留下了一些破窑烂骨头，那破窑成了野兽的乐园。狐狸和野兔成群地从破窑洞里出没，偶尔还有一两只狼。这里的人们都说，鬼狐沟有一狐狸修炼成精在那里作怪。人进去不被野狼吃掉也会被妖魔附体吸去精血。直到现在人们也很少到那里去放牧，所以那里的草木长得也算茂盛。游小二知道吴广成的意思，是要去那里打猎，游小二让人准备了几杆猎枪，又让人骑摩托先出发到山里雇几头牦牛，到车不能行的地方骑牦牛进沟。准备好了这一切，一行人坐三辆小车向鬼狐沟进发。

沟里的野兔真多，成群地跑，一阵枪响就打倒了十几只。脚下突然蹿出一只火红的狐狸，大家精神一振，都说让张书记打。张书记打一枪，没打中。狐狸跑到了一孔破窑洞前，直立起来观看猎人。张书记提了枪追赶，没跑几步突然栽倒，大声喊叫。众人跑上前一看，原来被猎人下的夹脑打了腿。

这里的铁匠打制一种铁夹，两人合力撑开挂上鸡兔一类的诱饵，野狼、狐狸伸头去吃，啪的一下就能夹住野兽的脑袋，当地人叫这铁夹为夹脑。众人将夹脑掰开，将张书记的腿取出，腿上鲜血直流。吴广成捏捏张书记的腿好像伤得不轻。张书记疼得眼都红了，人们急忙将张书记抬了往沟外跑。

到乡医院简单包扎了一下就往县医院送。游小二要跟了去，张书记说谁也不要去我们自己回，说完就让司机开车快跑。

没想到伤了张书记好心办了坏事，县里肯定要怪罪。游小二心里懊丧，柴卫魁说，人说鬼狐沟有妖魔还真出了狐狸精。见大家不作声又说，是谁不要命，在那里下了夹脑？过去的人怕鬼怕神不敢进沟，现在的人为了钱，啥都不怕了，竟敢到沟里下夹脑，群众也算进步了。游小二说，啥时候了你还贫嘴，快商量一下怎么到医院去看张书记。

柴卫魁说，集体去不好还是个人去好，正是个机会。文英笑出声来说，柴书记说得对，确实是个好机会，明天我们分头去看张书记，有啥话也好说。

游小二细想，还真是这么回事，兴许坏事变好事，还不用鬼鬼祟祟，可以名正言顺地去见张书记了。明天去带啥礼？又让游小二为难，想来想去，没个合适的礼物。忽然就想到了接骨匠孙三帖。孙三帖接骨有绝招，不捏不接三帖膏药贴完断骨就能长好。对！送啥都不如把张书记的腿治好，讨付神药最好。

游小二一早就坐了吉普车去找孙三帖。孙三帖住在另一个乡，山路不好走，走半天才到。不巧的是孙三帖外出行医天黑才能回来。游小二想心诚则灵，等吧。等到下午，黄乡长骑了马也来了。两位乡长见面都一惊。游小二惊问乡里有急事？你来找我？黄土生半天才说，我是来买帖药给张书记治伤。游小二听了松了口气说，有我买就行了，你就不等了先回吧。黄土生不答不动，过了半天才说，我们还是一块儿等吧，你送你的我送我的，反正是表心意，他用不用都没啥。游小二想，反正我的车比你的马快，觉得黄乡长这人平日不多言语，关键时刻还挺有主意。游小二心里想笑又压住，就掏出烟来都吸烟。

等到深夜孙三帖才回来，讨到了药。但天黑路窄车不敢走。黄土生骑的老马识途不怕天黑。黄土生说，游乡长我先走但我不先送药，等你送了我再去送。游小二心里不踏实，但嘴上说你要先送就先送吧。黄土生说，你是乡长你先送，我表表心意就行了。怕游小二不放心，黄土生说，我不拿药了，你们坐车好带，带回乡里再给我。游小二一定要黄土生带上药，推让一阵黄土生还是没带那药。望着黄土生的背影，游小二想，黄乡长为人确实诚实也有心计，如果让他当乡长是信得过的好搭档，不像柴卫魁，为人狡诈又胸无城府靠不住。如有可能一定要和上面谈谈对乡长人选的意见，把黄乡长推上去。

张书记住在县医院的高干病房，病房很大但来探视的人太多，一批一批的都提了大包小包，屋里显得很挤很乱，有点儿像农贸市场。因为是在八山乡惹出的事，游小二比别人更理直气壮。他挤到张书记床前，看看张书记的伤腿，就道歉检讨，责备自己照顾不周。张书记腿疼又一整天应付探视的人，早已没了一点儿精神，躺在那里眼睛都无力睁开。游小二拿出膏药说了药的神效，张书记说，腿上打了夹板，能不能用还得问大夫。

张书记的腿骨被裂了几条缝但没有碎，上了夹板固定问题不大。大夫被找来，看了看膏药扔到桌上说，信医，就不能信这江湖巫术。这些巫汉游医的药谁知道用啥做成？说不定能致癌，千万不能用。

游小二心里一阵失望一阵不平。妻子在这家医院工作曾说过这个大夫，早年是个赤脚医生，后来推荐上了大学才牛皮起来。游小二说，对祖国的民间医术不能这样看待。这膏药是孙家祖传秘方，治好了千万人，不信你到城北一带问问，没有不知道孙三帖的。

大夫不认识游小二，对这帮赶不走的马屁精早已恨得咬牙。大夫阴了脸对游小二说，既然你懂那就你说了算你看着办吧。游小二一下涨红了脸有点儿不知所措。张书记说，王大夫这是八山乡的游乡长，又对游小二说，这药先放着，如果用夹板不见效，就用这膏药。

受了一天一夜的罪讨了这药，却落了这么个下场，游小二的情绪一落千丈。低头又想，还是黄土生说得对，讨这药只是表表心意，用不用没啥。来看张书记的人没完没了，县委的、县政府的、各局各办各部门的，地区各大班子也都派人来看望。人太多根本没法和张书记谈话，游小二提出晚上陪护一晚，张书记说，县委已排了班，你还是回去把东沟村的事处理好，再不能让村民闹出事来，要按时给他们通上水。

游小二连连点头答应，出了病房到妻子的办公室找妻子。妻子的同事说，她下去搞计划生育了四五天才能回来。游小二又感到一阵阵胃疼，一天多了没好好吃一口，这病就是这样造成的。游小二想回家休息一天，路上又想，乡里的事还等着要干。张书记说把乡里的工作搞好，就是要我主持工作，这说明县里有让我当一把手的意思，张书记向村民作了保证，要在一周内给东沟村铺上自来水，这事不能拖，得立马回去办！游小二对司机说，咱们立即回乡里。

这些年收提留摊派，吴广成就采取干部包村包户的办法，谁包的户收不上来就从谁的工资里扣除。有个干部遇到了难缠户，急了，就把瘫痪的老娘背到难缠户家，说没法养老娘了寄养在此。老娘在难缠户家拉撒了两天，难缠户就软了。收来了摊派，那个干部大哭一场，弄得许多人都心酸。但这法子不能常用，村民们也有了对付的办法，这两年收提留摊派更难。乡里的职工已半年没领到工资，给东沟村铺水管，和阳光公司一起作了预算，铺塑料管子也得八万块钱。阳光公司出四万剩下的四万由乡里出。游小二找乡财政所长商量，所长说，乡里的情况你也知道，实在是没一分钱。游小二想找乡里的其他领导研究一下，但柴书记黄乡长甚至于海一个也找不到，游小二知道，都到县里活动去了。游小二回到宿舍躺着想，只有让猪场卖猪了，这次铺水管是张书记主张的，如果何场长不同意卖猪就免了他。

以乡党委和乡政府的名义，游小二起草了一份文件，内容就是卖猪铺水管。文件印出来后游小二要人给猪场送去。送文件的人刚出门，游小二又叫住。他想还是亲自去好，看看何兽医啥态度。

这次何场长看了文并没发脾气，他问游小二，这钱啥时要？游小二说，张书记给村民许了愿，一周内铺好管子，管子由乡里负责买，越快越好。何有信说，那我就尽快安排卖猪，争取明天把钱凑齐。

没想到何有信如此痛快，游小二笑了说，何场长，这次你可算支持我了一回。何有信说，我老何也有心有肺，东沟村的几百老少没水吃了，我能不管？若是胡日鬼，这次我照样不出一分。

想不到这何兽医还想医人医社会，还真有点儿正气。游小二心里有点儿感动，这何兽医是个正派人，以前看错了他。游小二说，卖猪是为救人没办法，但猪场还得发展，乡里以后就全靠这猪了，还得管理好。何有信说，难，你们成天要肉要钱，管理好也难。

游小二听了也叹气说，乡里也是无奈。叹了一阵游小二就谈乡里的难处，谈社会上的难事，谈起来又免不了叹气，都说这个样子发展下去咋弄？何有信说，不谈它了咱们喝几杯。游小二不想喝酒又不好驳何场长的面子，只好陪何有信默饮。何有信是有名的酒仙，陪一阵游小二就有了醉意只好告辞。

游小二进了乡政府大院，于海正在等他。于海见游小二走路有点晃就问，游乡长，你喝酒了？游小二说，和何酒仙谈了点儿事，陪人家喝了几盅。于海说，正想请你去喝酒，能不能再来几杯？游小二摇头。回到宿舍，于海让游小二躺下，说，有个话本来我不该说，但实在是心里有气，你可能不知道，最近柴卫魁拼命在县里活动，我有个同学在县委，他说县领导的家都让柴卫魁跑遍了。在领导面前柴卫魁说你身体不好，说你自己也认为能力差，不想当书记。许多领导都信以为真了。

游小二心里一惊一下坐起，这话是真的？于海说，肯定可靠。游小二气青了脸说不出一句话，柴卫魁这种小人，拿了我的钱，受了重托，竟干这些勾当，就是我当不成书记也决不能让他当！这种人掌了大权就要祸及乡民。游小二想，明天得到县里跑跑揭穿柴卫魁的阴谋。游小二呆坐着竟忘了于海，于海说，游乡长你休息吧，有话我们明天再说。

吃过早饭，游小二就催司机开车到县里。刚出大门还是被吕根本拦住，吕根本骑了他那幸福摩托，胡子上都挂了冰碴。他问游小二是不是要到村里去？游小二怕被吕根本缠住就说到县里开会。吕根本急了说，你不能走，村里闹得很凶，一早就有人敲锣打鼓，说一周给铺好自来水，四五天了还没动静，张书记和乡里是在哄老百姓，这伙人又吵着要去炸坝。铺水管的事究竟咋样了？乡里得出面说。游小二说，钱的事已经解决了明天就去买水管，水管买回来你就组织村民挖沟铺管。你现在就回去告诉村民不要闹做好挖沟的准备，天寒地冻的挖沟也不是件容易的事，你要做好动员准备工作。

吕根本还想细问个究竟，游小二说我下午就回来明天就到你们村，有事到时再说，说完就上了车。

游小二到县委几个认识的领导办公室坐了坐，每个领导都问他的身体情况。游小二知道这都是柴卫魁捣的鬼，就说自己身体一直很好。对每一位领导游小二都说汇报一下乡里的工作，还说了乡里的发展思路，自己搞好工作的决心，然后拐弯抹角说了最好不要再给乡里派领导，以免一个领导一个规划影响经济的发展。同时他也说了乡里领导班子的情况，把柴卫魁着重描绘了一下。但每个领导听了都只点头不表态。跑完几个领导，游小二心里轻松了一点儿，他想再跑跑组织部就回去。在组织部游小二找到一个副部长，这副部长当乡长时开会和游小二住过一个房间。到副部长办公室游小二随便了许多，谈起自己的事一肚子不如意。副部长说你不是身体不好不想当一把手吗？游小二急了说，这话都是柴卫魁为抢班夺权胡编的。副部长一愣不再问。游小二说，柴卫魁这人正因为品质恶劣县里不要，才放到了乡里，这样的人千万不能重用。见副部长点头，游小二更进一步细说柴卫魁的坏品德，说柴卫魁今天这个职务全是送礼跑门路的结果。副部长听了说，咱俩关系不错我给你提个建议，在目前情况下你要慎重，既不能和同事闹矛盾也不能无根据地说别人的坏话，像送礼跑官这种话是很原则的话，没有真凭实据不能乱说，说了得罪的不是柴卫魁一个人。

游小二不住地点头很感激副部长的提醒，说了一堆感谢的话。临走时游小二说，部长你的家在哪儿住？给我个地址，过年我给你拜年。副部长说了地址，原来两家只相隔两条街。离开副部长的办公室，游小二又想，副部长会不会也和柴卫魁熟，柴会不会给副部长送过礼。这一想游小二惊出一身冷汗。

在回家的路上游小二想，不行，在许多领导面前柴卫魁说了我的坏话，今天不能回乡里，去看张书记的人晚上会少些，晚上去和张书记说说。游小二让司机先回去，啥时来等他的电话。来到家门口文英正在等他，游小二说，昨天我做了个好梦，今天就贵客临门，你怎么知道我要回来？

文英笑眯眯地小声说，一个锅里吃了几年饭我还不知道你那点儿东西？

进了门游小二说，今天正没人给我做饭，你来了正好，再侍候我一顿。文英左右看看知道游小二老婆不在家，便大声说，怪不得你这么大胆，原来是老婆不在。游小二说，我去买点菜，由你当主妇做顿好饭，也好好款待一下你。文英说，算了吧，你老婆如果突然回来，醋坛子非翻不可，今天还是我请你到馆子吃一顿。游小二不去，文英说，找个安静的地方我有重要的话说，我们边吃边谈。

找个安静的地方坐下点了菜，游小二说，有啥话你就说吧不用客气。文英说，说来好笑这几天咱乡像炸了窝，都往县领导家里跑，县领导都说怪了，八山乡的干部像得了拨乱反正的中央文件，都跑来要职位还来控诉别人。你说这事好笑不好笑？

活动得这么严重游小二确实不知。这么跑肯定给领导留下很坏的印象。游小二心里一阵慌恐，问文英，他们在领导面前说了些啥你知道不知道？

文英说，柴卫魁说你的坏话你大概知道了我就不再说，但他没料到螳螂捕蝉黄雀在后，柴卫魁日鬼别人别人也在日鬼他，你知道不知道这人是谁？游小二摇头，文英说，是黄乡长黄老闷。你别看这人平时闷不出声其实特有心计。他知道按老牛推磨，柴卫魁该当乡长他只能当副书记，平级运动没大甜头。黄老闷想当乡长就要整倒柴卫魁，他在纪委和个别县领导面前说柴卫魁用乡里的一万多块钱送礼跑门子腐蚀领导。这事，纪委已准备立案调查，这下柴卫魁算完了。

游小二又吃一惊睁大了眼问，真的？消息可靠不可靠？

文英说，这么说吧，这消息就像我隔了窗户听一样可靠。游小二明白了，那天文英说她当演员时，马县长曾暧昧地摸过她的手，她要去续这段旧情。如果续上了这话肯定是从马县长嘴里得的。如果是这样，这消息的可靠程度就不是隔了窗户听，而是扒开肚子看了。游小二又有点儿慌，这才几天乡里就活动成了这样，一个给一个挖陷阱就像侦探片里的故事一样。文英傍上了马县长她想当副乡长，就该给对手于海挖坑。她会不会也想当一把手，给我也挖个坑？游小二有点儿毛骨悚然。他盯了看文英，文英说于海也在动，他的目标是副乡长或副书记，所以攻击对象是两个，柴卫魁和黄土生。

游小二愣一阵又想，文英对我还是有点儿感情的还不至于对我下手，再说文英有自知之明她不会直接盯上正职。这一想他对文英放心了。黄土生告柴卫魁用公款活动这一招狠，可以置柴于死地，但活动的决定是几个领导决定的，主要领导要负责任，牵连进去也不得了。游小二说了自己的担心，文英一笑，你真够老实，谁承认咱们商量过到上面活动？我反正不知道这事，黄土生和于海更不会认账，你再不认账，参加商量的五个人四个人不认账，柴卫魁浑身是嘴又能咋样？

那天到猪场要钱，幸亏没要到，这回只有牺牲柴卫魁了。他也是聪明反被聪明误，活该！柴卫魁倒了可让出一个位子，乡里的干部就好安排了。游小二长出口气，又问，这次你打算怎么办？文英说，我一个女人不可能一辈子待在乡里，往城里调现在到处减员也没啥好去处，就是调到城里我四十多的人了无职无位，给人家跑腿打下手也难受。我想在乡里混个副职再平调回城，当一辈子副职不担大事又不受人指使，这合我的性格也符合我的能力，这辈子也就可以了。

游小二相信文英说的是真话，他还想知道她和马县长续上旧了没有？他说，你这想法和马县长说了没有？文英点点头说他也同意。游小二心里有了底，沉默一阵游小二又问，乡里现在闹得乱七八糟你说我现在该咋办？文英说拜佛要拜真佛，县里拿大权的是张书记和马县长，只跑这两个人就够了。你的事在马县长面前我已经说了，你不要再跑。张书记那里你得去。张书记是在咱乡伤的咱有理由去看他，顺便说说你的事很方便，说清了你就在乡里安心等着看形势再动。游小二觉得很对，商定晚上游小二去看张书记。

吃完饭两人来到街上，文英帮游小二买了两盆名贵的花和两盒高级补品，让游小二提了去看张书记。冬日天短太阳就要落了，分手时两人商定明天一起回乡。

游小二来到张书记的病房门口，被秘书挡住。游小二和秘书认识但秘书毫不通融，说来的人太多，张书记两天没休息好今天发了低烧。不让任何人进去是马县长亲自下的命令，我也没办法。游小二更没办法，只好将花和礼物放下请秘书代转代问候。

两天多来又跑膏药又跑领导没怎么休息，游小二感到浑身无力，胃也不住地疼，回到家就脱衣上床睡了。

早上起来妻子对游小二说，我发现你最近瘦得厉害，今天你跟我走，我给你查一查身体。游小二想，反正要到医院去看张书记，如果秘书再不让进，就让妻子把他领进去。

妻子给游小二建了份健康档案，锁在她的办公抽屉里。妻子先听了他的心肺没啥问题，再称体重时妻惊叫一声急忙和档案记录核对，体重整整减了十斤。妻子极其严肃地说你有病了，得住院彻底检查治疗一下。

游小二的眼里有了泪花，算算，吴广成离乡至今刚好十天，也就是说这十天一天掉一斤肉。他想这样下去，说不定一把手当不上倒把命要掉了，说不定真有了病，真得住院治治了。游小二叹口气说，这几天乡里事忙，等忙完了这几天我就来住院。

妻子不答应正在争执，有人喊妻接电话，妻接了回来对游小二说，是乡里来的说有急事找你，问我你在哪里？游小二急忙跑去接，是于海打来的。于海说出事了，东沟村的人把阳光公司的水库大坝炸了一个洞。游小二惊问坝垮了没有？于海说，没垮炸了个大坑，是吕根本来报的信。吕根本说村民们见铺管子的事没动静，说乡里骗人就闹。同时孟三等人把阳光公司围的铁丝围栏给剪了，把羊赶进里面放牧和阳光公司的人打了起来，人也伤了羊也被打死了几只，你快点儿回来吧。

游小二也急了说，你快点儿让车来接。于海说车已出发了要游小二在家等。

游小二放下电话站了良久未动，他想再不能在上面活动了，提升的事听天由命吧，不然跑出事来不说，自己的身体也受不了了，这样下去官当不上身体也要赔进去。还是先把乡里的事处理好，干点儿实在工作，心里没鬼踏实，做人还是实在一点儿好。不知啥时妻子站在了身旁，她问出啥事了？游小二回过神来说，乡里出了大事我得回去处理。把这件事处理了，我就好了。

（选自《清明》2000 年第 1 期）

史生荣

1963 年出生，祖籍甘肃武威，生于内蒙古临河。1995 年毕业于西北师范大学中文系。1984 年到甘肃农业大学工作，历任学报编辑部副主任、副编审。2003 年调甘肃农业大学人文学院任教，任中文系副主任。甘肃省文学院荣誉作家。1989 年开始发表作品。2004 年加入中国作家协会。著有长篇小说《所谓教授》《县领导》，中篇小说 49 部，短篇小说 20 多篇及少量杂文，总计近 300 万字。长篇小说《所谓教授》被《中华读书报》等媒体评为 2004 年十大文学图书，中篇小说《教授不教书》获省政府文学奖。

乡村物语

王中云

牛

黄昏时分，母牛走进了家门口。栖息在院中的夕阳余晖红红地上前，殷勤抚摸着母牛。田老汉美美地抽了一口烟，等待着院中夕阳红红地上前，殷勤地抚摸着小牛。这是他每天这个时候最舒心的一件事，然而小牛迟迟没有出现。

田老汉心中咯噔一下子。他想，怎么啦，平时这母子俩总是一前一后行动，小牛就像是母牛的尾巴。田老汉急步来到门口张望着，可是根本没有小牛的影子。

田老汉急了，快步来到母牛面前，躬身问道："黄儿哪儿去了？"母牛瞪着一双大眼，默默地看着田老汉。田老汉说："出啥事了？"问完以后，他想自己是急糊涂了。这不是对牛弹琴吗？

田老汉忙顺道向村外山上走去。两头牛就好像是这条道上结的一大一小两个甜瓜，现在冷不丁少了一个，田老汉只有顺藤摸瓜。

村里的牛都放在山上散养着，不用人看护。本地民风淳朴，还从未有盗牛的事发生。人们只要早晨把牛赶到山上，白天牛自己吃草，傍晚牛就自己回家了，很省心，所以许多人家都养着牛。

山被田老汉找了个遍也没小牛的影子。田老汉顿时有种脊梁骨被人抽去的感觉。他觉得再也站不住了，他坐在山石上，想哭。如果丢了一头普通的小牛他就不会像这样伤心了。小牛出生时难产，差一点儿母子同时丧命。当时田老汉紧张得要命，所以格外怜爱小牛。小牛也争气，长得越来越健壮，长相也很俊。如果是个人，也就是城市里时兴的说法：帅哥。

随着日子一天天过去，小牛回来的希望就一天天渺茫。小牛成了田老汉的心病。他整日闷闷不乐。老婆便劝他想开点儿。田老汉也知道再难过也没有用，可是不由人啊。

半年后的一天傍晚，邻居老五来找田老汉，说看见了小牛。田老汉这些日子心里像堵了一捆柴草，老五的话像一只手，一把将那捆柴草拽了出去，他心里霍然亮堂起来。

黄昏时在地里干活的老五，回家路上看见了一群牛中有一头小牛很像是田老汉丢失的那头。老五的地离村子挺远，与李村的地在一起。当年分地抓阄后，老婆直骂他手臭。那群牛有十几头，大概为了以防万一，有个中年人赶着牛。老五偷偷尾随那人回了李村，经过暗中打听，那个人叫李树。

田老汉听了非常激动地说："老五，太感谢你了！这些日子让小牛折腾得够呛。要不是你，我还不知要难受到什么时候呢。"

老五说："你先别太高兴。我也只是怀疑，不敢保证就是你的牛。"

田老汉说："八九不离十。就是不是，你也操心了，也要谢谢你。"他让老伴炒几个菜，要与老五喝几盅。

老五说都是邻居，用不着这样客气，可拗不过田老汉，便留下吃了晚饭。田老汉平常最多喝三两酒，今晚却喝了半斤。如果不是老伴劝阻，还不知道能喝多少呢。

虽说没有看见小牛，但田老汉有个直觉，肯定是。他心情不错，再加上酒的撩拨，六十出头的心又漾起了春意。他开始摆弄老伴，老伴羞答答地说了句"老不正经"，随他去了。

第二天，田老汉吃完饭就开始想怎么弄回小牛。他是个脸皮薄的人，不想冲上李树家声讨。那样即使争个脸红脖子粗，末了李树未必承认自己是贼。那只有智取了，田老汉想了一个好办法。

田老汉来到靠近李村的山上，果然找到了自己的小牛。小牛的角长了，身子也壮了。一见田老汉，小牛亲热地哞哞叫着。田老汉抚摸着小牛说："黄儿，这些天你过得好吗？那狗日的李树没欺负你？"正如田老汉所料，白天没人看牛。李树是怕黄昏时牛走丢了才来领牛的，也许尤其是怕田老汉的小牛跑丢了。

回到家，田老汉提着一个布袋，来到牛槽边，解开袋口，黄豆金水般流泻出来。平日养牛户是舍不得给牛吃黄豆的。

田老汉慈爱地看着小牛津津有味地吃着饱满欲裂的黄豆，心中一片幸福。

田老汉本想事情就这么了结了。李树发现小牛丢了，只能吃个哑巴亏。谁知李树并未就此罢休。第二天早饭后，田老汉扛着锄头上山锄草，顺便将小牛送到山上。此时他并不知道，傍晚又是母牛回家，小牛再次失踪。

田老汉火了，没吃晚饭就去了李树家。李树毫不隐讳地说小牛是他牵走的。面对李树的毫无廉耻，田老汉气呼呼地质问："你为什么偷我的牛？！"

李树说："真是怪了，你偷了我的牛，我把牛牵回来，没去找你算账就算是给了你面子，你倒上门来闹，真是给你脸不要脸！"

田老汉没想到他如此无赖，无比气愤地说："你血口喷人！牛是我的！"

"谁说是你的？你叫它，它答应吗？"

“你要无赖!”

“你才要无赖呢。我劝你还是赶快走吧。你这么大岁数,我也不和你计较。”

两个人的声音越来越大。李树的院子里招来了许多人围观。

田老汉说:“你说小牛有什么记号?”

“你说有什么记号?”

“它左前腿里侧有一个指甲大的黑斑。”

“我当是什么记号呢,这我也知道。”

田老汉知道上当了。他愤怒至极,两眼血红地骂道:“你这个狗日的!”呼的一声扑了上去,如同一头怒狮。

李树轻轻向后一闪。有人上前拦住了田老汉,劝道:“有话好好说,别动手啊。动手伤着谁也不好。”

这句话提醒了田老汉,他冷静下来,指着李树说:“你等着,我要去告你这个偷牛贼!”

李树笑嘻嘻地说:“我在家等着。你可一定要告啊,别让我白等一场。我要是草鸡了,就不姓李,跟着你姓田。”

田老汉被李树气了个半死。他不知道自己是怎样回到家的。明明是自己的牛,现在反被人诬赖自己去偷牛,这口气他怎么能咽得下。此时他满脑子里只有一个字:告! 告!! 告!!!

等第二天清醒了一些,田老汉想先别告,那样事就闹大了,费时费力,可以说是两败俱伤,还是协商解决为好。

田老汉便去村主任家,见村主任麻将正打得聚精会神,田老汉没吱声。后来村主任笑逐颜开地推倒了牌:“糊了!”另外三个人纷纷递过钱去。村主任身前的钱堆了一小堆。

田老汉叫了声“村长”。虽然现在没有村长这个职务,而代之以村主任,但是乡下人叫习惯了。另外村主任也愿意让人这么叫。村主任总让人联想起办公室主任,不行,官小。而村长则与局长、厅长、部长一样,一听就知道是掌实权的一把手。

村主任回头见是田老汉,忙说:“田叔来啦。怎么不早说一声? 您老有啥事?”

别看村主任专横跋扈,可是对田老汉却很恭敬。村主任十二岁那年,有天夜里肚子疼得在地上打滚,村里那个蹩脚的赤脚医生束手无策,让赶紧送到公社医院。那时村主任他爹在外当兵,家里只有他妈一个妇道人家。邻居田老汉知道后背着村主任赶到十几里外的公社医院。由于天黑没月亮,快步如飞的田老汉摔了两跤,门牙都磕掉了一个。公社医院的医生说是胃穿孔,幸亏来得及时,再晚一会儿就没命了。当时救了村主任一命,田老汉自然很高兴。现在每每想起此事,田老汉则心中作痛。早知村主任出息成现在这个样子,当时就不救他这个祸害了。

田老汉说了牛的事。村主任眼珠子一瞪:“他奶奶个熊,胆可够肥的,敢偷田叔的牛。这是骑在我们头上拉屎,欺负我们村没人哩。我看他的皮是痒痒了,我找人给他挠挠。"

田老汉说:"村长,咱不用动粗的。咱村委会出个干部找他们村干部协调协调。"

"也行,先把那小子的揍记着,咱啥时候手痒了啥时候再动手。这样吧,我挺忙,抽不出身来,你找快嘴子商量一下怎么办。他嘴皮子利索,好办事。"

田老汉找到侄子辈的委员快嘴子,把事情的前前后后仔仔细细地说了一遍。快嘴子说:"二大爷,这事您也别着急。牛是咱们的到哪儿也是咱们的,咱找他们村委会去。"

快嘴子给李村村主任打电话。村主任正好在家,快嘴子就三言两语地说了这事。村主任说他今天正巧有事,让村委员老薛代表出面协调。快嘴子知道李村村主任未必真的有事,恐怕是怕得罪人而避开。

快嘴子与田老汉边走边商量对策,一会儿就来到一河之隔的李村。找到老薛家,他刚出去,家人说马上就回来了。快嘴子寻思可能他是先去李树家了,以免被动。

不多时,老薛回来了,领着二人到了李树家。老薛简要地说了一下,大意是关于小牛的事最好双方商量解决,闹大了对谁也不好。

李树一脸的不在乎:"闹大了我倒不怕。薛委员,你是知道的,我姑父在法院当科长,大小也是个官儿。要是打起官司来对谁有利大伙儿心里都明白。"

田老汉说:"就是法院院长也不能枉法!"

李树用鼻子哼了一声。

老薛说:"你们看这件事怎么办?"

田老汉说:"牛是我的,当然是我牵走了。"

李树冷冷地看着田老汉,阴阳怪气地说:"你怎么不说我家的十六头牛都是你的,连我老婆也是你的?"

田老汉气得说不出话来。

快嘴子说:"这样吧,让牛站在你们俩中间,你们叫牛,牛朝谁去就是谁的。"

田老汉说:"我同意!"

李树嘴一撇:"这算什么法,要是牛一时犯糊涂,走错了方向呢?"

快嘴子又说:"要不把牛牵到河桥中间,它往谁家去就是谁的。"

田老汉这回不先说了,看着李树。

李树又撇了撇嘴:"这又是什么办法,和刚才那一个还不是一样?没有说服力。"

田老汉急了:"古书上就有这样的案子,最后就是这么判的!"

"现在不是现代社会吗?怎么能按古法办事呢?古书上有许多糟粕,你能都学吗?”

快嘴子说:“要不把双方的母牛牵到一起,看看小牛和谁长得像。”小牛很像母牛。

李树不屑道:“这是什么道理?难道说古月很像毛泽东那他就是毛泽东的儿子?王铁成很像周恩来,他就是周恩来的儿子?”

虽然李树有些胡搅蛮缠,但也不能说他说的一点儿道理也没有。快嘴子并非浪得虚名,但今天也算是遇上了对手。他便以退为进道:“那你说咋办?”

“该咋办就咋办。现在不是讲依法办事吗?咱们今天就按法律办事。牛现在在我家,这是事实,谁也没有异议吧?”李树停了一下说,“要想把牛从我这儿牵走,必须拿出证据来,证明这牛不是我的,而是你的。除此之外,门儿都没有!你们现在拿证据吧。要是没有,请走,我还有活要干呢。”

田老汉愤愤道:“你还有理了……”

快嘴子摆手切断田老汉的话头,他不得不承认李树的话不无道理。就是上了法院,法官恐怕也要这么说。快嘴子只好使出最后的无奈之招:“你们看这样行不行,俗话说得好,退一步海阔天空,你们各让一步,把牛一分为二。小牛值八百块吧,谁要是要牛,给另一方四百块。”

田老汉说:“这可不行,小牛本来就是我的,我凭啥给他钱?”

李树冷笑道:“我和他的想法一样。”

快嘴子说:“你们想想,要是上了法院,对谁也不好。官司打起来费钱费时又费力,折腾来折腾去,还不知谁赢谁输呢。”

李树说:“我相信法律是公正的。”

田老汉说:“打就打,谁怕谁呢。”

“那就别磨嘴皮子,咱们法庭上见。”

快嘴子见事已至此,没有商量的余地了,只好罢休了。

回村的路上,快嘴子说出了心中的担忧:“二大爷,这件事麻烦了,真打起官司来我们未必会赢。咱先不说那小子法院有没有亲戚,打官司最讲证据,我们没什么证据啊。我看你还是回去找那小子,要他四百块钱得了,我看他也许能给。”

田老汉说:“我才不去低三下四呢。我一去就好像我理亏一样。再说四百块钱我也赔了。”

快嘴子劝道:“不能这么说。要是打官司输了,不但一分钱得不着,反倒要赔上一些钱。”

田老汉说:“我就不信这个邪!明明是我的牛,法院怎么会判给他呢?这不是颠倒黑白吗?我一定会赢的!”

快嘴子无奈地叹了口气,他想麻烦大了。

回家后,田老汉带上钱就奔村口坐公共汽车到了县城。他知道打官司要找律师，可又不知道哪儿有，一想法院肯定知道哪儿有律师，便奔法院去了。

经人指点，田老汉到了律师事务所。进了门，他打量着屋里的人。一个小青年站起来向他打招呼："大爷，有事吗？"

田老汉点了一下头，却径直奔一个老头儿那儿去了。他想找一个经验丰富的律师。他想这和医生一样，毛头小伙子的水平肯定不行。

来到老律师面前，他想怎么称呼好呢？干脆就叫律师吧。田老汉就叫了声"律师"。老律师正在写什么，他抬起头来问："您老有什么事？"

田老汉说："我想打官司。"

"对不起，我手上有活儿忙不过来，叫小江帮你吧。"老律师冲刚才同田老汉打招呼的小伙子说："小江，大爷想打官司。"

田老汉面有难色地说："我还是等等，等你忙完了再说吧。"

老律师笑了："我的活儿一时干不完。您老不知道小江是我们这儿最好的律师。"

田老汉半信半疑地来到江律师面前。江律师热情地招呼田老汉坐下，问他是怎么回事。

听完田老汉的介绍，江律师说："大爷，说实话，这个官司不好打，您赢的可能性不大。"

田老汉急了："小伙子，这个官司不单单是一头小牛的事，这是一口气啊。大爷也不怕得罪你，要是你觉得不行，我还是找别人。"

坐在江律师对面的律师说："大爷，江律师被评为我们省十佳律师，前天他才参加了颁奖会回来。小江，把证书给大爷看看。"

江律师说："大爷，您放心，我绝对误不了您的事，再说我们律师事务所凡是接手的难打的官司，都要大伙儿一起商量。"

田老汉这下放心了，他问："这官司咋不好打？"

江律师的观点与快嘴子一样：缺乏证据。

田老汉说："那牛是我的，我的邻居可以作证。"

"证据不足，不足以说明问题。人家也可以找人证明那头牛是他的。"

"难道说就没有天理了？"

"大爷您别急，我们再想想办法。不管怎么样，我们都会尽力而为的。"

江律师又问了关于牛的习性等许多方面的问题。末了，田老汉问："有法了？"

"暂时没有。这样吧，大爷，您先回去，等我们商量后再说。"

三天后，按照约定，田老汉满怀希望来到律师事务所。他想，全省十佳律师可不是吃素的。可是江律师的话让他很失望。江律师说这个官司赢的可能性很小，不会超过百分之十。他劝田老汉算了。田老汉则旗帜鲜明地表明了自己的态度：就是百分之百会输也要打。

开庭这天，老五开着农用三轮车拉着田老汉和一个邻居去了。而李树则拉着满满一拖拉机人去法庭。做证时，田老汉只有两个邻居，而李树有十几个人。田老汉后悔去的人少了，他本想有理不在人多，虽然后来江律师安慰他说不在于人多少。江律师在法庭上死马当活马医，据理力争。田老汉听着很在理，有许多是他没想到的。他想不愧是省十佳，幸亏找对人了。可是法院最后还是判田老汉败诉，原因即是证据不足。

田老汉不服，要上诉。江律师劝他算了，没有什么希望了，又说律师费不要了。田老汉说不行，一定要上诉。江律师说这样吧，你先回去好好考虑一下，如果决定上诉，在十天之内找我。因为起诉必须在十五天之内，他还要留几天写上诉状。

回到家里，田老汉越想越窝囊。这算什么事啊，明明是自己的牛，法院却偏偏说是李树的，看来李树那狗日的在法院还真有亲戚。可是狗日的不会中级人民法院也有亲戚吧？就不信天下乌鸦一般黑。虽然老伴与女儿、女婿、邻居一再劝说，可是田老汉九头牛也拉不回来。两天后他就去县城找江律师要上诉。江律师无可奈何地答应了。

这个官司让江律师感到很棘手。虽然他知道小牛肯定是田老汉的，可是法院是讲证据的。一般的律师遇到这种情况，只是应付差事地写个上诉状。江律师可不这样，他的责任心很强。他认为作为一名律师要将不可能的化为可能才算是一个高水平的律师，可是突破点在哪儿呢？

老婆见江律师这几天为了官司寝食难安，有些心疼。虽然她劝过丈夫不要太认真，凡事尽力而为就行了，不要对自己太苛刻了，可是收效不大。这天吃饭时，老婆故意逗江律师开心，说才在报纸上看到一个新闻，一个女人抱着刚出生的孩子，领着与自己发生过关系的三个男人去做亲子鉴定，因为那三个男人都不承认孩子是自己的，而女人则咬定肯定是其中一个人的。鉴定结果出来，三个男人哪个也不是孩子的父亲。江律师果然忍不住笑了。这件事的确有意思，好像一个相声，包袱抖得好。

忽然，一个念头在江律师脑中闪过。对呀，人可以做亲子鉴定，以此类推，动物应该也可以吧。“谢谢老婆！”江律师激动得奔身边老婆脸上就亲了一口，把老婆亲了个莫名其妙。

江律师便打电话给市里一家医院。接电话的人停了一下，大概是愣了一下，说：“你是不是有病？”啪，电话挂死了。江律师苦笑着摇了摇头，又打电话给另一家医院。接电话的人说不能做。等他打第三家医院时，听筒里面接电话那人笑着对办公室里的人说：“你们知道不，这个人要给牛做亲子鉴定呢。”接着里面传来了哄堂大笑。后来江律师一直将电话打到省医院，得到的答复也是一样的，刚刚燃起的希望之火瞬时即被一盆盆冷水浇灭了。江律师颇为失望。

就在江律师感到绝望时，他在晚饭后散步时遇到了一个中学同学，听他说另一个同学石豪前几天回来探亲，明天就要走了。江律师不由精神为之一振，因为石豪在省动物研究所，也许他们可以做亲子鉴定。

江律师马上去找石豪，石豪说可以，不过鉴定费要贵一些，因为以前从未有过动物做亲子鉴定，需要购买一些新设备。江律师问需要多少，石豪说大约要八千块。

此时离上诉期还有两天的时间。江律师在上诉状中提到亲子鉴定一事，不过鉴定结果需稍候。

虽然说钱不少，但毕竟柳暗花明，江律师当晚就打电话给田老汉的邻居，邻居叫来了田老汉。田老汉一听，喜忧参半。八千块钱对他来说可不是个小数目啊。但他还是咬牙要继续打官司。好在赢了官司后法院会判李树拿这笔钱的。

石豪回省城后，同单位领导一说，领导同意为牛做亲子鉴定，不过要田老汉先将八千块钱汇到省动物研究所，多退少补，以免鉴定后得不到鉴定费。这也是在江律师意料之中的，他早就为田老汉打了预防针。

田老汉要为牛做亲子鉴定的奇闻很快就传开了。就在田老汉忙着凑钱时，和他同住一村的女儿急匆匆地来找他。她听人说江律师是个骗子，他能评上省十佳完全是送礼的结果。全省的律师成千上万，仅仅评十个人，他在小县城里，怎么会有他的份儿？律师的名气是打官司打出来的，他在小县城里能打什么大官司？他说的给牛做亲子鉴定纯粹是胡诌，是想骗田老汉的钱。你田老汉是啥人物，人家动物研究所怎么肯专为你一个人而去买鉴定的设备呢？这样使完了设备也就没有用了，还不成了废铁，动物研究所有这么傻吗？田老汉一听，惊出一身冷汗。人家说的确实有道理，幸亏早知道消息，要不麻烦就大了。

不过田老汉也明白，传言毕竟是传言，不一定就是真的。当务之急是赶快打听一下。田老汉来到快嘴子家。快嘴子是有名的百事通，平日里最爱读书看报，上至天文，下至地理，国家大事，稗官野史，随便提起一个话头，他都能接上去，滔滔不绝地说下去。快嘴子的答案与传言截然相反。其一，江律师去年一连打了两个省内外很有名的官司：一是市里某企业与外商的合同纠纷，在许多律师知难而退的情况下，他挺身而出，打赢了原本同行们认为肯定要输的官司，为企业挽回了几百万元的损失，从此声名大振；二是省内某演出公司与一大腕歌星的合同纠纷，也是在众人认为演出公司必败的情况下，出奇制胜。因为这两个官司，使江律师这个小县城的律师获得省十佳律师的称号。至于亲子鉴定一事，快嘴子认为作假的可能性极小，因为制造伪证是要负法律责任的，作为一个事业正蒸蒸日上的律师是不会为了八千块钱而冒那么大风险的。须知一经查处，他的饭碗就砸了，以后再也不能干律师了。快嘴子说，为了以防万一，可以打个电话到省动物研究所问一下。

说干就干，快嘴子拨了省城的“114”台查了一下省动物研究所的电话号码。一拨，占线。趁着空闲，快嘴子说：“二大爷，本来我担心你这官司赢不了。要是江律师没有骗你那就幸亏找了他。不愧是省十佳啊，给牛做亲子鉴定他都能想出来，真是了不得。比起人家来，咱们吃地瓜都糟蹋了。”

快嘴子再拨电话，通了，快嘴子拿腔作调，用普通话说：“是动物研究所吗？……我是晚报社啊，我想打听个事儿，听说咱们所最近想给牛做亲子鉴定吗？……噢，那我们明天派记者去所里采访一下，这可是重大新闻啊……好，谢谢，再见！”

快嘴子刚放下电话，田老汉就急忙问道：“咋样？”

“真有这回事。我说嘛，江律师不会骗你的。”

田老汉松了口气：“不会就好，这下可放心了。可你刚才咋骗人家呢？”

快嘴子得意地说：“这二大爷你就不明白了，要是实话实说，他可能会骗我，这样打着报社的旗号他就不敢了。”

田老汉说了些感谢话，又说官司打赢了一定要好好请快嘴子喝一顿。快嘴子笑道：“这顿酒我是喝定了。不过二大爷你可一定记住要提前一天告诉我，我好早早空出肚子大喝一顿。”

一块石头落了地的田老汉继续凑钱。田老汉并不知道传言是李树散布的，他想动摇田老汉打官司的决心。就在田老汉在家数钱准备第二天到县城给江律师送钱时，李树来了。乍见李树，田老汉心中一喜，寻思狗日的李树肯定也听说了给牛做亲子鉴定的事，他顶不住了，知道要露馅，讨饶来了。这样也好，省事多了。

谁知李树一进门就大大咧咧地坐在炕上，拿出一根烟点上，吸了一口，吐了一个烟圈。

田老汉很讨厌李树这种大刀金马的样子，冷冷地说：“你来干什么？”看李树那架势，田老汉就知道自己想错了。不过他猜不出姓李的来自己家还能有什么事。

“听说你要给牛做亲子鉴定？”

“怎么，犯法吗？”

“亏你想得出啊。”

“让你给逼的。看你再怎么胡搅蛮缠！”

李树看了看炕上一扎一扎票面不一的钱说：“你想用这些钱打水漂？”

“你有话就说，少兜圈子！”

李树盯着田老汉说：“你以为你赢定了？”

田老汉说：“那当然。”

“你想得太简单了。我去问了我法院的姑父，他说法院审案最重证据，但不是所有的证据法院都采用。不知道前一阵子你看没看‘今日说法’，那上面就有一个医疗纠纷的案子，两家鉴定结果完全相反，法院最后就采用一家。关键是法院对证据还要有个分析，认为证据真实可信才采用，否则就是一摊臭狗屎。你做的那个鉴定法院可以不采用，那你可是鸡飞蛋打一场空了。”

“谁说法院不采用，江律师说了，法院肯定用！”

“是他说了算还是法院说了算？”

“你少诈我，江律师是有名的大律师，他说的话可不是没谱的。”

“好，就算你说得对，我输了官司，可是八千块钱的鉴定费还是要你拿。”

“江律师说谁输了谁拿。”

“江律师成法律了，什么都是江律师说。其一，鉴定没经过我们同意，其二，鉴定费要是八万，八十万，八百万我也要承担吗？有这样的道理吗？你想怎么鉴定就怎么鉴定，世上的好事都让你占了？”

田老汉一时间哑口无言。李树说的不无道理。

“想想吧，你赢了官司却白白赔上几千块钱，算的什么洋账？”

“就是赔钱我也要打，争回这口气。”

李树有些无可奈何地说：“唉，你这个老头儿够倔的。看你赔上一大笔钱我也过意不去，这样吧，我也不欺人太甚，咱们将牛一分为二，你给我四百块钱去把牛牵回来。怎么样？”

“做梦！我就是贴上八千块钱也要赢这个官司！”

“你这个老头儿怎么就想不开呢？”

田老汉哼了一声。他忽然想到，李树这小子怎么平白无故地来劝我不要赔钱呢？他真有这么好心吗，怎么可能呢？要不他也不至于偷牛了。田老汉冷冷地说：“收起你这一套吧，你会这么好心眼，你来到底是想干什么？”

李树不自然地笑了笑说：“你老头还挺机灵的，实话告诉你吧，我是不想两败俱伤。官司要是我输了，鉴定费咱们一人拿一半。这样你我都赔了，何苦呢？”

“你就别想再耍什么花招了，不管是一半还是全部，这个官司我打定了！要不还有一个法儿。”

李树来了兴致，说：“说说看。”

“把牛还给我就什么事也没有了。”

“想得倒美！”

“还有什么事吗？没事我要赶快点钱，明天还要去送呢。”

“你还真是不见棺材不落泪，那你就等着拿钱吧。四千块钱对我来说小菜一碟，对你来说可就不同了，你可要想清楚啊，将来后悔可就来不及了。”

“这不用你操心。”

李树走了。田老汉继续点钱，他知道李树说的也许会是真的，因为他法院有人。这个年头有人和没人差别就大了。可是田老汉是铁了心，就是八千块钱全自己拿官司也要继续打，只要能打赢。

第二天，当八千块钱整整齐齐地放在江律师桌上时，江律师的眼眶湿润了。这是怎么样的八千块钱啊，光是一角、两角、五角、一元、两元的票子就有十几扎。为了官司,田老汉拿出了全部的积蓄,把本来过年才能出圈的猪都卖了,还东凑西借了十几家。江律师马上去邮局将钱电汇省动物研究所。

一个月后。中级人民法院宣判田老汉获胜,七千四百元鉴定费由李树出。这其中江律师是出了力的,他曾专门打电话给几家报社电视台。报社和电视台对全国首例给动物作亲子鉴定的案件很感兴趣,迅速加以报道,在社会上引起很大反响。法院本想判鉴定费由双方承担,可是迫于新闻界的压力,只好大公无私了。

当田老汉从李树家走出后,深情地抚摸着小牛的头。小牛感到头上一湿,想,下雨了吗?抬头望天,没看见雨,却看见了主人老泪纵横。

以后的黄昏时分,母牛走进家门口,栖息在院中的夕阳余晖就红红地上前,殷勤地抚摸着它。田老汉美美地抽着烟,看着院中夕阳又红红地上前,殷勤地抚摸着小牛。然后田老汉走上前,亲热地叫声“黄儿回来啦”,听那口吻好像是在叫亲生儿子。

鸡

上小学的儿子中午回家要纸盒盛小鸡。快嘴子很奇怪地问盛什么小鸡?儿子便说学校要求学生勤工俭学,每个人发给十只小鸡,到年底向学校交四斤重的鸡两只。

快嘴子一听就恼了,这算什么勤工俭学,分明是变着法儿掏家长们的腰包。

下午快放学时快嘴子去了田村小学。周围几个村的小孩都到田村来上小学。学校共三百来个学生,每个学生交八斤重的鸡,那么学校就白赚了一万块钱。快嘴子和田村小学校长比较熟,在一起喝过几次酒,打过几次麻将。校长一见快嘴子就说:“怎么你的钱又开始蹦高了?”这是麻友中流传的一句黑话,意思是对方是不是又想输钱。

快嘴子说:“就你那两下子还想让我的钱跟你的姓?别看你打麻将不赢钱,倒会变着法儿弄钱,这下子腰包又鼓起来了吧?”

“老兄,你这是什么意思?”

“别说你们是老师,就是会算计。春天发小鸡,秋天交大鸡。亏你们想得出这样的馊主意!我看你们干脆也别发小鸡了,一个学生发十个鸡蛋多省事。”

“噢,你是说鸡的事啊,这你就冤枉我了。这可不是咱们学校定的,是乡教办弄的,我们只是执行罢了。”

“那你觉得是不合理?”

“上面这么规定的,我们也没办法。”

“上面定错了,你们也执行?”

“这你田委员知道，乡里有些不合理的摊派村委还不是照样执行？”

“这件事是不是县上弄的？”

“不是，别的乡镇小学都没搞。”

“你把文件给我看看。”

校长拿出文件递给快嘴子。快嘴子看了看文件，知道校长没说假话。快嘴子在办公室与校长闲扯了一会儿，放学铃响了。快嘴子告辞，来到儿子教室外。学生们拿着纸箱，排队领小鸡。许多家长都来接孩子，因为小一点儿的孩子拿不动，大一点儿的孩子也不好拿。

第二天，快嘴子就按照田村小学校长给的号码打电话给县教委主任叶天生，没人接，便打到办公室，问叶的手机号码。对方问：“你找主任有什么事？”

“反映情况。”

“主任不在，有什么事我可以转告。”

“你们知不知道立全乡教办让学生养鸡的事？”

“知道。怎么了？”

“这合理吗？”

“这是搞勤工俭学。”

“有这么搞勤工俭学的吗？”

“你是干什么的？”对方有些不耐烦。

“我是学生家长！”快嘴子也生气了。

“这是立全乡教办的事，有事找他们去。”

“我就找你们！”

“你看你这个人，要是每个人都学你这样我们还用不用工作了？我们管不过来这些小事！”电话挂了。

快嘴子一肚子火，接着又拨了刚才的电话号码。对方刚说了声“喂”，快嘴子就冲话筒狠狠地骂道：“我日你娘！”啪，放下了电话，算是稍稍出了口恶气。

第二天，快嘴子再次打电话给叶天生。上午打了两遍没打通，下午拨通了。对方说：“喂……”

快嘴子拿腔作调地说：“叶天生吗？”

“您是……”见对方直呼其名，叶天生小心翼翼。

“我是政府，姓徐。”快嘴子学着徐县长的口音。徐县长不是本地人，方言味很浓，快嘴子听他做过几次报告。他模仿声音的能力挺强。

“是徐县长啊，您有什么事？”

“听说立全乡勤工俭学搞得挺好的，经验值得向全县推广啊。”快嘴子嘲讽地说。

“啊……徐县长，您是说……”叶天生听出“徐县长”的话不对味儿。

"我觉得美中不足的是不应该发小鸡，而是发鸡蛋，这样学生可以学到更多东西。你说对不对?"

"徐县长，这件事我也是刚听说，这是立全乡自作主张搞的，我也觉得不太合适。这件事我会很快处理好向你汇报。"

"这件事都让市电视台知道了，他们想来曝光，让我给压下去了。要是上了电视，那可丢死人了。"

"谢谢徐县长关心！您放心，我一定会处理好。"

"那就这样吧。"快嘴子准备放电话，谁知节外生枝。叶天生问："徐县长，您亲戚上一中的事我给您办妥了。不知他什么时候上学?"徐县长的一个侄子想转到本地来上学，因为本地的教学质量好。一中则是全县最好的高中，每年高考录取率为百分之九十以上。

快嘴子说："后天吧。"

"我现在将介绍信送给您?"

"明天吧，我现在正忙。"

"那好，徐县长，您忙吧，我就不打搅您了。"

放下电话，中午酒喝多了的叶天生觉得不太对劲儿。徐县长本来说上学的事挺急，现在好像又不太急，这件事有些蹊跷。再仔细咂摸徐县长的口音，也觉得有些怪，不十分像，而其冷嘲热讽似乎也不是他说话的风格。叶天生的酒就醒了，马上打电话给邮局查出刚才的电话号码，一拨，竟然是立全乡一个公用电话号码。妈的，差一点儿让狗日的给耍了，叶天生很气愤。他拨通了徐县长的电话，告知了他亲戚上学的事，果然先前那个徐县长是冒牌货。

其实直到放下电话，快嘴子也没有抱叶天生会一直被骗下去的希望。一则他知道自己学的声音不是非常像，只是比较像而已，另外涉及到徐县长亲戚上学的事，叶天生再与徐县长联系就很容易露出马脚。他打这个电话的目的是出口气，因为怕对方事后查电话号码，因此他到十几里外的乡里打的。

果然过了几天学生养鸡的事无声无息。快嘴子并不甘心就此罢休，他准备了一个反击计划，利用电视曝光来对付。省电视台每晚九点有个栏目叫"今日视点"。自从中央台的"焦点访谈"走红后，许多省台纷纷克隆，"今日视点"即是。光快嘴子就看到有三次节目涉及到本县，都是批评性，结果很快三件事都得到圆满解决。当然，快嘴子不想现在就向电视台揭发，他在等候。

这天，村主任在乡里开完会后，在他家召开村委会，传达乡政府关于综合治理工作的新指示。乡政府认为这一块工作年年搞，现在有些村委会都疲了，采取应付检查的办法。今年采取新措施，按村大小，每村上交一千元或五百元的罚款。田村交五百元。对于田村怎么办，村主任让两个委员谈一下自己的看法。

快嘴子说："这也太教条了。村里有小偷小摸的好办，可是我们村村风很正，没有这样的事咋办?”

另一个村委员也表示了这样的意思。

村主任说:“可也不能不办呀。不交钱,咱们村综合治理这一块就成了空白,年底考核一分不得,可不能让这一块拖了我们的后腿。”

两个村委员沉默了,这事太棘手了。过了片刻,快嘴子说:“能不能把钱分摊给每户?”

村主任说:“乡长强调了,不能这么办。谁敢糊弄,一票否决,年底先进就甭想了。这样吧,都回去好好想想,就是头拱地也要弄出个法子。”

回家路上,快嘴子很不满地想,现在干什么都一刀切,哪里还讲实事求是?一般村都有几个手脚不干净的,可是田村从老辈子就没听说过这号人。快嘴子毕竟是快嘴子,快到家时,他忽然想出了一个办法:可以找一个人做贼。但这个法子太损,让谁干谁也不干,这涉及到一个人的声誉。他马上打消了这个念头。

几天后,村主任又将村委员叫到家,问他们有没有办法。二人均摇头。快嘴子不提那个想法,那太缺德了。

村主任得意扬扬地说:“我倒想了个不错的法子。”

两个村委员忙竖起了耳朵。

村主任说:“找一个人做贼不就得了?”

快嘴子说:“有人干吗?”

村主任说:“谁干奖励谁,一辈子不用交提留,义务工也不用出。”

另一个村委员说:“怕是没人干。”

“都不干的话,那只有抓阄了,谁抓着是谁。你们看怎么样?”

两个村委员虽然觉得这个法太那个,可是又别无他法,只有同意。

村主任便在喇叭上将乡政府的指示说了,又提出了奖励措施,谁干两天内到他家报名。

两天内没见人影,村主任又将奖励提高,再加上三千块钱,可还是没人挺身而出。

全村每户便出一人到村委会大院抓阄。哪户抓着哪户要出人为贼,必须要偷东西。村人惴惴不安,生怕落到自己头上。

为了减少抓阄人数,村主任拿出一枚硬币,赌正面的站在东面,赌反面的站在西面。村人心慌意乱地选了一面。村主任将硬币往空中一抛,落地后,几个人上前一看,是反面。站西面的人就不用再参加了,他们一个个如获大赦,兴高采烈。那些站在东面的人则阴沉着脸。

又扔了两次硬币,只剩下了二十来人。村主任让人写了二十几个阄,其中一个打个叉其余画个对号,然后团成纸团,让每个人拿一个。每个人抓完阄当场验明。结果水落石出。

秦明蔫头耷脑地回了家。他娘见儿子神色不对，心中一慌，问道："明子，谁抓了？"

秦明痛苦得无言以对。

他娘知道是怎么回事了，叫道："天呐，怎么偏偏叫我们摊上呢？"

秦明他娘要当贼，儿子不同意。娘都这么大年纪了，一个人辛辛苦苦将自己拉扯大，怎么能让她老人家当贼呢？娘也不让儿子当贼，这当贼的名声要是传出去，儿子以后怎么做人啊。儿子说没事，村人都知道是假的。娘儿俩争论到最后也没争出个结果，就睡了。

第二天早晨，秦明他娘听见院子里鸡声嘈杂，有些纳闷：家里只养了几只鸡，没有这么大动静啊。起来一看，傻眼了：满院子里都是鸡。

秦明他娘忙到儿子屋里，见儿子睁着眼躺在炕上，就问："明子，这院子里的鸡咋回事？"

儿子木木地说："偷的。"

"哎呀，这下糟了，待会儿你就说是我偷的。"

"谁信？你能翻墙吗？"

早饭后，几个邻居来到秦明家，拿走了自己的鸡。秦明昨晚翻墙到他们家，敲开屋门，告诉他们自己要偷鸡，让他们明早去拿。邻居们通情达理地照办了。

秦明去找村主任。村主任听说他真偷了鸡，高兴地拍着他的肩膀说："表现不错，五百块钱村委会出一半，你自己拿一半就行了。"

当两个月后，村里学生养的小鸡死了不少时，快嘴子抄起电话，按照"今日视点"打出的提供新闻线索的电话号码，打到电视台新闻部。对方很热情。快嘴子受到鼓舞，信心十足地将事情说了一遍。对方认真地做了记录，要他等电话。

快嘴子很高兴地等着。可过了三天还不来电话，他有些着急，难道电视台觉得这件事新闻价值不大，不采访了？要是这样的话，他要再找省晚报社。他等不及，便又拨通了省电视台的电话。接话的还是上次那个人，他说是否采访要领导定。领导出差了，明天才能回来，所以要快嘴子等几天。

快嘴子只好耐着性子等。他几乎整天不出门，怕来了电话老婆不懂，给耽误了。

几天后，电话终于让他给等着了。省电视台决定采访，只是日子未定，大概在一个星期后，届时再电话联系。

盼星星盼月亮，终于盼到了，可快嘴子却没有应有的兴奋。因为村委会成员要在一个星期后去南方考察项目。当然，考察只不过是个幌子，其实是去旅游，总共半个多月呢。这两下发生了冲突，快嘴子只好咬咬牙为公废私了。

快嘴子去了村主任家，说自己不去考察了。村主任问怎么了。快嘴子说了原因。村主任也觉得挺遗憾。他说真不凑巧，要不是赶着去看沐香节，我们就推迟一下了。没关系,以后有机会我们还组织考察。要是以后省电视台再来,通知我一下,看看他们能不能给我们村宣传宣传。快嘴子嘴上说行,心里却说说得倒好听,还不是想宣传自己。想得倒美,你以为省电视台是你家开的,想宣传就宣传啊?再说能来这一次已经很不容易了,有什么事还能吸引人家再来?来采访你如何腐败倒行。快嘴子没有想到后来省电视台真的又来了。

村委会考察起程后的第三天,省电视台打电话来说第二天下午到,让快嘴子在家等着。快嘴子忙做起准备工作,他为自己的亮相准备了许多精彩的台词。从来没上电视,这回好不容易逮着个机会,可不能轻易让它溜走了。要让别人看看,他快嘴子不是吃素的。

第二天下午,快嘴子浑身上下打扮一新。快嘴子认为男人没有必要打扮得和朵花一样,平日穿得很朴素。而为了这次采访,他特意赶集买了一身新衣服。打扮得人模狗样的快嘴子午饭后早早就来到村头。

公路上远处每出现一辆车,从小黑点开始,快嘴子就全神贯注地盯着,猫盯老鼠一样,猜想是否是省电视台的车。结果一等也不来,二等也不来。以至于快嘴子胡思乱想到省电视台是不是在耍他。

就在望眼欲穿时,四点多钟,快嘴子的老婆匆匆地来到村头,告诉他省电视台的人打电话来说,车子半道坏了,下午来不了了,明天上午九点左右到。快嘴子沮丧地骂了一句,怏怏回家。

第二天快嘴子赌气不提前去村头迎接,等钟的指针指到九点半,才不紧不慢地往门口走。他想,说是九点左右,还不知几点呢。还没走到门口,就听见嘈杂的脚步声,一个邻居说:"就是这家。"

快嘴子心叫糟糕,来了,果然在门口与提着摄像机的记者相遇了。快嘴子尴尬地迎上前去:"对不起,我家里有点儿事耽搁了,没想到你们这么快就来了,快请进!"

进屋后,快嘴子让老婆泡茶洗水果,姓沈的记者说别忙活了,我们还是谈谈正事。快嘴子就有声有色地将学生养鸡的事说了一下。沈记者让快嘴子召集几个家里养鸡的孩子家长到街上,现场录像。

快嘴子连忙让院子里围观的人叫来了早就联系好的三个村人。村人没见过大世面,对着摄像机有些紧张。沈记者让他们放松一下,就像是平常说话一样。见还是不行,沈记者就说,这样吧,先不录,你们随便说,等练几遍再正式录。村人这才放了心,对着镜头说出了自己的不满。事后他们才知道沈记者是骗他们,当时真录了。

而快嘴子则颇有大将风度,侃侃而谈,一直说了三四分钟,自认为颇具文采。他共说了三点:一是养鸡是一项技术性很强的工作,小学生连自己的生活都不能自理,现在学校让他养小鸡,能行吗?二是这是变相乱收费;三是影响教育形象,玷污孩子纯洁的心灵。沈记者也很满意。快嘴子高兴地想,自己的心血没有白费。

快嘴子接着坐着省电视台的车到了田村小学。小学校长一听是省电视台为学生养鸡的事来了,很紧张,拒绝采访。快嘴子做他的思想工作,说这不关你的事,你只是走一下过场就行了,又不是针对你来的。你要是拒绝采访,节目播出时也要记录,那就好像是你做了见不得人的事一样。

小学校长被说通了,沈记者只问了他一个问题:觉得这件事情是否合理。他搪塞说这是乡教办的规定,他只是执行者。

沈记者又到一个班上采访了两个小学生,问他们是否会养鸡。小学生说不会。再问那怎么办?回答是父母帮忙养,又说现在十只鸡已经死了好几只。

采访结束已快到中午了,快嘴子热情地要领记者到自己家吃饭,记者本来想到镇上吃,顺便再进行采访,可拗不过快嘴子的盛情,只好去了。吃着丰盛的饭菜,沈记者问快嘴子是什么文化程度。快嘴子说初中。沈记者说可惜了,按照你的谈吐,如果是能上个大学,那就不得了了,起码干新闻这一行就不比我差。快嘴子说哪里,心里却很受用,虽然他知道沈记者有些恭维的意思。他平日就常想,以自己的水平,如果不是家贫念不起书,连县城恐怕也留不住他。

午饭后休息了一下,快嘴子就和沈记者他们坐车到乡里去了。找到乡教办主任,他很顺利地接受了采访,介绍了事情的来龙去脉。他说让全乡小学生养鸡是乡教办研究后与镇兽医站联手组织实施的,乡教办和各所小学负责组织学生饲养,镇兽医站负责小鸡、药物的投资及疫病的防治。每个学生年底按每只小鸡 0.4 公斤毛鸡上交,或交相应的钱。收入钱款学校与乡兽医站各得一半。

对于沈记者关于让学生养鸡的目的和学校所得收入的使用的问题,乡教办主任的回答是:主要是搞勤工俭学,另外现在提倡素质教育,让学生通过养鸡了解一门养殖技术,同时还可以解决减负后学生无处可玩、无事可做等问题,可以说一举数得。学校所得收入主要用于弥补前几年发展义务教育过程中造成的亏空。在回答此事上级部门是否知道时,乡教办主任说,此事事先已征得县教委领导同意。

省电视台的吉普车又向县城进发,来到县教委办公室,当接待人员听说采访的目的后,说主任出差去了。沈记者经历这样的事多了,知道可能主任是在躲,便说采访分管这方面的副主任,回答说也不在。沈记者说别的副主任也行,不会一个领导也不在吧。对方无可奈何,只好让岑副主任出面接受采访。岑副主任认为这一做法符合上级关于勤工俭学的有关精神,让学生课余时间养鸡是学校对学生进行素质教育的一个方面。素质教育不单单是学画练琴唱歌跳舞,包含的内容很广泛。对于农村的孩子来说,因地制宜地养鸡也是不错的素质教育。

采访完是五点多钟,快嘴子要请沈记者们吃晚饭,沈记者说不行,要快嘴子随他们吃点儿便饭。快嘴子说没关系,可以报销。村主任走时已经对此授权快嘴子,以便将来有机会再采访他。沈记者这才答应了。

吃完饭，省电视台的车将快嘴子送回村，又返回县城住宿，第二天走了。

当时快嘴子问沈记者这个节目能通过吗？沈记者很干脆地说没问题。快嘴子问什么时候能播。沈记者说这样的节目已经积了不少，最快要二十天后，又说播时提前告诉快嘴子。

快嘴子便盼时间快快过。就在快到一个月时沈记者来电话说明晚播。快嘴子将这个消息传了出去。

第二天，田村人都好奇地围坐在电视机前，等着看“今日视点”。

“今日视点”终于来了。播的果然是学生养鸡的内容，不过采访的四个田村人只播了两个，令快嘴子不快的是自己的三个观点被删去了两个，另外两个变成了主持人的话。不过快嘴子在电视上的形象倒是不错，神采奕奕的，很有风度，不像是一个农民。

电视这么一播，快嘴子在村人面前很是出了一阵风头。不过更令他高兴的是，很快乡教办就将上交成鸡的文件作废了。快嘴子想，这电视还真是个好东西。

自从秦明偷了鸡，他的事很快就传扬出去。开头人们知道他是假小偷，后来传来传去，就传成了真小偷。当别人给秦明介绍对象时，对方一打听他是个小偷，马上就不干了。

秦明就外出打工去了，白背贼的黑锅，他心里很不平衡。于是在城市里打工的秦明偶然一次真当起了小偷，并且一发不可收拾。秦明向家里邮了许多钱，村人就很羡慕秦明娘生了个有本事的儿子。

冬天的一天，警察来到秦明家，告诉他娘秦明因为在宾馆偷窃时被人发现，杀人后逃跑，现被捉拿归案。秦明娘就自杀了。

田村真是不鸣则已，一鸣惊人，竟出了一个杀人犯。到了年底考核，田村村委会因为秦明综合治理被一票否决，连续几年先进到此终结。村主任为此非常气愤，说秦明一颗老鼠屎坏了一锅汤。

猪

在乡村，猪是最主要的家畜。有关养猪的故事层出不穷，田村也不例外。田村人管那种吃饭很娇气，瘦得跟排骨一样的人叫吆持猪。吆持是方言，意思是不听话。农村有一种猪不爱吃食，只长大小不长膘，精瘦的，人们便叫这种猪是吆持猪。人们都认为吆持猪是天生的，如同人的性别一样，后天是无能为力的。

夏天的一个晚上，村人在大街上纳凉，东扯西拉地闲聊。有人谈起家里有头吆持猪，真让人上火。吃食少，不长肉，不像是头猪，倒像是方排骨。摊上这种猪让人左右为难：送去屠宰吧，值不了几个钱；继续养吧，它老是不出息。那人问快嘴子有没有什么办法。众人便竖起了耳朵，想取点儿经。快嘴子可非同一般，点子很多。

快嘴子说："有人说吆持猪是天生的娇气鬼，我不这样认为。我觉得那是一种病。"快嘴子很懂谈话的艺术，他停了一下。

众人吃了一惊，这个说法太新奇了。有性子急的人问："什么病？"

快嘴子接着说："至于这是什么病，我不知道，别人也不知道。之所以说是一种病，是因为我觉得这是可以治的，而不是天生的。"

卖了一通关子却没说出个所以然来，铁杠张不以为然地说："既然不知道是什么病，那就不能肯定是病。叫我看呐，还是天生的。"

铁杠张是村里有名的杠子头，说不上三句话就抬起杠来。不过这次虽说也算是抬杠，却抬得有理。

由于快嘴子博览群书，平日说话没人反驳，他的话差不多就是真理，现在跳出一个人来，对他的观点发生异议，他有点儿接受不了。其实他所谓病的理论也是信口开河，没有什么依据。如果不能说出不一般的见解，就显不出自己的学问来。快嘴子说："不知道是什么病就不能肯定是病吗？"

"那当然。"

"艾滋病刚发现时也不知道是什么病，难道就不能肯定是种病吗？"

众人一下子来了精神，知道一场精彩的唇枪舌战不可避免地发生了。

铁杠张说："你不要混淆事实。要知道是不是一种病，就要看它有没有症状。艾滋病有症状，吆持猪有症状吗？"

"不爱吃食就是症状。"

"嘁，不爱吃食是什么症状？"

快嘴子早就等铁杠张这一句话了，他马上说："你要是不爱吃饭上医院去找医生，医生敢说那不是症状吗？敢说你没病找病吗？"

"人是人，猪是猪，人受情绪的影响会得病，猪会吗？要不怎么说是猪脑子呢？"

"你以为猪脑子就什么不会想了？猪也会思考。"

"不用扯远了，说一千道一万，吆持猪就不是病。"铁杠张知道说得太深了自己不是对手，忙又杀了回来。

"病不病的不能说了就算，要看有没有理。"

"你说是病，有本事把病治好才能证明。"

"非要治好病才算是有病啊？这算什么道理？"

"能治好才说明你的病才是真的有，否则你说得天花乱坠也没有用。"

"你这就胡搅蛮缠了。你到医院去，医生说你得了癌症，又治不好你，那就说你没病？"

"别说那些以外的，我只管你能不能治好，治好就是真有病。"铁杠张这下真的抬起杠来。

这次争论虽然最后不了了之，但快嘴子明显占了上风。不过快嘴子却就此心中结了个疙瘩，他想难道对吆持猪就没有咒念了？快嘴子到县城书店去翻了许多关于养猪的书，最后还买了两本。将两本书翻了两遍后，快嘴子悄悄去找家里有吆持猪的那个人，说他家的猪才卖了，圈空着，帮他养一阵子，看看能不能治一治，让他保密，不要告诉别人。快嘴子只是想做个实验，能否成功心里根本没有底。如果传出去，末了还弄不成，会惹人嗤笑的。那人自然很高兴地答应了。

借着月色，快嘴子将吆持猪赶到自己家，开始了征服征程。他按照书上写的，拌了多种饲料喂，吆持猪却依然每顿吃个半饱就哼哼唧唧罢食了。纠缠了近一个月，快嘴子草鸡了。他想这家伙天生就是贱货，倒是适合生在灾荒年。快嘴子准备再过几天看看，还是不行就算了，将猪送还。老婆直埋怨他不该逞这个能，难道谁都降服不了这些嘴刁的东西，就你快嘴子有能耐？

这天，吆持猪吃到半道又不吃了，气得快嘴子骂道："你他妈的不吃算了，饿死你狗小子！"气呼呼地回到屋里坐下。忽然，快嘴子来了灵感，他一拍大腿："小子，这下好好收拾你一下！"快嘴子回到猪圈边，用瓢将槽子里的猪食全部舀出来。

第二天，上午该喂猪食了，快嘴子按兵不动。吆持猪哼哼了两声就没动静了，大概它觉得还不算太饿。

到了下午，吆持猪还不见喂食，受不了了，哼哼个不停。屋里的快嘴子忍不住偷偷乐。他心说，看你小子还敢娇气！

第三天天刚亮，快嘴子就被吆持猪叫醒了。吆持猪叫声响亮，持续不断。当快嘴子来到猪圈旁时，吆持猪两只腿都搭到墙上，急不可耐地叫着。

快嘴子洋洋自得地说："你小子也有今天！你不是难调理吗？原先请着你都不吃，现在倒央求起来，有种你犟到底啊。看你那草鸡样儿，不给你点儿颜色，你以为我快嘴子是一般人，也敢欺负。对不起，不能就这么便宜了你，先撑一会儿吧。没事，一时半会儿还饿不死你。"

老婆劝道："饶了它吧，看它那副可怜相，赶紧给它吃吧。"

快嘴子说："不让它刻骨铭心不行，以后还会犯病，这回彻底改改它的臭毛病。看它以后还敢再犯。"

吆持猪一直大声哼哼着，弄得老婆心烦意乱，要出去串门。快嘴子说："饿吆持猪这件事千万别告诉别人。闭上你那张臭嘴，别到处胡咧咧。"

老婆不以为然："为啥？饿猪有啥了不起的？"

"你不是一直为你兄弟的生计害愁吗？我这件事要是研究成功了，他就有饭碗了。"快嘴子的小舅子有点儿懒，一直嫌种庄稼累，宁可地荒着也不种。想干别的又啥都不会，快三十岁了，还是光棍一条，成了快嘴子老婆的一个心病。

"你说的是啥意思？"

"你先别管，到时候你就知道了。反正这件事要让别人知道了，你兄弟的饭碗就砸了，到时候可别埋怨我呀。”

快嘴子一直快乐地听着吆持猪不屈不挠地哼哼着，如听仙乐。到了下午，吆持猪不哼哼了，大概是累了，躺在那儿不动弹。快嘴子用瓢往猪圈边轻轻一磕，吆持猪呼的一声站了起来，扑向食槽，见空空如也，委屈地哼哼了一声，乞求似的看着快嘴子。它的肚皮松松垮垮，像一个空口袋。快嘴子说：“这次就先饶了你，要是敢再犯，下次就饿死你！听见没有？”

快嘴子端来猪食盆，刚舀了一瓢放在槽子里，吆持猪就一头扎进槽子，呱嗒呱嗒吃了起来，再也不是见了食爱答不理的，一直吃到肚子滚瓜溜圆才抬起头来。

快嘴子并未松气，现在只是成功了一半，最主要的是另一半。第二天上午再喂食，吆持猪就吃得很积极，一直吃饱了才住了嘴。快嘴子暗自高兴。

正如快嘴子所料，吆持猪再也没有发生过不爱吃食的事。半个多月过去了，身上明显地长出了肉。快嘴子知道自己成功了。

快嘴子将吆持猪送还村人的时候，村人很吃惊。感谢之余，村人问其秘诀。快嘴子笑称保密。但是仅仅一头猪也许是个特例，并不足以说明问题。快嘴子又将村里另外三头吆持猪以很便宜的价买下。吆持猪的主人也觉得划算，总算是将瘟神送走了。

快嘴子仍然采用饥饿疗法。结果三头吆持猪再也不吆持了，很快就丰满起来。至此，快嘴子知道自己的试验彻底成功了。

快嘴子便与小舅子开着拖拉机到邻村以最便宜的价收购吆持猪。当村人听二人吆喝专收吆持猪的时候，很新奇，问收了干什么。快嘴子不愿多谈，只说送屠宰厂。每个村都有那么几头吆持猪，三个村便收了十一头。先将猪蹄捆上，然后放到拖拉机后斗拉回村。

快嘴子家里已经有了三头，就留了五头，剩下六头让小舅子养。小舅子也如法炮制。两家的吆持猪长得很快。后来快嘴子发现，吆持猪比一般的猪长得还快。大概有点物极必反的意思。

有次与铁杠张一起，快嘴子很得意地说：“怎么样，我说吆持猪是有病，现在我把病治好了，一个个肥头大耳的。”

铁杠张心服嘴不服，脖子一梗：“那也不能肯定就是病，也许是你改变了它的天性。”

快嘴子大度地笑了笑，没有和铁杠张争。管它是怎么回事了，反正自己和小舅子发财了。

后来小舅子嫌在家里养猪数量有限，索性当上了猪倌，一下子收了四十多头猪，天天赶到村外野地里养。每当他耀武扬威地赶着膘肥体壮的吆持猪从街上经过时，引来了许多村人羡慕的目光。他成了村里的致富能手，很快便娶上了媳妇。

快嘴子征服吆持猪就够具有传奇性了，但比起香香养白猪就逊色了许多。香香是个少妇,家里一头老母猪下了一窝猪崽,别的猪崽都是黑的,只有一头小公猪浑身雪白,并且长得比别的猪都好看。香香挺喜欢它,给它起了个小白的名字。一次男人听香香唤小白猪为小白,忍不住笑着说:“瞧你叫得那个亲热劲儿。”

香香也笑了:“你吃醋啦?”

“一头猪还起什么名字?还是个娇滴滴的名字,听起来像琼瑶电视剧里的主人公。”

“猪怎么了,猫呀狗呀的能有名字猪就不能有了?”

不过有外人在场香香是不好意思叫的,怕人笑话。有时候小白抢不上食,香香就单独喂它。后来事实证明,小白没有辜负香香的好意。

夏日里的一天,香香四岁的儿子与胡同里两个小孩在村外池塘边玩,小白跟在一边。儿子也喜欢小白,常把长大了的小白当马骑。

突然,香香的儿子脚下一滑,掉进了池塘里,另外两个小孩都吓傻了,此时周围一个人也没有。小白一下子跳入水中,游到小主人面前,用嘴咬住衣服,将小主人拖到池塘边。

当浑身上下湿淋淋吓得丢魂失魄的儿子回家后,把香香吓了一大跳。香香知道是小白救了儿子,感激万分,以后对小白更好了,经常给它吃小灶,有了好吃的总是先尽它吃,别的猪靠边去。有时候香香做饭后偷着把人吃的饭弄给小白一些,不让男人知道,怕他说自己惯小白。

这天晚上,香香把炕当成了锅,把自己当成了饼,翻来覆去的,就是睡不着。明天杀猪的就来了,小白难逃此劫。田村这一带控制得不严,许多村人都是请杀猪的到家里杀猪,然后卖肉,而不是按规定把猪送到屠宰厂。这样村人就能多赚些钱。

半夜里男人起来尿,香香问:“能不能不杀小白?”

男人说:“你真能胡扯,不杀它,留着干啥?白养着呀?”

“可是我舍不得。”

“养猪就是为了杀肉吃,这是天经地义的。你就别操那份闲心了,快睡吧,明天杀猪也够忙活的。”

香香一宿没合眼,不时地流着泪。第二天早晨她的眼都肿成了核桃。男人早晨起来,闻到屋里一股烀肉的香味,便问:“香香,做的什么饭?”他有些奇怪,因为早饭从来都是凑合一下。

在院子里的香香说:“在锅里,自己看去。”

男人知道香香心情不好,也不在意,掀开锅盖一看,连个肉渣都没看见。男人觉得很奇怪,抽动了两下鼻子,还是有肉香。“怎么闻着股肉味?”男人开玩笑地说,“是不是你偷着烀肉吃了?”

香香没吱声。

男人来到院子里,不由吃了一惊:白猪正在津津有味地吃着一大碗肉。男人急了，对站在一边的香香说："你疯了？这么好的东西给猪吃？"

香香扬脸冲男人吼道："谁说不行？难道你儿子的命不值一碗肉？"话未说完，泪就下来了。

男人知道香香的心情，识趣地退回屋里，心里不痛快地想，操，我一年也就吃两三次炖肉，这头猪倒他妈的有口福。

早饭后，香香与男人做杀猪前的准备。香香干活儿本来是手脚麻利，现在却是拖泥带水。

杀猪的来了。男人与请来帮忙的邻居跳进猪圈，将一头肥猪抬了出来，肥猪挣扎嚎叫着。杀猪的口中念念有词，大约是让猪不要埋怨他的意思。然后雪亮的刀子就如同利箭离弦子弹出膛射入肥猪的要害处，肥猪用一声长嚎宣告自己与世长辞。

抓第二头肥猪时邻居放倒了白猪。香香忙说："先别杀它，留着最后杀。"

邻居不解地说："先杀后杀还不是一个滋味？早晚要挨刀。"

男人知道香香的心情，就说："留最后吧。"

猪圈里只剩下白猪了，白猪被抬向杀猪的案板。咬着嘴唇的香香忽然冲到白猪面前："这头猪不杀了！"

众人一愣。男人说："怎么了，香香？"

"今天不杀了，以后再说。"

"一便杀了，还留着干啥？"

"这你别管，我说留着就留着。"

男人的脸挂不住了，他一个大老爷们儿怎么能让一个女人说了算？现在院子里聚了不少人，都是听见猪叫来看热闹的。在这么多人面前他怎么能下得了台？男人对杀猪的说："杀！"

香香说："别杀！"

杀猪的为难地看着男人。男人气冲冲地说："你想干啥？快躲一边去！"用手拨拉香香。

香香冲男人说："你敢杀，我和你离婚！"

院子里的人不由笑出了声，没听说为这种事离婚的。

"离就离。"男人不在乎地说，他知道香香不会。

香香说："要想杀小白，先把我杀了！"

院子里的人又笑了起来。没想到猪还有名字，并且是一个很温情的名字。香香为了它反应竟如此强烈，让人不由联想起小白脸来。

男人更生气了，今天要是制服不了香香，以后怎么有脸见人。男人说："看把你疯的，还反了你！"抓起香香的胳膊就往外拽。香香低头就是一口。男人哎哟一声松了手，气急败坏地说："你他妈的真咬啊！"抬手就打。

众人边笑边想今天可真没白来，饱眼福了。

香香忽然抓起了案板上备用的剔骨刀，高高地举着，咬牙切齿地喊着："谁敢杀它，我就杀了他！"

在场的村人都愣怔了，他们没想到平日里温柔和气的香香怎么变成了杀气腾腾的泼妇。

白猪就这样留下了，香香要为它养老送终。村人都把这件事传为笑谈，只有快嘴子不这样看。他说："这才是有情有义的人，你们以为谁都像你们那样狼心狗肺？"结果村人前所未有地一致以为快嘴子这次的言论很荒谬，不是人话。

羊

田七做梦也没想到竟然会发生这种事。

吃完午饭，田七像往常一样把二十四只羊往村外赶。一些村人和田七打招呼，然后望着经过的羊群啧啧有声：看人家田七把羊喂的，羡慕死人。

二十四只羊像二十四个肉蛋一样向村外滚去，以至于让人怀疑羊能不能带得动身上的肥肉。羊和人不一样，人太胖了走路都别扭，移动迟缓，而羊却不，走得还是挺从容。

同样从容的还有走在最后面的田七。田七的肩膀好像是波浪中的船，一起一落。田七是个跛子，小时候田七奔跑如飞，学校开运动会总是跑第一，后来被市体校收去了。经过正规训练的田七如虎添翼，在全省青少年运动会上得了金牌。就在省体委准备调他时，有次训练，正在跑步的他被大失准头的运动员掷出的铁饼砸中了脚腕，也将他更上一层楼的梦想砸破了，并且从原先的楼上摔了下去，摔得比一般人还低，成了残疾人。

田七赶着羊进了山。见了绿草的羊像被磁铁吸引，低头吃个不停。田七坐在一块石头上，惬意地看着雪白的羊在草地上如同漂在水上的船。

船渐渐向远处漂去，田七也尾随而至。转过了一个山坳，一只羊看中了树，嘴在树干上啃起来。它不知道这一啃给田七啃出了不小的麻烦。别的羊见那只羊啃得有滋有味，也不甘落后，纷纷逮住树，大快朵颐。田七根本没注意，正在美美地想着心事。三十出头的田七正在与村里的秋秋谈恋爱，等这些羊卖了，下彩礼的钱就够了。

忽然一声断喝："干什么！"把正在沉思的田七吓了一大跳。他看见一个人出现在羊群面前，他认识这个人，是林场护林员，同时他也知道了这个人为什么吼叫。他抓起几个土块向羊扔去，嘴里也大声咋呼。羊们不情愿地离开了树。

护林员冲田七冷笑着："怪不得羊这么肥了，原来是吃高级滋补品吃的。"

田七忙赔笑说："老兄，对不起，我一时没看住，以后我一定好好看着。"

"以后再说以后的事，现在呢？再说逮住了这是第一次，没看见呢？谁知道这是第几次。"

"老兄，你相信我，我没骗你，真的。"

"说那些没有用，谁也不会说这不是第一次。交钱吧，罚款四百块。"

"老兄，能不能不罚？这次权当是警告……"

"警告？这次是警告，下次是严重警告吧？玩什么游戏？罚款。"

"您看我这瘸子也不容易……"

"这年头谁容易？谁也不容易。这样吧，看在你是残疾人的份上交三百吧，再可是一分也不能少了。"

"老兄，您看……"

"我这儿不是市场，讨价还价。我已经给你面子了，你再讲还是四百块。交钱吧。"

"我身上没带钱。"

"那怎么办？"

"您看这样行不行？我明天给您送去。"

"那不行，你一走再没影了，上哪儿去找呀。"

"我就是田村的，叫田七……"

"我不管那些。没钱是吧，我把这羊赶走。你送钱了，这羊就给你，不送这羊就充公。"

田七不同意，他可不放心自己的羊让别人赶走。但护林员执意要赶羊，田七只好让他赶走了。眼看过一阵子就是黄昏了，自己送钱去林场就下班了，田七忙对护林员说："老兄，麻烦您好好照看这些羊，我明天一早就去送钱。"

第二天早饭后，田七就急急忙忙向林场赶，田村离林场公路十几里，山路十里。田七的肩膀就在崎岖的山路上高低起伏了十里。

来到林场，田七不知道那个护林员叫什么名字，就到办公室去打听。他说了护林员的特征，办公室的人让他去巡检科。

来到巡检科，田七一眼就看见了护林员，他正举着一份报纸在看。田七来到护林员身边，说："你在忙啊。"

护林员转头看见田七，说："来啦。"

田七从口袋里掏出钱，恭恭敬敬地递上。护林员点了点，收了起来，起身说："走，赶羊去。"

田七随护林员来到一个院门前，开了锁，推开门，护林员说："赶吧。"

田七刚说了声"谢谢"，然后就呆了，只见院子里是一群小羊。田七忙说："您是不是弄错了？这羊不是我的。"

“不是你的？那是谁的？”

“我的羊是成羊，这是群小羊。”

“不对吧，我昨天把羊赶回来就放在这个院子里。你先数数数对不对。”

田七无奈地数了数，正好是二十四只。

护林员问：“数对不对？”

田七说：“数倒是对，可是，不是我的羊啊。”

“这就怪了，我把你的羊放在这个院子里，你也承认数对，却说这不是你的羊。那是谁的羊？”

田七很委婉地说：“是不是您记错了，放在别的院子里了？”

“不会。这儿只有你的羊，再没别的羊。你赶快把羊赶走吧，我还有事呢。”

“可这不是我的羊啊。”

“你这人怎么连自己的羊都不认识？这么说吧，昨天下午你的羊是不是啃树让我逮着了？”

“是。”

“是不是我赶走了你的羊，你用钱来换？”

“是。”

“那就对了，就是这群羊。要是不是这群羊，那昨天下午被逮住的就不是你，而是别人。”

“这……”田七想这是什么理啊？

“你到底赶不赶？再胡搅蛮缠下去这羊还不给你了。我最后问你一句，赶不赶？你可别后悔啊！”

“不是我的羊，我当然不赶。”

护林员哐当把门带上，锁好，掉头就走。田七尾随着。护林员回头说：“你跟着我干啥？”

“要我的羊。”

“你自己都承认了不是我赶的羊，和我要什么。”

“就是你赶的羊！”

“我最后声明一遍，我赶的就是院子里的羊。院子里的羊不是就不是我赶的，谁赶了找谁要。”

田七不管，还是跟着。护林员就加快脚步。田七也加快脚步，竟然没被甩下来。护林员就跑了起来，这回田七可追不上了，但还是奋力撵着。

护林员跑进办公楼，田七一层层上去，来到三楼巡检科，空无一人。田七知道护林员躲起来了。他很气愤地来到办公室，将事情的经过说了一遍。办公室的人说：“你是不是弄错了？那是你的羊吧？”

“绝对不是，我自己的羊我还认不出来？”

“这件事你只能找他本人。”

“可他躲起来了。”

“我也不知道他到哪儿去了。”

田七知道对方是在推诿，他说：“我要找你们领导。”

“领导不在家。”

“我在这儿等。”田七索性坐在沙发上。

过了半个多小时，电话铃响了，办公室的人拿起电话，听了一下说：“革命尚未成功，同志仍须努力。”

田七知道这是一句名言，不过记不起是谁说的了。他想可能是护林员打电话问自己走没走，因此办公室的人这么回答。田七一直等到中午，办公室的人要下班关门了才出了办公室，坐在楼门口。

楼里的人三三两两拿着碗去食堂领饭，然后回楼里吃。田七一点儿也不饿。他知道该死的护林员肯定让别人给他捎饭，不知藏在哪个地方正在吃呢。田七相信护林员干这种偷梁换柱的事不能没有人管，他一定要找林场领导。

下午三点多钟，一辆轿车开进林场，停在楼前。一个大腹便便的中年男人下了车，往楼里走。田七知道这是个官，忙迎上前去：“场长回来啦。”

满面红光的中年人有些疑惑地看着田七，点了点头。田七闻到一股酒气扑面而来，他说：“我有件事向场长反映一下。”

中年人说：“到办公室说吧。”

田七随中年人来到办公室。办公室的人忙为中年人泡茶，又递上了牙签。从对话中田七知道中年人就是场长。场长一边抠牙，一边说：“你有什么事？”

田七简要地将事情经过说了一遍。在这期间场长歪着头很用心地抠着牙，田七有些怀疑他听没听。场长噗地朝地上吐了一口，一块米粒大小的肉掉在地上。场长喝了口茶水，然后说：“会有这种事？小刘不是那种人啊！你那羊是不是瘦了，显得小了？”

“不是瘦，那根本就是一群小羊。”田七没好意思说就是瘦一夜之间能瘦多少。

场长让办公室的人去找护林员。办公室的人一会儿回来说没找到。

场长说：“这样吧，你先把羊赶回去，过几天再来看看。”

田七不同意，要是赶回去可就真的说不清了。

场长说：“小刘不在，又不能听你一面之词，那你明天再来吧。”

田七说着感谢的话，走了。他觉得场长还可以，应该能还自己一个公道。

第二天，田七再次来到林场时，却被告知场长出差去了，要好几天才能回来。场长叫田七还是将羊领回去吧。田七去找护林员，自然吃了闭门羹。田七知道场长也是躲自己，看来护林员可能不是一般的人。可田七不管他是谁，一定要把自己的羊要回来。

田七就坐车去了县城林业局。林业局办公室主任听了田七的叙述，说："你这个人挺能说谎，林场的人能干出这种事吗？你快走吧，把羊赶回去。"

田七见那个主任不分青红皂白的样子就知道早已有人告诉了他这件事，显然是官官相护。田七很生气地说："我要找你们领导！"

"领导不在，再说领导也管不过来你这样的小事。"

田七一气之下到县政府去了，他就不信没地方说理。县政府的门卫拦住他，让有事找信访办公室。田七到了信访办，工作人员为他做了记录。田七问什么时候能办好，回答是要等几天。田七就要了信访办的电话号码。

三天后，田七打电话询问。信访办的人说这件事已经转到林业局去了，田七打电话给林业局。田七听出接电话那个人就是办公室主任，只听他恶声恶气地说："你还挺有本事啊，都告到县政府了。告诉你，这事儿告到哪儿也没用！"

田七气得又打电话给信访办。信访办说他们已完成了自己的工作，至于林业局怎么办，他们无权干涉。田七气得要命，他却不知道姓刘的护林员是林业局局长的外甥，林业局谁也不敢得罪他。

田七放下邻居的电话，道谢后走了。他一瘸一拐地在街上走着，心中酸苦不已，假如当初不是因为腿跛，他恐怕早就功成名就了，怎么会放羊呢，又怎么会被人欺侮拖着跛脚四处奔波呢。

来到快嘴子家，他请快嘴子帮忙联系上次省电视台来的记者再来采访。田七的事村子里的人早就知道了，快嘴子也感到很气愤。其实他早想好了，这件事不处理的话，他就让沈记者来曝光。

快嘴子马上打电话给沈记者。沈记者不在，采访去了。快嘴子要了沈记者的传呼号，传他。过了一会儿，沈记者打来了电话，快嘴子将田七的事说了。沈记者说这是个不错的题材，正好过几天他准备去快嘴子邻县采访。如果领导同意采访，顺便就去快嘴子那儿。

放下电话，快嘴子将结果告诉了田七，田七问会来吗。快嘴子说你这件事也挺有新闻效应的，应该有希望。又说没事，如果电视台不来，他打电话给省晚报社，反正一定要利用媒体施压，讨回公道。

第二天下午，沈记者打电话说大后天采访田七的事。事情这么顺利，快嘴子很高兴，赶忙去告诉了田七。然后快嘴子又打电话告诉了村主任，村主任听了很高兴。快嘴子想，沈记者能否宣传村主任，那就看他的造化了。

沈记者来那天，村主任率领两个村委员在村头迎接。见了沈记者，村主任异乎寻常地热情。他大力称赞沈记者为民请命，欢迎他多来指导。

采访田七后，沈记者谢绝了村主任休息的好意，按惯例开车去林场。虽然田七看见上次场长坐的轿车就停在办公楼前，但林场办公室的人却说场长不在。上三楼找护林员，巡检科锁着门。问起田七的羊这件事，上次办公室接待田七的人却说不知道。沈记者问羊还在不在,那人说大概在。沈记者请他开门看看,他说没钥匙。田七便将沈记者领到关羊的院门前,透过门缝,可以看见羊的影子。快嘴子蹲下,让沈记者踩着肩头往墙里看。沈记者接过下面递上的摄像机,拍起院子里的羊。

接着沈记者他们去了县城林业局。办公室主任也说局长不在,信访办关于羊的事他们问过林场,不存在调包的事。

中午晚上两顿饭都是村主任请的客,他坐着村里的桑塔纳一直陪着沈记者。晚饭后,村主任让司机把快嘴子和田七送回村,将沈记者一行安排在县宾馆的高档房间,又请沈记者他们去歌舞厅,找了漂亮的陪舞小姐跳起舞来。沈记者他们原本是想好好休息一下的,因为白天四处奔波有些累,可最终盛情难却。

送沈记者回房间休息时,村主任委婉地提出能不能为田村宣传一下,顺手递过一个红包。沈记者不接,说这种事他说了不算,必须领导点头才行。村主任便请沈记者多费心,红包只是个意思,成不成无所谓,他想交沈记者这个朋友。见沈记者还是推辞,村主任将红包塞进他的口袋里。

第二天早晨起来,沈记者拨通了快嘴子家的电话,说村主任想让电视台宣传一下田村,问他觉得行不行。快嘴子说,这还不是你说行就行,你说不行就不行。沈记者说,你说句实话,村主任这个人怎么样。沈记者为人正直,如果村主任人品不错,工作有一定成绩,可以考虑。快嘴子说,这话你最好去问问田村的人,我说好说坏你可能不太信。沈记者心领神会地说,我知道了,谢谢你。快嘴子之所以这样委婉地说是知道沈记者这个人不错,但又怕说得直露了,万一让村主任知道就糟了。

沈记者放下电话后,住在隔壁的村主任领来一个人。村主任介绍说是县政府办公室主任。后者陪着沈记者吃早饭时说县长想见见沈记者一行。沈记者知道是怎么回事,婉言谢绝,大大出乎了办公室主任的意料。以他的经验,对方是绝对不会回绝的。县长见沈记者的意思自然是让他不要播发采访这件事,去年学生养鸡的事就让县政府脸上无光了。这次林业局局长告诉县长省电视台又来人了,县长就急了。

沈记者在告辞时把一万元的红包又塞给了村主任,说这件事等回去和领导汇报后再说。村主任本以为沈记者收了红包就八九不离十了,现在有谁不爱钱呢。没想到姓沈的竟然退了红包,这也就意味着自己的算盘落空了。

田七三两天就往快嘴子家跑一趟,打探消息。后来快嘴子说你别急,有消息我马上告诉你。由于有上次的经验,所以快嘴子并不太急,可是过了十天快嘴子有些忐忑。按理说自己与沈记者较熟,事情有了眉目他会先和自己说一声的。快嘴子想再过一两天不来电话自己就问。

就在这时,沈记者来电话了,说领导本来挺欣赏田七这个片子,可惜后来有人托关系不让放,只好算了。他说这种事也是常有的,要快嘴子和田七不要太上火。

快嘴子觉得实在张不开嘴,他怎么去面对满怀希望的田七呢?

田七知道这个不幸的消息后,两眼都有些发直。快嘴子没敢告诉他真相,只是说节目没通过,否则田七更受不了。快嘴子安慰他说自己又联系了几家报社,他们很感兴趣,很可能要来采访。这次田七只略略心安,经过这次打击,他不敢再抱太大的希望了。

几天后,爆出惊人的新闻,市委书记被抓起来了,据说受贿过百万,还有其他一些事。接着又出了新闻,乔青天来干市委书记了。乔青天本是省内某市市长,一身清正,连自己的女儿下岗都自谋生路。因姓乔,人称乔青天,前一阵子被媒体宣传得热火朝天。

快嘴子便为田七写了一封信寄给市委书记。半个月后的一天,村主任在村中的大喇叭上招呼,说林场让田七去赶羊。田七去找快嘴子,快嘴子打电话问村主任。村主任说林场只说了那么一句话,具体是怎么回事他也不知道。快嘴子就打电话给林场,林场说要归还田七的羊。快嘴子觉得不明确,便说,是小羊还是大羊,林场说是大羊。

快嘴子便想可能是自己的信起了作用。田七高兴得不得了,马上就起身去林场。

田七到了林场,被领到不远处林场的养殖基地。打开一个羊圈,让田七随便挑二十四只羊。田七说:"我的羊呢?我要我的羊。"

对方不耐烦地说:"你的羊已经杀了,这些羊算是赔你的。"

田七看了看羊说:"这些羊瘦,我的羊肥。"

"你不要得理不让人了,你的羊能死而复生吗?我们这儿的羊都是这样,你不要可别说我们不给你呀。"

田七觉得虽然自己赔了,但总算是给了自己大羊。现在要是不要,以后就更不好办了,田七便在羊圈中挑了二十四只羊。

又过了几天,沈记者打电话给快嘴子说,上次节目没播就是因为那个市委书记插手干涉,现在片子准备后天播,问事情是否有变化。快嘴子便告诉了他后来又发生的肥羊变瘦羊的事。沈记者说,这太好了,更出彩了。

田七的肥羊变成小羊,最后变成瘦羊的片子一播,在社会上引起不小的反响。片子播出后的第三天,林场的汽车拉了满满一车肥羊给田七,将原先的瘦羊换走了。后来田村人也知道了林业局局长和林场场长都丢了官。

过年的时候田七杀了一只肥羊,送了二十斤羊肉和一只大羊腿给快嘴子,以示谢意,同时告诉说明年春天要与秋秋结婚。

羊腿炖好后,快嘴子从锅里捞出来,感慨地看着它说:"能吃上你可真是不容易啊。"朝饱绽的肉块一口咬下去。

狗

孙兴在大街上边走边想着心事,冷不丁从胡同里蹿出一条狗,吓了孙兴一大跳,他随口骂道:“狗日的!”

过了一会儿,就在孙兴蹲在家中茅坑使劲地拉屎时,挂在村中央的大槐树上的大喇叭扯着嗓子叫起来:“孙子,你给我听着,八分钟内到我家!”

孙兴好像屁股被蜂蜇了一样一下子跳起来,剩下的屎被生生夹回去了。他胡乱地用草纸揩了一下屁股,边束腰带边往门外跑去。孙子是孙兴的外号,农村许多人都有外号。村主任在设在自己家的扩音器上招呼人,除了亲属,不论是谁都喊外号,要是有的话。他发火时常常规定多少时间到他家,不管当时你在什么地方。只要晚了一点儿,罪上加罪。孙兴知道大祸临头,却不知道什么地方得罪了村主任。

当四十来岁胖乎乎的孙兴上气不接下气地冲进村主任家门时,村主任说:“看不出啊孙子,你这一身膘还提前了一分多钟到。”

孙兴一边大口喘气一边讨好地问:“村主任……找我……有事?”

村主任说:“汇报一下你今天都干了些啥事。”

孙兴心里稍稍松了口气。他想自己今天没有得罪村主任的地方啊。孙兴一边寻思一边回答村主任的提问。

末了,村主任说:“就这些?没漏什么?”

孙兴又想了想,诚恳地说:“村主任,真的没有了,我还敢唬您吗?”

村主任眼珠子一瞪,厉声喝道:“这么说骂‘狗日的’就不是你啦?”

孙兴想,我什么时候骂过村主任了?忽然,他的身子不由自主地哆嗦了一下,他想起来了。孙兴连忙解释道:“村主任,看我这张臭嘴。我那是口头语,一出溜就出来了,不是骂将军。”

“我要是一不小心枪走火了,一下子把你崩了,你就白死吗?”

“村主任,是我嘴臭,我是狗日的。”

“俗话说得好,打狗还得看主人呢。你是不是对我不满,指桑骂槐?”

“村主任,看您说的,您就是借我俩胆,我也不敢呐。我确实是小和尚念经——有口无心。”

“谅你也不敢,你别狗眼看将军低。告诉你,你的小命不比将军值钱。如果你要是和将军同时叫人杀了,警察肯定先到将军现场,你信不信?”

“信,信。”

“这事你说咋办吧?”

“村主任说咋办就咋办。”

“就按二百块钱的标准到镇上请一桌吧。”

“行，村主任，就按您说的办。您啥时候有空?”

村主任刚上任时买了条狗，地地道道是为了看家护院。后来换成了现在这只狼狗就不是了。这时村主任地位已经十分巩固了，可以说他咳嗽一声就如同响了炸雷，令全村人心惊肉跳。就是他敞开大门，也没人敢到他那二层小楼撒野。他养狼狗纯粹是为了抖威风，这从他给狗起名叫将军就可以看出来。后来将军经常无缘无故叫个不停，吵得慌，村主任就找懂行的人去看。那人给将军仔细地检查后说没啥事，大概是老在院里将军嫌憋得慌。狼狗毕竟有一半狼的野性嘛。村主任便顺从狗意，去了锁链，将将军放出去，这一放村人可就遭了殃。

村里养狗成风，共有四十多家有狗。多数白天将狗放出去，晚上关起来。将军出山，自恃高大威猛，又在村长家耀武扬威惯了，见了别的狗也想恃强凌弱，别的狗打不过它，便夹着尾巴落荒而逃。有一天，三十多条狗联合起来围攻将军。将军寡不敌众，被咬了两口，夺路狂奔，将众狗的叫声甩在身后，一溜烟窜回了家，胆战心惊地向主人呜呜地诉着委屈。村主任大怒，谁家的狗这么大胆，竟敢太岁头上动土，这简直是藐视他的权威。村主任马上派人调查，调查的结果很快就出来了。村主任义愤填膺，马上在大喇叭上招呼所有放狗出门的人十分钟内赶到他家。一时间村里三十多人从村子的各个角落蹿出来，从四面八方往村长家跑，一时间惊得大街上鸡飞狗跳，好不壮观。有人跑得太猛了，扑通一声，在凸凹不平的街道上重重地摔了个狗吃屎，却顾不得疼，爬起来就跑，直跑到村主任家才松了口气，再看时一只胳膊擦破了一大块皮，血都出来了。

不到十分钟，狗的主人们就到齐了，齐唰唰地站着，幸亏村主任的院子很宽敞，否则会显得挺挤，现在就是再来一百号人也能盛下。曾有镇长光临对村主任开玩笑说，在这个院子里能打高尔夫球，可见其如何宽敞了。光是院中央的大花坛就有一般人的院子大，另外院子四周还有优质草坪，四季绿意，环境极其幽雅。难怪有人说村主任的家可以评为花园式单位了。这么气派有档次的院子也是村主任自己设计的杰作，他一直为自己有如此魄力的创意而得意。

村主任站在二楼阳台上，双手叉腰，摆出一副站在天安门城楼上的架势，怒气冲冲地说:“你们的胆真是越来越肥了，竟敢唆使些草狗子来咬将军。你们说咋办吧?”“你(你们)说咋办吧?”是村主任的口头禅。

村人都低着头，像一群任人宰割的羔羊。

村主任说:“不给你们点教训你们就忘了姓什么。本来是要以牙还牙血债血还的，将你们的狗杀光，可是那样太残忍了。这样吧，你们每家出一百块钱给将军治伤，再拿一百块毁容费。谁有意见举手，好，没意见就这样吧。”

就这样，村主任不费吹灰之力就收入了六千多块钱。当天晚上，许多人家都传来了狗挨揍后的叫声。

自从被主人教训以后,村里的狗见了将军都老实了,有的甚至摇头摆尾地献媚。将军遂成村里狗的老大,成了名副其实的将军,经常领着狗们在村中呼啸而过,像一群狼。这样村主任领导全村的人,村主任的狗领导全村的狗,倒也和谐。

有一天,将军觉得与村里狗再也玩不出什么花样了,狼性大发,率领着全村的狗浩浩荡荡地过了桥,向李村进发,逢狗便咬,群起而攻之,将李村那散兵游勇的狗打得落花流水。

将军在村里飞扬跋扈,村人给它起了个外号“老二”,老大当然是村长了。乡村称男人的胯中物为老二,所以村人有时开玩笑便说,你那家什再凶还凶得过村长的老二?

以前将军在家吃饭,到吃饭时间就回家了。可是有一天它大概在家吃腻了,就去了一户人家。村人正在吃饭,将军也不客气跳上炕就吃了起来。村人不敢抗议,只能随它吃。可是将军吃了几口就不吃了,因为将军只吃肉,不吃别的,现在菜里的几块肉让它给拣吃了,便冲村人汪汪叫。村人知道是怎么回事,无奈只好将家里剩的一块肉放在锅里,想想肯定不够,到时候又要惹麻烦,就到邻居家又借了二斤肉。肉烀熟后将军吃了,这才心满意足地走了。从此将军就养成了到村人家吃饭的习惯,今天吃了张家,明天吃李家。不管到了谁家,村人都将自己都舍不得吃的肉烀给它吃,谁也不敢怠慢。有一次,一个五岁的小孩被肉香吸引,忍不住去抓小盆里的肉,结果被生气的将军咬住了小手。等村人把狗喊开,小孩的手已经鲜血淋漓了,送到医院缝了好几针。就这样小孩的父母也只是恨恨地骂了声狗日的,没敢对将军怎么样。村主任对将军吃百家饭根本不管,反而夸奖将军:“好家伙,也知道用老子的权。”到别人家吃饭高兴还来不及呢,哪里还去管呢。

将军成了村里除了村主任外的第二大祸害。人们想,怎么就没人弄死这个狗日的呢?本来有个老大就够晦气的了,现在又出来个老二,雪上加霜。人们气愤地想,生在这个村算是倒了八辈子霉了。连小伙子找媳妇都跟着受连累,对方一打听村子这样的情况马上就想打退堂鼓,谁愿意到村子里来受气呢?

一天,村东头郑燕到村西头娘家送东西,回家一进门傻眼了。七只鸡和两只鸭全躺在地下不动?到处是鸡鸭毛和血。看那样子就知道是被什么咬死的,郑燕一下子就想到了将军。以前将军经常拿村里的鸡鸭鹅开练,以至于人们都改了放养家禽的习惯,统统关在家里。村人家家闭户,一改以前敞门的习惯,因为将军经常锲而不舍地上门去咬。本来今天郑燕家也关上门了,只不过没锁。不知是谁来串门,走时却忘了带上门。

郑燕正为死去的鸡鸭心痛,却又发现了一个更不幸的场景,猪圈里两头一百多斤的猪死了。一只猪身上有两处轻伤,另一只猪身上一处伤都没有,大概都让将军吓死了。郑燕气得差点儿昏过去。

郑燕可不是好惹的,是村里有名的泼妇。如果是别人家的狗干的,郑燕可饶不了他，能挤出他的屎来，可要是将军干的，那就另当别论了，郑燕马上去问邻居。邻居证实了郑燕的猜测。邻居听见了鸡飞狗跳，扒着墙头，看见将军还在施威，他喊了一声，将军却冲他汪汪怒吼，吓得他从墙上掉下去。

尽管是将军作的孽，郑燕也咽不下这口气，她想弄死将军。高大虎一听吓坏了，连忙劝阻道："老婆，可不敢呀，让村长知道就完了。"

郑燕鄙夷不屑地说："瞧你那熊样儿，吃脓舔鼻涕的东西！你还是个男人吗？胯上白长那根东西，什么用也没有！"

"那可是村长的狗啊。和村长作对的下场你还不知道吗？"

"我偷着干，神不知鬼不觉的，他知道是谁？"

"你是想……"

"药死它。"

郑燕便开始注意起将军的行踪，寻找其中的规律。经过几天的观察，她发现将军经常中午在村东的小树林里避暑。今年的夏天也太热了，郑燕便想在小树林里下手。

就在郑燕准备第二天下手时，下午汗流浃背的郑燕正在家喂刚买的两个小猪崽，忽听门口有动静，过去一看，只见将军抽风一样在地上抽搐着，嘴里冒着白沫。

郑燕知道将军中毒了，有人终于忍无可忍，先下手了。郑燕大喜，狗日的，你也有今天！可是马上就担心起来，将军要是死在这儿，肯定自己就成了村主任的怀疑对象，再一查前几天将军咬死了自己的猪鸡鸭，那就跳进黄河也洗不清了。可是郑燕又不想让将军活，她灵机一动，朝门外看了看，没有人，便缩回门里，静静地看着威风八面不可一世的将军痛苦地挣扎着，快意像一大桶冷水从头到脚浇了下来，酷热中的郑燕暑气尽解。

过了一会儿，郑燕见将军抽搐得轻了，知道差不多了，于是冲出门，向村主任家跑去，一边跑一边喊："不好了！不好了……"引得许多人出门观望。

郑燕跑到村主任家，大声嚷嚷："村长，不好了，有人想毒死将军！"

村主任午睡还没醒呢，迷迷糊糊听到叫声，从床上坐起来，不满地叫道："谁瞎嚷嚷什么！"

郑燕在客厅向卧室里叫道："村长，将军中毒了！"

村主任忙从床上跳下来，顾不上穿拖鞋，光着脚跑到客厅，问："在哪儿？"

"在我家门口，赶紧去也许能救回来。"

村主任连忙打开车库，把桑塔纳开出来，载着郑燕飞驰而去。村主任把村委会的车放在自己家，又学会了开车，这样用起来方便。郑燕便说起事情的经过。很快就到了郑燕家门口，村主任跳下车，把还在抖动的将军抱上车，绝尘而去。留下郑燕在门口，很严肃地和赶来看热闹的村人起劲地说着。

吃晚饭的时候，大喇叭响了，村主任说："真是狗胆包天啊，有人竟然对将军下

了毒手，公开向村委会示威，这是破坏安定团结的重大事件！我一定要查个水落石出！狗娘养的，给我听着，你的算盘落空了，将军没有死！以后，谁要敢再动将军一根毫毛，那是搬起石头在砸自己的脚！……”

郑燕非常失望，没想到将军还是被救活了，早知道这样，就再拖延些时候了，可是当时又怕等将军死了再告诉村长容易引起他的猜疑。失望之余，郑燕并不想善罢甘休，她还想毒死将军。

高大虎听了郑燕的发狠，吓得够呛，连忙说：“你这不是惹火烧身吗？村里谁没吃过将军的亏，你出啥头？”

村人都希望有人站出来为民除害，可是谁也不想挺身而出，怕万一败露惹火烧身。

“你这头笨猪，说你笨你还不服。这次我们救老二了，下次村长肯定不会怀疑是咱干的。”

“万一知道了呢？不怕一万，就怕万一。”

“你这个窝囊废，你要害怕咱俩就离婚吧，省得将来，要是失手连累了你。其实现在我倒怕你小子害怕了去告密，把老娘给卖了。”

自打郑燕把将军救了，村人看她和高大虎的眼光就有些异样。对郑燕的无耻行径村人深恶痛绝。盼星星盼月亮，好不容易有人出头为民伸张正义，却让半道杀出的程咬金给搅黄了，谁能不气愤呢？郑燕和高大虎则满腹委屈，他娘的，将军又不是倒在你们门前，换成你们试试，谁要是不救算他有种。

将军依旧中午在小树林中避暑。就在它中毒的第四天，郑燕开始行动了。她算准了近日村主任不会对将军进行严密监视，因为慑于其淫威，一段时间内没人敢下毒手。郑燕上衣口袋里揣了两块掺了药的熟肉，到了小树林，看看周围没人，掏出两块肉，扔在吐着大舌头的将军面前。将军看了看，没有动弹。郑燕急了，忙说：“快吃呀！”将军依然不理睬，看来将军是被毒怕了。郑燕恶毒地在心中骂了一句，赶紧走了。

回到家里，郑燕骂咧咧的。高大虎在家里提心吊胆，见郑燕回来，忙问：“怎么啦？”

“狗日的学精了，不吃。”

“算了吧。”

“那不便宜了它？我的猪可不能白死。哼，不管用什么办法，我一定要弄死它，绝不罢休！”

高大虎看见郑燕的两眼冒着比将军还凶的寒光，不由打了个寒噤。他不敢去想郑燕将来会弄到什么地步。

下午，郑燕在家里听见街上议论纷纷，不知发生了什么事，出门一打听，原来将军中毒了，倒在吴桂花家门口，吴桂花赶忙报告了村主任，村主任又开车把将军送到了镇医院。

郑燕一喜一怒，喜的是将军这个狗日的还是顶不住诱惑，吃了毒肉，怒的是如果将军又被救过来就白费了自己的心血。并且此次如果失手，将军再也不会上毒饵的钩了，以后将军更加警惕，别的法也不容易奏效了。郑燕想，不知吴桂花这个小娘们儿是不是要倒霉了。将军死了倒还罢了，要是没死，吴桂花吃不了兜着走。

晚饭时，村主任又在大喇叭上大呼小叫，表达了对下毒者的极大愤慨。同时公布了一个让村人失望的消息：村主任再次粉碎了敌人对将军的阴谋诡计。

当第二天吴桂花到菜园里摘菜时，呼天抢地地哭了起来。这个情景在郑燕的意料之中，是她昨晚锋利的镰刀使菜园里所有的菜都失去了根。吴桂花知道是别人对她救将军的报复，可是她也满腹委屈，如果将军死在她家门口，她是有嘴也说不清啊。

就在吴桂花绞尽脑汁想法收拾将军时，将军死了。

这纯粹是个意外，当一辆豪华轿车在靠近田村的公路上疾驶时，与横穿公路的将军相撞。将军像一个装了东西的口袋被一只无形的大手扔出了好几米远。

几个扛着锄头从地里干活回来的村人看到这个令他们痛快之极的场景，马上拦住了轿车。他们不敢不管不问，否则让村主任知道了可没有他们的好果子吃，弄不好村主任要他们对狗的死负全责，那就惨了，谁赔得起啊。所以村人按捺住心中的喜悦，冷起脸来拦住了轿车，其中一人赶紧回村找村主任。

车里有两个人，一个瘦司机，一个挺有派头的胖子。司机从车里出来，说："对不起，这是个意外，这一百块钱算是赔偿。"从上衣兜里摸出了一百块钱。

村人说："这可不行。这狗是纯种的德国狼狗，你这个价只是个零头。"

"那要多少钱？"

"这我们可说了不算，这是村主任的狗，等他来了再说吧。"

就在村主任连输几把，一肚子火没地方发时，村人来报将军阵亡。村主任原来的火苗忽地一下子变成熊熊烈火。他将手中的麻将砰地往地上一摔，带着人开着桑塔纳，气势汹汹地杀向公路。

到了出事地点，村主任下了车，先声夺人："妈个巴子，哪个小子把我的狗轧死了！？"来到司机跟前，村主任冲他嚷道："胆够肥啊，敢轧我的狗！"

司机赔着小心："对不起，这是个意外。"

"先不说意外不意外，你说赔多少吧？"

"一千块怎么样？"

"一千块？你开什么玩笑？一千块连只狗腿都买不到。我这可不是一般的狗，德国狼犬家族中著名的恩贝种！我当时买了个狗崽就花了两万块，现在养这么大难道还不值四万？另外再加十万块精神损失费。要知道，这条狗通人性。我没有儿子，对它好像儿子一样亲。你想，你儿子要被车撞死了，赔你一千块钱就行了，你干吗？要是你嫌价高，把你儿子叫来，我开车轧死他，赔十四万给你，怎么样？”

司机很生气：“你这人怎么这么说话？”

“怎么说话？难道我说得没道理？说句不好听的话，我这条狗比你小子的命还金贵呢。”

“你嘴巴干净点！”年轻的司机再也忍不住了。

村主任火了，他没想到这小子在自己的地盘上还敢撒野。他劈头盖脸打过去。司机怕引起众人围攻，不敢还手，只是招架躲闪。村主任大发神威，拳脚交加，一顿好揍，将鼻青脸肿浑身是伤的司机打翻在地，又踏上一只脚，然后教训道：“你不能埋怨我，你叫我嘴巴干净，我现在嘴巴干净了，可是你没让我手脚干净呀。你一个小开车的，充其量也就是个跟腚狗，还挺横的。”

司机再也不吭声了，只是痛苦地呻吟着。

“呸！”村主任朝司机吐了口带酒味的痰，中午喝的酒还没消化完呢。村主任移开了自己的脚：“你狗日的脏了老子的脚。”

忽听有人叫道：“村长，里面的胖子在打电话，想搬救兵哩。”

村主任忙扭头向车里望去，果然胖子正在对着手机焦急地在说着什么。

“好小子，还不服哩，滚出来！”村主任朝轿车猛地踢了一脚。

胖子神色惶恐，还在讲着。

砰，村主任使劲朝车窗擂了一拳，吼道：“你小子敢再打我废了你！马上关了！”

胖子吓得忙关了手机。

“给我滚出来！”

胖子并不动弹。

村主任去拉驾驶座旁的车门，没想到胖子在里面关了。村主任恼了，说：“好小子，想当缩头乌龟啊。你再不出来，我们掀翻车！”

胖子无可奈何地打开车门，身子有些颤抖地钻出来。村主任说：“刚才我和司机谈的话你都听见了吧，给不给十四万？”

胖子说：“我没带这么多钱。”

“你有多少？”

“六千元。”

“这可不行，太少了。这样吧，你打电话让家里送十四万元来，咱们就两清了。”

“好吧。”胖子打开手机，拨通后说：“赶快送十四万元钱到……”胖子扭头问村主任，“贵处是什么村？”

村主任说：“田村。”

胖子说：“送到田村来，你别管什么事，送来就是，越快越好。”

村主任高兴地想，这小子够爽快的，看来是个大款，早知道多要几万块。他意犹未尽地说：“你这手机不错啊。”胖子的手机又薄又小，比一块饼干大不了多少，自己的与其相比简直成了乌鸦对凤凰。

胖子心领神会，将手机递过去："这是世界最新款式，您喜欢就送给您啦。"

村主任高兴地接过摆弄着。这时胖子将司机从地上拽起来，扶进车里。由于车前有人站着，村主任也不怕他们开车逃跑。村主任拨通了家里的号码，旁若无人地和女儿通起话来。这个手机轻便灵巧，音质又好，村主任很满意。过了一会儿，村主任说："什么时候钱能到？你那儿离这儿多远？"

胖子说："挺近，您别急，他们开着车，很快就到了。"

村主任注视着公路上的车。大约过了半小时，远处来了一辆警车。村主任的心忽然有些慌，他想莫非是胖子报了案？胖子答应得也太爽快了，一点儿价也不讲。

村主任担心的事情终于发生了。警车吱的一声停在了村主任面前，下来了两个警察。村主任心中一宽，来人他认识，是乡派出所的周所长和小刘。周所长打着官腔说："咋回事啊？"

村主任和乡派出所很熟的，周所长经常到村主任家喝酒。村主任说："周所长，这人轧死了将军。"

"你是不是要人家十几万？这不是敲诈勒索吗？"周所长板着脸。

村主任知道周所长是在摆样子给别人看，便说："那是随便说说，开个玩笑。"

周所长说："跟我到所里吧。"向小刘使个眼色，小刘拿着锃亮的手铐上来就铐。

村主任见动真格的，忙说："周所长，还用这样吗？"他觉得在村人面前太丢人了。

周所长一瞪眼："不这样还要八抬大轿抬你啊？"他转过脸和蔼地对胖子说："林先生，对不起，让您受惊了。您放心，这件事我们一定会严肃处理的。"

村主任见状知道胖子来头不小，只得乖乖地进了警车。警车呼地开走了，豪华轿车尾随而去，留下了目瞪口呆心花怒放的村人。他们没想到有朝一日村主任也像一条狗一样任人呵斥，并且戴上铁手镯。

村主任被抓走的消息闪电般传遍了全村，人们既兴奋又担心。村主任神通广大，区区小事何足挂齿？不过能让村主任低一回头也足以让村人高兴了。而真正令村人高兴的是老二这根眼中钉被拔去了，再也不用受狗日的气了。

当晚，村主任竟然没有被放回来。人们便纷纷猜测那胖子是个干什么的，看来村主任碰到硬茬了。

原来那个胖子是个台商，近日来本地投巨资兴建华东最大的果汁加工厂，是市委书记都要笑脸相迎的人物。司机挨揍时他就打电话给县委书记，却苦于不知道被困地点。正好村主任让他打电话，他便再次打电话给县委书记，告诉了出事地点。县委书记大怒，马上打电话给县公安局。公安局长连忙打电话给立全乡派出所。周所长不敢怠慢，赶紧驱车赶到。县委书记听了公安局长的汇报，大怒，令派出所将村主任拘留半个月，村主任当然不用他干了。县委书记为此还专门设宴给台商压惊。

村主任被拘留撤职的消息比闪电还快地传遍了全村各个角落。最大的一根眼中钉又被拔去了，双喜临门，村人兴高采烈。在田村人眼中，世上还有什么比这两件事更让他们高兴的吗？他们却不知道自己高兴得未免太早了。他们就像鱼鹰，看见一条大鱼，一口吞下，喜不自禁，却不知道这条鱼并不属于自己，而是属于渔人。

几天后，乡领导到田村主持村民选举大会，选举村主任。出乎村人的意料，快嘴子和另一位村委员没被列入候选人名单。其实乡领导原先找过他们，他们很明智地推辞了。须知村主任虎死不倒威，其关系网根深叶茂，加之他心狠手辣。他怎会甘心失败？同样，许多村人也有类似想法，都不愿出头，倒是村里一位年轻人和村里刚大学毕业分在乡水利站干技术员的小赵不信这个邪，挺身而出。二人血气方刚旗帜鲜明地发表了自己的施政纲领后，村人开始投票。胜出的小赵慷慨激昂地进行了就职演说。

村主任被释放后的当天中午就在家里大摆宴席，款待昔日手下。他狂妄地叫嚷："我胡汉三又回来了！田村还是老子的天下！"

事实证明他说的没错。当晚新主任小赵家院子里被扔了几块砖头，窗玻璃也被砸碎了一块。后来院外的草垛被点着了，火光冲天。与此同时，几个人在小赵父母地里撒着欢儿地糟蹋庄稼。

当第二天小赵看到周所长带人轻描淡写地勘查现场时，他的心凉透了。他知道自己干了一件傻事，当天就向乡政府递交了辞呈，乖乖地回水利站干他的技术员去了。

第三天，村主任又神气活现地在大喇叭上咋呼，让村里所有的机动车为将军送葬，全村人都要参加葬礼。

第四天，全村人戴着黑纱聚集在麦场上，参加将军的追悼会。村主任亲自主持仪式，先放哀乐，默哀三分钟。然后，他开始念一份由号称本县第一支笔写的文采斐然的悼词。

追悼会结束，八辆摩托车开道，紧接着一辆大头车上放着一口棺材，里面是将军。棺材旁边是众多的花圈，条幅上写着"将军千古"、"将军永垂不朽"等等。桑塔纳紧随其后。然后是三十几辆农用三轮车、拖拉机拉着全村人组成浩浩荡荡的送葬大军向山中选好的墓地进发。墓地离村挺远，要经过一条铁路。

桑塔纳在过铁路时忽然熄火了，横在铁路中间。司机发动了几次没有成功，村主任骂了一句，让司机快点儿。就在这时，远方驶来了一列火车。村主任暗叫晦气。本地风俗，送葬人不能下马下车，否则不吉利。司机赶忙一脸歉疚地对村主任说："村主任，快下车吧。"

村主任生气地说:“回去你小子滚一边去!”

司机知道自已丢了开车的饭碗,他沮丧地下了车。坐在后排的村主任推车门却没推开。村主任慌了,再推,车门还是纹丝不动。这个车门以前犯过一次推不开的毛病,后来修好了,没想到在这个节骨眼上又坏了。村主任忙向另一面车门移动,由于恐惧至极,他的腿有些发软,动作慢了。他打开车门,刚刚跨出车就看见火车扑面而至。村主任和桑塔纳远远地飞了出去,落得了与将军同样的下场。

当晚,田村家家户户大碗喝酒,大块吃肉,有人逗乐子说,现在我们成老大了。

快嘴子便欣然干上了村主任。几年后,田村一跃成了全县经济十强村。当然,这是后话,与本文无关,在此不再赘述。

(选自《长江文艺》2001 年第 3 期)

王中云

原名宋英杰,1967 年 12 月出生于胶东半岛。1986 年高中毕业后开始业余创作。发表长篇小说一部,在《北方文学》《鸭绿江》《时代文学》《莽原》等杂志发表中短篇小说几十篇,就职于山东省乳山市水利局。

门卫牛一氓

刘明恒

一

牛一氓把最后三筐桃子以两角钱一斤的最低价甩卖出手后，终于卸下了一个包袱，心里轻松了许多，这种轻松不是那种舒舒服服的轻松，这种轻松带着一些苦涩，带着一些无奈。牛一氓和他的妻子宋玉梅进城已经第四天了，自家桃林摘下的二十多担桃子运进县城后，谁知县城里的桃子多如牛毛，几家主子把价格压得太低，他不肯出手，临时租了一个摊位卖起桃来了。头天卖了三百多斤之后，就很少有人问津了，价格一降再降，先是七角钱一斤，后来降到五角钱一斤，再后来降到四角钱一斤。桃子放三天后成色变了，又软乎起来了，价格更起不来，最后一咬牙以两角钱一斤甩卖了。牛一氓感到不能再在县城里待下去了，多待一天就多一天的花销，他必须早一点儿回去。牛一氓清了清卖桃子的收入，仅剩下 356 元了，脸上顿时写满了悲哀。牛一氓早就在家里盘算好了的，估计二十多担桃子能卖 1400 元钱，没想到今年桃子多得成灾，卖不出去，加上工商、税务、城管、环卫天天来纠缠着收费，一天就是 50 多元。牛一氓捏着手中的 356 元钱，心想，这算什么赚钱啊！工夫赔了进去，连成本都捞不回来。

牛一氓和宋玉梅唉声叹气地收拾着摊位，然后挑着箩筐横过公路。这时，一辆黑色的桑塔纳开了过来，差点儿撞着挑着箩筐的牛一氓。车停下了，车窗内丢出一句话：婊子养的，你他妈的瞎了狗眼。正窝着一肚子气的牛一氓，看了年轻司机一眼，也不嘴软：小畜生，你嘴巴放干净点儿，老子参加反击战的时候，你他妈还没生出来呢！年轻司机开门下车了，一副要打架的样子。这时车后门开了，一个富态的中年男人走下车来，冲牛一氓喊道：阿氓，怎么是你？

牛一氓定睛一看是邵斌，心里一喜，也就戏谑了一句：邵营长，当官的，可别把百姓不当人啊！

邵斌说：哪里话，哪里话，我还正要找你哩！

年轻的司机见邵主任与肇事者是战友，本想发作的脾气收敛了许多，钻进车里抽起了闷烟。

牛一氓说：你有啥事找我，我能帮你什么？

邵斌走过去用手拥住牛一氓的肩走到僻静处，对他说：阿氓，最近县政府行管局急着招两个临时工做门卫，我一下子就想到了你，我已经向行管局长推荐了你，不知你愿不愿意？

牛一氓喜出望外，激动地说：真有此事？我愿意，农民真他妈的不是人当的，现在农村中青年人几乎都走光了，种田种地赚不了钱，搞不好还要赔本，好多田地撂荒了。我说这些，你们当官的肯定听不进去。刚复员回来时，我本来想在农村大干一番事业，你看我响应政府号召辛辛苦苦栽下的一片桃林，现在受益了，桃子却没有人要，卖不出去就是一堆臭狗屎。我已经干得不耐烦了，正准备去深圳打工去呢。

邵斌说：好，你愿意就好，你在部队立过功，退伍回乡又曾被县委、县政府评为模范退伍军人，论这些条件，你应该没有问题，你现在就要做好思想准备。

牛一氓说：我去政府搞门卫，还不是你一句话说了算，那就谢你邵营长了。不，谢你政府办大主任了，今后还要请你多多关照。

邵斌说：你这个炊事班长，别和我来这一套。话说回来，只要你好好搞，你的农转非问题，招工问题，都是不难解决的，只要我在政府办一天，就会关照你一天。要不这样吧，我同行管局长打个招呼，三天后你就来上班。

牛一氓立即向邵斌行了一个军礼，激动地说：是！弄得过往行人立足注目有些莫名其妙了。

二

牛一氓和妻子宋玉梅回到家里的时候，已近黄昏。一路上，牛一氓并没有把自己进城当门卫的事告诉宋玉梅，他觉得老大一个男人应该沉得住气。不过，牛一氓脸上的悲哀消退得无影无踪，被一种按捺不住的喜悦代替了。在临上班车的时候，他去买了一瓶桂花酒带上，遭到了满脸丧气的宋玉梅的数落：钱没赚着，你还有脸喝酒！牛一氓说：今天遇上了邵营长，高兴哩！宋玉梅讥讽地说：遇上了又怎么样，赏给你一个屁了！牛一氓不想与宋玉梅争辩，妇道人家头发长见识短。在回家的一段山路上，牛一氓竟高兴地哼起了《小草》的调子，这与宋玉梅沉重的心情形成了鲜明的反差。宋玉梅恨恨地丢一句：神经病！自顾自地往前走了。

支书的家在村口，支书的婆娘跷着二郎腿坐在松木做的小靠椅上，一边有一搭没一搭地摇着大蒲扇，一边有一搭没一搭地摇着摇窝，摇窝里躺着刚满月不久的孙子。听说做满月那天，支书收了一万多块钱哩！支书婆娘目光炯炯地望着村口，嘴里不停地嚼着食物，给人一种很傲慢的样子。宋玉梅从她身边走过的时候，强装出笑脸与她打招呼。牛一氓则看不惯支书的那种目空一切的傲气，更看不惯支书婆娘做出的支书模样的傲慢，他只是冷漠地向她点了点头就走过去了。

晚饭之后，牛一氓把邵斌关心他的事告诉了宋玉梅，宋玉梅并没有因此而高兴，相反还给他泼了一盆冷水。宋玉梅说：你都四十多岁的人了，还去当什么门卫？牛一氓说：我是去给县政府当门卫！不是什么人都能去的，要有一定的素质，你咋能这么说呢？牛一氓说这话的时候一脸的严肃，他把县政府三个字说得特别重使人觉得有一种神圣感。宋玉梅说：当门卫一个月能有几个钱，能养家糊口吗？你没听说昌忠叔在法院当门卫，起早摸黑，一个月才两百来块钱哩！老大下半年就读高中了，老二正读初中，都要钱花。再说那田那地你走后我一个人能侍弄得过来吗？说着说着，宋玉梅的喉咙就哽住了，泪水婆娑。自从他们结婚后还从来没有分开过哩！牛一氓见不得女人流眼泪，他吼叫起来：你哭什么哭？我还没死呢！我是一个退伍兵，如果打起仗来，我上前线怎么办？人总要有一点儿精神嘛！出去闯闯也许能另外闯出一条生路来，我们总不能在一棵树上吊死。再说邵营长是县政府办公室主任，有他关心我就踏实。你就只急你那几块田地，我休息日回来帮你还不行吗？一个月八九天假足够了。

在山区农村大多数女人对男人服服帖帖的，牛一氓这么一吼一叫宋玉梅就不再吱声了，像一条蔫了的黄瓜，没精打采地坐在那儿只是抽泣。接下来他们就商量请客的事。牛一氓想，去县政府当门卫毕竟是件好事，人走了，家还在村里头，一些事还需要村里的头头脑脑、亲戚朋友的关照。宋玉梅随牛一氓点将，她只是点头默默计数，整整接了一桌人。当然这里面少不了支书、村长、文书、组长。说到支书的时候，牛一氓就有些心里不痛快，这个人私心重，你想求他办点儿事，总想着别人给他送东西，不送就拖着不办。1980 年，牛一氓刚退伍回来，支书一是克扣他的供应粮，二是不给他调田地，三是处事不公道，把“私”字摆到第一位。为此，牛一氓与支书交锋过多次。因此，提起支书他心里就起疙瘩。然而，自己要走了，一家人丢在村里，在支书的领导之下，许多事还需要支书的关怀和照顾，宋玉梅也强调，其他人接不接在其次，支书是非接不可的。接支书的事就这样定下来了。

晚上，牛一氓踏着月光走东家串西家，最后才到支书家。看样子支书刚刚回家，脸上赭红颜色，身上弥漫着一股子酒精的气味。他一边洗脚，一边看电视新闻，似乎看得很专注，却又十分漠然。牛一氓看着支书的时候，支书的脸上荡漾着兴奋而自豪的笑容。牛一氓说：支书，您在家！支书用虚幻的目光睃了牛一氓一眼，淡然地说：一氓，找我有事吗？牛一氓说：没事，我是想请您明晚到我家坐一坐，喝两盅。支书说：你从来不接客的，怎么接起客来了，啥事？你说说，不然我可不敢随便去你家喝酒啊！牛一氓说：真的没事找您，是这么回事，过两天我要去县政府当门卫去，想接村里几个干部到家里坐坐。支书听到这里，脸上的肌肉抽搐了一下，然后带着挖苦的意味说：那好哇！跳龙门了，而且是县衙门，恭喜恭喜！牛一氓微微红了一下脸不好意思地说：还只是个临时工哩！不好意思。支书说：临时工怕什么，你是模范退伍军人，领导看中了就只等招干了。牛一氓说：如果是那样，那就托支书的洪福了，明天请支书一定赏光！支书卖了一个关子，说：如果明天没有事，我一定光临。不过，可不能让我背一个大吃大喝的罪名啊！牛一氓听到支书话中有话，心里如打翻了五味瓶不是个滋味，觉得再待下去就没有啥意思了，便说：那就有劳支书大驾了。说完后告辞走了。

第二天晚上牛一氓的客人几乎都到了，就是不见支书的影子。牛一氓自己也懒得去催，就让宋玉梅去催。宋玉梅去了三趟支书的家，支书婆娘都说不知道他死哪里去了！宋玉梅只好颓唐地回来了。这时村长说：不等了，再等菜就凉了，估计他也不会来了。语气里显然带了些不满。这样酒席便在一片筷碗杯匙的交响中开始了，虽然支书没有到，气氛却显得十分融洽，大家恭贺牛一氓进城工作，升官发财，叮嘱他将来别忘了大家。说得牛一氓心里美滋滋的像灌了蜜。只是宋玉梅的心里虚虚的像悬在半空中晃荡着，她对牛一氓进不进城当门卫不大关心，她担心牛一氓进城之后变心，会把她娘儿三个甩了。

三

牛一氓上班第一天就被行管局副局长夏炳林叫到了办公室，夏炳林是副局长，正局长抽去抓农业结构调整去了，由夏副局长在家主持工作。和他一起去的还有一个青年叫邬小虎，也是新来的。夏局长煞有介事地对他们进行上岗前的业务教导。夏局长说：你们是来给县政府当门卫的，是我们经过推荐选拔来的，是有一定素质的。县政府的门卫责任重大，千万马虎不得。这就要求你们必须做到以下三点：一是要坚守岗位，履行职责，决不能出现任何事故，县政府里出现了事故，责任重大，影响极坏；二是要严格执行规章制度，但是在执行过程中，又必须根据具体情况灵活机动处理，千万别给我们行管局添乱；三是要遵守纪律，你们在领导身边工作要注意维护领导的权威和领导的形象，做到心灵、手勤、嘴稳。不该你看的你就装瞎子，不该你说的你就装哑巴，不该你听的你就装聋子。当然，还有其他方面，主要是这三点。若把握不好就容易出问题，出了问题板子打在你们身上，责任追到我们头上，谁都过不了门。

夏局长的一番话说得很高深，很严肃，牛一氓听后顿时感到肩上重重的，眼里自然就显出困惑和恐惧的神情来。夏局长就又把话锋一转，说：我这么一说也别把你们吓着了，话虽这么说，在执行中还得靠悟性，在实践中慢慢地自个儿摸索。

当天晚上，邵斌设私宴为牛一氓接风。邵斌转业的时候是团副政委，到地方来安排个县政府办副主任，算是安排得好的。几年以后转为正主任，若不谙为官之道恐怕到不了这一步。在邵斌家里牛一氓不敢放肆，邵斌在反击战时是尖刀营的营长，是他的首长；现在又是政府办主任，是他的领导。在酒桌上恰到好处的时候，邵斌推心置腹地与牛一氓谈心。邵斌对牛一氓的脾性为人是了如指掌的，牛一氓性格直爽，为人真诚，主持公道。邵斌说，这些在部队里算是优点，而到地方来就吃不开了，特别是到县政府机关就更不行了。邵斌提醒牛一氓：首先要搞好与领导的关系，特别是行管局领导的关系，县官不如现管嘛！其次，要干出点实绩来，取信于领导，取信于群众。第三，要学乖一些，遇事避免冲动，少得罪人，多栽花，少栽刺。这次选门卫是你的一次机遇，但不是你的最终目的，你的最终目的就是要彻底解决个人问题。你一定要珍惜这次难得的机遇，力争两三年内彻底解决个人问题。邵斌的一席话直说到牛一氓心里去了，他感激不尽，当即向邵斌表示，要把县政府门卫工作搞好，决不辜负邵营长的期望，要做出成绩来给邵主任争光。

县政府的门卫工作比不得市政府和省政府的门卫工作，省、市政府门卫分工很细，有站岗的、登记的、收发的、扫地的、开门的。县政府的门卫，一抹带十杂，烧火带看伢，看门、扫地、除草、浇水、烧开水、传电话，晚上巡逻值勤。还有保卫科长、行管局长、政府办主任、管机关的书记、县长临时性安排的公事、私事，七七八八，一大扒拉。上班也没有时间概念，别人上班你得提前到，别人下班你得推迟走。这一点儿对于牛一氓来说倒无所谓，加上他就住在大门侧边的平房里，上下班没多大区别。邬小虎是个小青年，听说是夏局长的内弟，这是牛一氓后来才知道的。没事时牛一氓常常替他顶班，邬小虎十分感激他，常请他去吃烧烤。

牛一氓进县政府当门卫没几天，就做了一件轰动机关大院的事。

县委、县政府机关办公大楼，一边靠山，一边临水，古木参天，碧水荡漾，花草鲜艳，环境优美。然而房屋却是五十年代建造的，是原县二中的旧址，结构陈旧，设备简陋，楼内没有卫生间。办公大楼后面靠山有一个公厕，公厕右侧是化粪池，头天晚上下大雨，洪水卷来残渣把出粪口堵住了，水和粪掺和在一起漫出厕所外，荡漾在办公大楼和厕所之间，臭气熏天，大煞风景。那天是邬小虎当班，当他早晨上厕所时发现情况后，立即报告了夏局长。夏局长慌忙找来几个人用长竹篙捅出粪口。由于水深不好操作，出粪口又堵得很严实，怎么捅也捅不开，急得夏局长像热锅上的蚂蚁团团转。眼看上班的时间就要到了，如果不在上班前解决问题，书记、县长们上班看见了，可是责任难逃。正当夏局长束手无策的时候，牛一氓脱掉衣服，只穿一条短裤，跳进了化粪池，那混浊的洪水和混浊的粪水的混合液就淹到了他的颈部。夏局长一阵感动，忙说：小心，小心。牛一氓什么也没听见，只感到有许多粪便源源不断地涌向他眼前，他感到一阵恶心。此时他昂着头用双脚在出粪口倒腾了一阵，然而，怎么也使不上劲。夏局长急切地问：牛一氓，怎么样？怎么样？牛一氓听后觉得这是夏局长在催促他，这时他什么也顾不上了，深深地吸了一口气钻进了混浊的粪水里,立即水面上冒出了一串串水泡和一道道波纹。夏局长感动得眼泪都快流出来了。大约两分钟之后,牛一氓把头冒出水面,只见他用一只手抹了一下脸上的粪水,另一只手举起一把断了把的拖把头,嘴里说:就是这东西作怪。说完把拖把头往外一丢。这时只见出粪口上方的水面形成了一个漩涡,人们惊喜地叫道:通了!通了!夏局长忙唤牛一氓快上来,当他把手伸出来想拉牛一氓一把的时候,突然他看见牛一氓手上沾有粪便,忙缩了回来,又补充了一句:快上来!快上来!牛一氓只好扒住粪池边跃出了水面。这时周围已经站满了许多看热闹的人。当牛一氓走出去的时候,人们像躲避瘟疫一样远远地躲开了。

事后,牛一氓像生了一场病,吃什么,吐什么。夏局长带着保卫科长去看望他,叫他去看医生。牛一氓不肯去,他说这是心理在作怪,慢慢就会好的。夏局长感谢牛一氓给他避开了一场灾难,奖给他 200 元钱,保卫科长也奖给他 50 元钱,合起来是 250 元钱。牛一氓开始坚决不要,说:我跳进粪池掏开出粪口也不是为了得奖金,如果是为了得奖金我根本就不下去了。夏局长说:牛一氓,你的这个举动是不能用金钱来衡量的,你刚来不久,又是临时工,工资不高,你家里老老小小要钱花,你就收下吧!说到这牛一氓还真需要这钱花呢!这样他才把这 250 元钱收下了。后来不知是谁把这个二百五与牛一氓的壮举联系起来了,暗地里喊他“二百五”。

这件事发生不久,就传到政府办邵主任那里去了,邵主任又告诉了分管机关的常务副县长曹建设。曹建设在一次分管机关负责人会上把牛一氓好好地表扬了一通。曹建设还用辩证法进行分析,说牛一氓做的这件事虽然是件臭事,但他的精神却是香的,说得满场大笑起来。曹建设还说,有人说牛一氓是“二百五”,我说这是革命的“二百五”,我们需要这样的“二百五”。牛一氓知道后很是高兴了一阵,不过牛一氓“二百五”的绰号从此也就传开了。

四

事隔不久,牛一氓又做了一件极有影响的事,只是这件极有影响的事不能公开罢了。

县委、县政府办公大楼是办公场所,除公章和少量现金放进保险柜之外,尽是些文件、资料、办公用品之类。没有什么值得小偷光顾的贵重物品。因此,晚上门卫只是负责关门、开门。过去很多年没有发生盗窃事件,近年也只发生一二起,除盗走少数人放在办公室抽屉里少量零花钱外,没有造成多大损失,也就没有引起人们多大警觉。

牛一氓来了之后,以他高度的责任心,凡他值班每晚都要巡查两次,并且依次将每扇门锁检查一次。有时发现门没关,有时发现门未锁,第二天上班时,他就上单位找到负责人反映情况。明智的负责人感谢他的关心，不明智的负责人反问他，不可能吧，怎么会没关门呢？弄得牛一氓很尴尬。遇上这种情况牛一氓也有办法对付，第二次抓着谁没锁门，他就进去拿走一种写有单位名称的证据，譬如，开水瓶或茶杯什么的，第二天再去单位找负责人进行警告。多数负责人能虚心接受，少数负责人反而认为牛一氓这是小题大做，多此一举。牛一氓则乐此不疲。一些被领导批评了的干部对牛一氓就怀恨在心，说他是狗咬破衣多管闲事。

一个伸手不见五指的深夜，已经是凌晨两点多钟了，人们几乎都进入了梦乡。这时两个小偷从水边的围墙翻了进来，潜入办公室门前停下，其中一个从小提袋里拿出作案工具，只轻轻几下就把门撬开了，两人同时钻了进去。

此刻，牛一氓像夜猫一样在院内巡查，没有发现什么疑迹，也踱进了办公大楼。当他轻轻走上三楼，远远发现县长办公室内有微弱的灯光在闪动，立即引起了他的警惕。他蹑手蹑脚地走了过去，把耳朵贴在门缝里窃听，听见里边窸窸窣窣的响动，马上意识到屋内有窃贼。他想推门进去，门被反插了。他想去门房打电话报警，又怕盗贼逃跑了。他便敲起门来，大叫一声：谁，快开门！里边的灯光和响动立即消失了。牛一氓又大声叫喊起来：你们快开门，我看见你们了，你们跑不掉了！屋内依然没有动静。过了大约三分钟，门突然开了，两个窃贼冲了出来，将牛一氓打翻在地，拔腿就跑。牛一氓一个翻身双手死死抱住一个盗贼的脚不放。盗贼气急败坏用双拳在他头上猛击，牛一氓眼冒金花晕了过去。待牛一氓苏醒之后，立即向派出所报了案，同时又向夏局长做了汇报。五分钟后，三名警察和夏局长几乎同时到达现场。警察拍了照，但因作案者戴手套作案，无法取得指纹。三个警察走时让夏局长和牛一氓清理现场，查查有没有丢失什么，并随时告诉他们。因为是县长办公室，夏局长又通知了邵主任。邵主任说马上带秘书科长赶来。在这个空隙里，牛一氓和夏局长一起浏览了一下现场，办公桌上摆放着曹建设常务副县长的岗位牌，牌上彩色的两寸标准像严肃又温和。办公桌上的抽屉全被撬开了，被翻得乱七八糟的，老板椅后面的墙角放有一个保险柜，柜门也被打开了。夏局长有点好奇，像是自语又像是对牛一氓说：保险柜有报警器咋没响呢？说完他伸手去摆弄了两下柜门，报警器突然响起来了，那响声在深更半夜让人震慑和恐惧。夏局长随口骂了一句：妈的个×，该叫你不叫，不该叫你拼命叫！他骂完之后就好奇地去翻柜内的东西，这一翻不打紧，发现了秘密，内有曹县长与许多年轻美貌女人的合影，还有几张少女的裸体照，以及许多散乱的信件，全是笔迹不同的情书。有两封开头是这样写的：“cao，你好，你现在正在想我吗？”“色（设）哥，亲爱的色哥！”太刺激了，夏局长兴趣特浓，又大胆打开一个信封想作深度探密，却抽出一叠红色百元人民币，至少有五千元哩！夏局长脸上一惊，然后原封不动地又放进去了。牛一氓是不敢动手去翻这些东西的，他只能是沾夏局长的光，才有幸目睹了这个保险柜的秘密。不一会儿，邵斌带着秘书科长赶到了。邵斌先看了一下现场，问了一下情况。然后关切地看了一下牛一氓的伤势,见牛一氓眼睛和额头上青一块紫一块地肿胀着,便让他快去看医生。夏局长这才从刚才的刺激和兴奋中解脱出来,忙补充了一句:牛一氓,你赶快去医院看看,搞个法医鉴定,钱你先垫上。快去!邵斌最后叮嘱夏局长说:今晚这件事暂不要声张,说出去影响不好,县长办公室被盗不是什么光荣的事。夏局长说:那是,那是。说完他又转过身叮嘱牛一氓一次。

牛一氓走出来好远了,夏局长还没有出来。牛一氓心里想,狗日的夏局长还想探密哩!

后来,牛一氓不知案破没破,他曾经问过邵主任和夏局长,他们都说这不是你管的事,你就不要再过问了。然而,牛一氓总把它当作一回事始终挂在心上。

五

牛一氓第一次休假是骑着自行车回家的。他盘算过,他家离县城有30公里,乘车来回要10元钱车费,一个月来回四趟就是40元。步行吧,30公里要走七八小时,头天走去,第二天走回,还有什么时间帮宋玉梅做活呢?再说人也受不了。于是,他就从第一个月发的工资中挤出60元,到旧货交易市场去买了辆破旧的自行车。这天下午四点多钟,牛一氓让邬小虎替他顶一会儿班,他提前一个小时回家,免得摸黑道。牛一氓推着破旧自行车走出政府大门口时,小轿车、摩托车进进出出。想到自己要骑着这辆破旧自行车走30公里路,心里就有些酸不拉叽的,不知是啥滋味。他想什么时候也买一乘崭新的"嘉陵",但一想到两个孩子正在读书,自己还是个临时工,工资不高,他就泄气了。

牛一氓骑着破旧自行车走出县城,城外,阳光明媚,青山绿水,景色诱人。田野上没有看见多少干活的人影,显得清新静谧。如今,种田的人少了,青壮年男女大多外出打工去了,留下来的都显得很懒散。每天到田地干不了两三个小时的活就回家了,三五成群地围在桌上搓麻将,打扑克。打的也不大,一角、五角的输赢,算是糊弄日子。牛一氓猜不透,这到底是时代的倒退,还是时代的进步?想了半天也没有想出个所以然来,于是,他就专心地赶路。离开家已有一个多月了,晚上睡觉的时候,他就想老婆孩子,而且特别想老婆,想得欲火烧身,有时候竟把枕头紧紧抱着,痛苦地扭动和呻吟。

牛一氓到家的时候,暮色渐渐浓了起来,一轮血红的太阳被远山吞噬了一半,炊烟溶入雾霭在山脚下荡漾。走进院门,一群大大小小的鸡在院里"咯咯"地叫唤,猪栏里传来两只糙子猪"嗥嗥"的叫声,一只黑狗蹲在房门口望着主人悠闲地摇着尾巴。小儿子牛雄刚回家,这时从屋里走出来,见到牛一氓高兴地喊了一声"爸",就拿着毛巾和肥皂头也不回地去河里洗澡去了。儿子瘦弱的身体黑不溜秋的,因缺乏营养头发灰黄。回家之后他们忙开了，宋玉梅吩咐牛一氓剁猪草、煮猪食，自己则忙着喂鸡、煮饭。这时牛一氓仔细端详起宋玉梅来，一个多月没回家，宋玉梅变黑了，变瘦了，显得疲惫而苍老，头发有些零乱，目光失去了神采，两只松弛了的乳房在宽大的汗衫里晃荡，过了时的的确良长裤已打上了补丁。牛一氓竟对她怜悯起来，很有些伤感，心里想：玉梅，你受苦了，我在县政府当门卫不能每星期回家帮你。我一定想办法将你弄进城去，过过城里人的洋日子，现在只好暂时委屈你了。

吃饭的时候，牛雄对爸爸说：学校开学要交400多元学杂费。宋玉梅接住小儿子的话茬儿也说开了：牛雄要400多元，牛英要1000多哩！再说，牛英去县城读书也要买身好衣，那打有补丁的衣服怎么穿得出去啊！上月卖桃的那点儿钱交半年的税费都不够。孩子马上就要开学了，少说还差1300元哩！你得尽快想办法解决。说得牛一氓皱着眉头痴痴地愣在那里，闷闷地叹着气。这时牛一氓想起小姨妹玉穗来。玉穗几年前去深圳打工，靠上一个香港大款，被当着小姨太太私养起来了，生了一个胖儿子。去年年底，那个大款抱着两岁多的胖儿子去香港不再回来了，留给她一套房子和10万元钱。想到这里，牛一氓对宋玉梅说：玉梅，你能不能去向玉穗借1000元？宋玉梅听后一脸的不高兴，她说：亏你说得出，那种钱你也要借，你还是个大男人哩！再说她又没回来。牛一氓就不再吭声了，接着又长长地叹了一口气。牛雄看父母愁眉苦脸的样子心里难受极了，轻轻地说：爸，娘，我不读书了，让哥哥读，我回来帮娘做事。牛一氓擂桌一拳，吼道：放屁！把桌上的一只碗震掉到地上“叭”的一声破碎了。宋玉梅护着牛雄说：你自己没本事，就会拿孩子出气。牛雄受委屈了，眼睛红红的，眼泪都快出来了。过了一会儿，牛一氓冷静地说：书，你们都得好好读，给老子争口气，钱老子去想办法，不要你们操心。老子就吃没读书的亏，不然，当年就读军校去了。这时候三个人默默地吃饭，谁也没吭声，都为刚才的事窝着气。牛雄显然加快了吃饭的速度，匆匆吃完逃也似的跑了。

牛雄走了以后，牛一氓主动给宋玉梅搛菜，宋玉梅板结的面孔上就有了些生动。牛一氓顺势说，刚才我不是对你发脾气，也不是对孩子发脾气，我是心烦，对不起。宋玉梅翘起嘴巴说：今天你不该当着孩子的面发脾气。牛雄是好心，你这不是给孩子过不去吗？两个孩子都懂事，从来都不找我们要这要那，孩子吃的比别人差，穿的比别人差。说着说着喉咙就哽住了。牛一氓说：有件事我们商议一下，我刚去县城，工资每月只有400元。应付我自己都难，哪来钱交学杂费。再说，我退伍已经这么多年了，又在乡下，与战友很少联系，找谁去借钱？说到这里牛一氓停顿了一下又开口了：结婚时我送给你的戒指，你是不是拿出来卖了，给孩子先交学费，以后有钱我再给你买一个大的。宋玉梅一听这话，心口就“咚咚”直跳，脸一下就拉长了，气愤地说：牛一氓，你咋这么无赖，你送我的结婚戒指要我拿出来，你想得美。老实告诉你，我并不是舍不得那枚戒指，我从来也没想到要戴它，我也不是配戴戒指的人。但我得一直留着它，将来你把我甩了，那戒指可是我的私有财产。

牛一氓说:怎么可能呢?孩子都那么大了。她说:你得写个字据放到我手上。我没有文化,可也不是那种苕女人。牛一氓听后心中一喜,算是把孩子的学费解决了。

牛一氓帮宋玉梅整整忙活了一天半,累得骨头架都散了。人是个贱东西,天天做不觉得累,歇久了再做就累得不行了。宋玉梅也很心疼,让他下午别骑自行车了,不靠这几个路费钱。牛一氓坚持要骑自行车,宋玉梅就让他早些走。临别的时候,牛一氓写下了保证书,宋玉梅从红木箱里翻出一个红布包,小心翼翼地翻开,一枚金灿灿的戒指便呈现在眼前。牛一氓的目光跟着也灿烂了,宋玉梅的目光则有些暗淡。宋玉梅把金戒指小心翼翼重新包好递给牛一氓,再三叮嘱他别弄丢了,进城后迅速卖掉,给小孩交学费。牛一氓连连点头称是。分手的时候,牛一氓一下子搂住了宋玉梅,亲了又亲,裤裆里的家伙又不老实起来,挺拔而坚硬,淫淫地说:玉梅,我还想要。宋玉梅喃喃地说:死鬼,你就不怕累,你还要骑几十里的车子呢!牛一氓说:累,我也心甘情愿,下次还不知道什么时候才能回来呢!说到这里宋玉梅眼里含情脉脉,就有了些亮晶晶的东西,一下子就瘫软在男人的怀抱里……

六

县长办公室遭窃之后,引起了分管机关工作的曹副县长的高度重视,他把政府办主任和行管局长找来,要求他们加强机关管理,加强治安保卫,特别强调行管局要完善各项规章制度。事后,邵主任还让分管机关工作的副主任带着行管局夏局长一起去地区行管局及兄弟县、市行管局学习取经。回来之后,就完善了一系列的规章制度,如门卫要戴红袖章,小车停靠要归线,自行车进大门要下车,自行车、摩托车停靠要进棚,办公楼晚上要轮流值班等。牛一氓每天戴着红袖章很认真地履行自己的职责,整天吆五喝六地忙乎着,简直成了门卫的一道风景线。邬小虎也有一个红袖章,他很少戴在手臂上,他觉得戴这玩意儿太不雅观了,有时他把红袖章套在袖口上,大多数他把红袖章捏在手上,值班也是吊儿郎当。新开茅厕三日香,时间一长,规章制度也就成了挂在墙上的几张纸,没多少人过问了,刚走上正规的门卫制度也混乱了起来。光说骑自行车进大门要下车这一点儿就很难坚持。邬小虎值班对这视而不见,牛一氓值班一丝不苟地履行职责,这就遭到一些人的非议。开始时,遭到一些人鄙夷的目光,接着就听到一些咒语,说他假正经。然后就干脆不下车长驱直入。牛一氓有时跑过去拦住这些人的车龙头,好说的下车了,不好说的将他的手拨开骑走了,特别是行管局夏局长也不遵守规章制度,骑自行车进出大门很少下车,只是用脚尖在地上点一下就把车骑走了。信访办设在门卫对面,雷科长看在眼里记在心里。一次他对牛一氓说:你们夏局长进大门不下车,你敢不敢将他拉下车?牛一氓说:怎么不敢?制度是他们局长订的,他们要带头执行。我在部队站岗的时候,一次司令的女儿骑自行车进大门,走出好远了,我硬是追上去让她下来了。正说着,夏局长悠然自得地骑着自行车进来了。牛一氓笑嘻嘻地迎上去拦住他说:局长大人,请您下车吧!局长可要带头执行制度。夏局长立即不高兴了,脸上蒙上了一层霜,他停住了车子,人却没有下车。用脚点了一下地就又骑走了。这时周围有不少人看见了,牛一氓的自尊心受到了伤害,他对夏局长的行为很反感。然而他毕竟是领导,自己是个临时工。他赶上前去拦住夏局长的自行车,满脸堆笑地对夏局长说:夏局长,还是请您下车吧!领导要带头执行制度呢!在众目睽睽之下夏局长终于下车了,下车后板着面孔拂袖而去。牛一氓脸上的微笑渐渐僵住了,痴痴地站在那里好半天。嘴里没说什么,心里却骂开了:这算是什么局长,咋是这种水平?弄得牛一氓一天心里不舒服。

当晚,憋着一肚子气的牛一氓找到邵斌,把上午发生的事向邵斌诉说了。邵斌劝导牛一氓说:你刚来,要注意搞好各方面的关系。特别是与夏局长的关系,地方不能与部队比,遇事要察言观色,见机行事,不可太认真了。上午的事你要主动和夏局长沟通一下,小不忍则乱大谋啊!你要始终盯着你的奋斗目标,我有机会再和夏局长打个招呼,对其他领导也是这样。我原来对你说过,要多栽花,少栽刺。牛一氓说:邵主任,政府机关咋是这种作风?邵斌说:一言难尽啊!这届领导只顾布置工作,不管检查督办,只问结果,不问过程,虚得很呢!结果是真是假谁也说不清。久而久之,机关作风就变成这个样子了。唉!这些事不说为好,刚才算我没说。牛一氓说:邵营长,你咋当了政府办主任就变了,这不是原来的你。邵斌说:人在衙门,身不由己啊!待久了你就知道了。

从邵斌家出来,牛一氓思想斗争很激烈,他想不通自己是对的怎么还要去向错的赔不是?又想到邵主任的叮嘱也不无道理,你想在这里待下去,就得要与一把手搞好关系,就得要低三下四地做人,谁让你是个临时工?谁让你想转正?否则,你就面临被辞退的危险。被辞退了,你还有脸回村去吗?这样,牛一氓咬咬牙花了30元钱买了一兜水果走进了夏局长的家。夏局长正和几个朋友在麻将室里搓麻将,听得见屋里"噼里啪啦"的洗牌声。小保姆进屋向夏局长通报了一声,不一会儿夏局长就出来了,见是牛一氓,脸上露出了和蔼的微笑,忙叫他坐下。牛一氓把一兜水果放在茶几上说:夏局长,上午的事请您不要放在心上。夏局长说:我早就忘了,那件事是我不对,是我不对。看你还买水果来干什么?你刚来,工资又不高,家又在农村,挺不容易的,今后别这样。我知道你是邵主任介绍来的,我不会马虎你的。说得牛一氓心里一阵潮热。牛一氓说:我初来乍到,许多规矩不知道,还请局长多多包涵。夏局长说:行管局的工作靠大家,一个好汉三个帮,我的工作靠大家抬桩,你上次淘粪口给我解了大难,我当好好谢你呢!牛一氓说:那件事别提了,那是我应该做的,您都表扬好几次了。夏局长问:听说你在部队搞过炊事班长,烹饪手艺应该不错吧!牛一氓说:炊事班长只抓管理,不过我也剽学了一点儿,拿不出手。

夏局长说：我听邵主任说，你的手艺挺不错，什么时候到我家来露一手。牛一氓忙推辞说：真的不行，我都十年没沾边了，别出我的洋相了。夏局长说：我又不请客，就我自己一家人还不行吗？牛一氓说：既是这样我就来试试。最后，夏局长意味深长地说：小牛啊，你好好搞，我这个人最爱关心人了。如今搞工作，就讲实惠，你不关心人家，谁和你一起搞工作。夏局长的话说得很玄，也很动听，他没说关心什么，但说得你心里热乎乎的，一下子就把距离拉近了许多。牛一氓当即表示：夏局长您看得起我，我为您两肋插刀，决不辜负您的希望。

一个星期之后的一个休息天，夏局长让牛一氓去他家做厨。夏局长说没有其他人，只是他的几个牌友。牛一氓也就应承下来了。他九点钟去的，夏局长让他做十菜一汤，叫他开一张材料清单，然后打电话让招待所长把材料送过来了。牛一氓十点开始动刀，只两个小时，十菜一汤就上桌了，真可谓是色、香、味、形俱全，只看上一眼就让你口水直流。你看那"鸿运喜当头"，肉元中插入腊肠，芡淋其上，亮晶晶，光闪闪，盘边配上青翠欲滴的花菜，鲜艳夺目；你看那"花好月圆"，十个切开的鸡蛋置于盘中，其余成花型排列四周，其间嵌入青绿色的西兰花菜，青、白、黄三色相间，光彩照人，那味全在芡上，叫你入口不忘。还有什么"花酿水笋"、"琵琶豆腐"、"荷叶鱼云"、"虾酱鸡翼"、"花团锦绣"，真是名也好听，色也好看，味也鲜美。夏局长乐得合不拢嘴，显得特别高兴。他没有想到这个衣着不整、貌不惊人的牛一氓还是个人才呢！牌友们兴高采烈地喝着、说着、笑着。自然也少不了给牛一氓敬酒，大家都夸牛一氓的好手艺。牛一氓退伍回来还没听到别人这么夸过他，一高兴也就喝多了。当夏局长要他露一手时，他担心手艺丢了，不曾想到这次捡起来还不减当年。退伍回来这么些年了，咋就把这种手艺给忘了呢！酒桌上大家一吹捧，牛一氓就有些忘乎所以了，就喝醉了，最后还是夏局长将他送回去的。

夏局长如获至宝，他决心要发挥牛一氓一技之长的优势。中秋节前夕，夏局长又让牛一氓去他家做了两桌酒席，两桌酒席分两天做的。头天是专门接待县委一把手游书记及其秘书、司机的。第二天是专门接待县政府一把手卜县长及其秘书、司机的，也让邵主任参加了。两桌酒席虽然人不多，都没让牛一氓上桌，但夏局长都分别将他推荐给游书记和卜县长，夸他人老实勤快，工作认真负责，烹饪手艺不错，并且献殷勤地说，今后领导家里来客或办事什么的，就让牛一氓去帮忙，其他体力活也可让他去帮忙，随叫随到。牛一氓也就有了机会给县里最大的官游书记、卜县长敬酒。游书记和卜县长也都夸牛一氓的烹饪手艺不错，也都说今后家里有事儿一定请牛一氓去帮忙。牛一氓受宠若惊，高兴得直点头。也不知怎么了，在向游书记和卜县长点头的时候，就有点像店主雇佣的伙计一样，腰就有些直不起来了。事后，牛一氓特别感激夏局长，说他这人够意思，没有他的推荐，他一辈子也莫向县里最大的官敬酒，说为他卖命值。但牛一氓不解的是夏局长为啥接书记、县长吃饭，非得要分开接呢？总共就七个人嘛！一次接不挺利索吗？

七

快开学的时候，宋玉梅带着牛英和牛雄找到县政府来了。牛一氓快下班了，见到他们来了很高兴。但见他们一个个愁眉不展的样子，心里就纳闷起来，不知家里发生了什么事，忙把他们领到自己的单身宿舍。进门宋玉梅就说开了：学校乱收费。通知上已经写得清清楚楚的，你去报名又冒出新的名堂来了，牛英加了350元，牛雄又加了200元，总共加了550元，这书还读得起吗？牛一氓吃了一惊，说：县高中早听说卖给私人了，报纸上不是说这所学校改制后收费少了，教师工资高了，教学质量高了，怎么收费这么高呢？牛一氓一边说一边给娘儿仨倒茶。宋玉梅说：这书不读了，全家人不吃不喝也交不起这学费啊！牛一氓说：玉梅，你别急，我先去问问，孩子的书是一定要读的，万一要交，我再想办法。

一家人难得在县城见面。平时，牛一氓每餐吃半斤米饭，外加一元的菜，大多是青菜、萝卜、藕汤，他总是端回宿舍吃。别人每餐都吃鱼和肉，他不能。今天他破例了，买了鱼，买了肉，买了三鲜汤，外加两个素菜，有四菜一汤。宋玉梅问：这得多少钱？牛一氓说：不贵，我和食堂的师傅熟，四菜一汤也就十来元钱。宋玉梅将信将疑。实际上牛一氓花了30元钱，宋玉梅知道要这么多钱，一定会让他把鱼肉退掉一个。两个儿子不讲客气，囫囵吞枣地吃着。宋玉梅只吃那两碗素菜。牛一氓给宋玉梅搛了鱼肉，宋玉梅又分别搛给两个儿子。牛一氓又给她搛去了，说：你也辛苦了，吃点吧！宋玉梅也劝牛一氓吃。牛一氓说：我经常做客，鱼肉吃厌了，还是你们吃。两个儿子吃完了，牛英说要带牛雄去他们学校玩玩。牛一氓叮嘱他们晚上早点回来吃饭。宋玉梅说：我们下午还准备回去呢！牛一氓说：那咋行呢？难得来一次县城，我不让你们走。雄儿还没来过县城哩！晚上带你们逛逛街。宋玉梅说：没钱，穷逛什么街，那不丢人？牛一氓说：见见世面也好嘛！宋玉梅侧过脸去和牛一氓耳语：就这间房子晚上咋睡？牛一氓说：让英儿带雄儿去他学校睡。宋玉梅这才会意地笑了。

牛一氓下午去政府办找到了邵斌，如实地反映了学校收费的事。邵斌说：县高中的校长我熟。说完他就给县高中打去电话：任校长吗？对方说：我就是。邵斌说：我是邵斌。群众反映你们的收费高了，比通知单上高出350元，这是怎么回事？对方说：我的邵大主任，我是私营学校，想改造一下学校环境，做一番事业，算是我找学生借的。邵斌说：那你也要考虑学生的承受力。你这借款经过谁批准的？对方说：我的邵大主任，当然有领导批准，不然我的头再大也不敢啊！邵斌也就不再吭声了。他知道这里边的奥妙，某些企业家，某些单位负责人，要尽手段让领导往他们设计的圈套里钻，竟然也有领导就往他们的圈套里钻，让某些个人或单位得利益,让国家和群众蒙受损失。邵斌说:那我管不着。现在我有一个战友,就是县政府的门卫,他有个孩子叫牛英,老黄牛的牛,英雄的英,你把那借款的350元给他免了,怎么样?对方说:你大主任说了算,今后我还有许多事要找你的麻烦哩!你写个字让他来找我。邵斌说:我这人的字见不得观众,就不写条子了吧!对方说:你真不愧是大主任。好吧,你让他来吧!邵斌放下电话对牛一氓说:县高中的350元答应免了,你让老大去找任校长吧!乡中的校长我不熟,人不熟,话就不好说。牛一氓十分感激地说:谢谢大主任了,免了这350元就已经够麻烦你了,乡中的200元我想办法交。说完牛一氓心满意足地退出主任办公室。他心里想,一个办公室主任打一个电话就把350元免了,这可是权力的能耐啊!一个县委书记、县长的权力该有多大?

学费的问题解决了,晚上,牛一氓带着宋玉梅和两个儿子上街串店,又去沿河大道兜了一圈,玩得挺舒心的,除了每个人吃了一支0.5元的冰棒外,什么东西都没买。此刻,牛一氓就有了一种陈奂生上城的感觉。

八

二〇〇〇年九月中旬,下了一周的连阴雨,乌云压得很低,大地灰暗而阴沉。晚上11点钟的时候,大地猛地一震,熟睡中的人们像被谁推了一下,桌子晃动了,桌上的茶杯震出了声响。年纪大点儿的同志醒悟过来了,是地震!人们开始惊慌了,恐惧了。次日凌晨大约1点30分钟的时候,大地再次震动了,终于把有恐惧感的人们从楼层里震出来了。当人们逐渐平静下来,迈着沉重的脚步回到房间,忐忑不安地躺在床上不敢进入梦境的时候,突然大地猛地一震,一道微弱的蓝光从天空滑过,闷雷从地心辗过人心。4.2级有感地震发生了,县城顿时进入一片惊慌和混乱之中。惊叫声四起,"地震啦!""快跑哇!"惊恐的人们从床上爬起来,夺门而出。在楼梯,在过道,人们拥挤着。连滚带爬的,赤脚的,赤膊的,反穿裤子的,男套女装的,应有尽有。不一会儿县城所有的楼房空了,人们站在大街上,球场上,绿化带中,等待一场难以预测的大灾难。

在第一次大地震动的时候,牛一氓就已经感觉到了,因为他在部队就遭遇过有感地震,并不感到害怕,又睡着了。4.2级地震发生之后,他听到家属大院乱哄哄的,就起床了。走进家属大院,他看到院内平地上到处站满了人,熙熙攘攘,一个个惊恐地谈论着可怕的地震,一栋栋楼舍空荡荡的。这时强烈的责任感驱使他立即想到,是否有贼乘机盗窃?于是他便独自一人走进一栋栋宿舍楼巡视着,把一扇扇没关的门全替人关上。当他走到县领导住的那栋楼舍三楼的时候,发现游书记家的门没有关,里面传来了呼救声。牛一氓走进去,在一间卧室里发现了一位老太太。她跌倒在地上，这是游书记的老娘。牛一氓曾到游书记家做过两次厨，认识她。老太太前年中风半身不遂，长期瘫睡在床上。牛一氓忙把倒地的老太太抱到床上。老太太躺在床上嘴里含糊不清地骂着：这些人一个个都没良心，我儿子不在家，他们就把我一个人扔下了。接着她就向牛一氓求救：小牛，你赶快把我背下去，大地震就要来了，房子就要倒了，我不想死，我不能死啊！小牛，你是好人哇，我儿子回来了我会告诉他的，是你救出了我，让他关心你。牛一氓说：老太太，您不要怕，这种地震叫有感地震，倒不了屋，我在部队遇到过的。老太太说：先小后大，你赶快把我背下去，再震一下房子非倒不可，你我就都没命了，你救了我，我会感激你的。牛一氓忙说：好，我背你下去。老太太虽然老了，瘫了，但身体还硬朗，胖乎乎的，约在150斤以上。而且瘫痪的人显得格外的沉重，压得牛一氓连气都喘不出来了。老太太趴在牛一氓的背上没完没了地唠叨着：小牛啊，你是大好人啊，你救了我，我忘不了你，我儿子也忘不了你，一辈子也忘不了你……

当牛一氓上气不接下气地把游老太太背到家属大院球场上的时候，人们一见是游书记的老娘，都拥了上来。有人拿来了靠椅，人们帮着把老太太扶上靠椅，献殷勤地问这问那。媳妇和孙儿孙女也闻讯找过来了，保姆也跟着过来了，人们簇拥着游老太太，像众星拱月般。游老太太开始脸上显现怒色，继而是苦笑，最后才演变成舒心的微笑。当她想起牛一氓的时候，牛一氓已经走了，他又去宿舍楼巡逻去了。

有感地震发生后，工厂停产了，商店关门了，学校停课了，小县城到处搭起了防震棚，谣言不胫而走，人们惶惶不可终日。

游书记去京城一家很有影响的国家级杂志送稿子去了，是一篇他亲自写的稿子，题目是《远山县企业产权制度改革的做法和体会》。该杂志的主编是他大学时的同学，让他亲自送稿子去，好让记者当场采访他，作一些深层次的发掘。该同学是想把游书记在全国推销一下，造些声势，扩大影响，让有关领导重用他。游书记接到县委办公室的电话，知道远山发生地震的消息后，第二天坐飞机赶回来了。回来就立即召开四大家联席会议，听取了县地震办的情况汇报。县地震办在发现第一次3.6级有感地震后，就立即向卜县长汇报了情况，卜县长指示地震台，要密切注意地震的发展趋势，让他们立即向省、地地震部门报告，请他们派员支援。县地震办当晚派车去省地震局，请来了三位领导和专家帮助工作。经过测定和分析，省地震局做出了《关于远山县地震活动趋势的判断和工作意见》，指出：远山县有感小震群活动已经结束，不会发生有破坏性的五级地震，四级以下的有感地震还会持续一段时间，要求迅速恢复正常的生产、工作、生活秩序。人们虚惊了一场。

第七天，在县委、县政府的统一指导下，人们心有余悸地纷纷拆掉防震棚搬回家里。游老太太仍然害怕有地震，怎么劝说也不肯搬回去。游书记只好亲自来劝说，这才勉强答应。在游书记面前好多人都争着要背游老太太，夏局长已经蹲下去了，做好了背的姿势。游老太太不肯让他背，她含含糊糊地说要叫那个小牛来背。

她说:我是小牛背来的,还要他背我回去。他会背,他背,我放心。人们只好去门房把牛一氓喊来。牛一氓当着大家,也当着游书记,把游老太太背上背的时候,心里就有了热乎乎的感觉,眼窝里都潮湿了,觉得游老太太够意思,真是看得起我。这回牛一氓背游老太太的感觉轻松多了,因为有五六个人在后面托扶着。

牛一氓把游老太太背上楼后,游书记就将他留下来了,而且还将他请进他的书房里,给他递烟点火。牛一氓不知怎么就接住了,点燃了。实际上牛一氓没钱抽烟早就戒了。游书记书房里四处都是书,琳琅满目。正面墙上悬挂着著名书法家刘炳森的题字:沉舟侧畔千帆过,病树前头万木春。笔画纵横驰骋,痛快淋漓。游书记要留牛一氓吃饭,牛一氓说:不了,我还要去上班,小邬还在替我顶班呢!游书记说:没事的,再说也快收班了嘛!今天我请你吃饭。牛一氓受宠若惊地说:游书记,我经受不起呢!游书记说:如果真有大地震,你可就是我娘的救命恩人了呢!再说,我今天心情特别好,北京来电话了,我写改革的论文下期刊发,还配发写我的采访记和照片。牛一氓不大热心什么改革论文,也体会不到游书记此时此刻无比兴奋的心情,但见到游书记那兴高采烈的样子也就奉承地说:恭贺您了!恭贺您了!那我就不走了,喝您的喜酒。我下厨帮您做饭去。游书记说:今天不用你下厨了,我让他们把饭菜送来,六菜一汤,没有其他人,就我们一家人陪你。停了一会儿,他又说:我在远山大刀阔斧搞改革,得罪了不少人,能找个知己聊聊的不多。远山的干部,尤其是领导干部,对改革缺乏深度认识,知识面窄得可怜,完全跟不上时代发展的要求。开始时,我谈改革构想,有的不吭声,有的只点头,有的与你争辩,甚至和你吵架。现在却都不吭声了,都服输了。没人与你争辩也没劲,我成了一言堂了。唉!牛一氓坐在那里一边洗耳恭听,一边不停地点头,感到浑身不自在,手脚放的位置换来换去,在游书记面前他拘束死了,他真想立即离开这里,去做饭,去打煤气瓶,去抬家具,什么重活累活体力活都行。然而,游书记说得很有兴致,你不能在这个时候扫他的兴啊!停了一会儿,游书记转身在书架上找出两本书递给牛一氓,一本是《坚实的足印》,一本是《远山发展战略研究》。对他说:小牛,这是我来远山三年取得的成果结晶,你拿去看看。我的工作思路就是与众不同,有几项改革在全省,乃至全国都是创新的。牛一氓起身双手捧住游书记的书,忙说:谢谢!牛一氓很想请游书记在书上签个字,游书记没说要签,他也不敢提出这个请求,书记送书给你,已经把你看得牛大马高了,咋能还提出签字的要求呢!游书记乐而不疲地接着说:我来远山三年就抓了六大改革。我任期五年,就要把远山的改革全面铺开。我至少还要抓四大改革,还打算出两本书,书是黄金屋嘛!把我在远山抓的工作好好总结到书里去。我把远山领导干部思想彻底解放出来,把工作经验全面总结出来,我的任务就算完成了。这是无价之宝,这是远山经济发展的基础,我走了就放心。今后远山经济腾飞起来了,大家就会理解我的良苦用心了。牛一氓聆听着,他不知道六大改革是些啥内容,但农业结构的调整他是知道的。游书记刚来的那年春上，县里层层开会，一直开到村里，号召全县按县里结构调整的统一规划，实施“东边果、南边麻、西边鱼、北边茶”的发展战略。不到两年时间就形成了规模。然而销售无人问津，导致产品卖不出去，农民怨声载道，弄得分管农业的书记、县长抬不起头来。

这时书房桌上的电话铃响了。游书记家有三部电话，一部在客厅，一部在书房，一部在卧房。客厅的电话是公开的，是可以印进《领导干部电话簿》的，其他两部只是少数人才知道。游书记接了电话，答应一会儿就来。刚放下电话手机又响了，这次游书记接电话显得很兴奋，热情地说：热烈欢迎，我马上就到。电话接完后，游书记站起身来对牛一氓说：小牛，今天我是存心要陪你吃餐饭的，我都让秘书把所有的电话都推辞了。刚才两个电话，一个是岳阳市来取经的，要见我。一个是中央电视台来采访我的。工作做了，就要宣传出来，不然，谁知道？宣传造势嘛！人的价值在于对人类做贡献，但我指的不是为哪个人、哪个乡镇、哪个县市，而是全省、全国，乃至全人类。牛一氓慌忙站起来连连点头称是。牛一氓被游书记的伟大抱负感动了，惊讶了。他心里想，游书记这人真不简单，是个大人物的料子，说不准那天会调到省里去，调到中央去呢！你看他阔头大脑，眉毛斜竖，前额宽厚，头颅高昂，说话时常把手一挥，挥得很有力，像个伟人，不同凡响。这时游书记忽然想起了什么，说：噢，我老娘对我说了，问你有什么困难，你现在就对我讲，我能办到的尽量给你办。牛一氓被这突如其来的问题问得一时不知怎么回答了，他没想到书记会主动问他。这个游老太太还真说话算话。这时牛一氓支支吾吾半天说不出话来。游书记鼓励他说：不要怕嘛，你大胆说。在游书记的鼓励下牛一氓说了要求转正的事。游书记听后面露难色，他说：你这个问题有点儿难，从去年开始我们精减人员，许多干部都下海了。不过嘛，以后再想办法。这编制的事归县长管，我到时给他打个招呼，争取给你解决。牛一氓感到自己给游书记出难题了，很是过意不去，忙说：那就不为难您了。游书记说：我一定给卜县长打招呼，让他给你想办法。牛一氓说：谢谢您了，万一不行也就算了。

楼下的红旗牌小轿车响起了喇叭声，不一会儿秘书上来了，秘书将游书记的公文包和茶杯拿走了。游书记伸出手要同他握别，牛一氓忙伸出双手把游书记的手握住。游书记说：你就自个喝吧！多喝几杯，其中一杯算是我敬你的。牛一氓激动得只顾不停地称好。游书记说完转身走了。游书记走后，牛一氓的心思又接了上去，他想，今天能把游书记和自己握手的镜头摄下来该有多好啊！

游书记走后牛一氓无所事事，闲得无聊，他就又主动向王主任要事做。游书记的夫人叫王艳，是县计委的副主任。王主任正在看一个电视剧，想了想，就让牛一氓把在地震中弄乱了的贮藏室收拾一下，把一堆破旧衣鞋丢到垃圾箱里去。牛一氓言听计从地去干了。在贮藏室里他发现那些要被丢掉的衣鞋都完好着呢，有些还是八成新。他怕自己听错了，又去问了王主任一次。王主任有些不耐烦地说：那些全丢掉，占地方呢！牛一氓就又进了贮藏室，他爱不释手地把那些丢掉的衣鞋摸来摸去。突然他灵机一动，找来一个蛇皮袋，把那些旧衣鞋都装进去，再拿出去丢进垃圾箱。

牛一氓惦记着那一袋旧衣鞋，他完全没有心思留在游书记家里吃饭了，再说游书记也走了。他就对王主任说：王主任，我就不在这里吃饭了，我乡下来了个大哥在门口等我，您的心意我领了，谢谢您和游书记了。王主任见牛一氓执意要走，也就没有强留，她顺便说一句：等老游有空时再补。牛一氓忙说：不必了，不必了。临走的时候牛一氓去同游老太太告辞，游老太太用手死死地扯住他不让走，牛一氓怎么说也不松手。王主任进来相劝，游老太太才松手。游老太太又吩咐王主任，让她去拿一条好烟来，要拿最好的，由她送给牛一氓。王主任转身走了，一会儿王主任拿来了一条中华烟递给游老太太，游老太太接住，然后递给牛一氓说：这是我老太太送给你的，你接住。牛一氓不敢接。王主任说：这是老太太的心意，你一定要领情。牛一氓这才接住，忙说：谢谢您老了，谢谢王主任了。边说边退了出去。在楼道上，牛一氓碰上了夏局长，他和另一个人把盘盘碗碗的两大篮拎了上去，牛一氓打了个招呼就下楼了。牛一氓原想天黑之后再去垃圾箱取走那袋旧衣鞋的，他害怕被捡破烂的捡走了，下了楼他也顾不得脸面了，从垃圾箱里取出那袋旧衣鞋像做贼似的溜走了。

九

牛一氓回到宿舍心里乐滋滋的，一是背回了满满一袋旧衣鞋，他抖开一看，成色都很好，有些还是新的呢，拿回去玉梅准会喜死的。二是得了一条中华牌高级香烟，而且是游书记老娘送的，意义就有些特殊了。他不抽烟，但接过人家给他的一支中华烟，说那烟 1.7 元一支呢，他留着常常放到鼻子下闻闻那香味。现在这可是一条啊，一条中华可值 340 元哩！340 元可办好多好多事呢！有这 340 元，一家人过年就什么都有了，留给孩子明年交学费也是不可多得的。可是这是烟啊！他得把烟变成一张张钞票。想到这里他就把烟用报纸包好，生怕玻璃纸破损卖不出去。

几天以后，牛一氓打听到一个老乡开了个副食商店。她叫董望英，先前也在农村，后来才进城的。晚上，牛一氓把那条中华烟夹在腋下找她去了。见了面，牛一氓热情地喊她一声望英嫂，然后就请她帮忙，说战友送他一条烟，他又不抽烟，想托她卖掉。望英嫂热情地答应了。牛一氓便把报纸打开，将中华烟递给望英嫂。望英嫂见是一条中华烟就有些疑惑了，说：哟，是什么朋友送你这么好的高档烟？340 元一条哩，该不会是假的吧？说完她就把烟拿在手上左看右看，左捏右捏，终于发现破绽了，说：你这烟软绵绵的少硬性，有问题。然后她转身到后屋拿来一条真中华递给牛一氓，说：你看看，这才是真中华，多硬朗。牛一氓接过来对比地反复捏试，发现自己的这条确实软乎些。他就有些纳闷，也不好实说。想想他又说：就当水货给你吧！100元行不行？望英嫂说：我还是不敢收，万一里面是马粪纸怎么办？我可要倒赔钱了！牛一氓心里一急就想拆开来看个究竟，但转念一想，若真的是马粪纸岂不丢人。他又想，给游书记送烟该不会送假的吧！转念一想，如今的人什么事都干得出，也许有人和游书记有气，送给他一条马粪纸也不为奇。这样他就怏怏地把那条假中华拿回去了。

回到宿舍，牛一氓迫不及待地拆开那条烟，然后打开其中的一包。这一打开不打紧，倒把他吓了一跳，那包烟里整整装着两千元。他又打开一包，还是两千元，他把十包全打开了，整整两万元。牛一氓心里不安起来了，不知如何是好？想把这条烟退回去，但烟拆开了无法还原，咋好退呢？把两万元钱退给他，妥不妥？牛一氓吃不准。这一夜，牛一氓在床上辗转难眠。

第二天晚上，牛一氓把那两万元钱装在信封里，带到邵斌家。邵斌不在家，等到十一点半他才回来，进门就发牢骚：这个办公室主任真不是人当的，你看忙到现在才回来。今晚还是回来早的啊！牛一氓问：每天忙些什么？总听你说，忙！忙！忙！邵斌说：机床厂卖给私人了，私人老板要裁人，男的50岁，女的40岁，一刀切，一次性买断回家：一年工龄120元，一些40年工龄的老工人只能拿4800元，还有几十年光景叫他们咋活命啊！这不，他们闹起来了。闹起来就找政府，县长一板打给主任，我再推给谁？只好自己去了。把公安局、改革委、经委、工业局都带去，一吓二诈三丢手吧！唉，我们也是昧着良心说瞎话，心里难受着哩！改革方案是改革委拿的，游书记拍定了的，出了问题就是政府的。嗨，不说了，算我没说。说完他摇了摇头，倒了一杯冷茶一饮而尽。

邵斌坐定点燃一支烟问：无事不登三宝殿，你今晚来又有什么事？牛一氓便从衣袋里掏出一个信封，把一沓百元人民币抽出来放在茶几上。邵斌惊奇地问；你咋有这么多钱？牛一氓就把前前后后的经过说给邵斌听了，问邵斌怎么办？邵斌说：你这钱还真难处理呢！你是退也不能退，用也不能用。牛一氓不解地问：咋就不能退呢？邵斌说：你咋退？你退回去，岂不证明游书记受贿了。这是公开的两万，还有不公开的该有多少？他可能都不敢承认这是他的钱呢！牛一氓说：那我不管，反正我交给你大主任了，你说咋处理就咋处理。邵斌也为难了，想了半天问：这事还有谁知道？牛一氓说：我只告诉你一个人。邵斌说：既是这样，你任何人都不要告诉了，这钱我先给你存入银行，存折我拿着，待后处理吧！牛一氓说：好，就这样。说完起身要告辞。邵斌又叮嘱一句说：现在县委书记大权在握，送的人多了，很可能不知道这条烟里装有钱。你以后再去游书记家就装着没事的样子，但要注意察言观色，有什么情况及时和我通气，我们再商量解决。牛一氓点了点头。

牛一氓回到宿舍好半天没能入睡，他始终弄不明白，咋错拿了领导这么多钱还不能退还给他？两万元，可不是个小数目啊！嗨，这领导们的事真是不好琢磨，想着想着就迷迷糊糊地睡着了。

十

日子匆匆走进腊月，腊月对于经济萧条的远山县来说，是一个严寒之月，是一个多事之月，是一个难熬之月。

在远山县，游书记只抓改革，不抓经济，只搞决策，不搞督办，只求结果，不问过程。他总是强调改革搞好了，经济和其他工作就自然而然上去了，弄得抓具体工作的副职们无所适从。他固执己见，一意孤行，很快就形成了一言堂的局面。谁也不想说真话，年纪轻些的要保乌纱帽，年纪大些的也不想得罪人。常委、人大、政府、政协四大家的头头脑脑们，也就听之任之，你怎么说，我就怎么干，敷衍了事，做一日和尚撞一日钟。加上他又是从省委机关下来的，有人说他有很硬的后台，连地区领导也不放在眼里。因此，游书记来了三年，改革搞得红火，名声远扬。然而，县内经济萎缩，市场萧条，人心涣散，工人、教师、干部工资都发不出来。上访的、告状的日益增多，常常出现拦截领导车辆，堵塞交通要道的事件，弄得书记、县长们东躲西藏，焦头烂额。

牛一氓进县政府当门卫已经半年了，后来因夏局长发现他是个人才将他推荐出去，从此他就忙得不亦乐乎。今天到这个书记家做厨，明天到那个县长家打杂，夏局长家的重活几乎是他一个人包了。这里的每一个干部职位都比他大，都不好对付，都不好得罪。几个月来，他感到自己的腰都没有直过，他觉得在这里活得很累。这真不是人过的日子，长期这么下去迟早要憋出病来。这转正的事也不知能否成功，如果成功不了，还不如早些滚蛋，自己开餐馆去，发挥一技之长。

正当牛一氓胡思乱想的时候，对面信访办传来了吵吵嚷嚷的声音，门口拥满了一群老人。信访办主任和雷科长一边苦苦相劝，一边将他们往外搡。这群老人虽被搡出来了，但并没离开，在大门口三五成群地发着牢骚。牛一氓仔细地观察了一下，他们一个个鬓发斑白，老态龙钟，不少人胸前戴着奖章，有的是战斗英雄，有的是劳动模范。这时有位老人拄着拐杖蹒跚着走进值班室，找牛一氓讨把椅子坐。值班室一般是不允许外人进的，牛一氓见是两位老人也就让他俩进来了。牛一氓问他们是来做什么的，两位老人轮番着向他诉说起来：我们是远山起重设备厂的，这是个有五千工人的大厂，这些年来厂长走马灯似的换人，已经折腾得没气了。现在又卖给私人老板了，老板事先提出条件，要他买就得甩包袱，一次性处理离退休工人和年纪大的工人，男50岁，女45岁，一刀切，一次性买断，每年100元。不答应，他就不买。游书记亲自在这个厂搞试点，同意了。同志，你说这咋叫人活命啊！

为党为国干了一辈子，三四千元就给打发了，简直比狗还不如。我们还要活二三十年，一个月才十几块钱？与最低生活保障线差得远呢，更不谈治病了。这事我们找了游书记，他说这事你们去找卜县长，这是政府管的事。后来我们就去找卜县长，找到县政府，政府办把我们领到信访办。信访办接待我们后就让我们回去，说由他们向领导汇报，一直没有答复。我们都来好几次了，次次都说卜县长不在，把我们哄回去了。今天我们不找到卜县长就不走了，说着说着，两位老人泪眼婆娑地哭了起来。他们两位，一位在朝鲜战场打过仗，立过三等功，腿上还留着敌人的弹片。一位是五十年代全国的劳动模范，上北京见过毛主席。听到他们的介绍，牛一氓心里忽然沉重起来。人干了一辈子革命，现在老了，怎么就落到这个结果了？这种事落到谁的头上都不好想啊！他对卜县长还是比较了解的，这人务实，找到他也许能解决问题。

这时有一位老人说：同志，你能不能帮我们找到卜县长？我代表这些老家伙求你了。人总是要老的，你今后也要老的。牛一氓见这位老人把话说到这份儿上，心软了，一种强烈的同情感油然而生。恰在这时卜县长坐的 80002 号车开进来了，牛一氓不由自主地指着这辆黑色的桑塔纳对两位老人说：卜县长回来了，那是他的车，他坐在车里，你们去找他吧！两位老人高兴了，不停地说着感谢，然后蹒跚地出去了，将老人们喊到一起向办公大楼走去。

十几位老人走上二楼，就被政府办秘书科的一位年轻干部拦住了，问他们找谁？他们说找卜县长。年轻干部说：卜县长不在，他今天去省城了，有什么事，你们和我说。一位领头的老人说：跟你说没用，我们来过好多次了，至今也没解决问题，我们直接找卜县长。年轻干部说：卜县长真的不在家。领头的老人说：我们看着他的车进大门的，看着他下车的，怎么会不在呢？你们年纪大了，是不是看花了眼？领头的老人一激动说：我们眼睛花了，门卫的眼睛该没花吧，是你们门卫小牛对我们说的。今天见不着卜县长，我们不走了。要不，你把县长办公室打开让我们看看，没人，我们走。年轻干部为难了，去向邵主任汇报。邵斌听了年轻干部的汇报，脸立即就拉长了很难看。嘴上没说心里却骂开了，这个牛一氓真是个二百五，扯淡！邵斌就出来接待这些老人们。老人们不再听邵主任的了，非见卜县长不可，不见到卜县长就不走。邵斌见这么多人挤在政府办门口影响不好，就让他们进了秘书科，让工作人员给他们倒茶。十几个老人就把秘书科挤得满满的。

邵斌从秘书科出来走进主任办公室，他拿起电话拨给卜县长，卜县长正在县长办公室看文件。邵斌就把十几个老人找他的事说了，说非要见他不可。卜县长在电话里骂起来了：妈的个×，脱离实际搞改革，捞政治资本，拉了屎，要我们揩屁股！邵斌不好插话，稍等片刻才说：这些老人都在秘书科，知道你在办公室，你不见恐怕不行。卜县长的火气还没消，他说：你说我这县长咋当？财税收入月月减少，仅发的前四项工资已两个月没发了，少得可怜的县长备用金早就用完了，咋答复他们？

我这个县长当得窝囊，我准备辞职不干了。邵斌在电话里听得出卜县长粗粗的喘气声，忙说：卜县长，你压压火，你压压火，别说气话了。冷静了大约两分钟，卜县长缓和了一下口气说：好，你让他们派两三名代表来吧！

事后，邵斌把牛一氓叫到办公室，好好地将他克了一顿，说他违背了门卫的纪律，若不是他把担子挑起来了，县长非要训人不可，并再三嘱咐他要以此为戒。听得牛一氓诚惶诚恐起来。第二天，夏局长就知道了这件事，又把牛一氓找到行管局当着大伙儿的面，大发雷霆地把他训了一顿。牛一氓就产生了反感，脸憋得猪肝红，但他强忍着没有发作。

十一

牛一氓挨了夏局长一顿训斥之后，心情很不痛快，闷闷不乐。他开始感觉到这门卫工作真的不好搞，左不得，右不得。加上自己又是个临时工，被人瞧不起，每月只拿干巴巴 400 元，还不能和老婆一起过日子，真没意思。要不是想跳出“农”门，他是真的不想干了。然而，能不能转正呢？都干七八个月了，转正的问题还八字没一撇呢！他可是真的急了，如果转正没有希望，他打算干到年底就不干了。游书记曾经说过，让他去找卜县长，还答应给卜县长打招呼的。一个县委书记给一个县长打招呼了，还有什么问题呢！游书记有没有给卜县长打招呼呢？这种事你又不好去问他，他想找个机会直接去问一下卜县长。

这天晚上卜县长家里有客，照例让人把牛一氓叫去做厨。卜县长家的客人特别多，他在远山县干了十五年了，先是镇党委书记，后来是副县长、副书记，这一届被选为县长。他上下关系多，人缘好。牛一氓到他家做十几次厨了，已和卜县长很熟了。当然，卜县长请客，你做厨的是不好上桌的。他们谈着工作，说着荤话，发些牢骚，然后就开他“擦屁股县长”的玩笑。当然这些人都是卜县长的铁兄弟。

酒尽人散后，卜县长一个人坐在工作室的黑皮沙发上抽烟喝茶，然后靠在椅上闭目养神。他的工作室不像游书记的书房尽是书，而是堆满了报纸、文件、材料、杂志。两个书柜放着一些政治、经济类的书籍，椅后的墙上挂着一排文件和公文。正面墙上挂一幅较大的《江南水乡》国画，色调柔和，泼墨鲜丽。

牛一氓把饭吃完，把事情做完之后，忐忑不安地走进卜县长工作室。卜县长听到脚步声微微睁开眼睛扫了他一眼，问：小牛，有事吗？牛一氓支支吾吾不敢开口。卜县长说：你说吧，有什么事找我？牛一氓一颗心“嗵嗵”地狂跳起来，好一阵才开口：卜县长，关于我的事游书记有没有和您说什么？卜县长说：没有哇。是什么事？牛一氓壮了壮胆说：关于我转正的事，他说要和您打招呼的。卜县长听后冷冷地一笑，淡然地说：他什么都没和我说过，他的话你也相信？他是做大事的人，这类鸡毛蒜皮的事恐怕早忘了。牛一氓听后心一下就凉到极点，好一阵没能说出话来，他能说什么呢！后来还是卜县长开口打破了沉寂的气氛：小牛啊，我看你是个老实人，勤劳厚道。你不想想，政府机关怎么可能还进人呢？行政编制早就冻结了，除非是特殊人才，才个别考虑。本来招临时工就违背了原则，门卫分流了，又找临时工搞门卫，还要编制转正，这不是糊弄人嘛！牛一氓听到这里，就有了一种被愚弄的感觉，有一种被欺骗的感觉。他如坐针毡，羞得恨不能钻进地底下去消失在卜县长面前。这时卜县长话锋一转，说：小牛，你的事邵主任早对我说了。这样吧，你让行管局写个报告给我，我看能不能从其他渠道给你想办法，不过行政编制是绝对不可能的，只能搞事业编制。经费从单位自筹中解决，以退伍军人的名义安排。牛一氓听后喜出望外，他搞不清什么是行政编制，什么是事业编制，还有什么是自筹经费，他觉得卜县长点头的就算解决问题了。他一下子跪了下去，双手合掌给卜县长直拜，说：卜县长，谢谢您了，您是我的大恩人哇！卜县长忙起身扶起牛一氓说：别这样，快起来。你让行管局快点把报告写来，过几天我要去省城治病的。牛一氓忙说：好的，好的，谢谢您了。

第二天，牛一氓特地买了一包黄鹤楼香烟去找夏局长，黄鹤楼可是15元一包呢！他按捺不住心头上的兴奋，嘻嘻地笑着，一边给夏局长递烟，一边把卜县长为他解决事业编制的事一五一十地向夏局长汇报了。夏局长呷着茶似说非说地“嗯”着。牛一氓说完后又给夏局长递了一支烟。想想，干脆把一包烟全放到夏局长桌上了，然后期待着夏局长的恩泽。这时，夏局长脸上的表情很淡漠，他从自己的口袋里掏出一支烟点燃后淡淡地说：牛一氓啊，卜县长关心你是好事，但这自筹工资我到哪里去要？财政不给钱我行管局哪来的钱呢？牛一氓听到这里如闻晴天霹雳一下子就蔫了。转念一想便问：我和邬小虎临时工的钱从哪里来的？夏局长说：这是我磕头作揖给你们讨来的。临时工嘛，有钱就用，没钱就不用。牛一氓听了此话十分气恼，他愤愤地说：那你不是在骗我吗？我不图个转正我来干什么？一个月才干巴巴的400元，我一家人喝西北风去？夏局长说：牛一氓，我给你说什么了？我说过关心你。但我没有答应给你招工、转正嘛！牛一氓听到这里气呼呼地走了，临走时把那包拆开了的黄鹤楼从夏局长桌上也拿走了。

牛一氓决意要回去了。当晚他很气愤地去找邵斌，把前后经过都说给他听了。邵斌听后也很气愤，觉得这个夏局长不是个东西，这点面子都不给。后来想想自己也要走了，省民政厅已来了函调，走是迟早的事，也就不想让牛一氓继续留下来盼什么转正了。转正了又能怎么样？在职的科局长们每月也只拿前四项，也就600来元吧，也就是应到手的一半。牛一氓有手艺，开个餐馆何止这点儿钱呢！想到这里邵斌对牛一氓说：阿氓，我对你已经尽心尽力了，行管局不收，我也没办法。我同意你离开这里，我也要走了，你就别留在这儿了。我看你的烹饪手艺不错，在县城开个餐馆，比我们当科局长的强多了。科局长每月多少钱？也就六七百左右吧！

邵斌停了一会儿接着说:那两万元没人过问吧?你就拿去做开餐馆的启动资金吧!等以后有钱了,还上,把这两万元捐给学校或福利院。这个游书记,只说不干,只捞钱不抓经济,不顾人民利益,把江总书记“三个代表”不知丢到哪儿去了!最终受害的还是老百姓啊!牛一氓说:邵营长,还是喊邵营长亲切,我正是这么想的,明年我就去开餐馆,老婆、孩子都带出来,凭我的手艺和吃苦精神,我就不信活不出个人样来。明年开张,你若没走就一定要来捧场。那两万元我先用着,赚回来后我就捐出去,到时把收据交给你。邵斌说:见外了吧!我相信你。你餐馆开张,我就是走了,只要我来远山就到你的餐馆去吃。牛一氓说:别说了,你再来,县里还不把你当菩萨供着,怎么可能让你到我的餐馆去吃呢!邵斌说:不到你的餐馆去,我就不吃还不行吗?两个人就会心地开怀大笑起来,把一切烦恼都抛到一边去了。

就在牛一氓到邵斌家去的时候,夏局长敲开了卜县长的门,还顺便给卜县长捎去20斤贵重药材泡制的滋补壮阳药酒。卜县长正在工作室里看文件,夏局长笑盈盈地走了进去,乐哈哈地感谢卜县长对行管局的关心,解决了门卫的一个编制。然后就转正对象向卜县长作了详细说明。他说:卜县长,门卫两个临时工都是退伍军人,表现都不错。特别是牛一氓,人老实,也勤快,但美中不足的是整体素质较差。那天十几个老头围攻您就是他让他们来的。那次曹县长办公室遭窃,也是他把看到的东西往外传的。还有,那次三级干部会上,听他们村支书反映,说牛一氓在家时表现不太好,常和领导抬杠。我怕这人留下来今后会惹麻烦。说到这里,夏局长打住了,见卜县长脸上的表情依然平静,便接下去说:我们局党支部研究了一下,一致同意先安排邬小虎同志,这是我们写的报告。夏局长说完就从口袋里把早已写好的报告递了上去,放到卜县长桌上。卜县长提醒说:我给的是事业编制,经费是单位自筹的啊!夏局长说:您批了,我们再想办法。卜县长就把报告给签了。

十二

牛一氓离开县政府这天,北风一阵阵地刮着,在树枝上发出哨响,天空灰暗而阴沉,像是要下雪的样子。临走时夏局长做出舍不得的样子一个劲儿地挽留,还说中午要为他饯行。牛一氓执意不肯。

牛一氓走出县政府大门口时,就去了值班室。虽然只来七八个月,这屋里的一切是那么的熟悉,马上要离开了,还真的有些留恋。邬小虎很客气地给牛一氓倒了一杯开水,两个人就寒暄起来了。大约20分钟左右,牛一氓听到了门外的嘈杂声,看到了杂乱的人群。凭他的直觉是上访的人找县委、县政府解决问题来了。这时他走出去一看,人越来越多,还有十多部卡车正在下人。车上有人举着厂标和横幅,厂标是“远山通用机械厂”。横幅写着:“我们要工资,我们要吃饭。”牛一氓发现形势不对，忙对邬小虎说：小邬，你快把大门关上，我给县委办和政府办报告，让他们赶快出面处理。邬小虎有些不以为然地说：他们要进就让他们进吧，看他们能把书记、县长吃了不成。牛一氓说：这么多人去了，县政府还成什么样子了。小邬，快把大门关上，维护安全和工作秩序是咱们门卫的职责。邬小虎这才摁下按钮，不锈钢自动门就延伸出去，把大门严严实实地关上了。外面的人群并不急着进来，他们开始排起并不整齐的队伍，厂标和横幅扯在队伍前面。后面的人越来越多，加上街道两旁看热闹的，黑压压一大片，总有好几千人。这是牛一氓当门卫几个月来没见过的场面。牛一氓打完电话就跑出去询问情况，这才知道事件发生的缘由：远山通用机械厂原是省下放的一个大厂，由于种种原因，生产不景气，干部工人已有5个月没发工资了。三个月前，在全县范围内，采取公开选拔的方法择优选拔厂长。通过笔试、面试、考核，确定了三个人选。常委研究时，游书记却另定一人，把全县人民都愚弄了。新上任的厂长，华而不实，大手大脚，口是心非，在工人工资发不出的情况下，把好不容易收回的四十万货款，偷偷买了两辆小轿车，一部红旗送给了游书记，一部桑塔纳留给自己。还美其名曰，这是工作需要。工人们知道后，个个义愤填膺，先是写控告信告到县委、县政府，没人理。又告到地委、行署，也没有明确的答复。今天他们是来找游书记要钱来的，要不到钱就要车子，他们还说，他们已侦察到游书记今天在家开改革论文研讨会。

牛一氓知道这些后不无感慨，他疑惑了，他不相信游书记会做出这种事来。牛一氓规劝他们说：你们还是通过正规渠道向领导反映吧！县级不行上地级，地级不行上省级，省级不行上中央。这样闹不行啊！他们说：同志，你是不知道，我们的控告信，省、地、县都送了，一直没有回音。我们这样做也是没法子。我们也不胡闹，我们只要游书记出来给我们说清楚，如果他的车是我们厂送的，不退钱就退车；如果不是，我们就走人。今天，我们还派人去省、地了，我们要把远山的情况全面向上级领导反映一下。牛一氓听后，觉得这些工人还是蛮讲道理的。

这时，工人队伍中响起口号声："我们要见游书记！""我们要见游书记！"那口号声虽不很响亮，却如闷雷一样在地面上滚动，撼人心哩！整个办公大楼的窗户全打开了，每个窗户都站满了看热闹的人。

这时，分管机关的胡书记带着县委办主任、管工业的副县长和经委主任，急匆匆来到大门外。胡书记先是发火，说他们这是胡闹，然后就问谁是头儿。队伍中参差不齐地说：我们都是头儿，想抓，就把我们都抓去！还有人说：都什么年代了，还想吓唬谁？胡书记口气就缓和了，说：你们有什么事？有什么要求？派代表到办公室来谈，好不好？队伍中就有人说：我们要见游书记。这时队伍中就又响起了"我们要见游书记"的呼喊声，这呼喊声一浪高过一浪。

远处传来了警笛声，声音越来越近，两辆警车切开人流开到县政府大门口。车上下来十几位全副武装的警察，往大门前一溜儿排开，威严地站着。

胡书记这时大声喊着:工人同志们!请静一静!呼喊声立即停下来了。胡书记接着说:同志们!游书记不在家,大家有什么事和我说。队伍中就有人说:游书记在四楼开会,我们看见他坐着红旗车进去的,你就别蒙我们了。胡书记发现工人们把情况掌握得十分清楚了,也不好再打掩护了,佯装着问办公室涂主任。涂主任便又和分管工业的副县长耳语了一会儿,然后就转身走了。这时队伍中骚动起来,有人说:我们见不着游书记今天就不走了。

不一会儿,涂主任从办公大楼走出来了。他悄悄告诉胡书记说:游书记坚决不见他们,说这事就交给你处理了。胡书记脸上就有了怨气,轻声地说:这叫我怎么处理?他坐车不退,我咋向工人们答复?涂主任,你还是让他来吧!涂主任说:他说他从后门先走,让我派车到后门接他。胡书记一脸的不高兴,牢骚满腹:他想溜,这是一把手做的事吗?涂主任,你再去找他一次,他再不来,那只好让工人们把车子抬走了。

就在胡书记和涂主任说话的时候,牛一氓走进了办公大楼。从涂主任和胡书记的说话中,牛一氓知道了游书记想开溜的消息,他感到很难受。他想,这么多工人围在县委、县政府门口影响有多坏啊!他想找游书记规劝一下,与工人见面有什么不好呢?有此事,退车;没有,说清楚就是了。与自己的工人见面不但不丢人,还能树立自己的威信,有什么不好?牛一氓从楼上找到楼下都没找着,他就往后门找去,远远就看见了游书记和秘书的身影。他追了上去拦住他们,说:游书记,通用机械厂的工人要见你呢!游书记说:我有事,我不见。牛一氓说:好汉做事好汉当,见见他们,说清楚了不就行了。游书记发怒了,发怒的时候脸扭曲得很难看:你懂个屁!这不是你门卫管的事!说完拂袖而去。秘书也丢下一句话,简直是个二百五!也跟着走了。

牛一氓气极了,游书记在他心目中的高大形象,忽地就矮小了,坍塌了。他不再是门卫了,他谁也不怕了,他跺着脚狠狠地骂了一句:操,兔子尾巴长不了!牛一氓转身走到办公大楼前面的停车场时,看见大门被打开了,游书记那辆红旗车已被大吊车吊到东风大卡车上去了。这时他的心情感觉熨帖多了,便坦然地走出县政府大门……

春节过后,新的一年开始了。

游书记去中央党校学习去了,远山县又从地委派来一个副秘书长担任县委书记,卜县长还任县长,邵斌调省民政厅优抚处任副处长。

牛一氓在闹市区租了两间房子,开了个餐馆,取名“二百五餐馆”,生意挺红火的。半年以后,他将两万元隐姓埋名地寄到了他家乡的小学。

(选自《长江文艺》2002 年第 3 期)

刘明恒

1946年出生于湖北咸宁。1966年毕业于南京五中,到江浦县插队。1969年回到故乡,1977年考入武师咸宁分院中文系。毕业后从教八年,从政二十五年。六十年代末开始文学创作,以诗为主;20世纪90年代末转向小说创作。已发表中篇小说《门卫牛一氓》《人事变动》《被拐卖的女人》等多部。出版有中短篇小说集《劫难之后》,诗集《山道弯弯》《黑色风景》《走向春天》,散文随笔集《桥》等。